现代化研究

第 四 辑

南开大学世界现代化进程研究哲学社会科学创新基地　主编

商务印书馆
2009年·北京

封面题字	罗荣渠				
学术顾问	丁建弘	郭传杰	郝　斌	洪国起	林被甸
	于维栋				
编委会	常绍民	陈志强	董正华	哈全安	何传启
	李剑鸣	李喜所	牛大勇	钱乘旦	王先明
	杨栋梁				

助理编辑	郑　玮

联系地址　南开大学历史学院(300071)
电话/传真　022—23501630
订购电话　100710　北京王府井大街36号商务印书馆发行部
电　　话　63044891　83164425

前　言

　　我国学术界关注"现代化"问题自罗荣渠先生以来已经有许多年了，特别是近10年来，随着整个世界尤其是中国现代化步伐的加快，对这个问题的研究持续升温，由一般的理解和理论探讨转入深层的研究。这种更为理性化的研究趋势反映在国家重大项目的设立，和南开大学"世界现代化进程研究"哲学社会科学创新基地的建立上。为了继续汇集全国相关学者的智慧，北京大学世界现代化进程研究中心的同仁们将他们多年来精心主编的《现代化研究》转移到南开大学"世界现代化进程研究"哲学社会科学创新基地来，这是对我国"现代化进程研究"事业高度负责的一个举动。

　　《现代化研究》自2002年问世以来不事声张，低调运作，重在学术研究。诚如其"约稿通知"中所透露的办刊宗旨所说，"立足于中国现代化建设的热土，同时关注世界现代化的大趋势，为研究现代化理论与进程的中外学者提供一个学术交流的园地"。睿智的读者一定注意到了，其前三辑中既无学界大腕和政界高官的捧场寒暄之作和庞大虚设的编委会，也没有编者多余的赘语，更没有因为它而引出诸如发布会等的种种噱头。这好像不太符合当下办刊的时尚，但是却反映了它的一个风格。南开大学"世界现代化进程研究"哲学社会科学创新基地的各位同仁非常欣赏这种扎实的学术风格，也希望能够继续保持它的风格。

　　如果说由南开大学"世界现代化进程研究"哲学社会科学创新基地主办的第四辑《现代化研究》有什么新变化的话，可能就是打破学术辈分和圈子的限制，更多地吸收有志于此的同仁贡献智慧，扩大作者面，特别是吸纳在现代化进程研究领域出现的新生代的出色作品。本刊编委会认为，正是他们这些现代化进程研究的后起之秀有可能为这个领域的研究带来更多的新风和突破。思想需要自由，学术本无禁区，新的《现代化研究》将包容更多不同的思想理论,扩大对研究成果的审视视野,甚至对于"现代化"这个观念也允许进行重新诠释。

在我国哲学社会科学界流行的各种学术评判机制限制下,包括《现代化研究》在内的一批以书代刊的专业刊物虽然学术质量相当高,却未能被纳入 CSSCI 系统。这显然影响了这些刊物的发展。南开大学"世界现代化进程研究"哲学社会科学创新基地希望接手办刊工作后,能够按照现有的各种规定解决这个问题,争取尽早被列入这个系统,以便为其发展开拓更大的空间。

现代化建设是我国人民正在进行的伟大事业,现代化进程研究则是我们学界责无旁贷的伟大事业,这个事业要求我们对古老的中华民族从传统社会向现代社会转型这一重大历史事件给出学理上的说明。我们希望在今后的岁月中,继续得到学界同仁的支持,努力把《现代化研究》这个学术园地办成百花齐放、新苗破土而出的伊甸乐园,使其能够为中国特色社会主义现代化建设事业贡献更多绚丽的花朵。

第 四 辑

目 录

主题探讨·全球史与现代化

艾周昌:泛论亚非国家的新型工业化道路 …………………………… 1
陈振昌:全球史对工业文明起源研究的影响 …………………………… 15
刘文明:西方模式与社会发展:全球史视野下的反思 ………………… 24
张伟伟:全球现代化整体研究 …………………………………………… 37
赵文洪:现代化、全球化与世界历史研究 ……………………………… 62

欧美专题

董正华:"联省共和"与17世纪荷兰的崛起 …………………………… 67
付成双:美国现代化中的环境与环境问题 ……………………………… 82
黄正柏:20世纪发达资本主义国家调整改革之概观 ………………… 125
刘景华:中世纪英国城市市民的社会和经济生活考察 ………………… 141
倪学德:论德国法西斯武装干涉西班牙决策的战略得失 ……………… 171
王乃耀:论佛罗伦萨早期文艺复兴的经济基础
　　　　——兼论计量史学方法的运用 …………………………………… 180
赵士国:十月革命:20世纪初俄国现代化的唯一出路 ………………… 203

亚非拉专题

潘　芳:福祸相随
　　　　——早期阿根廷经济现代化发展的特点 ……………………… 215

王红生:印度城市化进程缓慢原因探析……………………………… 231
王　萍:解析拉丁美洲现代化进程中的贫困化…………………………… 245
尹保云:韩国的两大党制发展趋势
　　　——政治现代化中的"技术因素"与"社会因素"……………… 263

中东专题

哈全安:关于中东现代化进程中若干问题的思考……………………… 289
李　婧:土耳其第一共和国时期的政党政治(1923—1960)…………… 304
王　泰:当代埃及经济发展模式的形成与转型………………………… 323
王　莹:1905—1911年伊朗宪政运动与伊朗政治
　　　现代化进程的开启………………………………………………… 338
吴　彦:沙特王国现代化进程中的民间政治反对派…………………… 356

中国专题

陈争平:中国早期现代化进程中工商社团的社会整合作用…………… 378
李丽娜、江沛:正太铁路与榆次城市化进程:1907—1937 …………… 393
袁媛、周芬芬、刘义杰:无锡自开商埠中现代化问题述论……………… 409

比较研究

车效梅:西方文明的冲击与东方城市现代化的启动
　　　——以开罗和上海为例…………………………………………… 421
郭爱民:土地市场与前市场的辩驳
　　　——民国前期长江三角洲与18、19世纪英格兰土地流转的市场
　　　视角………………………………………………………………… 435

理论与思考

尹建龙、陈晓律:国外学术界对英国工业革命时期工业家在
　　　社会各阶层分布情况的统计研究 ……………………………… 453

代　云:中国化马克思主义与中国的现代化……………………474
景德祥:韦伯理论对晚清中国现代化研究的启示………………485
严立贤:走向马克思主义现代化研究的曲折道路
　　　——罗荣渠教授在《北大岁月》中的艰难路程……………494

新书传真

周术情:中东现代化研究的新视界
　　　——评《中东国家的现代化历程》……………………522

Contents

Ai Zhou-chang : General Discussion on the New Industrialization Road of the Asian-Africa Country ……………… 1
Chen Zhen-chang: The Impacts of Global History upon the Study of Origin of Industrial Civilization ……………… 15
Liu Wen-ming : Western Model and Social Development: A Reflection in the Global History Perspective ………… 24
Zhang Wei-wei: A Holistic Approach to Global Modernization ……………………………………… 37
Zhao Wen-hong: Modernization, globalization and the study of world history ……………………………… 62

Dong Zheng-hua: "The United Provinces" in the Golden Age of the Netherlands ……………………………… 67
Fu Cheng-shuang: On the Environmental Problems in the American Modernization ……………………………… 82
Huang Zheng-bai: A General Survey of the Adjustments and Reforms in the Developed Capitalist Countries in the 20th Century ……………………………………… 125
Liu Jing-hua: The Burgesses' Social and Economic Life in English Medieval Towns ……………………………… 141
Ni Xue-de: On the Strategic Gain and Loss in Nazi Germany's

Armed Interference in Spain's Civil War ⋯⋯⋯⋯⋯⋯ 171
Wang Nai-yao: On the Foundation of Florence in the Early
　　Renaissance—Discussing the method of quantity
　　history ⋯⋯⋯⋯⋯⋯⋯⋯⋯⋯⋯⋯⋯⋯⋯⋯⋯⋯⋯⋯⋯⋯⋯ 180
Zhao Shi-guo: The October Revolution: The Only Way for Russia at the Beginning of 20th Century ⋯⋯⋯⋯⋯⋯⋯⋯⋯ 203

Pan Fang: Weal and woe—the characteristics of Argentine early
　　economic modernization ⋯⋯⋯⋯⋯⋯⋯⋯⋯⋯⋯⋯⋯⋯ 215
Wang Hong-sheng: Cause and Effect of Slow Urbanization in India ⋯⋯⋯⋯⋯⋯⋯⋯⋯⋯⋯⋯⋯⋯⋯⋯⋯⋯⋯⋯⋯⋯⋯⋯⋯ 231
Wang Ping: Analysis on the Poverty during the Process of the
　　Latin American Modernization ⋯⋯⋯⋯⋯⋯⋯⋯⋯⋯ 245
Yin Bao-yun: The Tendency towards Two-party System in
　　Korea—The relationship between "technical factor" and
　　"social factor" in political development ⋯⋯⋯⋯⋯⋯⋯ 263

Ha Quan-an: Some Thoughts on the Process of Modernization of
　　the Middle East ⋯⋯⋯⋯⋯⋯⋯⋯⋯⋯⋯⋯⋯⋯⋯⋯⋯⋯ 289
Li Jing: The Party Politics in Turkey's First Republic(1923—
　　1960) ⋯⋯⋯⋯⋯⋯⋯⋯⋯⋯⋯⋯⋯⋯⋯⋯⋯⋯⋯⋯⋯⋯⋯ 304
Wang Tai: The Formation and Transformation of Economic Development Mode in Contemporary Egypt ⋯⋯⋯⋯⋯⋯ 323
Wang Ying: The Iranian constitutional revolution, 1905—1911
　　and Iran's political modernization outset ⋯⋯⋯⋯⋯ 338
Wu Yan: Nongovernmental Political Oppositions in the Moderni-

zation of the Kingdom of Saudi Arabia ·················· 356

Chen Zheng-ping: The Social Integration Function of the Industry and Business Association in Modernization of China ·· 378
Li Li-na, Jiang Pei: The Zhengding-Taiyuan Railway and the Course of the Urbanization of Yuci: 1907—1937 ······ 393
Yuan Yuan, Zhou Fen-fen, Liu Yi-jie: On the Ports Opened Voluntarily by China and the Problem of the Modernization of Wuxi ·· 409

Che Xiao-mei: The Challenge from Western Civilization and the Commencement of the Eastern City Modernization—take Cairo and Shanghai as example ································· 421
Guo Ai-min: A Debate on the Market and Pre-market of Land— the Flow of Land between the Delta of Yangtze River during the Prophase of Republic of China and England in 18th and 19th Century ··· 435

Yin Jian-long, Chen Xiao-lv: Industrialization and Social Mobility: Introduction of Foreign Research on Social Origins of Industrialists in British Industrial Revolution by Quantitative Method ··· 453
Dai Yun: Sinicized Marxism and Modernization in China ······ 474
Jing De-xiang: Enlightenments of Max Weber's theory to the research of China's modernization of the late Qing

Dynasty ·· 485

Yan Li-xian: The Professional Life of Luo Rongqu in Peking University ·· 494

Zhou Shu-qing: The New View of the Studies on the Modernization of the Middle East: A Review on *The Process of the Middle Eastern Countries* ························· 522

泛论亚非国家的新型工业化道路
General Discussion on the New Industrialization Road of the Asian-Africa Country

艾 周 昌(华东师范大学历史系)

摘要:工业化是实现现代化的核心和前提,也是经济现代化的重要体现。亚非国家新型工业化道路是相对于传统工业化道路而言的。西方国家走过的传统工业化模式,是一个高消耗、高污染、低效益的模式,以滥用自然资源、破坏生态环境为前提。它虽然极大地提高了社会生产力,但它也给人类带来了不可忽视的负面作用。我国领导人提出的"新型工业化"理论,是适应20世纪初世界新形势,特别是世界科技革命新形势和我国尚处在社会主义初级阶段的产物,是对西方发达国家传统工业化模式的扬弃和发展,也是对发展中国家现代化经验的总结。它的主要特点是以信息化带动工业化,以工业化促进信息化;坚持可持续发展和实施科教兴国战略。

关键词:发展中国家; 工业化模式; 现代化; 可持续发展

Abstract: The industrialization is the core and premise of modernization, and also the important body of economic modernization. The new industrialized road of some Asian-Africa countries is opposite to traditional industrialized road. The traditional industrialized mode that the western countries pass by is a high consumption, high pollution, and poor benefit mode, under the prerequisite of abusing the natural resources, destroying the ecological environment. Though it has improved social productivity greatly, it has brought the negative function to mankind either. The New

Industrialization theory which the leader of our country puts forward, adapts to the new situation of the world at the beginning of the 20th century, especially the result that the new situation of revolution in science and technology of the world and our country are still at primary stage of socialism, it is sublation and development to the traditional industrialized mode of Western Developed Countries, is a summary of Developing Countries' modernized experience too. Its main characters are using informationization to bring along industrialization, promoting the informationization by industrialization; insisting on sustainable development and implementing the strategy of revitalizing the nation through science and education.

Keywords: Developing Country; Industrialized Mode; Modernization; Sustainable Development

现代化是当代每一个发展中国家的共同目标。后起的亚非国家有必要遵循现代化的一般规律，走先行现代化国家已走过的路，但又必须结合本国的国情及新的国际国内经济社会政治环境走出具有自己特色的现代化道路。现代化作为一个社会发展概念，其内涵十分丰富，包括经济、政治、军事、文化、人的发展等多方面的内容，其中的工业化是一个国家基本实现现代化的核心和前提，是经济现代化的体现。由于工业化是一个国家实现现代化的必由之路，因此探讨工业化的发展模式是研究现代化无法逾越的一道坎。

一、亚非国家工业化的实践

亚非国家的现代化是受欧洲发达国家的冲击和影响而发生的，因此称为"外源性"现代化模式。最早受到冲击和影响的是处于欧亚非三大洲交通枢纽的埃及和土耳其。严格说来，亚非国家最早举起现代化和改革大旗的是埃及总督穆罕默德·阿里,被称为"现代化的专制君主"[1];最先明确提出富国强兵的关键在于"学习西方"的是支持阿里改革的哲学家马鲁丁·阿富汗尼,他认为"摆脱欧洲辖制的唯一希望,在于学习西方,获得科学的观点,掌握西方的技术,因而增强力量"。[2]

穆罕默德·阿里于1803年掌握了埃及政权后,在新兴地主商人集团的支持下,实行了大刀阔斧的改革。他仿照拿破仑的做法,打击以马木路克为代表的封建保守集团,实行土地和税收改革;按照法军的模式建立和训练了一支25万人的新军、拥有32艘军舰的海军;在经济上大力发展现代工业,建立了火药厂、枪炮制造厂、造船厂、纺织厂、呢绒厂、染料厂、铸造厂等企业,仅纺织厂就有30家,埃及民族工业初具规模。这次改革促进了埃及生产力的发展和阿拉伯文化的繁荣,培养了一批新知识分子,使埃及成为"当时奥斯曼帝国的唯一有生命力的部分"[3],并对奥斯曼帝国和其他亚非国家产生了重大影响。

从19世纪中叶开始,非洲的突尼斯、马达加斯加、埃塞俄比亚、摩洛哥和亚洲的土耳其、中国、日本、伊朗、缅甸、泰国等国都先后进行了现代改革运动,有的国家改革一直持续到20世纪初。在这场席卷亚非许多国家的现代改革运动中,"富国强兵"是其核心内容,在工业化方面,除了发展军事工业外,主要是创办了一些采用机器生产的工矿企业。如在马达加斯加,在法国人拉博德的帮助下,19世纪中叶在首都塔那那利佛附近建立了一个工业中心,集中了上千名工人在这里生产枪支、火药、玻璃、陶器、肥皂、染料、照明工具和各种劳动工具,使用了鼓风炉和机器进行生产,建立了铸铁、印染、纺织和搬运等18种行会。

但是,19世纪亚非国家的防御性现代化浪潮基本上都是照搬照套西方

---

[1] P. J. Vatikiotee, *The History of Egypt*, London, 1980, p.44.

[2] 赛义德·菲亚兹·马茂德:《伊斯兰教简史》,吴云贵译,社会科学出版社1981年版,第601页。

[3] 卡尔·马克思、弗里德里希·恩格斯:《马克思恩格斯全集》第9卷,人民出版社1963年版,第231页。

工业化国家的模式和路数,除日本因其特殊的国内外条件外,亚非国家的这次现代化尝试都以失败告终。究其原因有二:一曰水土不服;二曰先生打学生。

所谓水土不服,就是西方的资本主义工业化模式只适于欧美国家,而不适合于绝大部分的亚非国家。马克思曾明确指出,资本主义的基础和历史前提是生产者和生产资料的彻底分离。他"把这一运动的'历史必然性'限于西欧各国",反对把它解释为"一切民族,不管他们所处的历史环境为何,都注定要走这条道路。"[①]历史环境也可以理解为国情。西欧在罗马帝国崩溃、日耳曼人入侵之后逐步形成英、法、德等封建国家,留下了古代日耳曼人的具有双重性农村公社(村社)和古代习惯法,成为西欧人民自由和活动的中心。在反对封建统治的斗争中,自由农民通过劳动积累财富,成为富裕农民,从而使一元化的领主经营结构解体,转化成资本主义的租地农场主。与农村资本主义萌芽、发展的同时,由获得自由的农奴重新建立起来的西欧中世纪城市,成为自由竞争的商品经济的中心,出现了工场手工业。这就是西欧资本主义工业化的前提条件。而在东方的亚非各国,二重性的农村公社(村社)同封建专制制度结合,长期保存了农业和手工业紧密结合的自然经济,把适应于西欧各国的"欧式"现代化生搬硬套在东方各国,当然水土不服。

所谓先生打学生,就是殖民主义入侵和统治打破了亚非人民学西方的迷梦。毛泽东在总结近代中国人学习西方时,说过一段既生动又很有启发的话:"自从1840年鸦片战争失败时起,先进的中国人,经过千辛万苦,向西方国家寻找真理的洪秀全、康有为、严复和孙中山,代表了在中国共产党以前向西方寻找真理的一派人物。那时求进步的中国人,只要是西方的新道理,什么书都看……那时的外国只有西方资本主义国家是进步的。"但是,"帝国主义的侵略打破了中国人学西方的迷梦。很奇怪,为什么先生老是侵

[①] 卡尔·马克思、弗里德里希·恩格斯:《马克思恩格斯全集》第19卷,人民出版社1963年版,第430、130页。

略学生呢？中国人向西方学得很不少，但是行不通，理想总是不能实现"。①不仅中国是如此，亚非那些学西方的国家大都如此。尽管学生学习很努力，然而老师却每每要打学生的板子。从埃及和土耳其开始，各国的历次改革和学西方的潮流都被西方的侵略战争打碎了，把亚非国家变成了西方的殖民地和半殖民地，被排挤到现代化的边缘和半边缘的地位。这样，亚非国家开始寻找一条适合自己国情的工业化和现代化新路。

第二次世界大战后不到半个世纪，共有100多个亚非国家摆脱殖民统治，建立了独立国家，为各国奔向现代化提供了坚实的政治前提，也为它们的社会经济发展提供了机会，亚非地区的工业化速度明显加快，其中亚洲"四小龙"的高速增长最为典型。新加坡领导人李光耀曾说："殖民主义的结束本身并不能导致社会和经济的进步，它仅仅为这种进步提供了一些机会，我们要学会更好地利用这些机会"，②"我们的政策是从世界其他各地将专门技术和工业技术引进新加坡，以提高工业化的速度。"③

在具体实践中，亚洲"四小龙"在学习西方先进技术和管理经验的同时，注意根据世界经济形势和自身状况，及时调整工业化战略，从20世纪60年代开始变"进口替代工业化"模式为"出口导向型工业化"模式，首先发展纺织、服装、玩具和电子产品组装等劳动密集型产业，在积累了一定的资金和技术后，又发展钢铁、石化、造船、汽车制造和电子计算机等资金和技术密集型产业，从而实现了自工业革命以来时间最长的经济持续高速增长。以新加坡为例，在1961—1965年第一个五年发展计划时期，重点发展进口替代、劳动密集型轻工业；到了1966—1970年第二个五年经济发展计划时期，重点发展以出口为目标的炼油、造船、电子、电器等行业，同时扶持交通运输、贸易和旅游等服务行业；在1971—1980年第一个十年经济发展计划时期，重点是鼓励高技术、高增值、在国际市场上有较强竞争力的工业，如集成电

---

① 毛泽东：《毛泽东选集》第4卷，上海人民出版社1966年，第1406—1407页。
② A.乔西：《李光耀》，安徽大学外语系、上海人民出版社编译室译，上海人民出版社1976年版，第513页。
③ A.乔西：《李光耀》，第182页。

路、计算机部件、晶体管收音机和电视机、光学仪器、钻探设备和照相器材等。1979年新加坡提出进行"第二次工业革命",进一步实行工业技术升级,因此在1981—1990年的第二个十年经济发展计划时期,重点发展电脑、机器人、电器制造业等知识密集型的工业领域,并突出发展国际服务业,将新加坡建设成为中高级工艺制造、贸易、交通、通讯、电脑服务中心和超级金融市场。和西方发达国家相比,新加坡工业革命延续的时间及其产业结构调整的时间都较短,成为一个典型的"新兴工业国"。它的人均国民生产总值在20世纪后半叶也急剧上升,1959年为400美元,1990年为12000美元,1999年已达到22000美元。

在当今,任何国家在经济发展中都不可能固守一种发展道路,始终维持同样的经济结构和经济政策。世界经济竞争日趋激烈,如果政府不作任何调整,则经济难以持续发展,国家就会落后。进入21世纪,西方发达国家的现代化已进入知识经济时代,全球化浪潮成不可阻挡之势越来越大地影响着广大亚非国家。在此形势下,如何探索出一条既符合本国国情,又能快速发展的工业化道路,成为许多学者和政治家集中思考的问题。

二、走"新型工业化道路"是时代的必然

新型工业化是中国学者为适应世界形势的新发展和中国尚处在社会主义初级阶段的国情提出的。2002年,中国共产党在第十六次代表大会报告中明确指出,"实现工业化仍然是我国现代化进程中艰巨的历史性任务。信息化是我国加快实现工业化和现代化的必然选择。坚持以信息化带动工业化,以工业化促进信息化,走出一条科技含量高、经济效益好、资源消耗低、环境污染少、人力资源优势得到充分发挥的新型工业化路子。"[①]

新型工业化道路的"新型"是相对于我国原有的工业化道路,相对于发

[①] 江泽民:"全面建设小康社会,开创中国特色社会主义事业新局面",《中共十六大报告辅导读本》,人民出版社2002年版,第19页。

达资本主义国家曾经走过的传统工业化道路而言的。所谓工业化,是指从传统的以农业和手工业为基础的经济体系向现代的以先进工业为基础的经济体系转变的历史过程。以英国为代表的传统工业化道路走的是高消耗、高成本、高污染的路子。相比较而言,"新型工业化"有三个基本内涵:

第一,以信息化带动工业化,以工业化促进信息化。欧美发达国家从18世纪40年代开始工业革命,传统工业化开始形成。历经蒸汽机时代、电气时代和第二次世界大战后的高新企业的发展,他们的工业化水平已经达到成熟的阶段。传统的工业化一方面极大地提高了社会生产力,根本改变了这些国家的面貌,其功不可没,但是它也形成了一种高消耗、高浪费、高污染、效益低、环境差的模式,给人类带来了不可忽视的负面作用,急需改变。从20世纪70年代开始,知识经济形成,发达国家迅速转向知识经济,高新技术产业如雨后春笋般涌现。

工业化的任务不完成,现代化就难以实现,焉能转向知识经济。因为信息产业的发展、信息技术的研究和开发,都是以工业化的成果为基础的。如果走先工业化、后信息化的道路,是行不通的。因为发展中国家会被发达国家在知识经济时代的高速发展抛在后面。忽视工业化,离开了工业化的信息化,将缺乏必要的物质基础,片面发展信息化的道路也是走不通的。因此,坚持以信息化带动工业化,以工业化促进信息化的新型工业化道路才是正确的选择。它要求优先发展信息产业,在经济和社会领域广泛应用信息技术,积极发展高新技术产业,并用以改造传统产业,大力振兴装备制造业。在十六大以后,中国70%的国有骨干企业,按照走新型工业化的要求,加大企业改造力度,以信息化带动工业化,不同程度地采用计算机辅助设计、制造,甩掉了图版;企业上网已经启动,网上采购、网上招标、网上销售、电子商务等对企业来说已不再陌生了。

"以信息化带动工业化,以工业化促进信息化",不仅正确处理了两者之间的关系,也为我们发挥后发优势、加快推进工业化、实现生产力的跨越式发展提供了可能。

第二,坚持可持续发展战略。传统工业化模式,是一个高消耗、高污染、低效益的模式。300年来,西方工业文明是以滥用自然资源、破坏生态环境为前提的。由于掠夺性地使用自然资源,造成自然资源日益枯竭,气温升高,大气环流失衡,人类的生存环境遭到破坏。①

传统工业经济是一种由"资源—产品—消费—排放"所构成的物质单向流动的线形经济,走的是一条高消耗、高污染、低效益的传统工业经济的路子。在这种经济中,人们以越来越高的强度把地球上的物质和能源开采出来,在生产加工和消费过程中又把污染和废物大量地排放到环境中去,对资源的利用常常是粗放的和一次性的,通过把资源持续不断地变成废物来实现经济的数量型增长,导致了许多自然资源的短缺和枯竭,造成了人类与自然生态的冲突和不协调。

早在西方现代化曙光初露之时,马克思主义创始人就对环境与生态的破坏发出了强烈的呼吁。恩格斯在《英国工人阶级状况》中痛心地说:"森林砍伐殆尽",都柏林"臭气熏天",艾尔河"流入城市的时候是清澈见底的,而在城市的另一端流出的时候却又黑又臭,被各色各样的脏东西弄得污浊不堪了"。位于曼彻斯特西北11英里的波尔顿,"一条黑水流过这个城市……把本来就很不清洁的空气弄得更加污浊不堪。"②

距恩格斯写此书已经200余年,英国和各国政府普遍用强制手段"命令—控制"去管理环境,虽然泰晤士河已经治理了,有鱼群了,但世界上老的环境污染和生态失控尚未得到根本治理,新的又源源不断地冒出来。1952年英国伦敦出现一次烟雾事件,4天内死亡4000多人。全世界每年沙化面积以600万公顷的速度蔓延,受威胁的陆地面积占35%。1958年首次发现空气中的臭氧减少,1985年南极上空观察到臭氧空洞,90年代又在北极上空出现臭氧空洞。因此,从传统工业化所遵循的先污染后治理的路是走不下去了,必须寻找新的工业生产模式以顺应自然发展的客观规律才能解决。

人类是整个地球生态大系统中的一部分,地球环境不仅为人类社会提

---

① 艾周昌:"知识经济与亚非国家现代化模式的选择",《欧亚观察》1999年第2期。
② 卡尔·马克思、弗里德里希·恩格斯:《马克思恩格斯全集》第2卷,人民出版社1963年版,第292、314、321、324页。

供了自然资源,而且为人类提供了生命支持服务。环境破坏将降低生产率,损害人类健康和舒适,从技术上来说,环境保护是经济发展过程的一部分,也就是保护人类自身。因此,发展经济再也不能照传统工业化的方式,而应迈向可持续发展的方式。1987年第八次世界环境发展与委员会会议首次提出"可持续发展"的明确定义是"在满足当代人需要的同时,不损害后代人满足其自身需要的能力"。在当代,西方发达国家可以大力发展以知识的创新、传播和应用为基础的知识经济,而广大发展中国家,包括中国在内,虽然实现工业化仍然是主要任务,但也应当抓住新技术革命带来的历史机遇,根据国情,实行以信息化带动工业化的战略,努力实现从以"资源—产品—污染物排放"的物质流动为基础的传统牧羊式经济,向以"资源利用—绿色产品—资源再生"的封闭流程为基础的循环经济转变。循环经济是一种尊重和运用生态规律的经济,应该是21世纪世界经济发展的重要趋势。在生产和消费的全过程,通过对产业结构的重组与转型,达到系统的整体优化。以环境友好的方式利用自然资源和提升环境容量,实现经济体系向提高产品质量和功能性服务的生态化方向转化,力求经济系统在经济和环境综合效益最优化的前提下,实现经济可持续发展。因此,必须树立全民环保意识,搞好生态保护和建设。

在转变经济增长方式的同时,还要切实执行计划生育,抓紧保护环境、生态和资源的宣传教育,提高全体居民的可持续发展意识。

第三,大力实施科教兴国战略。在传统工业化时期,科技被纳入生产。当今,科学技术是第一生产力。实施新型工业化战略,科学技术是其应有之义的一部分。以信息化带动工业化,不论是在生产和社会各个领域推广信息技术,还是以信息技术改造传统产业、提升产业结构和改变生产增长方式,都离不开科学技术的发展。

当代科学技术进步日新月异,技术更替不断加速,在科技创新能力上如果上不去,一味靠技术引进就难以摆脱落后局面。在国际竞争上,尖端技术一般也难以引进,即使别人同意你引进,发展中国家也引进不起。在当今世界上,不但要重视科技的发展,而且要把科技创新放在突出的位置。

发达国家在工业化过程中,走的是"高消耗、高浪费、高污染"的路,或者说是"先污染,后治理"的路,发展中国家在现代化建设中再也没有发达国家那种条件,有那么多的资源可供消耗,有那么好的环境和空间可供污染,现在环境、资源、生态方面所受的压力越来越大,只能走一条依靠科技、节约自然资源、保护生态环境的可持续发展道路。这也需要实施科教兴国战略,才能做到可持续发展要求的"循环经济"。

科教兴国,教育是基础。不论是实现现代化、实现经济的可持续发展,还是普及科学知识、提高全民的科学素养,都要重视和办好各类各级教育。

三、"新型工业化"理论是我国三代领导人现代化思想的发展

在1949年以前,中国共产党的中心任务是驱逐帝国主义,反对封建主义,争取建立人民共和国,因此,在"七大"以前,党的纲领上没有明确提出实现现代化的任务。但是,在探索中国发展道路的"以工立国"和"以农立国"的争论中,以恽代英等为代表的中国马克思主义者,明确主张中国应走工业化道路[①]。

中国共产党第七次代表大会召开之时,抗日战争快要结束,一个新中国即将出现。这次大会确立了毛泽东思想是中国共产党的指导思想,也确定了我国人民争取现代化的奋斗目标。毛泽东在"七大"政治报告《论联合政府》中提出,"没有中国共产党的努力,没有中国共产党人做中国人民的中流砥柱,中国的独立和解放是不可能的,中国的工业化和农业近代化也是不可能的。"[②]这是中国共产党首次正式提出中国要实现工农业的现代化。他指出"没有工业,便没有巩固的国防,便没有人民的福利,便没有国家的富强",在中国新民主主义革命获得胜利之后,"中国人民及其政府,必须采取切实

[①] 参见罗荣渠:《现代化新论》,北京大学出版社1993年版,第365页。
[②] 毛泽东:《毛泽东选集》第3卷,人民出版社1966年版,第1047页。

的步骤,在若干年内逐步地建立重工业和轻工业,使中国由农业国变为工业国","中国工人阶级的任务,不但是为着建立新民主主义的国家而斗争,而且是为着中国的工业化和农业近代化而斗争。"①毛泽东关于国家工业化的思想是从总结近代历史经验中产生的。他在1944年给秦邦宪的信中说,"现在的农村是暂时的根据地,不是也不可能是整个中国民主社会的主要基础。由农业基础到工业基础,正是我们革命的任务。"②在七届二中全会时,中国新民主主义革命即将取得胜利,中国稳步地由农业国变为工业国的任务已经提上议事日程,中国共产党工作重心的转移,不仅是由农村到城市的转移,而且是从革命到建设的转变。深刻认识到这些变化,并在一系列会议上和批示中提醒全党重视的正是毛泽东。

新中国成立后,党的第一代领导集体把"七大"确定的工业化纲领付诸实践,探索中华民族伟大复兴的中国现代化道路。实现现代化的一个根本要旨是解放和发展生产力。在解放初期进行的土地改革和农业合作化,不仅使中国占人口多数的农民翻了身,更重要的是把农村生产力从旧的生产关系中解放出来,为工业化提供了重要前提。关于中国工业化的道路和方针,毛泽东提出"以农业为基础,以工业为主导",以农、轻、重的顺序安排国民经济计划。在现代化目标上,1954年毛泽东提出了要把我国"建设成为一个工业化的有高度现代文化程度的伟大国家。"③在实现这个目标的时间上,毛泽东多次谈到,"没有100多年的时间,我看是不行的。"④

作为国家政策的具体制定和执行者,1954年周恩来总理明确提出中国要在经济和技术上赶上世界先进水平,把我国建设成"一个强大的社会主义的现代化的工业国家"。⑤ 1963年他在讲话中指明"现代化"是"四个现代化",他说:"我们要实现农业现代化、工业现代化、国防现代化和科学技术现

---

① 毛泽东:《毛泽东选集》第3卷,第1029—1030页。
② 逄先知、金冲及:《毛泽东传》,中共中央文献出版社2003年版,第271页。
③ 毛泽东:《毛泽东著作专题摘编》(上),中共中央文献出版社2003年版,第925页。
④ 同上,第928页。
⑤ 周恩来:《周恩来选集》下卷,人民出版社1984年版,第136页。

代化,把我们祖国建设成为一个社会主义强国,关键在于实现科学技术的现代化……我们落后于世界先进水平……我们应该迎头赶上,也可以赶上。"①

在改革开放的新时期,以邓小平为核心的党的第二代领导人,做出了"把全党工作的重心转移到四个现代化上来的根本指导方针",并根据世界经济发展和科技进步的新形势,结合我国国情增加了如下新内容:

第一,中国要实现现代化,必须有国际、国内条件配合,国内条件"就是坚持现行的改革开放政策。如果改革成功,会为中国几十年的持续稳定发展奠定基础。"同时,"中国要实现现代化,摆脱落后状态,必须有一个安定团结的政治局面,必须有领导有秩序地进行建设。"②

第二,在"四个现代化,关键是科学技术的现代化"中,增加了"科学技术是第一生产力"的思想。

第三,提出了"社会主义现代化"的思想。他指出,"现在我们搞四个现代化,是搞社会主义的现代化,不是搞别的现代化"。要"始终以社会主义公有制为主体,社会主义的目的就是要全国人民共同富裕,不是两极分化。""我们提倡一部分地区先富裕起来,是为了激励和带动其他地区也富裕起来,并且使先富起来的地区帮助落后地区更好地发展。提倡人民中有一部分先富裕起来,也是同样的道理。"③

第四,在中国实现现代化的整个过程中,提出了到20世纪末建立小康社会,然后用30—50年时间,赶上先进国家。1979年邓小平在同日本首相中曾根康弘谈话中说,"翻两番,国民生产总值人均达到800美元,就是到本世纪末在中国建立一个小康社会。这个小康社会,叫做中国式的现代化。翻两番、小康社会、中国式的现代化,这些都是我们的新概念。"④正是这些新概念进一步发展了"四个现代化"的思想,使中国人民对四个现代化感到

---

① 周恩来:《周恩来选集》下卷,第412—413页。
② 邓小平:《邓小平文选》第3卷,人民出版社1993年版,第156、208页。
③ 同上,第110—111页。
④ 同上,第54页。

是摸得着、看得见的实实在在的东西,极大地调动了中国人民建设社会主义的积极性,从而提前实现了翻两番,国民生产总值人均达到800美元的目标,为"十六大"报告提出"走新型工业化道路",全面建设小康社会的发展目标奠定了基础。

由"七大"毛泽东提出"为中国的工业化而奋斗",到"十六大"报告提出"新型工业化",中国从一穷二白变成了今天国民生产总值人均1000美元的小康社会的现代化,我国面貌巨变。这是三代中央领导马克思主义创新理论路线的胜利。

走"新型工业化"道路的提出,使中国避免了不必要的能否启动知识经济的争论。自从上世纪70年代世界进入知识经济时代以后,国际上有的学者认为,发展中国家从物质经济向知识经济过渡需要三个条件:1)年人均国民生产总值达到3000美元;2)基本普及了教育,即居民的非文盲率在85%—90%之间,并有一定的科学技术研究力量;3)具备一定的工业经济基础,以及相应的基础设施。2000年我国人均GDP达到1081美元,预计到2020年我国人均GDP才可以达到3000美元。如果按上述学者的观点,我国岂不是要到2020年之后才能启动知识经济、实现信息化,岂不是中国又要被世界发达国家甩在后面一大截?

走"新型工业化"道路,用信息化带动工业化,则不必拘泥于传统工业化经历的机械化、电气化、深加工化、信息化的依次阶段,而是发挥后发优势,以当今工业化的最高水准——信息化带动整个工业发展进程,实现超常规发展,直接达到发达国家现有的产业层次。

走经济信息化只是走"新型工业化"道路在技术上的起点,而不是它的终点,在用信息化带动改造传统工业,加速传统产业升级换代的同时,推动生物技术、基因技术、空间技术、纳米技术和新能源、新材料的发展,为新型工业化提供不竭的动力。

"新型工业化"道路是以国民经济信息化为特征的,它要求第三产业,特别是与信息产业相关的金融、保险、咨询、中介现代服务业超前发展,同时,"新型工业化"道路又是一条工业与农业、城市与乡村协调发展的道路,它也要求工业化与公共教育、公共卫生保健、社会保障服务体系、社会公共服务体系建设基本同步。

由此可见,"新型工业化"道路是适应世界新形势,特别是世界科技革命新形势的产物和我国尚处在社会主义初级阶段的产物,是对世界传统工业化模式的扬弃和发展,也是对发展中国家现代化经验的总结。

全球史对工业文明起源研究的影响
The Impacts of Global History upon the Study of Origin of Industrial Civilization

陈 振 昌(西北大学文博学院)

摘要:现代工业文明起源于西欧是一个历史事实,但问题在于为什么起源于西欧。传统的解释把这一现象归结为欧洲文明的特殊性,并把欧洲视为一个能够"自圆其说"的独立单元。全球史对这一欧洲中心主义解释模式提出挑战,认为工业革命是由全球性力量塑造的,只有用全球性的分析模式才能解释这一历史巨变。其中,东方高度发达的文明发展水平的存在;全球性文明互动所带来物质、文化的大交流;以及西欧富有弹性的外缘性文明结构的形成,是工业文明赖以产生的基本条件。

关键词:全球史; 工业文明; 起源

Abstract: It is an established historic fact that modern industry civilization rose from Western Europe. However, the significant question will be why such progress originated from the West. Traditions always attribute this to the European unique features and regard Europe as independent community that has been self-explanatory. The theory of global history presents a challenge to this interpretive mode hinging around Europe. The new perspective holds that Industrial Revolution occurred from interactions of the world communities and that only global analysis mode can explain that fundamental change in human history. The interactive forces giving rise to the mentioned civilization are believed to include: existing highly developed oriental culture; major exchanges of material and culture due to global cultural interactions; the shaping of Western social structure being extrovert and flexible.

Keywords：Global History；Industrial Civilization；Origin

一

全球史的兴起,对传统的以欧洲为中心的史学编纂模式带来巨大的冲击和挑战,同时也为破解世界史领域长期争论不休的历史难题提供了新的思路和方法。工业文明起源问题正是此类问题之一。

工业文明起源问题是两百年来历世不衰的研究课题。但这一问题"从来也没有得到充分的阐述。"[1]究其原因,在于以往的研究大致是沿着欧洲中心主义和单线社会发展论的思路来进行的。西欧的特定要素(包括地理、生态、人口、文化传统等)和经济发展通常是解释这一问题的主要依据。虽然这些研究彼此之间尚存在一定分歧,但都坚持"欧洲是一个能自圆其说的地理单元"。其中,从经济发展水平角度探讨这一问题的研究在我国有较大影响,至今仍为多数学者所坚持。但其结论却存在着种种疑问:"如果说经济的发展,或者说'经济生活的变化',是决定性的因素,那么为什么经济发展程度高得多的世界其他地区,比如中国、阿拉伯世界等,迟迟走不出中世纪,相反却是经济发展程度相对不高的西欧首先走向资本主义?西欧首先发展出工业生产力,但如果这个高度发展的生产力之所以发展出来的原因就是生产力的发展,那么,生产力发展的原因又是什么呢?"[2]显然,这种解释模式正在陷入循环论证的误区,仍然是一个需要加以解释的"解释"。

至于强调其他单一因素或多种因素的说法,由于没有摆脱在欧洲内部

---

[1] C.W.克劳利等编:《新编剑桥世界近代史》第9卷,中国社会科学院世界历史研究所译,中国社会科学出版社1999年版,第55页。

[2] 钱乘旦:"脑子里装着自己的问题和前途命运",《安徽史学》2004年第6期,第105—106页。

寻找其兴起原因的思维定式,已经或正在遭到学界的质疑和批评。新的研究表明,1750年以前亚洲的经济水平整体高于欧洲,及至1800年,欧洲经济与亚洲相比没有任何优势可言①。此外,就欧洲所拥有的诸多特殊因素而言,不仅在东方社会普遍存在,而且是一直存在的。② 其中影响较大的马克斯·韦伯的"理性"之说,由于在宗教观念淡薄的中国发现理性遗产的长期存在,正在受到人们的怀疑。③

因此,任何企图从欧洲自身来研究这一问题的尝试,都无法对这一问题提供充分、合理的解释。只有"跳出欧洲,跳出西方,将视线投射到所有的地区与所有时代",④"用更加广阔的世界史观"⑤重新解读这一事件,才能完成这样的任务。全球史的兴起,为解决这一历史难题,带来了新的转机和出路。

二

全球史,作为一种新的历史观,可以追溯到杰弗里·巴勒克拉夫于1955年出版的论文集《处于变动世界中的历史学》;⑥作为一种系统的研究实践,则始于1963年威廉·麦克尼尔《西方的兴起》一书的问世。⑦ 可以

---

① 徐洛:"评近年来世界通史编撰中的'欧洲中心'倾向",《世界历史》2005年第3期,第99—101页。

② Kenneth Pomeranz, *The Great Divergence: China, Europe, and the marking of the modern world Economy*, Princeton: Princeton University Press, 2000, p.16; Robert B. Marks, *The Origins of the modern world: A Global and Ecological Narrative*, Lanham: Rowman &-Littlefield publishers, Inc., 2002, p.14.

③ 马克垚:"困境与反思:'欧洲中心论'的破除与世界史的创立",《历史研究》2006年第3期,第18页。

④ Geoffrey Barraclough, *History in a Changing World*, Oxford: Blackwell, 1955, p.27.

⑤ *Op. cit.*, p.133.

⑥ *Op. cit.*

⑦ William H. McNeill, *The Rise of the West: the History of Human Community*, Chicago: University of Chicago Press, 1963. 参见刘新成:"全球史观与近代早期世界编纂",《世界历史》2006年第1期,第40页。

说，全球史从一开始诞生，就把工业文明起源问题作为自己的主攻方向，并逐渐形成独特的学术传统。近半个世纪以来，全球史以广阔的学术视野，跨文化、跨学科的方法，以及强烈的时代感，都为这一研究留下深刻的印记，带来了巨大的冲击和影响。

首先，全球史的整体研究视野，首次将欧洲以外的因素纳入这一问题的研究范畴，为工业文明兴起于西欧提供了世界性的解释。工业文明是世界性的，并且只有在世界范围内农业生产力发展水平达到能为工业技术变革和制度创新提供物质基础的条件下，才会发生。但西欧在历史上曾长期是欧亚诸文明中的一个外缘地区。在前工业时代的漫长岁月里，西欧，特别是地中海地区，虽然历史上也曾出现过经济文化高涨的繁荣时期，但在古典文明的大部分时间，其社会发展水平都落后于东方。直至"11世纪初，欧洲还是一个落后地区——也就是现今我们所谓的'不发达地区'——这不仅仅是与我们今天的标准相比较而言，而且与那个时期其他地方的文化、技术和经济发展水平比较起来，也是如此。与当时的拜占廷帝国、阿拉伯帝国和中华帝国相比，欧洲属于不发达地区"。[①] 一个不发达的外缘地区何以启动工业文明？它首先取决于欧洲以外地区农业生产力的发展。这是一种极限性限制，从根本上制约和规定着工业生产方式产生的可能与发展。所谓"极限性限制"，是指世界历史并存的诸文明区域中，由最进步的形态区域所体现的"前沿"[②]；它对相对后进区域的发展或超越，起着一种限制和规定作用；相对后进区域达到或超越最进步形态的可能，是以先进形态的存在和它有可能接受其影响的大小为前提的。所以，全球史所关注的最重要的问题不是欧洲发生了什么，而是作为整体的世界，尤其是领先部分亚洲以及亚洲（也是世界）的领先部分中国和印度发生了什么[③]。全球史有关东方高度发达

---

① 卡洛·M.奇波拉主编：《欧洲经济史》第2卷，贝昱、张菁译，商务印书馆1988年版，第3页。

② 参见巴尔格：《历史学的范畴和方法》，莫润先、陈桂荣译，华夏出版社1989年版，第49页。

③ 安德列·贡德·弗兰克：《白银资本——重视经济全球化中的东方》，刘北成译，中央编译出版社2000年版，第2页。

的经济发展水平的种种定量和定性研究表明:启动工业生产方式最重要的条件是在东方社会最先形成的①;欧洲并不是一个能自行说明问题的独立实体,它的内部变化,实际是和作为一个整体的世界其他地区的变化密切联系的。②

其次,全球史对世界历史横向发展的关注,突破了欧洲中心主义和单线社会发展论的时空局限,为工业文明起源研究从横向发展动力机制方面提供了合理解说。高度发达的东方文明成就是如何影响西方社会的?是历史的横向发展演变的产物,即人类的交往形态从地域性向世界性演变的产物。在前工业时代,丝绸之路的开辟成为贯通东西方交往的桥梁,包括"四大发明"在内的诸多中国文明成就的西传,对西方工业化世界的兴起提供了潜在条件。李约瑟(J. Needham)的不朽研究表明,在公元后的 14 个世纪中,中国一直是技术革新的伟大中心。这一时期,以蒙古帝国开辟的远程跨地域交往为高峰,中国传入西方的技术和发明共达 35 项之多,而同期西方传入中国的仅有 4 项。③ 在中国西传的技术成就中,影响较大的如指南针、船尾舵、造纸术、风车、火药、丝绸制造、印刷术、炼铁高炉以及宋代以来广泛使用的纸币,均在这一时期先后通过陆上或海上丝绸之路传入西亚,进而辗转传入欧洲。正由于这些反映农业文明最高水平的物化成就的西传,全球史学家断言:"如果没有更先进的东方在公元 500 至 1800 年间对西方的帮助,西方就不可能跨入现代文明。"④

丝绸之路所开辟的亚欧跨地域远程交往,不仅标志着人类交往形态从地域性向跨地域的演变,而且其潜在的影响也孕育了新的、以新航路开辟为

---

① 参阅 John M. Hobson, *The Eastern Origins of Western Civilization*, Cambridge: Cambridge University Press, 2004, pp. 55—60,对中国宋代以来所发生的"第一次工业奇迹"及其所引发的一系列"革命"有详尽的叙述;另见 William H. McNeill, *The Pursuit of Power: Technology, Armed Force, and Society Since AD 1000*, Chicago: University of Chicago Press, 1982, p. 25, pp. 50—54。

② 安德列·贡德·弗兰克:《白银资本》,第 387 页。

③ Joseph Needham, *Science and Civilization in China*, Cambridge: Cambridge University Press, 1954, pp. 242—243.

④ John M. Hobson, *op. cit.*, p. 19.

标志的世界性交往。蒙古帝国时期亚洲的开放,激发了欧洲人对东方的渴望,而贸易商路在帝国解体后的衰落,以及伊斯兰教在瓦解的蒙古汗国中的传播所引起对基督徒的敌视,给陆上交往带来的障碍,则推动了西方积极寻求通向东方的新途径。跨越人迹罕至的大洋,建立与亚洲的海上联系,成为推动欧洲人远洋航行、世界探险和地理发现的真正动力。

地理大发现是人类交往形态从跨地域交往向世界性交往转变的重要转折。地理大发现后,随着人类活动中心逐步从陆地向海洋转移,以海洋为主渠道的世界性交往,最终开辟了全球化时代的来临。随着东西方交往的扩大和美洲作为新的文明综合体被纳入世界交往体系,西方开始因不同文明要素全球性交流、碰撞所提供的条件和历史机遇,率先进入重要变革时期。借助美洲的白银、东方的生产技术、非洲的劳动力和世界范围的资源,西方通过新的制度变革和技术变革,最终在19世纪取代亚洲,成为世界经济列车的火车头。[1] 全球史认为,包括全球海路交通网的形成、全球性生物物种的交流,以及早期资本主义经济出现对贸易、消费和生产结构的改变,对1500—1900年间世界主要地区的力量对比和角色变化,具有至关重要的影响。[2] 正是这种影响,打破了长期维持在欧亚诸文明之间的平衡,使得欧洲能够脱颖而出,后来居上,成为启动工业变革的领先者。

第三,全球史独特的外缘文明"社会变异说"(social mutation),深刻地揭示了西方兴起的结构性原因,并展示了世界历史上因落后而产生社会变异这一有规律现象[3]。斯塔夫里亚诺斯指出,"当一种社会制度趋于腐朽并将被新社会制度淘汰的时候,率先发生的转变,多半不是在中心地区富裕的、传统的和板结的社会里,而是发生在外缘地区的原始的、贫困的适应性

---

[1] 安德列·贡德·弗兰克:《白银资本》,第14、69页。

[2] Jerry H. Bentley and Herbert F. Ziegler, *Traditions and Encounters：A Global Perspective on the Past*, New York：McGraw Hill,2000 pp. 555—560; Jerry H. Bentley, *Early modern Europe and early modern World*(未刊文),参见徐洛:《评近年来世界通史编撰中的"欧洲中心"倾向》,《世界历史》2005年第3期,第103—104页。

[3] 罗荣渠:《开拓世界史的新视野——〈全球分裂〉中译本序》,罗荣渠:《现代化新论续篇》,北京大学出版社1997年版,第295页。

强的社会里",[1]这个论点对理解西方的兴起富有启发性。它表明,工业文明并非起源于一个丰裕地区,而是一个贫困地区。

一个贫困地区率先实现向工业社会的转变,看似有些违背常理,但却是世界历史上一个反复出现、有规律的现象:人类从采集狩猎过渡到定居农耕,并非因为成功地创造了一定的剩余,而是因为"猎物与可食用的植物日见稀少,新的疆域开发殆尽,进一步的地理扩张越来越困难";[2]在20世纪,革命的大动荡也恰恰在外缘地区方兴未艾,而中心地区却保留资本主义制度;在当代,东亚现代化的崛起,成功的实践并非最先开始于儒家文化[3]积累丰厚的核心地区,而是发端于亚洲"四小"等相对薄弱的边缘地区。边缘地区之所以能够率先实现社会转型,在于较之核心地区,其文明结构拥有较多的活动空间和发展弹性,具有吸纳外来优秀文化成就的能力和进行社会变革的迫切要求;相反,核心地区则由于"高水平均衡陷阱"(high-level equilibrium trap)[4]的限制,很难走出旧有的发展定式,也缺乏彻底改变旧有文明结构的迫切要求。由于这一原因,"在整个历史上,大多数的文明,尤其是中国文明,一直在阻止资本主义的发展,而西方的基督教文明,在最为虚弱的时刻对它屈服了"。[5]所以,资本主义以及随之而来的工业生产力的孕育并非产生于一个富足地区,而是一个边缘化的贫困地区。正是这种落后和边缘性质,使得西方能够主动地通过广泛吸纳外来文明成就,较早进入革新时期。因此,欧洲的兴起是文明长河的暂时现象,它提供了一个由落后和边缘,通过吸纳其他文明成就,经过社会变异,走向领先地位的典型例证。

---

[1] 斯塔夫里亚诺斯:《全球分裂——第三世界的历史进程》,迟越、王红生等译,商务印书馆1995年版,第22页。

[2] 杰里米·里夫金、特德·霍华德:《熵:一种新的世界观》,吕明、袁舟译,上海译文出版社1987年版,第57页。

[3] 就儒家文化对现代化的积极效应而言。

[4] Mark Elvin, *The Pattern of the Chinese Past*, London: Eyre Methuen limited, 1973, p. 298.

[5] 伊曼纽尔·沃勒斯坦:《现代世界体系》中文版序言,尤来寅等译,高等教育出版社1998年版,第1页。

三

全球史的新视野和新方法,一扫长期散布在"起源"问题上的种种欧洲中心主义说教,为深入探讨这一问题留下了重要启示。

首先,全球史的整体研究视野表明,工业文明起源问题本质上是一个世界性问题,只有将其置放在世界历史的高度才能获得合理的解释。生产力的发展水平无疑是社会转型最重要的条件,但只有在全球史意义上才是一个能够科学理解的命题,并且只有在交往向世界交往的演变、特定的文明结构能吸纳世界范围内最先进的文明成就的条件下,它才能成为塑造新文明的重要力量。

其次,交往是社会转型的重要动力。交往的扩大,是保持现有生产力水平的条件,也是提升落后地区纵向发展水平的条件。"某一个地方创造出来的生产力,特别是发明,在往后的发展中是否会失传,取决于交往扩展的情况。当交往只限于毗邻地区的时候,每一种发明在每一个地方都必须重新开始;一些纯粹偶然的事件,例如蛮族的入侵,甚至是通常的战争,都足以使一个具有发达生产力和有高度需求的国家处于一切都必须从头开始的境地。"[①]但是,在历史的转折时期,历史的横向发展常常对历史的纵向发展具有重要的反作用力。它不是简单地提升落后地区的生产力水平,复制出一个类似发达地区的文明形态,而是由于不同文明要素的交流、碰撞,产生新质,演变为一个超越发达地区的、新型的社会和文明。

第三,在全球文明要素互动的条件下,外缘地区的文明最易发生社会变异,最先发生转型。全球史的外缘文明"社会变异说"与系统科学的若干理论有异曲同工之妙。依照系统论的原理,一个社会系统只有在远离平衡的不稳定点,处于非平衡的开放状态,才有可能导致系统的演化;一个社会系

---

① 马克思、恩格斯:"德意志意识形态",《马克思恩格斯选集》第1卷,人民出版社1972年版,第60—61页。

统的有序程度愈高,组织愈严密、完善,它的反应和改变旧秩序的能力则愈低;相反,一些有序度不高的系统,由于系统诸要素之间相互作用的涨落呈不平衡状态,反而具有较强的序变潜力。西欧地处亚欧大陆的边缘,经济社会发展长期滞后,社会系统的有序度远逊于东方。特别是自罗马帝国解体以来,除去昙花一现的查理曼帝国,一直未能出现帝国的重建与再生,社会系统长期处于多元对抗的无序状态。这种外缘性质,使之相对于亚欧大陆其他文明中心,具有更强的序变潜力和发展弹性。一旦外部环境发生有利于系统结构变化的机遇(如地理大发现),就容易引发改变旧秩序的革命性变革。

全球史是一个历时仅半个世纪的新学术思潮。它从一开始产生,就因其广阔的学术视野、跨文化的比较方法和对欧洲中心主义的巨大冲击与挑战,引起学术界的密切关注,以至于麦克尼尔、斯塔夫里亚诺斯等人的著作长期成为学术领域的畅销书,至今影响不减。这些都反映了这一最新理论思维成果所体现的时代精神,以及人们渴望用全新的全球眼光观察过去、认识过去、理解现在、预测未来的需要。从这个意义上讲,全球史的确颠覆了传统的欧洲中心主义历史观,反映了全球化时代历史学健康、蓬勃发展的新趋势。

然而,大多数的全球史家并不掌握唯物主义历史观,他们中许多人虽然本能地受到马克思世界历史理论的影响,但并不能自觉地用以指导自己的研究实践。因而在世界历史的纵向发展和横向发展的相互关系方面;在对"世界体系"概念在前现代漫长历史时期的适用性方面;在对"现代性"本质的把握,以及由此引起的对 1500 年前后世界历史是断裂,还是连续的认识方面,都留下需要进一步探讨的空间。这些问题都会影响到本文所涉及的对工业文明起源问题的研究和评价。所以,全球史的解释模式是充满革新精神的,带来的影响和冲击也是颇具革命性的。但只有在唯物史观的指导下,全球史才能真正克服自身局限,可望成为全球化时代科学的、规范的历史观。一个以马克思主义为指导的,具有中国特色的全球史理论和学派的形成,寄托着全球史研究向更高层次迈进的希望。

西方模式与社会发展:全球史视野下的反思
Western Model and Social Development: A Reflection in the Global History Perspective

刘 文 明(首都师范大学历史系)

摘要:19世纪以来西方国家经济的发展与发达,造就了韦伯的资本主义理想类型和"西方模式"的霸权话语,甚至出现了"现代化"等于"西方化"的认识。本文将西方模式置于全球史的宏观视野下,从联系与比较的视角,证明西方模式自其形成之初,便是世界多元社会发展模式之一,而且当今西方模式所表现出来的局限性,以及因此给人类社会带来的问题,更进一步表明了世界各国发展走多元化道路的必要性。

关键词:西方模式; 社会发展; 全球史

Abstract: The economic development of Western nations in nineteen century gave rise to Weber's capitalist ideal type and the hegemonic discourse of Western model; as a result some people take modernization as westernization. From perspectives of global history and comparison, this article discusses that Western model of social development from its initial formation was one of many models in world, and now its limitations which bring disadvantages to human being show that it is essential for other nations to develop their own social models.

Keywords: Western Model; Social Development; Global History

第三世界国家在寻求经济社会发展的现代化过程中,以西方发展模式为参照已成了不约而同的共识。然而,在如何参照西方模式问题上,一些国家或学者存在着一个认识的误区:认为现代化的目标便是西方化,而西方化也就等于资本主义化。在这一逻辑下,出现了在改革中照搬西方和对本国传统采取虚无主义态度的倾向。20世纪下半叶以来,亚洲一些国家经济的持续快速发展及其对自身发展道路的探索,从实践上表明了西方模式之外的可能性。本文便试图从全球史的视角,对西方模式及其形成进行历史考察,并对经济全球化与文化多元化背景下的西方模式进行反思。

一、资本主义理想类型与西方模式

19世纪上半叶以来的西欧及北美,在工业革命与工业化的推动下出现了经济的快速发展,并且远远走在其他地区的前面,由此而形成了西方国家在经济、政治、文化等各个领域的霸权地位。西方"成功"的秘诀在哪里?"事后诸葛亮"们纷纷对此进行了解读,其中影响最大的便是马克斯·韦伯。

作为社会学家而非历史学家的韦伯,从其"理解社会学"的方法论出发,用他建构的人类社会不同理想类型来理解不同的社会。他认为类型概念"离开现实,并服务于认识现实,其形式是通过表明一种历史现象接近这些概念中的一个或若干个的程度,可以对这种现象进行归纳。……为了让这些话所指的是一些明确无误的事物,社会学方面必须构想出那些形式的'纯粹的'('理想')类型的形态"。[①] 因此,韦伯对历史的探讨,是以他的纯粹理想类型为参照,以一种"历史现象接近这些概念中的一个或若干个的程度"来进行"辨析"与理解,这种方法实则是以结果附会原因,研究逻辑是颠倒过来的。为了辨析西方资本主义的发展轨迹,他以其所生活时代的资本主义为蓝本,构建起"资本主义社会"这一理想类型。然后以此回溯历史,寻找形成这一理想类型的动因。"资本主义性质的企业和资本主义性质的企业家(不只是偶尔从商的企业家,而是固定从事实业的企业家),乃是古已有之,

---

① 马克斯·韦伯:《经济与社会》上卷,林荣远译,商务印书馆1997年版,第52页。

并且遍布世界各地。然而,西方却发展了资本主义,不仅数量上颇为可观,而且(随着数量上的增长)还发展出了其他各地从未出现过的类型、形式和方向"。① 这种在其他地方从未出现过的极其不同的资本主义形式,就是"自由劳动之理性的资本主义组织方式"。而这种理性组织方式的出现,则归功于西方独特的新教伦理。相反,古代中国虽然也是"典型的求利的国家",由于缺乏这种新教伦理,"距离现代资本主义及其种种制度的'精神'更远","没有导致现代资本主义在中国兴起。"② 因此在韦伯看来,古代中国代表了一种发展不出现代资本主义的理想类型——东方社会,落后便是自然的了。

由韦伯建构出来的西方特有的资本主义是一种怎样的体系?丹尼尔·贝尔对此进行了总结:"资本主义是这样一个社会经济系统:它同建立在成本核算基础上的商品生产挂钩,依靠资本的持续积累来扩大再投资。然而,这种独特的新式运转模式牵涉着一套独特文化和一种品格构造。在文化上,它的特征是自我实现,即把个人从传统束缚和归属纽带(家庭或血缘)中解脱出来,以便他按照主观意愿'造就'自我。在品格构造上,它确立了自我控制规范和延期报偿原则,培养出为追求既定目的所需的严肃意向行为方式。正是这种经济系统与文化、品格构造的交融关系组成了资产阶级文明。"③ 在许多西方人看来,正是这一体系给他们带来了繁荣与进步,使他们的文明优于世界其他地区的文明。由此,他们认为,资本主义的发展模式具有普世性,代表了人类社会前进的方向。这样,西方模式的"神话"便在这种霸权心态下形成了。西方一些政治家和学者甚至宣称,第三世界国家要得到发展,只有在政治上走西方的民主道路,在经济上走西方的自由市场道路,在文化上引进西方资本主义文明。令人遗憾的是,沦为西方殖民地的一

---

① 马克斯·韦伯:《新教伦理与资本主义精神》,于晓、陈维纲等译,三联书店1987年版,第10页。
② 马克斯·韦伯:《儒教与道教》,洪天富译,江苏人民出版社1995年版,第272—273页。
③ 丹尼尔·贝尔:《资本主义文化矛盾》,赵一凡、蒲隆、任晓晋译,三联书店1989年版,第25页。

些欠发达国家和地区,竟也有将西方"神话"当作追求"梦想"的,西化之风盛行,陷入到西方新殖民主义的陷阱之中。当然,也有在反西化与反霸权中成长起来的第三世界国家的发展理论,如依附理论,以及一些学者提出的"第三条道路"的思考,这表明人们已认识到西方模式的局限和多元文化下其他模式选择的可能性。

二、全球史视野下的西方模式

如果将西方模式置于全球史的语境之中,跳出西方社会发展模式的内观樊篱,便会发现,西方资本主义发展模式自其形成之初,就是人类社会发展的众多选择模式之一。

在欧洲殖民扩张和近代资本主义世界体系形成之前,西方文明只是众多农耕文明之一,世界六大文明——儒家文明、印度文明、伊斯兰文明、基督教文明、美洲文明和非洲文明在地球上和谐共存,不同程度地沿着自身的道路发展。此时的世界是和谐的,人与自然也是和谐的。此时的欧洲,作为世界六大文明发展模式之一,在人口规模、人民生活质量、生产力水平和经济总量等方面,并没有什么突出和优越之处。

从人口数量来说,根据弗兰克引用克拉克的估算,1500年,世界人口为4亿2700万,而欧洲只有6800万;1600年,世界人口为4亿9800万,而欧洲只有8300万,即欧洲人口只有世界人口的约16%;[1]根据布罗代尔引用联合国1951年公布的数据,1650年世界人口在465百万—545百万之间,欧洲人口在100百万—103百万之间,约占世界总人口的20%。[2] 因此,16—17世纪中叶的欧洲,其人口只占世界人口的16%—20%。从生活质量来看,1800年以前的食品消费,欧洲人虽然因生活方式的差异可能比亚洲

---

[1] 贡德·弗兰克:《白银资本——重视经济全球化中的东方》,刘北成译,中央编译出版社2005年版,第237页。

[2] 布罗代尔:《15至18世纪的物质文明、经济和资本主义》第1卷,顾良、施康强译,三联书店1992年版,第43页。

和美洲人吃较多的肉和奶制品,但亚洲人和美洲人在摄取蛋白质方面并不比欧洲人少,因为他们可以用豆类取代肉类。18 世纪欧洲"大城市民众"每人每天的卡路里摄入量约 2000 千卡,而中国每个成年人是 2386 千卡,还不包括他们所消费的非谷物食品。在衣着方面,亚洲大部分地区的穷人都穿舒适耐用的棉布,在欧洲却成了奢望。18 世纪英格兰人的预期寿命在 35—39 岁之间,与中国人的预期寿命差不多。① 而据拜罗克估算,"1800 年中国的人均收入为 228 美元,高于他对 18 世纪英国和法国若干年份的估算,因为后者在 150 美元到 200 美元之间"。② 因此,18 世纪以前的西欧人与亚洲人(尤其是中国人)相比,并没有过着一种更优越的生活,而是在生活质量上差别不大。从生产力水平来看,彭慕兰用大量的史实说明了,欧洲人在 1750 年生产力的总体水平并没有领先,他们拥有的技术平均水平也不大可能更优越。③ 从经济总量来看,"按 1960 年的美元计算,1750 年世界国民生产总值为 1550 亿美元,其中 1200 亿美元或 77% 的产值出自亚洲,350 亿美元的产值出自整个'西方',即欧洲和美洲,还包括俄国和日本"(因为这里使用的是后来'西方'的概念)。④ 因此即使大西方的概念,也只占世界国民生产总值的 23%。

　　由此可见,在欧洲工业革命以前,各大文明中心地区的经济在本质上都是农耕经济,差异不大。如果说有一定程度的差异,也正是不同文明在经济发展方面形成不同模式的表现。因此,中世纪晚期到近代早期的西欧经济与中国明清时期的经济一样,都是当时世界多元经济发展模式之一。这种模式与其他文明地区(尤其是中国和印度)相比,并没有显示出什么优势,不具有普遍性,并不像一些西方学者所鼓吹的那样,西方经济从 16 世纪就已开始优于东方;相反,18 世纪以前的欧洲经济反而不及亚洲的中国和印度。

---

① 彭慕兰:《大分流:欧洲、中国及现代世界经济的发展》,史建云译,江苏人民出版社 2003 年版,第 31—35 页。
② 贡德·弗兰克:《白银资本——重视经济全球化中的东方》,第 240 页。
③ 彭慕兰:《大分流:欧洲、中国及现代世界经济的发展》,第 39 页。
④ 贡德·弗兰克:《白银资本——重视经济全球化中的东方》,第 238 页。

西方的工业资本主义是从1800年代才诞生的,"在资本积累和经济制度两个方面,都没有什么东西能显示出西欧经济在那以前有决定性的优势,使工业化只能在那里而不是在别处发生"。[①]

另一方面,如果对工业革命之前几大社会文明进行比较,不难发现,由于几大文明绝大多数以农业为基础,在本质上都是农耕文明,因而具有很强的同质性。这种同质性表现出来的文化共性,就是人类为了自身的生存与发展而结成的社团精神,它以团结和谐为特征,注重以情感为基础的人际关系,注重集体的福祉而非个人的利益,注重人与自然的和谐。这种精神在不同的文明区域具有不同的表现形式,例如在中国表现为以血缘关系为核心的人伦关怀,在中世纪欧洲表现为基督教倡导的仁慈与博爱。由于这种精神在当时的世界具有普遍性,可以称得上是一种"世界精神"。因此,从社会生活与社会关系的角度而言,以人文关怀与集体和谐为核心的"世界精神"普遍存在于前工业社会中。

然而,当欧洲进入工业社会之后,首先是西方否定了自身的传统,然后其他文明在西方资本主义的进攻下成了殖民地或附庸。在现代世界体系中,西方模式取得了具有普遍性的地位,是先进性与现代化的代名词,东方的传统农业社会便被西方人看作是他们过去的缩影或"活化石"。这样,在西方资本主义经济迅速发展及其文化霸权这一背景下,随着现代化等同于西化这种观念的产生,一些学者便把前工业社会中的"世界精神"作为传统与现代社会对立起来,成了"传统"与"现代"这一连续统两端的理想类型。只要一谈到现代化,必然要言及抛弃传统,似乎中间只有断裂,没有延续。这正如彭慕兰所指出的,从19世纪后期社会学的经典著作到20世纪50年代和60年代的现代化理论,"强调在现代西方和它的过去之间,以及现代西方和非西方社会之间,存在着一种根本的对立。当较近期的著作试图缩小第一条鸿沟时,它暗示出第二条鸿沟——欧洲特殊论——可以追溯到甚至

[①] 彭慕兰:《大分流:欧洲、中国及现代世界经济的发展》,第13页。

比我们想到的更早"。① 笔者认为,在非西方社会的现代化过程中,存在一个认识的误区,即人们所要追求的"现代",是西方模式下西方经验意义上的"现代",它本是西方"传统"倒映在镜子里所形成的影像,但一些人却把非西方社会的"传统"当作了这种影像的映照物。比如,西方现代的人权,是以否定欧洲中世纪神权为基础发展起来的,人权与神权可以构成现代化过程中连续统一的两端。但是,如果在追求现代化过程中将西方人权观念与中国传统的人伦关怀对立起来,显然不妥当,也有悖于辩证法,因为中国传统中不存在神权而只有人伦孝悌,这是中国没有发展出现代人权观念的历史文化条件。因此西方人权与中国人伦不是对立关系,而是可以做到相互整合与互补。中国"传统"映照出来的应是中国的"现代"。可见,西方模式是西方经验的总结,西方意义的"现代"不一定是东方国家所需要的"现代",前工业社会中的六大文明,如果沿着其自身的道路发展,或许将会出现六种不同意义的"现代"。

工业革命前的西欧,在经济发展与社会文明上都表现出与其他几大文明具有很强的同质性,是众多社会发展模式之一。但是,西欧模式为什么会走上经济快速发展的道路而走在其他文明的前面?或者说,为什么西欧的社会发展会脱离了常轨,而世界的主体部分(其他占人口多数的广大地区)却仍然按着常规在发展?这个问题,用欧洲中心论者的思维来表述就是:为什么西欧会率先进入资本主义社会?而其他地方却发展不出资本主义?笔者认为,这种发展并不是由西方具有所谓"理性"的经济学家和思想家规划出来的(他们也只是后知后觉者),也不是韦伯所说的西方具有独特的新教伦理。韦伯曾断言中国与西欧一样也是一个"典型的求利的国家",但由于缺乏西欧那种新教伦理,尽管求利却并没有求出资本主义。如果说韦伯对中西社会求利的判断是对的,但在寻找这种从求利向资本主义转变的原因时却犯了错误。史实表明,同样是求利的行动,西欧商人由于从16世纪起有了廉价的奴隶劳动、海外贵金属、原料及市场,使他们"迅速地、不可抗拒

---

① 彭慕兰:《大分流:欧洲、中国及现代世界经济的发展》,第3页。

地被拉入了商品生产的领域之中",[①]从而大大促进了以求利为目的的资本主义产生和发展。相反,中国求利的商人并不具备这种外在的条件,像西欧之外世界绝大多数地区的商人们那样,靠的是自身资本的积累而处于一种常规发展状态。因此,对西方资本主义发展这一历史,应该从15—18世纪世界各地历史之间的相互联系与比较中来理解。沃尔夫指出:"在我们中间,许多人甚至越来越相信,这个西方拥有一部系谱,根据这部系谱的说法,古希腊产生了罗马,罗马产生了基督教的欧洲,基督教的欧洲产生了文艺复兴,文艺复兴产生了启蒙运动,启蒙运动产生了政治民主制和工业革命。工业又与民主制一道催生了美利坚合众国,而美利坚合众国则体现了生命、自由和追求幸福的权利。然而,这样一个发展图式却是误导。"当我们从全球相互联系的眼光来看待这一问题时,"无论是古希腊、罗马、基督教欧洲、文艺复兴、启蒙运动,甚至美国,都绝不是由某种内在的驱动力推向最终目标的,毋宁说,是由在时间和空间上不断变化着的,也可以变化的一系列关系或众多关系中的某些关系促成的。"[②]因此,西欧的兴起,在与亚洲相比并不存在内发优势的情况下,只有将它置于全球联系中,才能得到理解。如果将西欧历史的发展进程置于当时的世界经济与政治格局中,便会发现,西欧的发展是由其以下三个因素决定的:落后性、野蛮性、偶然性。

首先,一些学者的研究早已表明,欧洲经济在18世纪以前落后于亚洲。弗兰克在他的《白银资本》中指出,"从1400年到1800年,更不用说更早的时候,世界的真实情况与流行理论的说法完全不同。欧洲中心论历史学和'经典'社会理论以及沃勒斯坦的'现代世界体系'所认为或宣称的欧洲的支配地位根本不存在","1750年亚洲占世界总人口的66%,而亚洲的产值占世界的80%。也就是说,占世界人口2/3的亚洲人生产出世界4/5的产值,而占世界人口1/5的欧洲人仅产生出其余1/5产值中的一部分,另外的部分是非洲人和美洲人的贡献。因此,在1750年时,亚洲人的平均生产力

[①] 埃里克·沃尔夫:《欧洲与没有历史的人民》,赵丙祥、刘传珠、杨玉静译,上海人民出版社2006年版,第315页。

[②] 同上,第9—11页。

大大高于欧洲人。"①造成欧洲落后的主要原因何在？根据刘景华提出的西欧"生产不足论"，"在中世纪西欧社会经济发展的过程中，由于各个大小不同层次的经济系统在物质生产上不能满足自我需要，因而必须寻求系统以外的经济养分来填补需求缺口，利用外部经济因素来满足内部需要，工商业的发展和城市的兴起便是这种寻求展开的必然产物。……农业生产力水平尤其是生产技术水平的相对低下，是西欧各个层次经济系统不能实现自足的根本原因。"②因此，15世纪末16世纪初西欧对海外的扩张，并不是由于其经济发达与强大；相反，是由于其内部生产不足，新航路开辟活动的动机首先应归于西欧内部的生产不能满足需求。可见，西欧的扩张与掠夺是由其落后性决定的。

其次，西欧文明的野蛮性从其掠夺本性反映出来。对于西欧国家的早期资本积累，马克思早已一针见血地指出："资本来到人间，从头到脚，每个毛孔都滴着血和肮脏的东西"，其具体的例证，就是西欧对海外的扩张与掠夺。西方殖民者到达美洲后，通过传染病与杀戮给美洲土著居民带来了"大死亡"。例如，西班牙占领之前的中美洲估计有2500万人，但到1650年降至150万；位于下秘鲁的利马和上秘鲁的查卡，其西班牙领地的居民人口在征服之时均有500万，但在18世纪的80年代和90年代分别降至不到30万人。美洲土著居民的大量死亡造成了银矿与种植园里的劳动力缺口，于是非洲的奴隶贸易兴盛起来。1451年至1600年间从非洲输出的奴隶约27.5万人，到17世纪增长了5倍，达134.1万人，而在1701年至1810年间，人数超过600万。英国人为了解决与中国的贸易逆差，不惜将大量鸦片从印度输入中国。"印度鸦片敲开了与中国通商的大门，改变了原来金银只由欧洲流向亚洲的局面。"③因此，西方早期的资本积累和资本主义生产的发展，是建立在海外掠夺基础上的。1545年到1800年，美洲出产白银约13.3万吨，其中大约75％即10万吨输出到了欧洲，而欧洲从美洲掠夺白银

---

① 贡德·弗兰克：《白银资本——重视经济全球化中的东方》，第372、240页。
② 刘景华：《西欧中世纪城市新论》，湖南人民出版社2000年版，第16页。
③ 参见埃里克·沃尔夫：《欧洲与没有历史的人民》，第159、233、309页。

中的32%即3.2万吨又支付给了亚洲。[①] 因为此时期欧洲与亚洲相比,在经济上并不占优势,必须支付大量白银来购买亚洲货物。西欧国家正是依靠美洲白银,才逐渐取得了欧亚贸易中的优势,其资本主义产生才有可能得到发展。因此弗兰克指出,要理解"西方的兴起"、"资本主义的发展"、"欧洲的霸权"等历史过程和事件,需要一种全球视野。在这种视野下,这些历史过程和事件都是统一的世界经济体系的结构和发展的一部分。"欧洲不是靠自身的经济力量而兴起的,当然也不能归因于欧洲的理性、制度、创业精神、技术、地理——简言之,种族——的'特殊性'(例外论)",而是"利用它从美洲获得的金钱强行分沾了亚洲的生产、市场和贸易的好处——简言之,从亚洲在世界经济中的支配地位中谋取好处。欧洲从亚洲的背上往上爬,然后暂时站到了亚洲的肩膀上"。[②] 丹尼尔·贝尔也认为,资本主义有着双重的起源,一是韦伯所说的禁欲主义,二是桑姆巴特所说的贪婪攫取性。[③]

由上可见,西方资本主义发展起来的最初动机与手段,在于它的落后性与野蛮性。这两个因素再加上历史的偶然性,使得西欧的资本主义发展意外地顺利。这里所说的历史偶然性,即西欧在寻求亚洲的财富之时,与美洲发生联系是偶然的。哥伦布到达了美洲,却至死都以为到了梦寐以求的亚洲。这正是历史的偶然。如果历史可以假设,按照哥伦布的如意算盘,他到了经济繁荣的亚洲——中国或印度,世界文明史就很可能改写。因为按照16世纪西欧的经济和军事实力,不可能从中国和印度得到任何好处。然而,哥伦布到达的恰恰是经济不发达却资源丰富的美洲,这就为西欧殖民者征服亚洲提供了跳板,也有了一段积累的时间。当西欧殖民者迅速征服美洲之后,在美洲开采白银,同时从非洲掳掠奴隶作为廉价劳动力在美洲建立大种植园,获取低廉的工业原料。用这些从美洲和非洲挣得的金银与中国进行贸易,几乎是做"无本"生意。即使这样,他们还要向中国输出鸦片才能维持贸易平衡。18世纪以降,随着印度的衰落,印度也与美洲一样,成了欧

---

① 贡德·弗兰克:《白银资本——重视经济全球化中的东方》,第203页。
② 同上,第26页。
③ 丹尼尔·贝尔:《资本主义文化矛盾》,第27页。

洲人从经济上进攻中国的跳板。这样,欧洲人经过16—18世纪3个世纪的积累,终于在经济上占了上风。以中国为代表的繁荣的亚洲衰落了,西欧资本主义模式压倒了其他经济发展模式,以资本主义为中心的现代世界体系也逐渐建立起来。

因此,从全球史的角度来看,落后野蛮的欧洲走上工业资本主义道路之时,并不是世界文明发展的常态,而是一种变态,西欧模式的工业资本主义是世界文明进程中"半路杀出来的程咬金",而工业革命可以看作是西欧脱离常轨而呈现变态发展的一个标志性事件。结果,西欧模式的工业文明破坏了"世界精神"的常态发展。因此,西方模式的资本主义道路并不一定是人类社会的必然选择。从另一意义上来说,其他几大文明按照"世界精神"的常态发展才具有普遍性。

三、西方模式带来的问题及其局限性

世界历史不是成功者的脚注,不能因为西方资本主义模式促进了经济的发展便认为它就是理想模式。20世纪以来的历史已经表明,西方模式虽然因经济发展而证明了其在经济方面的有效性,但它带给人类文明的并不全是福祉。因为经济的发展并不等于人的发展,也不等于社会的发展。相反,非工业社会中的"世界精神"及其他地区社会发展的历史,映衬出了西方模式的局限性。

马克思对资本主义生产条件下人的异化的论断,对我们理解西方模式至今仍具有启迪意义。马克思在《1844年经济学哲学手稿》中,对资本主义条件下劳动的异化进行了精辟的分析:"劳动所生产的对象,即劳动的产品,作为一种异己的存在物,作为不依赖于生产者的力量,同劳动相对立。劳动的产品就是固定在某个对象中、物化为对象的劳动,这就是劳动的对象化","异化劳动使人自己的身体,以及在他之外的自然界,他的精神本质,他的人的本质同人相异化。"因此,西方模式下因为劳动的异化导致人的异化。这种异化的最极端表现是拜物教——拜金主义,"它把坚贞变成背叛,把恨变成爱,把德行变成恶行,把恶行变成德行,把奴隶变成主人,把主人变成奴隶,把愚蠢变成明智,把明智变成愚蠢。"①因此,它是与人的发展和社会发展背道而驰的。直至今日,源于西方资本主义经济模式的人的异化,人受物的奴役和人本精神的丧失,正是人类为西方模式的"现代化"所付出的沉重代价。法兰克福学派继承了马克思对资本主义的剖析,其社会批判理论,并不仅仅停留在对资本主义社会制度和经济制度的批判,而是集中在对当代资本主义社会的意识形态、大众文化、社会心理、技术理性等方面的批判。他们的批判,正揭示了资本主义模式的局限性。

人类文明史已经证明,物质生活只是衡量人类生活质量高低的一个方面,经济发展并不等于社会发展,更不等于人的发展。衡量一个社会进步的尺度,应该以人为本,看社会发展的目标是否与人的发展相一致。因此,社会发展观应是一种科学的发展观。而沿着西方模式前进,片面追求物质利益和利润的最大化,只能加速人的异化,给人类文明带来的是灾难而非福祉。

现代世界是一个西方模式主导下的世界,这一世界体系中存在的问题早已暴露无遗。就经济发展与贫困问题而言,迪亚斯-卡列哈斯曾有趣地把近年来的全球经济增长称为"冷酷无情的增长",因为单纯的经济增长并没有把全人类的发展作为其目标,反而增加着贫困和穷人的数量。② 里夫金把以美国为代表的现代资本主义模式称为"美国梦",认为它具有以下特点:强调经济增长、个人财富的积累和独立自主,效忠工作伦理,把成功归因于切断了同旧有文化之间的纽带,同爱国及爱国主义紧密结合,倾向于用军事力量来保护自身利益,倾向于地方性思维,深化个人化和极少关注人类的其余。③ 这些特点所表现出来的物质主义、个人主义和种族中心主义,正是当

---

① 参见《马克思恩格斯全集》第42卷,人民出版社1979年版,第91、97、155页。
② 阿波利纳尔·迪亚斯-卡列哈斯:"'旧的'世界新秩序中的新霸权",弗朗西斯科·洛佩斯·塞格雷拉主编:《全球化与世界体系》,白凤森、徐文渊、苏振兴、吴国平、郭元增译,社会科学文献出版社2003年版,第298页。
③ 杰里米·里夫金:《欧洲梦:21世纪人类发展的新梦想》,杨治宜译,重庆出版社2006年版,第5页。

今美国单边主义世界霸权的文化根源,也是美国霸权下全球秩序失范的重要根源。在全球化这一背景下,要想将人类生息繁衍的地球建设成一个各种文明和谐共处的美好家园,实现人的全面发展和人类社会的共同进步,就必须寻找与探索西方模式之外的其他发展模式,走多元发展之路。塞格雷拉提出,"必须把我们的以战争为基础的文明与文化改造成一种和平文化,而这种文化将重新界定人类的和平权,并将实现一项新的谋求和平的社会道德契约作出贡献","为了获得一种真正的和平文化,需要重新创立一种以原则(而不是模式)和真正的价值观为基础的、不是以商品作为崇拜物、以暴力和战争作为消除冲突的惯用手段的全球性与多元的文明。"[1]

综上所述,19 世纪以来西方国家经济的发展与发达,在实践上和学术界都造成了西方模式的霸权话语,甚至出现了现代化等于西方化的认识。然而,如果将西方发展模式置于全球史的宏观视野下,用联系与比较的观点来加以审视,就会发现,西方模式自其形成之初,便是世界多元社会发展模式中的一元,而且直至今日西方模式所表现出来的局限性,以及因此给人类社会带来的问题,更进一步表明了世界各国走多元化道路的必要性。

---

[1] 弗朗西斯科·洛佩斯·塞格雷拉:"全球挑战、伦理与国际社会",弗朗西斯科·洛佩斯·塞格雷拉主编:《全球化与世界体系》,第 288、290 页。

全球现代化整体研究
A Holistic Approach to Global Modernization

张 伟 伟(南开大学历史学院)

摘要：本文主张对全球现代化进行整体研究，认为现代化的研究应当以全球为单位，把各个国家和地区当成整体的部分从相互依存、相互作用和有待而然的合力中理解各个部分的发展变化。作者对现代化的定义和性质、现代化研究的单位、全球现代化的历程以及全球现代化的规律行了思考，提出了一些挑战传统概念的见解。

关键词：全球现代化； 整体研究； 现代化的性质； 现代化的规律

Abstract: This paper argues that global modernization should be approached from a holistic perspective and that modernization should be studied globally so that developments of nation-states and regions as parts of the globe could be understood as a resultant of interdependence, interaction and contingency in global history. The author discusses global modernization in terms of definition, nature, unit of analysis, process as well as laws and offers some ideas different from prevalent ones.

Keywords: Global Modernization; Holistic Approach; Nature of Modernization; Laws of Modernization

现代化研究从 20 世纪中叶在全球"热"起来以来取得了很大的进展，形成了许多理论和研究成果，对"现代化"道路的研究从历史和现实中总结了许多经验教训，为现实的现代化提供了借鉴。当然，在"现代化热"的同时，

"反现代化"的现实和倾向也日渐凸现,各种现代化理论和学术研究的漏洞与误导也在现实的检验中暴露出来。人们在憧憬"现代化"的同时,在现实中却面临种种困惑:为什么在全球发展中,国与国之间和人与人之间的贫富差距越来越大?为什么人与自然的矛盾越来越突出?为什么许多国家的现代化如此艰难?为什么人的物质生活提高了,而生态环境却恶化了,人的精神生活质量也在下降?现代化的成本有多大?现代化的目标是什么?人类急急忙忙奔向何方?传统现代化理论以国家为研究对象,那么从全人类和全球的角度看,现代化意味着什么?在全球史上现代化的全息图像如何?笔者就自己对"现代化"和现代化研究上的困惑提出几个问题,以求解惑。

"现代化"的定义

"现代化"(being modernized 或 modernization)是一个相当模糊的定性概念,即时尚化,本来并没有什么具体的指标。但人们逐渐把"现代化""定量化",确定了方方面面的具体数量指标。而对于现代化的指标,且不论学者们并没有统一的确定,不同时期的经济学家、社会学家、政治学家乃至历史学家似乎都有各自的"定量体系",参照系数也不同。不过,大体上还是以美国、日本和西欧一些"发达国家"的单个或综合水平确定的,而且不断水涨船高,随着"现代化"的进程向上攀升。

此外,"精确"的定量指标,在具体对象身上往往变得"模糊"了。例如,在某些指标中,我国习惯于以美元为计算单位,以达到人均多少美元为阶段性目标。但美元不是一个恒定的计量单位。美元的实际价值不仅不断随国际金融市场而升降,其实际购买力在不同的时间和地点也相差甚远。虽然人民币与美元挂钩,二者比价波动不大,但近年来美元在国际市场上与欧元、日元和英镑的汇率变化很大,人民币也颇受其牵连,乃至最近不得不调整为"一篮子"汇率机制。

更有甚者,最近,根据中国社会科学院现代化研究中心发布的《中国现代化报告 2005》①，2001 年经济现代化的差距方面，中国与美国等 7 个国家的综合年代差在 100 年左右，与德国等 7 个国家的综合年代差在 80 年左右，与日本等 6 个国家在 50 年左右云云。② 笔者对这个"结论"感到愕然，不知到底是如何"掐算"出来的。于是，在网上找到该报告和记者陆纯采访中国科学院中国现代化研究中心主任、中国现代化战略研究课题组组长何传启研究员的报道。

> 何传启：我们在进行国际间经济现代化的比较时主要用了三个数据：2001 年中国人均 GDP 为 3583 美元，美国达到这一水平的年代为 1892 年，相差 109 年；2001 年中国农业劳动力比重为 50%，美国同比例的年份为 1870 年，相差 131 年；2001 年中国农业增加值占 GDP 的比重为 15%，美国同一比例的年份为 1914 年，相差 87 年。我们把三个数据的相差年份一平均，得出与美国的差距为 109 年。
>
> 记者：您认为中国在经济现代化方面要赶上美国需要多长的时间？
>
> 何传启：我们认为至少需要 100 年的时间。美国 2002 年的人均 GNP 为 35400 美元，根据其 4% 的经济增长速度计算，一年增长 1416 美元。而中国 2002 年的人均 GNP 为 960 美元，按照 8% 的增速计算，每年增长仅为 77 美元左右。③

笔者哑然！姑且不论 GDP 是否是衡量一个国家综合国力和实际生活水平全面客观的指标，单就"美元"问题就足以证明这个"科学"结论的不科学。1892 年美国的 1 美元和 2001 年中国的 1 美元之间是等号吗？100 多年来美元贬值了多少？改革开放后人民币和美元的汇率有多少变化？现在在美国和中国的 1 美元在 100 年之后价值几何？1 美元在现在美国和中国的实际购买力各有多少？更不用说 1 美元在美国不同地区和中国不同地区

---

① http://news.sina.com.cn/c/2005—02—18/11285867812.shtml.
② 陆纯："中国现代化报告 2005：中美经济相差一百年？"，《北京青年报》2005 年 2 月 19 日。
③ http://bjyouth.ynet.com/article.jsp?oid=4706826.

的实际购买力了,如美国东西海岸房价的差异以及中国东南部和西南或西北部的物价差。就笔者亲身经历,2002年美国某城市公共汽车票全程为1美元,而同期中国天津的公共汽车票全程是1元人民币,当时美元和人民币汇率为1:8.2,即1美元可以在天津乘8次车。在其他商品的实际购买力上,差距也多寡不等。僵化的"科学"是可笑的。而常识告诉人们:任何国家的经济都不会一直按照固定4%或8%的增速增长的。其假设前提就荒唐,结论还能科学吗? 何传启先生2005年来南开讲学时笔者曾当面问及是否考虑过美元汇率变化和经济增长率变化问题,他的回答是"没有"。全球政治经济生活中的变数多多,怎么可以按照某些固定的模式去推论呢? 按照这种推论,中国似乎很难赶超美国。而且,中国为什么要赶上美国? 13亿人口的中国如果赶上美国现在的人均耗能水平,这世界还了得? 地球吃得消吗?[①]

曾记否,20世纪50年代"大跃进"中"超英赶美"的"大炼钢铁"把钢铁年产1000万吨当成衡量"现代化"的一个重要标志。半个世纪左右,中国早已超过了这个指标,在1996年成为世界第一钢铁大国,并保持至今。2005年,新华网北京2月1日电,"据《经济日报》报道,来自中国钢铁工业协会的消息说,2004年第四季度,中国生产钢的平均日产量已经达到了年产钢3亿吨的水平。从2005年新的生产能力来看,全年具备增产钢4300多万吨,从而达到年产3亿吨钢的能力"。[②]而且,中国还是世界第一钢铁进口大国,主要进口高端产品。由于钢铁是高耗能源、高耗资源和高污染行业,估计这个规模没有国家愿意赶超了。目前,在国内和国际市场需求拉动下,新一轮"大炼钢铁热"骤然形成。而且我们"大炼"的主要是低端产品。福兮祸兮?"现代化"的环境成本和社会成本的确值得思考。

[①] "2003年我国人均耗能1.3吨标准煤,如果按全世界人均耗能2吨计算,则我国将耗能30亿吨,相当于美国今天的耗能总量;如果按美国人均耗能水平的一半(相当于日本的人均耗能水平)计算,则中国总耗能将达到70亿至80亿吨,这一数量相当于全世界目前耗能的一半! 显然,这是绝不可能的! 可见,无论我们设定人均耗能水平多么的低,只要用13亿人口数一乘,就将是一个巨量!"http://news.sohu.com/20050106/n223805113.shtml.

[②] http://news.xinhuanet.com/fortune/2005—02/01/content_2534053.htm.

从全球史看,在人类整体发展的任何一个特定时段,全球不同部分都存在发展差异。这世界是个多样统一的整体。所以,每个时期都只有部分而且是少部分地区(就是在一个"国家"也只是部分地区)比较先进而先"现代化"了,继而其他地区试图赶上来实现"现代化"。古代有古代的现代化,如石、铜、铁等工具的使用,农业的进步,工商业的发展,文化的繁荣等等,500年以后有那时的现代化,只要地球还没有因人类的"现代化"而毁灭,以后还会有。从全球史看,每个时期"现代化"的地区是不同的。现在"现代化"了的国家和地区也都曾经比较落后。想想几百年前的西欧和不曾存在的美国就了然了。历史上没有一直保持领先地位的国家或地区。我们今天研究的是我们这个时代的现代化问题和历史上的现代化问题。所以,从全球史的角度可能更能将人类现代化的全息图景尽收眼底,有更全面的认识和思考。

无论人们意识到与否,现代化都是个无尽的过程,即文明的演进。只不过现在的人们比较强烈地意识到了这个问题,更为重视而已。任何已经"现代化"了的,将来都会落伍,面临新的现代化问题。这有点像电脑软硬件升级。特定时代的人们的现代化指标必然是不同的,这个标准也与时俱进。因而,全球史上的现代化是一个整体的动态过程,可以被人为地划分为许多阶段,也可以将其看成一个无尽的动态整体。

木桶的容量取决于最短的桶板。人类现代化的整体程度取决于大多数人的生存状态,而不是少数"现代化"地区和少数高生活水准人群的生活指标。在贫富两个极端之间的中间群体应当是整体水平的平均值。而"现代化"理论和指标锁定的往往是富国和富人。这显然有些荒唐。如同一个亿万富翁对一个普通人说"如果你和我一样努力,你也能和我一样富有"一样荒唐。从全球史看,是广大的落后地区和众多的穷人为少数发达地区和富人的"现代化"做出了主动和被动的贡献。而他们却并没有像一些"现代化理论"所说的那样也"可能"实现"现代化"。相反,正如马克思曾经指出的相对贫困化那样,他们的处境虽有所改变,但他们与富国和富人之间的差距却在日益加大。这个问题已经成为当代全球失衡中的一个重要因素,使原先希望通过"现代化"缩小或解决这个问题的理论和实践面临尴尬。

最近,党中央和国务院提出实现可持续发展和构建和谐社会,可谓切中时弊。我们的现代化定位和指标应如何符合"天人合一"的生态环境持续发展和中国人口众多的国情,不仅仅是个学术问题,而是一个关乎全人类命运的现实和未来问题。"全球现代化"的历史和现实迫使人们不得不思考:现代化能消除少数富国富人同多数穷国穷人之间的鸿沟吗?急迫的"现代化运动"是否在以破坏环境和毁灭未来为代价?现实使一些学者对"现代化"的前景感到困惑了。例如,沃勒斯坦1974年曾深信"能够既维持高生产力水平又能改变分配制度的唯一新世界体系将重新整合各个层次的政治和经济决策。这将构成第三种可能的世界体系:一个社会主义的世界政府"[1]。但在25年后的1999年他却写道:"第三个假定是:作为一个历史体系,现代世界体系已经进入终极危机,因而有可能在50年后完结。然而,由于其未来难以预测,我们不知道那个新体系(或诸体系)到底比我们现在的这个更好还是更糟。"[2]在1976年,汤因比所发出的"大地母亲的儿子人类一旦犯下弑母之罪将无处逃遁。其惩罚必是自我毁灭"[3]的警钟并非危言耸听!

因而,我们现在的确应当反思"现代化"定义和目标,在科学发展观指导下制定符合中国国情和全球生态发展的适当标准,而不应一味追求"赶超"发达国家。现代化的定义应当是因时因地而异,具体情况具体分析,更多地考虑多数人的生存状态和全球生态环境稳定以及人类社会整体的可持续发展,切合实际,健康和谐前进。从人类整体长远发展和地球生态平衡的发展观出发,我们应当反对奢华浪费,提倡简朴生活。近年来,国内国际上"回归自然"和"节俭革命"的呼声反映了大多数人的愿望。这不仅符合中国国情,而且也是人类免于灭亡的出路之一。

---

[1] I. Wallerstein, *The Modern World-System* I, New York: Academic Press, Inc, 1974, p. 348.

[2] I. Wallerstein, *The End of the World As We Know It: Social Science for the Twenty-First Century*, London: University of Minnesota Press, 1999, p. 1.

[3] Arnold Toynbee, *Mankind and Mother Earth: A Narrative History of the World*, New York and London: Oxford University Press, 1976, p. 588.

"现代化"研究的"单位"

现代化研究的单位看上去清楚,实际上模糊。现代化研究的"单位"一般是"国家"。但"国家"或"民族国家"是个很晚近的政治概念。从全球史看,现代意义上的"民族国家"只是"现代化"的一个结果,"国家"是在近现代民族国家形成之后才基本稳定的"单位"。

这种研究单位的定位有其历史的合理性。首先,希望"现代化"的国家大都是贫穷落后的第三世界地区或国家。第二次世界大战结束后获得独立的前殖民地和半殖民地希望选择一条尽快富强的道路,参照的标准也是已经"现代化"了的国家。于是美国、日本和西欧一些发达国家就成了学习赶超的对象。但是,这个"单位"有很大的局限性,在政治疆界内审视跨疆界的经济和文化,往往管中窥豹,不见全貌。

其次,现代化研究是功利性研究,旨在通过对"发达国家"现代化历程的研究,选择一条适合自己的快速发展道路。20世纪50—70年代形成的许多现代化理论实际上都是为非洲、亚洲和拉丁美洲国家量身定做的发展经济学理论和模式。我国改革开放以后在20世纪80年代兴起的现代化研究就是为了解决"文革"经济停滞后中国的发展道路问题,并服务于"四个现代化"的具体目标。北京大学罗荣渠先生的《现代化新论——世界与中国的现代化进程》和《现代化新论续篇——东亚与中国的现代化进程》就是那个时期杰出研究成果的代表作。当时,学术界梳理了美国、日本和西欧各国的"现代化"道路并对亚洲"四小龙"的崛起进行了全面的研究,从中获取了许多有益的经验教训,为我国的发展战略和现代化进程提供了支持。当时的研究主要侧重在"成功"经验研究方面,即人家是怎样实现现代化的。我们应当向他们学习什么是研究的功利目的。

2005年10月南开大学世界近现代史中心主办的"20世纪发展中国家现代化模式研究"学术会议主要研讨发展中国家的现代化问题,同样具有很强的现实和理论意义。会议实际上是对近半个世纪,在拉丁美洲的情况下是一个半世纪多以来独立后的发展中国家发展道路的反思和对现代化理论的再思考。全球史表明,现代化理论和发展经济学理论在大多数发展中国家并没有奏效,在亚洲,到20世纪80年代左右只有"四小龙"等个别国家和地区像早些的日本一样实现了崛起,大多数国家仍处在初级发展阶段。拉丁美洲国家19世纪20年代独立以来,虽也曾有过一些亮点,但整体坎坷蹒跚。独立后的非洲国家除南非和西非个别国家情况好些外,大多数当年独立后选择社会主义道路或资本主义道路的国家都没能如愿以偿。中欧和东欧各国20世纪80年代以来也路途艰难。全球大多数国家和地区"现代化"道路的不顺畅的确提出了许多发人深省的问题:为什么西方发达国家的经验和"模式"在大多数"发展中国家"不灵了?为什么发展中国家无法摆脱内外困扰,举步艰难?发展中国家难以"现代化"的原因何在?是自己不行,还是外因不利?这个问题如同戴维·巴克的问题"西方致富到底是靠勇气还是靠运气"[①]一样,答案可能会见仁见智。但无论是怪其内因,还是咎其外因,或是认为内外因结合所致,都无法回避这样一个问题:发展中国家是否真的"都"能实现"现代化"?或换言之,是否每个发展中国家只要选择了正确的发展道路并克服了内外障碍,或迟或早总能实现现代化?这曾经是"现代化理论"和"发展经济学"给人们的希望允诺。

除了以"国家"为单位之外,由于"国家"整体的现代化和"国家"内部不同地区之间的发展差异之间的矛盾在"现代化"国家和还没有现代化的国家之间似乎同样显著,甚至一国内"发达地区"之间的差异也不无存在,从而导致了地区"现代化"或"再现代化"的问题。各个地区都更关心自己的"现代化"问题。结果,研究单位进一步缩小、地方化,各个地区(区、县、市、省)大都有自己的"现代化"目标/指标和计划,根据这些目标和计划,宣布自己何年实现"现代化"。例如,我国一些城市根据某些指标宣布有可能或提前在某某年实现"现代化"云云。笔者在现代化的英国、韩国和美国都感受到了

[①] David D. Buck 的评论文章:"Was It Pluck or Luck That Made the West Grow Rich?", *Journal of World History*. 10.2 (1999), pp. 413—430。

地区发展差异。回顾我国改革开放以来现代化的历程，在取得举世公认的辉煌成就的同时，这个问题也同样突出。我国的大发展主要集中在东南沿海地区，与东北、西北、西南和中西部形成强烈的反差。国家对这些问题的重视可以从开发西部和构建和谐社会的政策，特别是2005年3月温家宝总理的政府工作报告中看出。

由于亚洲、非洲和拉丁美洲各洲的大部分地区的情况相近，有些学者也把这些洲作为一个单位进行研究，如伊·沃勒斯坦、保罗·普雷比什、萨米尔·阿明和贡·弗兰克等学者都特别关注非洲和拉丁美洲的发展并提出了世界体系理论和依附理论等学说。他们提出了核心国家和边缘国家的概念，从民族剥削的角度分析核心国家致富和边缘国家受穷的原因。西方学者对全球史整体研究的方法值得我们借鉴。由于20世纪六七十年代我国特定的状况，我国学者没有参加当时国际学术界的理论构建，改革开放后才接触到这些已经完成并开始受到批评和反思的学说。因此，我们应当对他们的现代化理论等学说进行认真的研究和扬弃。

和其他国家和地区一样，中国的现代化也是全球现代化的一个部分，受全球整体发展的合力制约。从全球现代化的进程中我们可以汲取许多经验和教训。可惜，由于现代化研究一直以现代民族国家为单位，功利地和孤立地聚焦一个国家的"现代化"进程，特别是现代化国家的发达地区等。虽然形成局部特写，但没有形成全球现代化的全息图像，使我们对现代化的成功的具体细节比较关注，对现代化负面和失败的经验教训总结不够，对全球现代化的整体缺乏认识。

笔者认为，全球现代化的历史表明，在任何特定的时段，只能有少数国家和地区属于发达的现代化地区，大多数国家和地区只能处于相对落后状态。发展永远是相对的。正像都是百万富翁就都不是富翁一样，发展本质是不均衡的，不均衡才有发展的动力。现在的"现代化"就是历史上全球失衡的结果。而形成一个国家和地区"能"或"不能""现代化"的原因是复杂的，需要从全球现代化的整体发展中加以理解，即从人类全球发展的整体去认识"现代化"这个不断演进的相对历史过程，把不同地区、现代民族国家、大区域等当成现代化进程的不同部分,从整体"有待而然"的合力对各个作为功能体的部分的左右和各个部分对整体发展的作用来认识全人类不断"现代化"的整体过程和各个部分在其中的独特功能与历程。这种研究可以克服传统现代化理论和研究只见树木不见森林的局限性,可以更好地解释为什么在特定的时段,一些地区发展了,一些地区落后了,一些地区变化不大的复杂历史现象。笔者无意反对以国家或地区为研究对象,那样做有其必要性和现实意义。笔者只是认为从全球整体研究现代化会提供更全面的认识,更接近历史、现实和未来。这是全球现代化整体研究与现代化个体(部分或国家)研究的区别所在。视角不同,结论就可能相异。

在研究"现代化"问题时,"可理解的有意义画面"[1]或可理解的研究单位是什么?沃勒斯坦指出他的"第一个突破是**全球性**。全球性源于对研究单位的著名争论:研究一个世界体系而不是研究一个社会/国家。众所周知,现代化理论由于主张系统比较所有国家而曾一直是国际性的。但该理论从来不曾是全球性的,因为它根本没有研究世界体系的新兴特点,实际上从来不把世界体系当成'世界'的各个部分来分析,而各个部分是不可能孤立地去理解或研究的。"[2]笔者认为,从全球史看,"现代化"不是一个"国家"自己的事情,而是全球失衡的大势所趋,合力使然,各个国家能否"现代化"只是整体内部各部分互动的结果。不从整体去看,一个国家的"现代化"问题无法得到客观全面的认识。[3]

在理论上,这种整体研究法将挑战学术界主流思想和理论,如欧洲/西方中心论、欧洲例外论、文明传播论、种族优越论、文明优越以及发展理论等。国际学术界的一些有识之士已经在反省和批判欧洲启蒙时代以来的思想体系。例如,沃勒斯坦指出,"当今,启蒙运动的世界观受到不小抨击,而

---

[1] Arnold Toynbee, *The Industrial Revolution*, Boston: The Beacon Press, 1956, p. ix.

[2] I. Wallerstein, *The End of the World As We Know It: Social Science for the Twenty-First Century*, p. 195.

[3] 参见张伟伟:"论全球史整体研究",《世界近现代史研究》第一辑,北京 2004 年版,第 10—16 页。

且来自许多方面。没有人会无条件接受它了。……然而,这种世界观依然在社会科学的理论和实践中根深蒂固。因而,后现代派要想根除这套观念必须矫枉过正。……简而言之,我认为:我们应当找到一套新的更好的语汇来描述社会现实"。[1] 珍妮特·阿布-卢格霍德[2]、安德列·贡德·弗兰克[3]、彼得·格兰[4]、彭慕兰[5]和罗伯特·B.马克斯[6]等西方学者在各自的论著中也或激烈或婉转地批判18世纪以来在西方形成的主流理论。我们对此不应无动于衷,应当积极参与对话。

全球现代化的历程

细想起来,现在所有的"现代化国家"都曾经是"发展中国家"。20世纪90年代访问南开大学的沃勒斯坦领导的研究中心的一个研究小组的一些学者提出了一个观点:核心国家形成之后基本稳定,只增加了美国和日本等几个新国家,而且在50年内不会有太大的变化。我当时曾问:中国是否有可能改变"身份"。得到的答复是否定的。这促使我思考"核心国家"到底是如何形成的这个似乎已经不是问题的问题。因为马克思、韦伯、麦克尼尔、布罗代尔、沃勒斯坦等人对"资本主义"和"西方的崛起"已经有了太多的论著,学术界和人们观念中也形成了公认的"西方/欧洲中心论"、"欧洲例外论"和"欧洲奇迹"等定论。当然,以"中国/亚洲/东方中心论"等其他中心论

---

[1] I. Wallerstein, *The End of the World As We Know It*: *Social Science for the Twenty-First Century*, p.122.

[2] Janet L. Abu-Lughod, *Before European Hegemony*: *The World System A. D. 1250—1350*, New York: Oxford University Press, 1989.

[3] Andre Gunder Frank, *ReORIENT*: *Global Economy in the Asian Age*. London: University of California Press, 1998.

[4] Peter Gran, *Beyond Eurocentrism*: *A New View of Modern World History*. New York: Syracuse University Press, 1996.

[5] Kenneth Pomeranz, *The Great Divergence*: *Europe*, *China*, *and the Making of the Modern World Economy*. New Jersey: Princeton University Press, 2000, p. 4.

[6] Robert B Marks, *The Origins of the Modern World*: *A Global and Ecological Narrative*. New York: Rowman & Littlefield Publishers, Inc. , 2002.

挑战"欧洲中心论"的论著上个世纪末开始异军突起,对"西方的崛起"作了批判和新的解释。笔者主张从无中心的整体合力发展角度认识全球史和全球现代化的过程。① 因为,从较长时段的全球史看,中心论的视角褊狭皮相,不能客观展现全球史上现代化的整体图像。而且,与中心论相应的霸权/中心转移说,如从中国中心向欧洲中心/美国中心转移等,也只强调或放大了"中心"的地位和作用,忽略了整体各部分之间的相互作用合力导致的全球失衡对各个部分兴衰的左右。

公元 1000 年左右的世界中心在哪里？一些学者认为中国当时最发达而堪为中心,当时的中国统治者和精英也认为或自以为中原帝国独享天下,周边皆为蛮夷。可是,当时的世界并没有公认的"中心",各地人都有自己的中心:当时散乱的欧洲基督教世界隶属以地中海为中心的文明圈,与北非和西亚交往较多;新兴的伊斯兰教文明有自己的中心;印度次大陆有自己的佛教/印度教文明圈;中国有自己儒家文明的天下;撒哈拉沙漠以南的非洲也有许多部族的地方中心;美洲各大陆上也形成了诸多土著帝国;澳洲也有自己独特的土著文明。说这些文明圈各有各的特色,彼此有文明高低之分不错,但要"选"出一个当时人公认的"中心"就勉强了。尽管后来的学者们可以强加一个,当时的人们大概无心也无力去这样做。这种多样统一的全球格局正是当时"现代化"的基础和动力源。正是这些不同层次的文明之间交往冲突形成的全球失衡改变着全球的面貌和各个地区的命运。

当时的全球失衡表现为以基督教和伊斯兰教冲突为特征的东西方文明冲突。基督教 11 世纪开始的多次十字军东征实际上是以攻为守,或用他们的说法"进攻是最好的防御",抵御迅速扩张的伊斯兰教。不打不成交！东西方之间的征战反而加强了双方的交往和了解,产生了许多始料不及的后果,使欧洲有了改变自己的必要性和可能性。13 世纪蒙古人统治下的和平,对欧洲既是危机又是机遇:说危机是进一步威逼基督教世界,说机遇是与东方的交往畅通了,对东方的了解和渴望加强了。无论马可·波罗是否

---

① 参见张伟伟:"论全球史整体研究",《世界近现代史研究》第 1 辑,第 3—4 页。

来过中国[①]，其书无论真伪都承载了在西方掀起"东方/中国热"的历史重任。这恐怕就是当时"西方"人向往"现代化"的初级阶段吧。

西方与东方的贸易和交往由来已久，几条陆路和海路的"丝绸之路"横贯非欧亚大陆（Afro-Eurasia）。地中海地区与中国和印度的贸易往来带动了沿途的文化交往。这种双向和多向的往来对于全球史的意义在于形成了非欧亚大陆的供需市场以及与之配套的产业链，将非欧亚大陆各地的农牧业、手工业、商业、金融和交通运输业有机地连为一个整体并根据各地的情况自然形成了大区域和区域的国际分工。尽管"丝绸之路"形成的分工只是初步的，只是将各地的贸易网络连接并扩大，但其格局却基本定型并保持了一千多年。这个大区域的贸易网络并无"中心"。"丝绸之路"这个美丽名称的误导之处在于强调了中国的主导地位，把"供方"中国当成了经济"中心"。实际上，这些商路的形成是"市场导向"，由"需方"拉动的，动力主要是欧洲有对东方产品的需求和购买力，欧洲和阿拉伯商人有从中获取商业利润的可能和需要，而不是相反。在商业链中，需求、生产、供给、运输等环节的任何一个都不可或缺，具有同等的重要性。而这个市场的供需失衡则是大区域或全球失衡的重要因素。

长期以来，欧洲在这个贸易链中曾经一直是"需方"，其与伊斯兰教世界的冲突与穆斯林控制了东方贸易不无关系。蒙古帝国"硬性调整"建立的非欧亚大陆平衡在14世纪中叶因蒙古帝国的崩溃而改变。此时，世纪中叶蹂躏欧洲的"黑死病"可谓雪上加霜，伤了基督教世界的元气，使之进一步弱化。接着，孱弱的基督教世界再次因伊斯兰教奥斯曼帝国的西扩而退却收缩。奥斯曼帝国的扩张对欧洲是危机也是机遇，威胁到欧洲人的生存并将其逼向大西洋，迫使其"下海"求生，开辟通往中国和印度的海上通道。这个开辟新航路的过程一直被看成是欧洲"现代化"的起点，发现美洲和资本主义的发展等等对欧洲的意义和全球史的意义相当重大。从全球史看，西欧

[①] 这个问题上争论很大，英国的吴芳思（Frances Wood, *Did Marco Polo Go to China?* 1995）等学者与我国著名元史专家杨志玖教授（《马可波罗在中国》，1999）和其他许多学者的争论尚无定论。但笔者曾对吴芳思说，这件事的真伪之辨远不如这件事的实际历史影响重要。

此举是被动的,受伊斯兰教世界挤压不得已而为之,是全球失衡合力推动的结果。从非欧亚大陆范围看,西欧是在政治、文化、宗教、经济和军事日益被"边缘化"的困境中才不得不改变发展方向,从陆地文明走向海洋文明。

地理大发现和新航路在为西欧带来了财富同时也形成了新的压力,使西欧,特别是英国,要为维持和开发突然而至的庞大美洲殖民地提供必需品,解决非洲奴隶贸易需要的商品和武器。换言之,美洲和非洲强化了英国/西欧"现代化"的动力并为其提供了"现代化"所需的资金、劳动力、市场和自信心。这里应当强调欧洲人"自信心"的建立。从心理学上说,自信心产生于优越感。罗马帝国瓦解后,分裂内乱的欧洲长期处于物质文明和精神文明的"劣势",欧洲/基督教世界的自信心一直受到压抑,如基督教自身的分裂,欧洲内部的战乱,与东方贸易逆差凸显的物质文明落后感,与中国等统一的东方大国相比的政治和文化劣势,与迅速崛起并咄咄逼来的伊斯兰教文明相比的精神和军事劣势等等。

文艺复兴和宗教改革无疑是西欧洲人反省自我改革图新的被动积极举措。新航路和殖民地开拓了西欧洲人的眼界,使他们更好地了解了以往神秘异常的外部世界,在被征服的美洲印第安人和被劫掠的非洲人那里找到了优越感。与此同时,西欧洲人与东方的直接接触逐渐揭开了东方神秘的面纱,发现东方古国虽然有其优势但也并非完美无缺,也有自己的问题和不足。这可以从欧洲启蒙思想家们对东方的赞誉和批评上,如他们一面推崇中国的清朝一些皇帝的"开明专制",一面又批评"东方专制主义"的弊端来抨击欧洲的绝对君主专制,18世纪在欧洲掀起了一阵"开明专制"风大概应当算政治"现代化"的举措吧。在经济上,以英国、荷兰和法国等"东印度公司"为首的欧洲商人一边积极从事贩卖亚洲产品的贸易并将亚洲与美洲、非洲、欧洲的贸易多角连为一体,一边积极利用其在全球贸易中的主动地位控制了全球海洋航运,发展海洋文明。被动的欧洲从而掌握了主动,而主动将欧洲"逼挤"出去的伊斯兰教奥斯曼帝国却画地为牢,把自己困在所占领的庞大帝国内,同不久前明代的中国一样放弃了海洋发展的选择,主动地选择了被动。在改变命运的选择上,西欧人的确应当感激对手。正是强大的对手把"落后的"西欧人逼上了"现代化"之路。

然而,开拓和维持海洋文明并非易事,需要以工业为基础的强大经济和军事实力。海外扩张和殖民初期的欧洲工业并不发达,对外贸易长期逆差。而美洲金银最终流向亚洲的结果更伤害了欧洲人的重商主义情结并最终迫使欧洲人设法生产进口替代产品,以改变历来逆差的贸易劣势。此时,作为全球供需链条中承受拉力最大却又较为脆弱的英国经济果然不堪重负,发生了结构性断裂和更新,从新兴的棉纺织业开始了一系列全方位的产业结构变革和调整,从而开始了波及全球的"产业革命"。英国在全球史中作为"功能体"作用的转化,从"需方"逐渐变为"供方",完全是由于英国处在全球失衡的旋涡中,受来自亚洲、美洲、非洲、欧洲大陆乃至澳洲的挤压和推动所致,强大的压力激活了英国人的潜能,走出了孤岛去获得发挥才干的全球舞台。

从本质上说,发生在英国局部地区的"产业革命"并不是"英国的",而是全球的,是全球经济失衡的结果——建立新的全球供需链。英国乃至欧洲大陆的发明创造和工业发展是全球市场、全球资本、全球劳力、全球资源、全球物流和全球移民等全球变迁形成的合力促成的。从表面上看,"产业革命"似乎是始于"英国",而后法国和德国等西欧国家以及美国和日本分别在不同的时期开始了各自的"产业革命"从而相继走上了"现代化"道路。无怪,人们习惯把产业革命或工业拉动的经济起飞当成各个"民族国家"现代化的起步和标志。但是,如果考察一下这些"国家""产业革命"的动因和过程,就不难看出,这些看似独立的各国"产业革命"实际上只是全球产业革命整体的不同部分,是全球供需链变化的各个环节,不可割裂,相互牵连,有待而然。例如,1793年美国人埃利·惠特尼发明的轧棉机不仅解决了不产棉花的英国棉纺织业发展所需要的大量棉花,而且使美国南部成为棉花王国并促进了奴隶贸易和种植园奴隶制。而法国、荷兰、德国等西欧国家的"产业革命"和美国北部的"产业革命"也只不过是发端于英格兰部分地区的产业革命的扩展和深入。这一点不论从技术发明的互动还是从产业分工的调整等方面都不难看出。而且"产业革命"还有赖于那些没有进行"产业革命"的国家和地区在原料、资金、劳动力、市场等等的支持。这样一个全球互动的事业怎么能够仅仅看成是"国家"的呢?

　　国家政策的确在各国的"产业革命"中发挥了重要作用。这里应当指出的是:"国家政策"也是全球失衡中有待而然的结果。西欧各国的"重商主义"政策出于经济劣势和国际竞争的被逼无奈,海外殖民和海外掠夺也是欧洲各国争霸和对外战争的需要。换言之,部分国家被迫采取的积极发展政策有利于全球产业革命的发展而全球产业革命整体和部分的发展又富强了少数被迫积极参与的"民族国家"。而更多主动或被动、直接或间接参与全球产业革命的广大国家和地区则没有分享应得的利益,甚至受到损害和剥夺。例如,曾长期居优势地位的印度和中国通过出口和贸易差额刺激英国发展棉纺织业的结果是印度自己的棉纺织业受损和中国因其富有引来鸦片战争之祸,非洲大量人口被贩卖到美洲和其他地区成为产业革命的主要劳力资源并提供了象牙、黄金和钻石等物产充作产业革命的部分资本源,加拿大的毛皮和美国南部的棉花,拉丁美洲的金银、原料和市场,东欧和北欧提供的大量原料和粮食及澳大利亚的羊毛与黄金等等。这些国家和地区虽然也由于这场全球变革有所发展,但却并没有因此而"现代化",反而相对落后了。"全球现代化"的过程实际上是一个全球产业结构调整和各个"功能体"重新定位的过程。

　　美国的"现代化"是全球失衡的典型个案之一。本来这世上并没有一个"美国",其诞生完全是全球失衡有待而然的结果,是非欧亚大陆东西方文明交往和冲突的副产品。在偶然"发现"美洲之后,欧洲人殖民活动目的并不明确。斯密在18世纪70年代就认为:"欧洲人在美洲和西印度群岛建立殖民地并非出于迫切需要;尽管从殖民地得到的好处已经很大了,但其好处究竟何在依然不甚了了。人们初建殖民地时不清楚,那既非殖民地建立的初衷,也非导致其建立的海外探险的动因;或许人们现在依然没有完全搞清楚殖民地的好处到底是什么,大小如何。"[1]欧洲人向美洲移民源于欧洲内

---

[1] Adam Smith, *The Wealth of Nations*, London: 1776, New York: Adam Smith LLD, 1937, p. 525.

外交困,需要金钱和活路。英属北美13个殖民地的建立是英国国内宗教、经济、政治、社会等矛盾的产物,也与英国同西班牙、荷兰和法国的争斗密切相关。非洲黑人被动移民美洲则是为解决美洲种植园劳动力问题和与欧、亚、非、美之间获取高额贩奴利润的三角或多角贸易分不开。美洲殖民地的建立既缓解了全球失衡,为欧洲人提供了购买亚洲产品的金银,又形成了新的供需矛盾,促成了新的全球失衡,迫使西欧部分国家在设法解决对东方贸易逆差的同时解决"重商主义"限制政策下向美洲和非洲以及澳洲提供武器和工业产品等问题。这种产业压力无疑是英国和西欧几个国家"工业化/现代化"的推动力之一。应当指出:这种压力当时的"工业大国"印度和中国都没有。

移民将各自故乡的物质和精神文化以及社会关系等一切带到了美洲,与当地的土著文明和生态环境结合,形成了混合的新文明。这种新文明产生于双向和多向的交流融合,既不是简单的"欧化"也不是完全原创的"美化",而是"混合化",兼收并蓄,融合创新,多样共存,汇集了欧洲、亚洲(最初通过欧洲移民,而后是亚洲移民)、非洲和美洲文明精华的全球结晶。这个全球性文明移植和融合的过程是英属美洲殖民地和独立后的美国现代化的基础和特点:继承和发扬了全球不同层次的多样文明。因而,可以说"美国"这棵新树的根需越过几个大洋深植于欧洲、非洲和亚洲,贪婪地从那里吮吸着从人种到物种和文明的一切养分,才得以茁壮成长。一句话,美国的"现代化"只是全球文明融合创新的过程的一个小小亮点。

独立后,美国在经济和文化上并没有立即摆脱英国,而是更加密切了。18世纪末轧棉机在美国的发明使美国南部成为英国棉纺织工业的原料基地。同时,英国禁止向美国出口机器的报复性禁令并没有挡住走私和英国移民凭记忆与经验在美国复制英国的技术、机器、工厂制度和管理方法。美国北部新英格兰地区工业在摆脱了英国殖民地时期"重商主义"限制政策之后的发展无疑乘了英国产业革命的"东风",迅速吸纳了英国/欧洲棉纺织、蒸汽机、冶金、机器制造和科学技术等方面的精华并改造创新,形成了自己的轧棉机、轮船和后来的电报、电话、汽车、飞机等许许多多发明创造。如果说,美国的诞生为全球产业革命提供了一片崭新的天地的话,那么,美国的"现代化"无疑得益于全球失衡的大势和英国/欧洲的科技发展。

欧洲各国的全球争夺和自顾不暇给美国的独立和发展创造了有利的环境。19世纪英国、法国、德国、意大利、奥地利和俄国等国有的忙于国内的政治革命和改革,有的忙于统一战争,有的卷入殖民地起义和对华鸦片战争等。远在大洋彼岸的美国充分利用了有利时机以极为微小的代价从法国"购买了"路易斯安那,从西班牙"购买了"佛罗里达,通过同墨西哥的战争获得大片领土,并从俄国廉价购买了阿拉斯加。美国顺利完成贯通大陆的领土扩张并通过内战解决了南北发展冲突,为重建时期调整产业结构和产业升级奠定了坚实的基础。尽管美国在19世纪末叶在经济上已经可以与欧洲国家分庭抗礼,但美国全球地位的改变依然有待全球失衡的机遇。20世纪前半期以欧洲和亚洲国家为主战场的两次世界大战给美国工业和整个产业结构现代化提供了决定性的机遇,美国成为大后方和生产基地,军火和军需工业拉动了整个社会经济生活。甚至一战后,美国在二三十年代出现的经济大萧条从本质上看也是一次被动的经济自我调整和升级,在大破产的基础上资本进一步集中,产业结构重新整合,科学技术更新换代。这个积极结果从第二次世界大战中美国的军火和军需生产能力中不难看出。

全球失衡导致的两次世界大战彻底改变了美国的全球功能:从债务国转变为债权国,从陆地大国变为拥有强大制空和制海权的全球大国,从政治大国变为领导西方国家的霸权国家。两次大战中和战后逃亡与移居美国的欧亚科技和文化精英更使美国的科学技术和教育发达创新。这一切的"现代化"看上去是"美国的",但实际上是"全球的"。美国作为功能载体荟萃了人类文明的精华并发扬光大。二战后,全球资本主义和社会主义两大阵营对垒的冷战和局部地区的热战进一步强化了美国在"资本主义"阵营中的霸主地位,也强化了美国在经济上和军事上掌控资本主义世界的能力并从中获取了最大的一份。美国帮助欧洲复兴,支持日本、韩国、中国台湾地区等亚洲战略伙伴实际上是在帮助自己。除政治上和军事上这些国家和地区位于冷战前沿必须支持外,经济上美援的回报也异常丰厚,各国用"美援"购买美国军火、设备、技术和各种产品,极大地推动了美国经济的全面发展。

美国政治文化领域的现代化也是如此。美国的政治文化源于欧洲并在美国延续发展,因此美国启蒙思想家继承发扬了欧洲启蒙运动并将其思想精髓结晶于《美国独立宣言》和《美国宪法》等法律文件。美国的两党政治和议会体制也承传于英国反对专制王权的成果并根据美国的国情加以创新。美国政治斗争,从独立战争、废奴运动和内战、民主改革和民权运动乃至当代人权斗争等等虽然具有"美国特色",但从全球史的角度看,都是人类政治文明进步的一部分。正如英国的"现代化"一样,美国的"现代化"也只有放到全球失衡的大势中才能读解清楚。

可以说,全球化造就了一个美国。美国从殖民地时期开始就一直是全球失衡的受益者,大势使然,全球文明共同打造了一个"现代化"的强大美国,使之成为当今这个全球文明"宠坏了的"儿子。

日本是亚洲"第一个"现代化国家。人们经常把日本和中国比较而不得其解。其实,在"现代化"问题上,由于日本和中国在全球史中的地位与功能不同,二者并无多少可比性。在20世纪初功能转化之前,日本在历史上一直是"需方",吸收外来文化丰富自己的文化。先是同中国等周边国家交往,16世纪欧洲人到来后又受到欧洲文明的冲击和影响。分裂的日本在17世纪初统一之后,幕府大将军不堪外来文化在日本产生的离心力而采取了"锁国政策"。虽然在19世纪50年代中叶日本被迫开放之前,日本并没有完全封闭并且在列强争夺印度和中国等大国无暇染指日本的200多年中,自身社会经济有了长足的进步并为开国后的改革积聚了必要的政治和经济力量,但日本开国后主要还是吸收外来文化精华。这种"需方"的地位使日本比较容易适应新的技术和体制,并在较短的时间内借助外来经验完成政治经济转型和军事改革,走出去参加争夺战争并取得对华、对俄初战胜利,在世纪之交完成功能转化,从守成国转变为积极的扩张国。两次世界大战既打击了日本的扩张野心,又加强了日本的经济能力和复兴欲望。"冷战"中日本的前沿战略地位和朝鲜半岛热战的爆发为日本提供了机遇。美国极力扶植日本经济复苏并通过在日本为朝鲜战争生产军需和军火救活了一批日本大企业,并为日本电子工业的崛起奠定了基础。与此同时,美国还为日本培养了大批科技和政治人才,保障了日本经济发展和政治改革的人力资源和发展后劲。

亚洲"四小龙"的崛起也有赖于"冷战"中美国等发达资本主义国家的扶植,因为它们同日本一起构成了对社会主义中国进行遏制的前沿封锁线。韩国的情况和日本相似,同社会主义的朝鲜和中国对峙。美国当然不肯让韩国弱化。朝鲜战争的爆发和美国与中国这两个真正敌人交锋给朝鲜半岛带来了灾难,但也给韩国提供了机遇:靠美国的援助和扶植发展起来。朝鲜战争停战后不战不和的局面和越南战争促使韩国利用美国等发达国家的援助和投资推行从出口加工扩大贸易到发展教育科技的一系列政策,逐步走出劳动密集型低端产品加工阶段,提高产品科技含量,在电子、汽车和化工等领域取得进展,打入国际市场,并在20世纪80年代中叶开始对美国贸易顺差并逐步通过经济外交改善了同包括中国在内的许多国家的经贸关系和国家关系,成为"四小龙"中比较突出的国家。其他"三小龙"也如此。中国台湾地区的特殊性决定了美国把台湾地区当成遏制中国的要塞,在军事和经济上大力援助,保证台湾地区也像韩国那样通过出口加工奠定产业和发展的基础。中国香港地区当时是英联邦内的自由港和出口加工区,美国自然要利用香港的地理位置加强对香港经济的扶植和利用。与香港同属英联邦的新加坡也得益于在英联邦中进行加工贸易而发展起来。"四小龙"的崛起,除自身的努力之外,以美国为首的发达国家的资本、技术和订单是它们发展的共同特点。表面上看,是"四小龙"各自奋发图强,但实际上,它们的背后都有强大的"资本主义世界"的支撑,它们只是资本主义世界扶植的几个加工点。而更重要的是:它们是必须加固的遏制中国和社会主义阵营的"冷战"前沿阵地,处于变动的边缘。

与上述少数成功从"发展中国家"走向"现代化"的国家和地区命运不同的是:大多数美洲、非洲、亚洲和欧洲的国家和地区无论"走资本主义道路"还是"走社会主义道路"都没有取得预期的效果。这个历史现象提出了一个问题:一个国家的现代化主要靠"内因"还是靠"外因"还是"内外因结合"。

一般情况下，局外人把发展中国家"现代化"的艰难多归咎于"内因"，认为其国内有阻碍资本主义发展的障碍。可是，这些障碍在"现代化"国家和地区也曾或多或少存在，为什么它们就能克服？局内人往往将其归罪于"外因"，认为发达国家的控制和剥削阻碍其自身的正常发展。"内外因结合"的分析比较客观全面，认为外部不利条件和内部阻力过大使之不能迅速发展。这些不同侧重的分析各有各的道理。但似乎依然没有解决多数国家和地区的现代化问题。

从全球史看，大多数没有能够现代化的国家和地区在全球失衡中大都处于不利的合力之中，各种力量将其推向自己并不希望的发展方向。非洲在全球失衡中的国际分工曾是为美洲提供劳动力和作为殖民地满足西欧宗主国的各种需要。非洲国家相继独立后并没有在政治和经济上完全摆脱殖民地时期形成的基本状况，而西方国家控制的国际货币基金组织等国际机构的定向援助形成的单一经济趋向，进一步加强了非洲国家在国际分工中的不利地位：以廉价的劳动力、自然资源和初级产品参与不平等的国际竞争。它们的"现代化"实际上是为少数发达国家的进一步现代化服务的。所以，虽然也或多或少有些发展，但始终没有能够真正实现自身的全面发展。拉丁美洲各国虽然独立较早，但作为西班牙和葡萄牙的殖民地，拉丁美洲在全球失衡中的地位和非洲相近，吸收非洲黑人奴隶生产廉价原材料。美国的崛起也得益于拉丁美洲的弱化，如对墨西哥土地的侵占和对拉丁美洲市场的控制等等。拉丁美洲殖民地时期形成的政治状况也使拉丁美洲的大地主政治更容易受到外部势力的控制和更容易形成内部分裂割据的政治动荡。亚洲多数国家无论是走"社会主义道路"还是走"资本主义道路"在"现代化"的道路上都处于不利的合力之中，印度、中国和阿拉伯国家多受到种种不利因素的制约。以苏联为中心的东欧集团基本上处于资本主义的封锁下为苏联欧洲部分地区的"现代化"贡献力量，自己的发展受到制约。所以，在特定的时段，大多数国家总是在为少数国家和地区的发展主动或被动地作贡献，消耗自己发展别人。这不公平，但是现实，一时无法改变的现实，在相当长的时期内恐怕都是如此。

结　　语

全球现代化是个过程,本身的终极目标并不明确,因为有太多的变数和不确定因素,不知道各种力量形成的合力到底会把人类推向哪里。正如恩格斯所说:"历史是这样创造的:最终的结果总是从许多单个的意志的相互冲突中产生出来的,而其中的每一个意志,又是由于许多特殊的生活条件,才成为它所成为的那样。这样就有无数相互交错的力量,有无数个力的平行四边形,由此就产生出一个合力,即历史结果,而这个结果又可以看作一个作为整体的、不自觉地和不自主地起着作用的力量的产物。因为任何一个人的愿望都会受到任何另一个人的妨碍,而最后出现的结果就是谁都没有希望过的事物"。[①] 我们无法预测和决定"现代化"的方向。我们所能做到的是从全球现代化的历程中吸取经验教训,避免过去的错误,理智地处理当今的问题,缓解矛盾,争取和谐的可持续发展。

从整体看,"全球现代化"进程似乎有些规律:

1. 大势所趋

在多样统一的全球发展中,不同层次文明的交往和冲撞形成的全球失衡决定了特定时段"现代化"发展的地区/国家。如英国曾因是全球供需链条中的薄弱环节,而不得不利用全球失衡的压力和动力/危机和机遇发愤图强,从在一个岛屿上仅占一部分的小王国发展成为一度覆盖全球的英帝国,并率先开始民主革命和"产业革命"。美国的诞生和现代化也是全球失衡的产物。美国会聚了人类多样文明的精华并加以发展。这种变化是"自然选择",如英国的曼彻斯特等几个城市成为现代棉纺织业的发源地,而为其供给棉花的却是美国南部地区。发展的地区往往是合力的作用点,大势使然。

---

① 恩格斯:"恩格斯致约·布洛赫(1890年9月21(—22)日)",《马克思恩格斯选集》第4卷,人民出版社1995年版,第697页。

这如同深层运动导致的地震或火山爆发，中心点是失衡合力的结果。中国改革开放以来进入了全球大势之中，在全球南北经济失衡和东西政治文化失衡之中，成为"最后的大市场"，[①]以其廉价的劳动力、低廉的原材料、丰富的自然资源和巨大的市场而吸引了国际投资。中国在全球史中的地位和功能再次改变，顺应了全球失衡需要的结构性调整。发展都是相对的，不可能各个部分同时发展，要承认大多数地区不发展的历史和现实合理性，顺应全球大势。

2．边缘发展

发展多从"边缘"开始。边缘可指地理上的陆地边缘，也可以指抽象的文明边缘或政治、经济、文化等边缘，交通通道或沿海沿河地区等。边缘也是前沿，是矛盾和差异的交会处，容易受到刺激引起变化。从全球史看，古代文明发展多集中于河流流域，近现代发展较快和"现代化"的地区大都集中在部分沿海或河流出海口地区，如英国东南沿海，欧洲西海岸，中国东南沿海，美国东海岸和西海岸，加拿大的东南沿海等都是人口集中、对内对外交通便利经济发达的地区。作为矛盾交会处，边缘地区的发展往往由于被作为"前沿/前线"加强而受益，如冷战时期的西德、日本、韩国、中国台湾地区和中国香港地区作为抵御共产主义/社会主义的前沿阵地在二战后得到美国和西欧的大力支持而"现代化"。中国改革开放政策初期也是把经济发展的机遇给了便于对外交往的沿海城市。而东南沿海地区一直是中国对外交往的边缘地区。从一个国家看，发达地区往往是这个国家的某些"边缘"地区，但从全球看，这些"发达地区"在全球的功能只有和那些"落后"地区的功能相结合才具有意义。而且，"不发达"地区也具有生态平衡的意义，"开发"少，破坏也小，为后人留下发展的空间，以免形成"大开发"大破坏的恶性循环。

[①] Geoffrey Murry, *Doing Business in China: the Last Great Market*, New York: St. Martins Press, 1994.

3．后起优势

发展属于"不发达"的地区,不发达才有发展的必要和可能。后起可以承袭发展前人成果。实际上,后起只是延续和发展以往成就。近代英国的后起承袭发展了东方的棉纺织技术并带动了全方位的产业结构变化。而其后的法国、德国和美国等国的"产业革命"则后起承袭了英国的发明创造并改造创新,在新的层次上发展。又如,北欧三国并没有经历西欧那样激烈的经济、政治和文化变迁,但却适时适当地吸收了西欧和美国发展的各方面成果,结合自身的情况加以改造,后起发达,成为当今世界上最为富有且贫富差距比较小的国家。中国目前也拥有着"后起优势",可以吸收一切人类文明成果,在更高的层次上参与全球发展。正像后起的西欧国家、美国、日本和"四小龙"由于在不同阶段后起,所以其"现代化"程度高于前者而所用的时间更短一样,中国虽然现在与美国相差"100年",但恐怕不一定要花"100年"去赶上美国"100年"前的水平吧。后起优势在高科技迅猛发展的当代和未来更为突出。这一点已经为全球史所证明。

4．局部先行

发展都是不均衡的,从局部地区开始,而其他广大地区只能主动或被动服务于局部地区,这也是自然分工。全球史上,基于各部分状况的全球自然分工决定了各部分作为功能载体的地位和作用。各个部分的功能一旦确定便具有相对的稳定性,只有在全球失衡的大势之中处于矛盾的焦点才能改变,如当年的英国、德国和美国等。大多数地区并不是没有变化,它们的变化形成推动局部地区迅速变化的合力。例如,是美洲的金银和物产、非洲的奴隶和物产、亚洲的产品和贸易顺差、欧洲大陆国家的竞争和争夺以及庞大的世界市场等等促成了英国的经济、政治和社会变迁,而其他国家和地区却没有发生英国那样的变化。所以,在特定时段,大部分地区和国家都只能作为合力的组成部分为少数局部地区的发展做出主动或被动的牺牲和贡献。

这正是当今富国富人和穷国穷人之间差距越来越大的原因之一。从全球史看，只有少数处于全球失衡中矛盾交会处的国家和地区才有可能迅速发展。现代化理论和发展经济学在大多数国家失灵的原因之一是这些地区和国家没有处在全球失衡的交会处，缺乏将其推上迅速发展道路并改变其功能的合力。

5．有待而然

全球史的整体和各个部分的发展均为有待而然，是各种力量汇聚的合力推动和决定的。所以，一个国家或地区能否"现代化"并不仅仅取决于自身的愿望和努力。现代化不是一个国家和地区的事情，某个地区和国家只有处于合力的有利推动下，才能迅速发展，如果处在不利合力的推动下，其发展方向就可能不利。例如，中华人民共和国成立后中国人民有了"赶超"资本主义发达国家的强烈愿望和可能，但是当时内外的各种因素并没有形成有利的合力，而是相反，国内的急躁情绪和国际上遏制中国发展的势力交互作用使中国发展受到阻碍。"冷战"期间的"热战"朝鲜战争和越南战争都是为了"遏制"中国。朝鲜战争成就了日本，越南战争帮助了韩国、中国台湾地区和香港地区等。中国的发展有待全球大势的变化：有待"冷战"双方的醒悟，有待东西方关系的改善，有待党和国家从自身的错误中吸取教训，有待改革开放政策的出台，有待国际资本流向的变化和国际加工业的转移，有待许多全球和区域性的变化。现代化国家过去和现在的发展是有待而然，发展中国家过去、现在和未来也是有待而然。拉丁美洲国家虽然紧跟着美国赢得了独立，但他们并没有像美国那样一直处在有利的合力之中，而是相反，各种不利因素形成的合力过多地制约着它们的发展。我们应当从全球史的大势中去研究一个国家或地区能否现代化问题。承认大多数国家和地区在特定时段内不能"现代化"的残酷现实的确令人不快，但这并不意味着其中少数国家和地区不可以在有利合力推动下实现现代化。有待而然不否认主观能动性，恰恰相反，主观能动性也是合力中的重要力量，所以，它只有与其他力量相互作用才能发挥作用。

现代化、全球化与世界历史研究

Modernization, globalization and the study of world history

赵文洪(中国社会科学院世界史所)

摘要:现代化、全球化与世界历史研究互为主客体:作为客体、对象,现代化与全球化为作为主体的世界历史研究提供了丰富的、极其有意义的课题;作为主体,现代化与全球化不仅让世界历史研究这一客体成为一个全球性的学科,而且还深刻地影响着研究者们的世界观、人生观、价值观、历史观。然而,中国的世界历史研究者在现代化、全球化的浪潮下应该追求自己的主体的地位。

关键词:现代化; 全球化; 世界历史研究

Abstract: The relationship between modernization, globalization and the study of world history is reciprocal. As the object, modernization and globalization provide the rich and meaningful tasks for the subject, the study of world history. As the subject, modernization and globalization not only make the study of world history become a global discipline, but also influence the researchers' perspectives on the world, the life and history deeply. However, under the background of modernization and globalization the Chinese scholars whose study field is world history should pursue their status as subject.

Keywords: Modernization; Globalization; The study of world history

现代化、全球化与世界历史研究形成了互为主体、客体的关系。

作为客体、对象,现代化与全球化为作为主体的世界历史研究提供了丰富的、极其有意义的课题。

第一,虽然现代化、全球化充满着现实意义、每时每刻都与整个地球上的每一个人发生着关系,但是,从概念上讲,它们首先还是一个历史研究课题——因为它们一直表现为过程,从来都是动态的,而不是静态的;一直处于与前现代化、前全球化的对比之中,而不是孤立的。只有深入地了解了自15、16世纪以来的世界历史,我们才能真正对现代化与全球化这样的历史过程的内涵有所了解;而进一步,只有对前现代化、前全球化的人类历史有所了解,我们才能够知道现代化、全球化的历史特征与历史地位。因为,所谓现代化是相对于前现代化,所谓全球化,是相对于近代以前地球上各社会、民族、文明之间的隔绝状态。有人以为,今天,对于广大的非西方国家而言,所谓现代化和全球化,只不过是西方化而已。如果我们从历史的角度看,就会发现这种看法的片面性。的确,近代以来,在大多数时间内,西方在经济上走在了整个世界的前面,并且发挥了独特的影响。但是,广大的非西方国家和地区一直在探索适合本国国情的现代化道路,并且取得了瞩目的成就;在经济全球化过程中,它们也在经济增长、经济制度建设、国际经济秩序建设等方面做出了重要的贡献。因此,经济全球化,首先不应该,其次也不是全面的西方化。有人以为,从文化的角度看,现代化就是对传统文化的颠覆;全球化就是对本土文化的否定。这也是不符合历史事实的。历史表明,西方的现代化恰恰是以其传统文化为基础的。比如,作为现代化基本要素的科学精神、理性精神、法治精神,既有着在古典时代和封建时代悠久的历史,又经历了近代以来不断的发展。新加坡、韩国的现代化,被公认为得益于传统的儒家文化。历史也表明,尽管全球化的确在深刻地、猛烈地冲击着各国的本土文化,但是,保护、发展本土文化的努力甚至斗争,几乎贯穿了全球化的整个过程,而且取得了显著的成就。全球化并不能泯没文明之间、文化之间的差异。今天,当我们走进一些经济高度发达的国家的时候,往往还能够感受到明显的本土文化的气息。

第二,现代化、全球化问题,对中国这样一个处在经济转型的关键时刻的大国,有着可以说是压倒性的意义。它们全方位地、深刻地影响了、影响着,还要继续影响中国的政治、经济与文化;它们与中国未来应该成为一个什么样的国家,将会成为一个什么样的国家,应该对世界产生什么影响,将会对世界产生什么影响这样的重大问题,息息相关。我们中国的世界历史工作者,有不容推卸的责任去研究这两个过程对不同民族、不同地区、不同社会、不同文明所产生的不同影响,从而让国人更多地从这两个过程中吸取经验和教训,更多地懂得,我们哪些固有的东西是应该抛弃的,哪些固有的东西是应该保留的;哪些外在的东西是我们应该拒绝的,哪些外在的东西是我们应该吸收的。以我们的对外政策为例,作为一个正在高速发展、对世界的影响与日俱增的大国,我们应该从现代化、全球化过程开始以来兴起的有世界性重要影响的大国的兴和衰的历史中,寻找经验与教训,看看在现代化与全球化条件下,中国这个正在勃兴的大国,应该以什么样的态度去面对外部世界,为建设和谐世界做出应有的贡献。以我们中华民族的文化建设为例,我们到底应该建设一种什么样的文化呢?传统文化、社会主义文化、外国文化之间,到底应该是一种什么样的关系?我在欧洲、美国和我国的香港澳门地区,见到过许多华人,感受过他们在祖国传统文化和西方文化双重影响下形成的独特的文化,更感受过他们那种对于文化之"根"的渴望与追寻。每当这个时候,我便会产生一种关于中国文化的思考。在国内,当我看到一些不健康的文化现象的时候,便会产生关于中国文化的焦虑。而我也知道,无论海外还是国内的中国人的文化建设问题,都只有放进现代化与全球化的框架之内考虑,才有可能获得较为理想的答案。欧美地区和我国港澳地区的华人文化特点,我国内地目前本土文化与外来文化的相互影响,本身就是现代化与全球化的产物。

第三,现代化、全球化问题,是今天整个人类共同面临的问题。中国的世界历史研究者们,也应该怀抱着对整个人类的责任感,去研究它们的历史,从而为解决现代化、全球化与世界各国之间的贫富差距问题,现代化、全球化与各国各民族本土文化的保存问题,现代化、全球化与世界和平问题等等,提供思想的资源,提供历史学家的智慧。随着我国经济与世界经济体系的关系的深入,我国与整个世界融合程度的提高,每一个中国人,作为地球村的一员,作为人类大家庭一员的身份将越来越突出,因此,对整个人类的责任也将越来越大。这就决定了,我们世界历史工作者,不但要为中国研究现代化与全球化问题,还要为世界研究这两个问题。

作为主体,现代化与全球化对世界历史研究这一客体,有着深刻的影响。在某种意义上,我们甚至可以说,今天我们的世界历史研究,本身就是现代化与全球化的产物。

现代化与全球化,让世界历史研究成为一个全球性的学科。一方面,现代化带来的物质生活条件的改善,使得遍及五大洲的许多国家能够提供必要的经济资源,来维持一支在前现代化时代不可想象的有着庞大阵容的世界历史研究者队伍。另一方面,现代化与全球化,让各国的研究者们能够以非常方便、快捷的方式进行学术交流;让各国的研究者们程度越来越高地共享学术资源。因此,无论从研究人员、研究机构的地理分布,还是从他(它)们之间的相互联系来看,世界历史研究都是全球性的。

现代化与全球化,深刻地影响着研究者们的世界观、人生观、价值观、历史观——因为它们深刻地、根本地改变着研究者们的存在环境,而我们知道,存在决定意识。这方面的影响,是极其复杂的。对于我国的世界历史研究者们来讲,既有积极的、正面的——比如,增强我们的现代意识,促进我们用全球的眼光看待一些问题,促进我们寻找人类历史发展在某些方面的统一性,等等;也有消极的、反面的——比如,来自在经济上具有强大优势的国家的文化的冲击,可能导致一些人对传统文化、本土文化的错误认识;市场经济和外来文化,可能导致一些人对一些不适当的价值观、历史观的认同,等等。对此,我们要有充分的认识。

综上所述,现代化、全球化与世界历史研究互为主客体,这是客观存在,是不以世界历史研究者们的意志为转移的。但是,作为人,作为有责任、有思想的人,世界历史研究者却永远应该追求自己的主体的地位。这种主体地位,既针对现代化与全球化,又针对国际世界历史研究学科。我认为,一个中国的世界历史研究者的主体地位,主要应该表现在他作为中国人、中国学者的特征上。中国是一个有着数千年文明历史、灿烂文化和漫长而优秀的史学传统的国家;是一个世界上人口最多、幅员辽阔的大国;是一个社会主义的改革开放的国家;是一个经济迅速增长的发展中国家——这些特征,都要在我们的世界历史研究者们的身上打下烙印,并且融入他们的主体品格之中。我认为,一位具有主体品格的中国世界历史研究者,一定既是传统的,又是现代的;既是中国的,又是世界的;既博采众家之长,又自成一家之言。他们永远不会被现代化和全球化的浪潮所淹没,而是卓然挺立,做时代的弄潮儿。

"联省共和"与17世纪荷兰的崛起
"The United Provinces" in the Golden Age of the Netherlands

董 正 华（北京大学历史系）

摘要：17世纪被称为荷兰的"黄金时代"。造成这一奇迹的因素是多方面的。在诸多动因当中，独立的荷兰国家的创设居于重要地位；其中最引人注意也是最有争议的，是独立战争中形成的"联省共和"体制的性质。发展的活力在多大程度上源于当时荷兰政治经济制度的分权性质，被认为是这一段历史的核心问题。在专制集权化盛行的17世纪，荷兰联省共和国既有分权又有集中的权力制衡的政治体制显得新鲜、另类。然而，正是这样一种全新的国家政治架构，支撑了17世纪荷兰的崛起。

关键词：荷兰； 联省共和； 黄金时代

Abstract: The rapid rising in the 17th century created a "Golden Age" of the Netherlands. Among the explanations of the important dynamics of this rising miracle, the feature of the "United Provinces" is the most spectacular yet most disputative one. Although the non-centralist characteristic of the eco-political system in this new born Republic looks as strange and alternative among the power centralizing nation-states, it is actually the framework which held up the rising of the Netherlands.

Keywords: The Netherlands; The United Provinces; The Golden Age

17世纪被称为荷兰的"黄金时代",其历史一直为学者所重视。① 延续一个世纪的经济奇迹造就了欧洲的"第一个现代经济体"。17世纪后期荷兰的国民收入比英伦三岛之和还高出30%—40%。而这时的荷兰人口不过200万,只有英国人口的2/5,国土面积更小得多。然而,即使以经济成长为中心,将17世纪荷兰的历史主要描绘成商业资本发展的历史或者用任何单一因素或终极因素来解释其经济成就都会有悖于史实。应当具体分析其背后的多重动因,例如有利的自然地理条件和对它的积极开发利用;传统的贵族阶层不太强大;独立前相对普及的教育和独立后现代教育的发展;在造船业、交通、金融等领域的技术创新和制度创新;城乡之间的开放流动;职业选择的灵活性;宗教宽容政策造成的人才随移民大量流入;社会宽容和个人享有较多的自由空间;荷兰人长期保持的节俭习惯和勤劳不懈的生活态度等等。在诸多动因当中,独立的荷兰国家的创设居于重要地位;其中最引人注意也是最有争议的,是独立战争中形成的"联省共和"政治体制的作用。发展的活力在多大程度上源于当时荷兰政治经济制度的分权性质,被认为是这一段历史的核心问题。②

一、革命、建国与战争

17世纪荷兰的历史首先是构建荷兰民族国家的历史,舍此则"黄金时

---

① 以近年出版物为例:作为牛津现代早期欧洲史丛书之一的《荷兰共和国:兴起、辉煌与衰落1477—1806》1995年问世后连年再版,书后附有一个长达45页的文献目录(Jonathan I. Israel, *The Dutch Republic: Its Rise, Greatness, and Fall 1477—1806*, Oxford: Clarendon Press, 1995, 1996, 1997, 1998)。1997年,两位学者出版了《第一个现代经济体:1500—1815年荷兰经济的成就、挫折和延续》(J. de Vries & A. van der Woude, *The First Modern Economy*, Cambridge: Cambridge University Press,1997),并引起激烈争论。在此前后,金德尔伯格的《世界经济霸权:1500—1990》(高祖贵译,商务印书馆2003年中文版)和格林菲尔德2002年获欧洲最佳图书奖的《资本主义精神:民族主义与经济增长》(上海世纪出版集团2004年中文版),还有较早些时候问世的沃勒斯坦《现代世界体系》(高等教育出版社1998、2000年版)、布罗代尔的名著《15至18世纪的物质文明、经济和资本主义》(三联书店1993年中文版)均设专章讨论17世纪荷兰。陈乐民先生与史傅德(F. E. Schrader)教授的对话录《启蒙精神 市民社会》一开场便谈到17世纪荷兰而且予以高度评价(陈乐民、史傅德:"启蒙精神 市民社会(一)",《万象》2006年5月号,第93页)。

② 金德尔伯格:《世界经济霸权1500—1990》,第143页。

代"等等均无从谈起。

　　荷兰率先跨入近代世界,始于一场从西班牙帝国统治下寻求独立的"尼德兰革命"。荷兰的崛起和持续发展很长时段由一场抗击西班牙的断断续续的"80年战争"(1568—1648)相伴随。16世纪前的荷兰被封建领地分割得支离破碎。1441年,勃艮第领主统治了大部分尼德兰。1477年,最后一位勃艮第公爵"大胆查理"去世,半年后女儿玛丽嫁给哈布斯堡家族的继承人、神圣罗马帝国后来的皇帝马克西米利安(1493—1519)。1496年,他们的儿子"美男子菲力浦"娶西班牙公主让娜,嗣子即后来一身而任西班牙国王和德意志帝国皇帝的查理五世(1519—1555)。荷兰的命运由此而跟西班牙哈布斯堡王朝的统治连接在一起。16世纪的西班牙不仅是一个疯狂进行海外侵略扩张的殖民大帝国,也是一个在欧洲肆意掠夺的专制帝国。它的舰队在地中海和大西洋游弋,陆军横扫西欧。葡萄牙和意大利南部被其收入囊中,两个最繁荣的地区——意大利北部和尼德兰的城市经济受其破坏,法国、英国以及德意志的众多诸侯国反复遭其打击。即使在查理五世将神圣罗马帝国的皇位让给他的弟弟而让他的儿子菲利普二世(1556—1598)继承西班牙王位以后,这个庞大的哈布斯堡王朝的两个部分仍然同气相求。

　　面积和人口规模都很小的荷兰何以战胜一个正在四处扩张、八面威风的世界性大帝国?除了荷兰人自己积聚的力量,还因为貌似庞然大物的西班牙原本结构脆弱,矛盾重重:由君主联姻而合并的两个封建王国卡斯蒂尔和阿拉贡各自都保留了强大的地方贵族势力,除了拥有共同的宗教异端裁判所,没有共同的政治、司法和行政机构,没有共同的语言("无敌舰队"发布命令需用6种语言),也缺少共同的民族感情;伊莎贝尔和她的王室对待美洲殖民地如同领主对采邑,跟南北美洲之间的贸易也都只属于卡斯蒂尔;维系新国家的只是对反摩尔人战争的共同回忆,刻板的竞相表现对天主教会的虔诚,以及继续扩展消灭异教徒的十字军运动——在内部打击已改宗天主教的摩尔人和犹太人,进攻非洲的摩尔人,向美洲当然也要向欧洲扩张。驱赶和杀戮"假基督徒"使西班牙本土人口在整个17世纪不增反减,连续的扩张和战争推迟了西班牙经济政治统一、民族国家形成和结构改造的进程,也强化了帝国内部的分裂倾向,庞大的军队和战争支出使得巨量的美洲金银也难以阻止国家财政一再破产。强迫征收新消费税、没收公债红利、出卖领主裁判权等等都不能满足需求。正是难以忍受的财政负担、税赋苛求,迫使尼德兰南部的天主教各省、市也要起来造反。

16世纪初,在席卷欧洲中西部的宗教改革运动中,加尔文教在尼德兰城市经济发达的各地区迅速发展。加尔文教否定封建等级差别,其世俗禁欲主义的教义鼓舞了新兴工商业资产阶级的进取精神。信奉天主教的西班牙统治者对尼德兰不仅实行经济掠夺和政治独裁,而且残酷迫害新教徒。1566年,一些地方的加尔文教徒开始起来进行反抗。自发的"破坏圣像运动"从佛兰德尔和埃诺开始,最后波及北部各省,揭开了尼德兰革命的序幕。反抗斗争很快发展成为独立战争。革命中形成的新国家被称为"联省共和国"或者简称"联合省",它的形成经过了以下三个阶段。

1575年6月,荷兰省与西兰省签订同盟条约,第一次创立了一个新教徒的政治、军事、财政联合体,被称为"荷兰共和国的基础"。同盟形成了一些统一的税收和行政机构,建立了以奥兰治亲王为首的军事指挥中心,确定其责任为在"维护新教、结束罗马教会的活动"的同时,"保证所有人不因个人信仰和宗教活动而遭受任何调查、迫害或惩罚。"[①]

1579年1月23日,北尼德兰大部分地区的新教徒与南部一些新教城市建立"乌特勒支同盟"。"乌特勒支同盟"成为荷兰作为一个国家而出现的标志。1587年12月,接受荷兰总督称号的英王宠臣莱塞斯特伯爵被赶走,联省议会决定不再邀请外国君主统治。一个享有独立主权的荷兰共和国从此出现于欧洲版图。1609年,连连败绩的西班牙被迫媾和,签订"12年休战协定"。西班牙国王在协定中实际承认了联省共和国为独立的国家。到了签订结束30年战争的"威斯特伐利亚条约"之际,荷兰共和国的主权和独立已经完全确立。

---

① Jonathan I. Israel, *The Dutch Republic: Its Rise, Greatness, and Fall 1477—1806*, pp. 197—198.

荷兰能够战胜西班牙而获取独立,继而巩固其国际地位并迅速崛起为17世纪的欧洲强国,跟当时欧洲的国际格局变化密切相关。整个16世纪西班牙都在不停地打仗:跟奥斯曼土耳其人之间的战争,断断续续一直打到1581年的停战协定;跟法国的战争从16世纪初一直打到1598年暂时放弃干涉法国的"维尔芬和约";更不用说它还有另一个日渐强大的海上对手——英国。在西班牙帝国为称霸欧洲而四面树敌的情况下,荷兰人的独立战争得到英、法等国的支持,实际上成为一场连续百余年的国际反哈布斯堡王朝战争的重要阶段和组成部分,无怪乎1600年时的荷兰军队包括了43个英国连队、32个法国连队、20个苏格兰连队和9个德国连队,简直就是一支"多国部队"。荷兰跟西班牙的战争极大地消耗了西班牙的实力。有统计称西班牙用于对付荷兰人的战争费用大大超过它在其他任何战线的开支,1566—1654年间,西班牙花费在对荷兰作战上的金钱(2.18亿金币)接近其从东南亚殖民地所获总数(1.21亿金币)的两倍。[①] 1588年,西班牙的海军主力被英国击溃,迅速重建的西葡混合舰队虽然一时成功地阻止了英国的进攻,虽然西班牙在1588年以后的半个世纪里仍然是欧洲最令人生畏的军事强国,但是经过17世纪上半叶的"30年战争",它终于焦头烂额、千疮百孔,威风再也抖不起来了。相比之下,荷兰的国力却在战争中不断成长壮大,终于取代西班牙并且赶在英国之前取得海上第一强国的地位。

与此同时,直到17世纪中叶,荷兰周边其他几个大国的日子也不好过。英国在反西班牙入侵的战争中获得一种强烈的民族精神,一种莎士比亚描述过的对"另一个伊甸园、半个天堂"、"嵌在银色海洋中的宝石"的热爱。[②]然而,以战胜西班牙"无敌舰队"的入侵为英国强盛甚至树立海上霸权之始则似是而非。伊丽莎白一世从谨慎地保持英国独立,到派遣军队支援荷兰和法国对西班牙的战争,反映了英国国力的壮大,但也由此而背上了巨大的财政负担。16世纪80年代,女王的开支成倍增加。1586和1587年维持在

---

① 保罗·肯尼迪:《大国的兴衰》,梁于华等译,世界知识出版社1990年版,第68、87页。
② 帕尔默·科尔顿:《近现代世界史》上册,孙福生等译,商务印书馆1988年版,第167页。

荷兰军队的拨款均相当于当年全国总开支的一半，1587年达到17.5万英镑。女王统治的最后四年用于对爱尔兰作战的花费每年超过50万英镑，向下议院提出的额外拨款总数达200万英镑。① 女王虽然如愿以偿，却给继任的斯图亚特王朝留下巨额债款，国王与国会为征税争吵不休，终于引发革命和内战。国内矛盾冲突如此尖锐，哪里顾得上树立海上霸权？英国在"30年战争"和17世纪40年代的大部分时间里实际上没有在欧洲政治中发挥重要作用。等到颁布《航海条例》重新加入商业争夺，它所面对的已经是称雄海上多年的荷兰了。

再看法国。在尼德兰革命和抗西战争之际，法国正深陷于长达30多年的惨烈内战"胡格诺战争"（1562—1594），其间屡遭西班牙军事干涉。这个时期的法国虽然与英、荷、德意志新教诸侯结盟反西，实则自顾不暇，1585年，荷兰人是在首先盛情地向法王亨利三世请求"托管"而被拒绝之后，才转而求助于英王的。1596年，为了继续对抗西班牙，法国跟英国一起承认了已经开始称霸海上的荷兰联省共和国。② 1598年，亨利四世以宗教宽容的《南特敕令》实现了国内统一，但法国距离欧洲强国的地位仍然遥远。保罗·肯尼迪形象地描绘道："在1648年的'威斯特伐利亚和约'后11年的法西战争中，双方都好像被打得头昏眼花的拳击手，互相扭抱在一起，接近筋疲力尽，无力打倒对方。双方都有国内反叛，普遍贫穷，厌恶战争，濒于财政崩溃的边缘。"③ 直到17世纪60年代，"太阳王"路易十四的法国才对荷兰形成真正的威胁，但也成就了荷兰人作为反法的奥格斯堡同盟盟主和反法联军统帅的地位。

至于北方大国瑞典，到17世纪初叶还是既贫又弱。1611年以后，通过推行政治和军事改革，并且主要靠尼德兰商人和其他一些外国人的投资与贷款，瑞典才迅速兴盛起来，但始终只能算是一个北欧区域性强国。在共同反对西班牙帝国的30年战争中，瑞典人提供了一支号称15万人的精锐部

---

① 保罗·肯尼迪：《大国的兴衰》，第80页。
② Jonathan I. Israel, *op. cit.*, p. 201.
③ 保罗·肯尼迪：《大国的兴衰》，第77页。

队,表现出相当强的实力,但成就和重要性都很有限。17世纪后50年,影响和"操纵"波罗的海均势还要靠法国、荷兰、英国通过提供援助、进行外交干涉和派遣荷兰舰队等方式。在1656—1660年的"北方战争"中,荷兰就曾援助丹麦抗击瑞典并获胜。从经济上看,直到1700年前后,瑞典的对外贸易也只及荷兰或英国外贸额的一个零头。① 总之,17世纪荷兰的这一北方强邻也不足以对它造成任何威胁。

荷兰的独立是打出来的。17世纪荷兰的崛起也跟一系列战争一路相伴随。尼德兰革命和联省共和国的建立被视为"欧洲世界经济体发展的转折点"。② 荷兰以发达的商业、舰船制造和海上贸易立国,这就决定了它的崛起必然跟其他商业大国,尤其是奉行垄断贸易的西班牙帝国发生冲突。荷兰首先夺取了波罗的海的控制权,当西班牙与丹麦密谋要封闭松德海峡时,荷兰海军派出50艘军舰为荷兰商船护航。荷兰还用其强大的海上力量在美洲、西非劫掠西班牙、葡萄牙的商船,驱赶其商人,仅据1602—1615年的统计,10多年里荷兰人掳获西、葡船只就达545艘。在30年战争期间,新建于1621年的荷兰西印度公司更是大打出手,派出成百上千的武装商人,协同荷兰舰队骚扰西班牙海军,抓获西班牙的商船,侵吞其巴西殖民地,荷兰把战争与竞争合二为一,不断扩大海外权益。除了大规模的海上贸易和殖民活动以外,联省还参与了一系列国际战争:30年战争、三次英荷战争以及荷法关税战争。杜兰在《世界文明史》中称:"1555—1648的将近100年时间里,尼德兰英勇抵抗了当时称霸世界的西班牙王国。从1648年到1715年,是一段最伟大的荷兰共和国抵抗英国海军大举进犯的历史。在这两件战事上,这小小的国家均以最大的勇气保持了不败纪录,使它在历史上占有极高的地位。在列强侵略的重担之下,它仍旧继续不断地发展商业、科学和技术。……它民主制度下的各种机构,向包围在它四周强大的君主专制国家投掷了一些挑战的灵感。"③杜兰的概括或有不当:三次海战英荷互

---

① 保罗·肯尼迪:《大国的兴衰》,第85—86页。
② 沃勒斯坦:《现代世界体系》第1卷,罗荣渠等译,高等教育出版社1998年版,第225页。
③ 杜兰:《世界文明史》第8卷上,台湾幼狮文化公司译,东方出版社1999年版,第217页。

有胜负;联合省的商人寡头政治介于君主制与民主之间,联省共和体制下有城市自治、地方分权,宗教宽容和经济自由,民主则还谈不上。但是,对于在革命和一系列战争中成为"17世纪标准的资本主义国家",[①]拥有世界上最庞大的船队,在大西洋、太平洋、印度洋上享有独占贸易权的"黄金时代"的荷兰,杜兰的称颂大体没有离谱。

二、"联合省"的国家性质及其在 17世纪荷兰崛起中的作用

在《15至18世纪的物质文明、经济和资本主义》专论17世纪荷兰的第3卷第3章中,布罗代尔提出并回答了一个尖锐的问题——"联合省是个国家吗?"质疑联合省的国家性质者大有人在,例如说它只是"有一点像是国家的样子","群龙无首,各持己见","联合省联而不合"。布罗代尔也指出荷兰商人缺乏民族和国家观念,以赚钱为唯一的行动指南,为此而不惜向敌人发放军饷,提供武器、货品和服务,国家则装作看不见。"在用道德观念作判断的外国人看来,在这个'与众不同'的国家里,任何事情都可能发生。"[②]最新的质疑来自美国学者格林菲尔德的获奖著作《资本主义精神:民族主义与经济增长》,书中论证荷兰共和国从未在共和国层次上建立一种自然的和不可分割的命运团体的前提,不具备整体竞争性,集体道德意识含糊不清。荷兰资本主义是主流学科范式的资本主义,是"良心缺损的个人主义",其衰败正是"经济自由化的代价"。[③]

布罗代尔注意到阿姆斯特丹"城市统治"在17世纪荷兰的重要性。他提出:"随着阿姆斯特丹的崛起,以对外扩张为使命的城市的时代终告结

[①] 马克思、恩格斯:《马克思恩格斯选集》第2卷,人民出版社1972年版,第256页。
[②] 布罗代尔:《15至18世纪的物质文明、经济和资本主义》第3卷,施康强等译,三联书店1993年版,第208、223页。
[③] 格林菲尔德:《资本主义精神——民族主义与经济增长》,张京生等译,上海世纪出版集团2004年版,第124—125、129—133页。

束。……(17世纪荷兰的)这一经验界于经济霸权的两个连续阶段之间:一方是城市;另一方是现代国家和民族经济",也就是说,荷兰共和国是从旧城市国家走向现代民族国家的过渡形态。布罗代尔从多个方面概括了它的特征:其一,高度活跃的城市经济。联省的七个省每一个都有相当密集的城市网,每个城市均自己管理自己,各自征税,各自为政。掌权的城市资产阶级保卫自己的特权,也维护公民的权益,给个人创造一定的自由。其二,各城市的利益相互交织在一起,为了求得生存而需要共同行动,群策群力开展商业和工业活动;相互联系,各司其职,组成一个坚强有力的整体,一个"网络状和多层次的金字塔结构"。在这个结构中,阿姆斯特丹虽然居于塔顶的位置,但必须依靠其他城市的合作,联合省和尼德兰诸城市的协助,是阿姆斯特丹繁荣的不可或缺的条件。各城市的合作导致了分工:莱顿、哈勒姆、代尔夫特工业繁荣,鹿特丹以造船业见长并在对法国和英国的贸易中占据着最有利地位,首都海牙为政治中心,其作用与美国的华盛顿相同。其三,为避免宗教冲突和联省崩溃而实行的宗教宽容和信仰自由,使荷兰成为"五方杂处之地",大批移民为荷兰经济奇迹做了贡献。城市的迅速壮大成长使各国移民很快混合起来,把大批佛兰德人、瓦隆人、德意志人、葡萄牙人、犹太人和法国胡格诺教徒统统改造成为真正的"荷兰人",一个尼德兰"民族"就此形成。其四,联合省把维护荷兰人的商业利益置于一切之上,在军事上致力于建立一支强大的舰队,从而保证它自身的安全。依靠其强大的军事力量,无论哪派掌权,联合省总是力图号令天下。最后,坚持各省权利的商人寡头共和派跟主张集权的奥伦治亲王派无论双方谁得胜,统治阶级的整体地位依旧。政权在特权阶级内部流动。政治制度支撑着特权阶级,特权阶级则推动政治制度的发展。布罗代尔的结论是:联合省当然是一个国家。尽管它的内部充满纠纷,七个省区利害不同,各自认为享有主权,下面还有许多小不点儿的城市共和国,因而危机四伏,纷争不断,但政治对手同样坚定地把维护荷兰的利益置于一切之上,在涉及荷兰威望与强大问题上只有具体目的与手段的分歧。共和国"黄金时代"的对外政策表明,联合省是个强国。30年战争的主角其实往往由荷兰在扮演。直到17世纪80年代前后,它在欧洲的强势地位才开始明显衰落。①

　　按照通常的理解,"联合省是个国家吗"似不成问题。何谓国家?建构主义国家观的代表亚·温特综合了韦伯的、多元的、马克思主义的国家理论,提出了国家的五个基本特征——制度—法律秩序、合法使用有组织的暴力的垄断权力、主权、社会、有疆界的领土——和国家利益所包含的四种需求——生存、独立、经济财富、集体自尊。② 联合省有自己的领土和民众(社会);有政府机构和一整套制度——联省议会、财政和税收制度等,对内形成了"社会的最高政治权威中心(内部主权)";对外依靠其强大的经济和军事实力,在正在兴起的现代国际体系中向欧洲和整个世界宣示了共和国的"外部主权",即"不存在任何凌驾于国家之上的外部权威"。③ 因此,应当说它具备国家的基本要素。领土、人民、主权以外,随着独立和建国,荷兰人的国家和民族认同也在逐渐形成。荷兰人共同的意识形态首先是跟独立与建国紧密联系的加尔文教。正如安德森所说:宗教改革是直接导致民族意识兴起的重要因素。"新教和印刷资本主义的结盟"造成的震撼"创造了欧洲第一个重要的、既非王朝也非城邦国家的荷兰共和国"。④ 沃勒斯坦引述巴勒克列夫的话"针对帝国衰落进行的新教的革命骚动,带有强烈的民族特征"并进一步论证,阿姆斯特丹接续正在瓦解的哈布斯堡帝国,为由强大的"国民经济"构成的世界经济稳步发展奠定了基础。他认为尼德兰革命是异常复杂的民族—社会革命。它的爆发关键在于大部分尼德兰贵族持一种"民族主义"反对派的观点。"正如刘易斯·纳米尔爵士所说,'宗教是16世纪民族主义的代名词。'加尔文教对统一尼德兰北方起了作用"。⑤ 加尔文教设计了一个民主和共和的教会组织形式,强调神职官员都要实行民主选举、神权共和,尼德兰革命的发动者以加尔文教为宗旨,以日内瓦神权共和国为

---

　　① 布罗代尔:《15至18世纪的物质文明、经济和资本主义》第3卷,第186、191—218页。
　　② 亚·温特:《国际政治的社会理论》,秦亚青译,上海人民出版社2000年版,第252—267页。
　　③ 同上,第262—264页。
　　④ 本·安德森:《想象的共同体》,吴睿人译,上海世纪出版集团2003年版,第49页。
　　⑤ 沃勒斯坦:《现代世界体系》第1卷,第228、238—241页。

蓝本创立了联省共和国。在专制集权化盛行、"朕即国家"、君权即主权的17世纪,"联省共和"的荷兰的确显得新鲜、独特、"另类"。然而,正是这样一种全新的国家政治架构,支撑了17世纪荷兰的崛起。

著名的"联合东印度公司"(VOC)就是联省共和的产物。正是实际执掌荷兰政权长达30年的联省议会大议长奥登巴恩韦尔特一手促成了一些名为"范维尔"的从事远洋探险和贸易的小团体联为一体,在1602年组成了注册资本650万荷兰盾的"联合东印度公司"。在上缴联省议会一笔税金后,公司获得好望角和麦哲伦海峡的贸易独占权,以及招募军队、与当地君主缔结条约的权力。公司很快成为荷兰拥有最多雇员的巨大贸易实体,同时又是一个有很大独立性的政权机构。为了吸收资金,公司的股份金额分得很小,以便于众人购买。但公司常务领导委员会和董事会的"十七位老板"拥有绝大部分股票,从而对公司乃至联省的政策拥有极大的影响力,甚至变成殖民地的主宰。公司有一套严厉的规章,最高法则是追求效率。"联合东印度公司"为荷兰崛起立下汗马功劳,即使在12年的停战(1609—1621)期间,荷兰东印度公司也没有停止跟西班牙作战。公司雇用的航海家亨利·哈得孙先后发现了后来以他的名字命名的北美大河、海峡和海湾。公司先后战胜西班牙人、葡萄牙人与英国人,从他们手里夺得马六甲、马来群岛和中国台湾岛,在印度东西海岸、日本和中国台湾设立商行。1652年在南非建立航海基地即后来的开普殖民地。1672年英法联合入侵荷兰,法荷间的关税战也达到了高潮。法国人为抑制荷兰造船业而停止出口帆布。哈莱姆和恩克赫伊短期内生产出足够的亚麻帆布,满足了荷兰的需要,甚至取代法国占领了英国和西班牙的市场。这可视为一个早期"进口替代"成功的典型事例。在17世纪最后30年英荷激烈的贸易竞争中,荷兰人仍然主要依靠其"金融革命"、凭借其高储蓄率和低利率的阿姆斯特丹银行维持了其经济优势。[1]

1588年荷兰取得事实上的独立,90年代起其经济即进入快速增长,商

---

[1] 金德尔伯格:《世界经济霸权1500—1990》,第148页。

业、航运和城市都急剧扩张,国家财力也随之增强。以此为条件,荷兰沿弗兰德尔、勃拉邦特、乌特勒支到弗里斯兰建立了自己的防线,修筑城堡,跟西班牙军队的城堡对峙。荷兰军队数量亦大增,从 2 万人(1588 年)扩大到 3 万人(1595 年),1607 年达 5 万人。军费则主要由人口最多、工商业实力最强、长期承担了联合省总财政 60% 左右的荷兰省负担。① 90 年代的荷兰还领先当时的整个欧洲进行了军事改革,不仅加强了军队的战斗力,还解决了因大量军队驻扎在城市人口密集地区而产生的保护市民免遭骚扰问题,这些改革后来被各国广泛采用。乌特列支同盟设想了一个各省保留主权大部、同时有限让度防卫和用于防卫的税收以及对外政策等部分权力的联合体。由此而形成的联省共和体制,从内部来看的确还只是一个各省的联盟。各省拥有自己五花八门、各不相同的立法机构和政府,省议会由城市、地方贵族和教会的代表组成,实际上由主要城市的商人寡头集团掌握。联省执政(the Stadholder)由历代奥兰治亲王担任。②但联省的最高权力机关是联省议会,由各省议会选出的代表组成。在联省议会里每省只有一票的权利并轮流担任议会主席,大议长则长期由最有影响的荷兰省议会议长担任。这意味着由最发达的省份左右国策,也意味着只有荷兰省充分享有主权,其他省则只有俯首听命的份。用于共同防卫的税项由联省议会决定总额,然后将份额分配到省,各省再分到更低的单位。与此同时,各省以至省底下的城市和乡村地区保留各自的税收制度。1590 年后,联盟原则延伸到航海、殖民地扩张、对被征服地区的管理和宗教事务等领域。在经济方面,联省议会为货物制定标准并保证执行。所有商品需精确制造。购买者不需开箱验货,只要按照标准接收就行。这成为荷兰的国际国内贸易急速增长的原因。不可否认,各省经常因利益冲突发生争吵,但共同利益维持始终。例如,在 17 世纪 60 年代的一场激烈争论中,三大省之一的弗里斯兰省议会强调联省议会是"联合省的最高的主权机构",提请注意荷兰省议会在 1621 年起草

---

① Jonathan I. Israel, op. cit., pp.241—263.
② 直到 1751 年威廉五世正式成为联省执政(Stadholder of the United Provinces),历代亲王的亲政都需逐一分别获得各省执政的名义。

的一个文件,其中提出"尼德兰联合体的最高权力和主权(supremacy and sovereignty in the United Netherlands)无可争辩地属于联省议会和各省议会";另一大省西兰省的议会不认为有这样一个被荷兰省破坏了的规定,但同时也指出,各省"经由紧密的联盟已经密切结合为一体,尽管不放弃各自的主权,仍然如同一个国家,一个政府,一个共和体"。① 虽然实力雄厚的荷兰省商人寡头坚持省权,以此跟主张中央集权的亲王派相抗衡,但从1653年起出任荷兰省议长、在1672年被刺杀以前一直主导共和国命运的德·维特也认为,联合省内部各部分之间存在紧密的经济联系,"通过公共事业、联合体和商业及其他事物上的协商机制……财产、海关和其他的互惠机制,它们(地方各省)彼此交织依赖,除非使用强大暴力,否则几乎不可能将它们分裂。"②

格林菲尔德提出:跟"因需要而结盟"的美洲殖民地和后来的美利坚合众国不同,荷兰共和国从未在共和国层次上建立一种自然的和不可分割的命运团体的前提。③ 然而我们看到,两个世纪后同样诞生于一场独立战争的美利坚合众国(the United States),其最初的邦联制度与荷兰联省共和国(the United Provinces, or the United Netherlands)有很多相似之处:1778年的《邦联条例》规定各邦(州)仍保留自己的主权、自由、独立、司法权和其他权力;邦联有一院制国会但不设总统,国会里每邦一票,重要决策需3/4多数同意,修改条款需一致同意。国会有权宣战、缔约、结盟、接受外交使节、制币、统一度量衡、处理与印第安人之间的事务、土地与水源事务等等,但无征税权和关税权,因而邦联财政由各邦分担。邦联没有固定税收,用钱只能举债。1783年签署的巴黎停战协定与和平协定确认13块前殖民地是"自由、自主、独立的邦国",亦即承认各邦拥有各自独立的主权。但协议并非由英国政府与各邦逐一单独签订,确认领土范围也是以集体的名义而非单个的名义。独立以后,13邦先后立宪。各邦宪法风格不一。邦联制下的

---

① Jonathan I. Israel, *op. cit.*, pp. 762—763.
② 转引自格林菲尔德:《资本主义精神——民族主义与经济增长》,第117—118页。
③ 格林菲尔德:《资本主义精神——民族主义与经济增长》,第125页。

美国显然还只是各主权邦的联盟。但它仍然是"美国的第一个政府形式"。① 总体上看,美国建国的背景跟荷兰相似:都是经过战争,都是从当时的世界强国统治下独立出来。建国之初权力都很分散。二者的区别在于:荷兰的力量源于众多尼德兰北部市镇的聚合。这些市镇在16世纪初已经可以与意大利北部城市相匹敌,同为当时欧洲最繁荣的地区。荷兰人不仅有足够的实力反抗西班牙帝国,而且在战争的同时保持并增强了经济实力。美国源于13块各不相属、性质也不尽相同的殖民地,经济上跟宗主国相比远不如当年荷兰比西班牙。独立后权力的分散造成无政府状态,新生的国家面临经济停滞的危机。汉密尔顿和杰弗逊的分歧正是在建国和经济这两大问题上展开的。

　　至于如何回答"联合省是个国家吗"这样的问题,恐怕真的如布罗代尔所说,这首先取决于人们对国家作何解释。究竟何谓国家?何谓现代民族国家?从黑格尔到马克思、从包括马克斯·韦伯(他对国家所下的定义"国家是社会中掌握着合理使用暴力的垄断权力的那个机构"在西方几成经典)在内的德国历史学派(韦伯自称"我们这些德国历史经济学派的嫡系传人"②)到自由派,观念有很大差别。伊格尔斯曾经指出:国家概念在德国历史思想中得到了最为极端的阐述,"他们的典范是经过启蒙的专制国家"。③从这种观念出发看17世纪荷兰共和国,不可能认为它是一个国家。马克思曾论及"中央集权的国家及其遍布各地的机关——常备军、警察、官僚、僧侣和法官(这些机关是按照系统的和等级的分工原则建立的)是起源于君主专制时代,当时它充当了新兴资产阶级社会反对封建制度的有力武器",④经历了绝对主义王权统治的英、法等国,情况基本如此。但是,能不能据此而认为所有新兴资产阶级国家都是中央集权的国家,或者说如果没有中央集权(起初是王权)就不能算是国家呢?从荷兰和美国初期的历史看,答案似

---

① 施密特等:《美国政府与政治》,梅然译,北京大学出版社2005年版,第229页。
② 马克斯·韦伯:《民族国家与经济政策》,甘阳等译,三联书店1997年版,第96页。
③ 伊格尔斯:《德国的历史观》,彭刚等译,译林出版社2006年版,导论第6页。
④ 马克思:《法兰西内战》,人民出版社1964年版,第52页。

乎是否定的。从这里,我们看到的是现代民族国家形成和发展的两种类型:一个是单一制的、集权型的,另一个则权力比较分散。二者产生的背景不同:一个是在封建制度和绝对君主制国家基础上经由革命产生的资产阶级国家,国土和人民基本上都是原来旧有的。另一个则是在反抗中世纪帝国或宗主国统治的独立运动中产生的全新国家,他们入不了绝对主义的国家系谱,缺少中央集权和专制主义政治传统,民族和国土都是在独立运动中和独立后逐渐确立的。其发展变化的逻辑可能跟前者正好相反,是先有分散的初级国家形式,以后随着经济政治的需要而走向逐渐加强中央政府的权力。荷兰和美国早期的历史均是如此。

正像格林菲尔德所说,荷兰的"政治建构恰恰与中央集权体制相反"。[1] 沃勒斯坦甚至认为下面的说法更近于事理:荷兰共和国的国家机器"比欧洲任何君主制度都能取得更高程度的经济一体化。荷兰资产阶级将改革恰好进行到促进经济发展所需要的程度,而且避免了过分中央集权化"。[2] 但这里恐有过誉之嫌。联合省的分权也带来许多负面问题,首先是缺乏政治凝聚力。18世纪末有少数几个政治家设法使这个国家团结起来。一些改革者曾先后试图凭借联邦体制在各省的权力将联邦体制改革成比较集权化的体制,以便"将肥胖的老共和国的脂肪削减掉"。[3] 我们从上面的分析已经可以看到,17世纪荷兰没有、似乎也不可能形成集权制国家。而分权制正像一柄双刃剑,对荷兰的崛起和衰落都有直接的影响。17世纪荷兰带有强烈的商业国家特性,市场经济已经处在高级发展阶段,但是没有能成功地从商业和早熟的金融经济转向以现代生产和管理技术为标志的工业化,以至于崛起中断、海上第一强国的地位被工业立国的英国所取代,这是历史留给后人的教训。正如马克思所总结的:"荷兰作为一个占统治地位的商业国家走向衰落的历史,就是一部商业资本从属于工业资本的历史。"[4]

---

[1] 格林菲尔德:《资本主义精神——民族主义与经济增长》,第117页。
[2] 沃勒斯坦:《现代世界体系》第1卷,第242页。
[3] 金德尔伯格:《世界经济霸权1500—1990》,第165页。
[4] 马克思:《资本论》第3卷,《马克思恩格斯全集》第46卷,人民出版社2003年版,第372页。

美国现代化中的环境与环境问题

On the Environmental Problems in the American Modernization

付 成 双(南开大学历史学院)

摘要:美国的现代化一向被研究现代化理论的学者们奉为现代化的样板。美国从殖民地到超级大国的崛起历程的确是一个发展的奇迹,值得许多发展中国家借鉴和学习。然而,美国的现代化具有许多国家所无法比拟的优越条件,而且也付出了非常惨重的环境代价,美国人正是从现代化的环境代价中翻然醒悟,积极走上环境治理和保护的道路的,现在正在推行现代化发展战略的国家切不可只盯住美国现代化的成果,而忽视美国现代化过程中的环境问题,岂不知自然条件如此优越的美国尚出现如此严重的环境问题,那些如今自然条件已经非常脆弱的国家更应该引以为戒。

关键词:现代化; 美国西部开发; 工业革命; 环境史; 环境保护

Abstract: We have to admit that the rising of America from colony to the superpower is really a developing magic and has accumulated many good experiences for the developing countries to learn, which is also boosted as the model of world modernization by scholars on modernization theories. However, we have to realize that there were not only many unmatchable excellent conditions in the process of American modernization that other countries does not share, but also many severe environmental problems, even environmental disasters in this process. The Americans waked from the environmental cost and stepped onto the road of environmental protection. This thesis tries to uncover the environmental dark sides of the

American modernization and reminds the developing countries to pay attention to the environmental problems in their modernization.
Keywords：Modernization；Western Exploitation of America；Industrial Revolution；Environmental History；Environmental Protection

自从 20 世纪 50 年代现代化理论出现以来,对现代化的定义可谓是五花八门,但不管如何差别,大部分学者都认同,现代化是"一个全球性的大转变的过程,从传统农业社会向现代工业社会转变的大过程"。① 毫无疑问,自 16 世纪以来,以西方世界的崛起和发展为特征的现代化带来了人类历史的巨大进步和变化:科学知识出现前所未有的增长,人类认识和改造自然的能力得到了空前的提高;人类社会的生产力也获得了空前的提高,工业革命改变了几千年来农业的主导地位,现代工业飞速发展;人们的生活方式和价值观念出现巨大的转变,人口从农村大量涌向城市,城市取代农村成为人类主要的聚集形式,消费观念也出现巨大转变,大众消费时代到来,等等。然而,现代化进程虽然被认为是一个任何社会都不可避免的历史阶段,但却也是一个痛苦的进程,已经实现现代化的许多国家都曾经为之付出了惨重的代价,除了伴随发生的社会动乱和社会矛盾外,现代化过程所带来的最重大的灾难是它所引起的人类社会生存环境的巨大变迁和破坏。

美国是现代化理论兴起的策源地,1959 年 6 月 8 日——11 日在纽约州多布斯费里(Dobbs Ferry)召开的会议被认为是现代化理论正式诞生的标志。虽然美国学者为第三世界的现代化提出了各种各样的理论,但他们却极少关注本国的现代化的历史,只是想当然地认为第三世界的人民按照美国模式发展,就能自动实现现代化。② 岂不知,美国的现代化具有许多特殊的条

---

① 罗荣渠:《现代化新论》,商务印书馆 2004 年版,第 4 页。
② 关于这方面的研究状况可以参考 Nil Gilman, *Mandarins of the Future*：*Modernization Theory in Cold War America*, Baltimore：John Hopkins University Press, 2003 和雷迅马:《作为意识形态的现代化:社会科学与美国对第三世界政策》,牛可译,中央编译出版社 2003 年版。

件,"并不具有普世价值"。① 从环境史的角度来看,美国从拓荒到大工业崛起的现代化过程倒是人类与自然关系的一个缩影,它不仅带来了巨大的环境变迁,还伴随着严重的资源浪费、环境污染和自然灾难,美国现代化的历史其实就是一部人类征服自然而又遭到自然疯狂报复的灾难史。所幸的是美国从现代化所引起的环境灾难中翻然醒悟过来,逐渐走上了环境保护的道路,这一点倒是值得所有正在从事现代化发展的国家和人民予以借鉴和警惕。

一、征服自然是美国现代化中的主导性环境观

传统上,我们总是站在发展和进步的角度评价人类与自然的关系,想当然地认为"如果人类要走向文明,他就必须改变他周围的环境"。② 而自新大陆发现以来的西方国家的现代化过程恰恰是以人类征服自然的能力的空前提升为主要特征的。马克思认为,"资本主义生产方式以人对自然的支配为前提"。③ 美国著名学者亨廷顿也认为,"大多数现代化理论家主张现代社会和传统社会的主要区别在于现代人对自然环境和社会环境有更强的控制能力"。④ 布莱克认为现代化"反映着人控制环境的知识亘古未有的增长,伴随着科学革命的发生,从历史上发展而来的各种体制适应迅速变化的各种功能的过程"。⑤ 艾恺则认为现代化可定义为"一个范围及于社会、经济、政治的过程,其组织与制度的全体朝向以役使自然为目标的系统化的理

---

① 毕道村:《现代化本质:中世纪以来人类社会变化的新认识》,人民出版社 2005 年版,第 4 页。
② Jerrome O. Steffen, *The American West: New Perspectives, New Dimensions*, Norman: University of Oklahoma, 1979, p. 16.
③ 马克思:《资本论》第 1 卷,《马克思恩格斯全集》第 23 卷,人民出版社 1972 年版,第 561 页。
④ 西里尔·布莱克编:《比较现代化》,杨豫、陈祖洲译,上海译文出版社 1992 年版,第 42 页。
⑤ 西里尔·布莱克:《现代化的动力》,段小光译,四川人民出版社 1988 年版,第 11 页。

智运用过程"。①而现代化发展过程中所必不可少的科技进步也被认为是为人类征服自然服务的工具。根据美国学者内森·罗森堡的定义,"科技应该被认为是这样一种信息,它能改善人类控制和驾驭自然、从而达到人类目标的能力,从而使环境可以更加符合人类的需要";②而塔尔科特·帕森斯(Talcott Parsons)则认为科技是"为了一些人的需要而能动地控制和改变外部环境的一种社会性的组织能力。"③

诚然,自从有了人类,也就产生了人与自然的关系,人类社会的发展离不开人类对自然环境的改造和重构,我们反对那种把人类看作地球癌症的极端的环境主义者的观点,但我们也必须得承认,地球不仅仅属于人类,人类的发展必须与自然的发展和谐一致,至少为了实现人类的可持续发展,也必须得考虑人类活动的环境影响。美国环境保护的著名先驱学者雷切尔·卡逊直言,"控制自然是一个傲慢自欺的词组,始自生物学和哲学的最原始时期,当时人们认为自然界是为了人类的方便才存在的……如此原始的科学使用最现代和最恐怖的武器在转而用来对付昆虫的同时,也转而来对付地球。这真是我们时代的令人惊恐的不幸。"④美国从殖民开拓发展为世界超级大国的现代化进程正是近代绝对人类中心主义自然观念下人与自然关系对立的一个典型。它不仅包含了近代资本主义的科学自然观的全部含义,也淋漓尽致地展现了这种自然观的缺点和危害。

美国历史本身就是一部征服的历史,既是白人征服土著人,也是白人征服自然的历史。著名史学家特纳曾经说过,"直到现在为止,一部美国史就是对大西部的拓殖史",对于特纳以及他的同代的人们来说,"唯一鲜明的主题就是以桀骜不驯的自然为一方和以个人主义的边疆人为另一方之间的虚幻的斗争。"1830年,密歇根的士兵和参议员刘易斯·凯斯公开宣布,"毫无

---

① 艾恺:《世界范围内的反现代化思潮——论文化守成主义》,贵州人民出版社1991年版,第5页。
② Nathan Rosenberg, *Technology and American Economic Growth*, Armonk, N. Y.: M. E. Sharpe, Inc., 1972, p. 18.
③ Nathan Rosenberg, *op. cit.*, p. 18.
④ 雷切尔·卡逊:《寂静的春天》,吕瑞兰、李长生译,吉林人民出版社1999年版,第263页。

疑问,造物主试图让地球从自然的状态下变为有用之地,并被开垦";同期,佐治亚州的州长乔治·吉尔默也声称,"根据造物主在人类形成时期所给予他的命令,去丰实和增殖土地,并征服它。"①边疆时期无数的日记、演讲和回忆录,都把代表自然的荒野作为必须被文明所征服的敌人来看待,甚至历史学家也以赞许的语气描述美国的西部发展:"他们征服了荒野,他们征服了森林,并把土地变成丰产的战利品。"②

有两种因素导致了美国人这种自然观念的形成:第一,当时蛮荒的北美对白人的生存所构成威胁,白人的"安全和舒适,甚至必需的食物和住所,也都需要克服蛮荒的自然环境才能取得。"③第二,西方的文化传统,"第一批白种美国人其实就是这样一些欧洲人,在他们的精神包裹之中,携带着的荒野观念是在《旧约全书》和《新约全书》中形成并被欧洲黑暗的中世纪的边疆经历所洗练过的。"④

美国人的环境观直接来源于欧洲人早期的自然观,而欧洲人的自然观念则可追溯到欧洲文明的发源地,即古代中东和希腊罗马文明。《旧约全书》蕴涵了早期基督教徒对人与自然关系的主要观点,并对后世形成了深远的影响。在《创世记》中,"神[上帝]说:'我们要照着我们的形象,按着我们的样式造人,使他们管理海里的鱼,空中的鸟,地上的牲畜和全地,并地上所爬的一切昆虫。'……神就赐福他们,又对他们说:'要生养众多,遍满地面,治理这地;也要管理海里的鱼,空中的鸟,和地上各样行动的活物。'神说:'看哪,我将遍地上一切结种子的菜蔬,和一切树上所结有核的果子,全赐给你们作食物。至于地上的走兽和空中的飞鸟,并各样爬在地上有生命的物,我将青草赐给它们作食物。'"⑤《创世记》中的这一指示,为人类统治和征服自然界提供了最早的理论依据。

---

① Roderick Nash, *Wilderness and the American Mind*, New Haven: Yale University, 3rd edition, 1982, p. 31.
② Roderick Nash, *op. cit.*, p. 27.
③ Roderick Nash, *op. cit.*, p. 24.
④ Roderick Nash, *op. cit.*, p. 12.
⑤ 《圣经·创世记》,第 26—30 节。

古希腊、罗马文明中对自然的认识构成西方自然观念的另一个重要源流。它们对于西方人自然观念最大的贡献表现在两个方面：其一，人类中心主义思想开始抬头。最著名的莫过于普罗塔哥拉的名言："人是万物的尺度，存在时万物存在，不存在时万物不存在"，而亚里士多德则公然声称，"植物活着是为了动物，所有其他动物活着是为了人类，驯化动物是为了能役使它们，当然也可以作为食物"。[①] 他们的论断不仅确立了人的主体地位，而且还为后来人类中心主义自然观的主张提供了一个重要的理论依据。其二是他们理性的研究方法。"他们不接受传统的对自然世界的神秘主义和神学的解释，认为人有能力通过推理去发现自然的真谛。对他们来说，自然不是充满精灵的地方或诸神的舞台，而是一个可以思考和进行理性分析的对象"。[②] 理性推理的研究方法奠定了西方科学研究方法的基调，而科学技术的进步则进一步增强了人类认识和征服自然的能力和决心。

欧洲走出愚昧黑暗的中世纪后，以征服自然为根本特征的强势人类中心主义自然观逐渐形成。"近代以来，人类征服和统治自然的对象关系模式是建立在人类中心主义和笛卡尔—牛顿的机械自然观基础之上的"。[③] 他们的作用主要表现在两个方面：一是积极鼓吹人类征服自然、控制自然的狂妄理论；二是为这个理论提供了实现研究方法和思维模式，即机械主义还原论。人文主义思想和自然科学的发展是促成近代资本主义自然观形成的两大因素。

培根信心十足地声称："人类被神赋予了支配自然的权利，因此，克服懒惰精神，彻底地利用自然吧！"[④] "将人类帝国的界限，扩大到一切可能影响

---

① 亚里士多德《政治学》，转引自戴斯·贾丁斯：《环境伦理学：环境哲学导论》，林官明、杨爱民译，北京大学出版社 2002 年版，第 106 页。

② Donald Hughes, "The Ancient Roots of Our Ecological Crisis", in Susan J. Armstrong and Richard G. Botzler ed., *Environmental Ethics: Divergence and Convergence*, New York: McGraw-Hill, Inc., 1993, p. 168.

③ 佘正荣：《生态智慧论》，中国社会科学出版社 1996 年版，第 46 页。

④ 岸根卓郎：《环境论：人类最终的选择》，何鉴译，南京大学出版社 1999 年版，第 205 页。

到的事物。"①他还说:"我来到世上就是要让大自然及其儿女供人类使用,使她们成为人类的奴隶。"②现代哲学之父笛卡尔也呼吁:"使自己成为自然的主人和立法者。"机械还原论的研究方法是他们为征服自然、改造自然的人们所提供的锐利武器。

美国人的自然观念正是在继承了自希腊、罗马文明以来欧洲人的传统观念的基础上形成的。所以,著名的环境史专家罗德里克·纳什认为:"到达北美洲的第一批移民携带了一大堆关于荒野的先入成见",新英格兰的米歇尔·威格斯沃斯(Michael Wigglesworth)在1662年哀叹道,在居民区以外,"废弃而凄凉的荒野,空无一人,除了魔鬼和野蛮人,邪恶在此猖獗"。③"殖民者的荒野概念更大程度上是旧世界而不是新世界的产品",④欧洲关于自然的传统观念同美国的实际情况混合起来,结果在北美殖民地的发展过程中形成了最为典型的人与自然的对立关系,并且淋漓尽致地展现了西方强势人类中心主义思想指导下人与自然的对立。新大陆"是人类最后一次找到能施展才能创造奇迹的地方。"⑤

美国人的自然观除了继承了欧洲传统的自然观念外,还增添了如下新的特征和内容:第一,美国人的环境观念是建立在北美自然资源无限丰富的假定前提之下的,美国人相信他们的资源供应源源不断,永无枯竭之虞。1866年,第一位记述宾夕法尼亚石油繁荣的学者S.J.M.伊顿写道:"油田很大,而且供应永不枯竭,很显然这一开始就是地球的产品,它是上帝为了他的子民的幸福而给予他们的一项最伟大的礼物,但一直被锁在他的密室里,只根据人类的需要而开发出来,如今在我们这个时代,在地球的这个角

---

① 唐纳德·沃斯特:《自然的经济体系》,侯文蕙译,商务印书馆1999年版,第51页。
② 戴斯·贾丁斯:《环境伦理学》,第286页。
③ Hans Huth, *Nature and the American: Three Centuries of Changing Attitudes*, Berkeley: University of California, 1972, p. 6.
④ Roderick Nash, *op. cit.*, p. 8.
⑤ 阿尔·格尔:《濒临失衡的地球:生态与人类精神》,陈嘉映等译,中央编译出版社1997年版,第145页。

落,巨大的藏宝室被打开,揭下了封条,供应极端充足。"[1]1860年,美国的《采矿与科学报》(Mining and Scientific Press)声称:"我们认为它的矿藏在未来的岁月里是不会枯竭的。"[2]第二,前所未有的扩张性。美国史就是一部扩张的历史。不仅版图从最东边的普利茅斯伸展到了北美的最西端,美国人对自然的扩张也是史无前例的。清教徒的使命观在北美的荒野中找到了肥沃的发育土壤。清教徒把他们到美洲的移居比作是圣经中摩西带领以色列人寻找希望之地的大迁徙,在他们看来,"荒野是浪费,而对它最适当的行为则是开发。"只有通过开发才能把这里变成流着奶和蜜的伊甸园。18世纪后期,威廉·库伯在阐述自己迁移到纽约北部的目的时宣称:"最根本的目标是让荒野开花结果。"1806年,派克向西部探险到达大平原上的奥萨齐河边时所首先想到的也是"数不清的家畜,他们无疑注定要兴奋地占据这片欢乐的平原。"[3]甚至在黄石国家公园建立10多年后,1883年,来自堪萨斯的参议员约翰·J.英格尔斯还公然鼓吹"政府对黄石公园所能做的最好的事情是对它进行测量,像其他公共土地一样公开出售",而一位支持修建一条铁路通过黄石公园的人则更荒唐地叫嚷:"公民的权利、蕴藏丰富的财富和商业需求,屈服于几个运动者仅仅为了保护几头野牛的狂热,这是真的吗?"[4]第三,美国人的自然观里面还渗透着浓厚的种族优越论的气息。在美国人的概念中,自然是荒野,"荒野又几乎总是同野蛮连在一起",而野蛮又等同于印第安人,所以,征服自然的同时也是征服印第安人的过程。1817年,甚至连美国总统门罗在向国会的报告咨文中也公然声称:"地球是被交给人类来承担它所能够的最大限度的人口的,除了维持自身需要和生存外,任何部落和种族都无权阻止其他人对土地的占有。"[5]美国的"拓荒者坚持

---

[1] Duane A. Smith, *Mining America: The Industry and the Environment 1800—1980*, Boulder: University of Colorado, 1993, p. 2.

[2] Duane A. Smith, *op. cit.*, p. 31.

[3] Roderick Nash, *op. cit.*, p. 32.

[4] Roderick Nash, *op. cit.*, p. 114.

[5] Donald Worster, *Under Western Skies: Nature and History in the American West*, New York: Oxford University, 1992, p. 118.

认为,印第安人同那些该死的森林一样,必须当作文化进步的敌人而加以消灭"。① 第四,美国人的环境观念随着科技的发展和进步而表现出了极大的狂妄性和破坏性。"用机械世界观和近代科学技术思想武装头脑的人,不光忘记了生存必须适应环境,而且妄自尊大,目空一切,认为人类的伟大之处就在于征服和统治自然,改造和控制环境,并以此来满足人类没完没了的物质欲望",②这一点在美国发展的过程中表现得尤为突出。1870年代,一位既熟悉英国又通晓美国木材加工业的人士观察道:"在美国,从圆木到制成品的木材加工业,都以浪费为特征,简直可以称之为犯罪。"③美国的各种工业设计,从欧洲标准看,都是为了节省人力,而存在着严重的资源浪费情况。1865年,参与到鲁诺城(Runo)去参观石油发展的一位记者写道:"利用奇异的创造天赋,美国人所发明的机器使得单位劳力投入的产量翻倍,而反过来,一天就把他的机械能力在一个星期所获得的都浪费出去了。我们太习惯于在我们的家门口找到人类幸福和安逸所需要的,以至于完全无视我们今天所随意丢弃的大量财富足可以使我们成为世界上最富裕的人民这一事实,没有哪儿比宾夕法尼亚的这一石油地区表现得更为明显了。"④1876年,美国采矿工程学会(Institute of Mining Engineers)主席阿布拉姆·海威特(Abram Hewitt)针对当时美国采矿业肆意浪费的现状说道:"我们的人民愿意浪费多少就浪费多少,却没人干预,承认这样是一种犯罪。但问题依然是:像我们这种特殊情况,监管部门还要有多远才能制止它。"⑤甚至到20世纪初,安那康达矿冶公司仍然公然声称:"我们有权利去从事一项正当的商业,即便我们不经意地需要污染环境,那么在特别的破坏使他有理由采取行动前,任何人无权抱怨。"⑥1913年,当艾奥瓦州的横跨密西西比河的基奥卡克水电公司的发电项目启动后,《卡西耶月刊》(Cassier's Monthly)还自

---

① 比林顿:《向西部扩张——美国边疆史》,周小松等译,商务印书馆1991年版,第28页。
② 余正荣:《生态智慧论》,第2页。
③ Nathan Rosenberg, op. cit., p. 28.
④ Brian Black, Petrolia, p. 189.
⑤ Duane A. Smith, op. cit., p. 64.
⑥ Duane A. Smith, op. cit., p. 95.

豪地宣称:"强大的密西西比河被人类文明的机器和装置缚住了。"①第五,在美国人的观念中,自然的价值仅仅限于供人类利用的价值,而且,美国人在现代化过程中对自然资源的利用过程中所贯彻的又是"先到先得"(first in time, first in right)的森林法则。1844 年,麻省大法官莱缪尔·肖(Lemuel Shaw)在一项关于用水权的判例中声称:"为上述目的而第一个建立水坝的所有者,在遇到上下游的所有者的权利争端时,有权保持该坝。而且在这种情况下,抢先占有为上述用权提供了优先所有权。"②肖法官的这一判例,确立了美国人在资源利用方面的"先到先得"的森林法则。美国人眼中的自然的唯一价值就是供人类使用的价值,针对这种实用主义的环境观,梭罗怒斥道:"他满脑子装的只是这个湖在金钱方面的价值;他的到来,可能就要给整个湖岸降下灾祸;他要耗尽这个湖周遭的土地,并乐意把湖中的水全给淘光,他引以为憾的只是这个湖没有变成英国干草或越橘的草地。……湖水不能给他转动磨粉机,他不觉得观看湖光水色是一件特别荣幸的事。"③甚至到了 1987 年,加拿大政府的前内阁部长菲利浦·伽格略迪还公然声称:"上帝把那些树放在那边不是为了被欣赏的,他们之所以被放在那边,就是为了被砍伐。"④

  被这种强势的人类中心主义环境观念和科学进步所武装起来的北美殖民者来到北美后,一方面用他们的辛勤和劳动创造了令人称道的物质文明,同时,也极大地改变和重塑了北美的自然环境,造成了惊人的资源浪费,并带来了严重的环境灾难。

---

  ① Philip V. Scarpino, *Great River: An Environmental History of the Upper Mississippi 1890—1950*, Columbia: University of Missouri, 1985, p. 12.
  ② Donald Pisani, *Water, Land and Law in the West: The Limits of Public Policy 1850—1920*, Lawrence: University of Kansas, 1996, p. 9.
  ③ 梭罗:《瓦尔登湖或林中生活》,罗伯特·塞尔编:《梭罗集》,陈凯等译,三联书店 1996 年版,第 542—543 页。
  ④ 詹姆斯·奥康纳:《自然的理由》,唐正东、臧佩洪译,南京大学 2003 年版,第 34 页。

二、印第安人：现代化的生态牺牲品

在白人到达前，据估计，在北美共生活着大约 300 万印第安人，虽然他们的许多行为以我们今天的标准判断并不见得都是环保的，但他们的确拥有一些非常优秀的环境伦理和实践。"第一批美国人（印第安人）确实不是'生态学意义上'的圣者——但毋庸置疑，在其与环境的关系上，第一批美国人确实要比他们的后代有节制得多。"①在白人到来以前，他们不事积蓄，即便是东部的林区印第安人也定期迁居，而且由于他们总体上人数较少，对自然环境所造成的影响大部分都在环境可恢复的范围之内。而草原地区的印第安人则一直采取传统的方式猎取野牛，每年大约猎杀 30 万头左右，远远低于野牛的自然淘汰率，所以对整个种群的发展不会造成太大的影响。虽然草原地区的印第安人也经常用火烧草，一度阻止了森林向高草原地区的蔓延，但总起来看，在白人到达以前，草原地区动物对生态环境所造成的影响远远大于人的影响，因而，在 18、19 世纪白人到达草原以前，人不是草原地区的主要动物，"他对草原的影响远远不及像野牛和海狸这样的动物"。②

然而，白人到来后，北美的印第安人不由自主地卷入了与白人的交往关系之中，他们拥有白人所需要的两种东西——毛皮和土地，并由此形成了两个种族之间两种不同的关系交往模式，即毛皮边疆和农业边疆。然而，无论是哪一种边疆形式，带给印第安人的都是毁灭性的灾难，美国现代化的过程同时也是一部印第安人的生态灾难的历史。

在农业边疆中，白人从印第安人那里需要的只有他们的土地。垂涎于印第安人土地的美国殖民者是所有美洲殖民者中对印第安人最怀敌意的种族。所以自从殖民地时期起，殖民分子就否认印第安人的土地所有权，殖民地的领袖温斯罗普鼓吹："对于新英格兰的土著人来说，他们没有占据任何

---

① 纳什：《大自然的权利：环境伦理学史》，杨通进译，青岛出版社 1999 年版，第 141 页。

② J. G. Nelson, *Man's Impact on the Western Canadian Landscape*, Toronto: McClelland and Stewart Limited, 1976, p. 62.

土地,既缺乏任何固定的居所,也没有哪种家畜来改善土地,所以,他们对这些土地除了自然权利外没有其他权利。"①著名的扩张主义分子亨利·克莱就曾经公开扬言:"印第安人天性不会被同化,是不值得保护的种族,不必为他们在人类大家庭中的消失而惋惜。"②印第安人的生活方式在白人殖民者看来,是懒惰、懈怠和贫穷的。普利茅斯殖民地总督威廉·布拉福德声称,他们所定居的地区是"美洲一片广阔无边、无人居住的土地,十分富饶,适宜定居,找不到任何文明居民,只有一些野蛮残暴的人出没其间,而这些人与这里出没的野兽并无多大差别。"甚至以环境保护而著称的美国总统老罗斯福也对印第安人毫不客气:"给他们每人一小块土地,如果他们拒绝接受——通常是会这样的——那么,好吧,就让他和成千上万的白人猎手一块倒霉去吧;这些人所赖以为生的野兽也是由于土地被开垦而遭到消灭。也让印第安人像那些不肯干活的白人一样从大地上消灭而不要成为障碍。"③

自从英国殖民者一踏上美洲土地,对土著人的土地的蚕食和强占行为向来就没有停止过。独立后,为了迫使西北地区的印第安人让出土地,美国派韦恩将军在1794年对俄亥俄河流域印第安人进行了一连串的武装"讨伐",最后"伐树堡"一役,彻底击溃了这一带的土著人的反抗力量,为白人让出了土地。1832年,靠征服印第安人成名的大老粗安德鲁·杰克逊入主白宫后,终于签署了强迫印第安人西迁的《印第安人迁移法》,东部的印第安人被迫走上了前往密西西比河以西的"血泪之路"。经过30年代到40年代的强迫迁移,东部大约有10万印第安人被迫背井离乡,前往密西西比河以西当时被认为是荒凉的"印第安之乡"。

毛皮贸易不同于农业边疆,农业边疆中"那句'一个好的印第安人就是

---

① William Cronon, *Changes in the Land: Indians, Colonists and the Ecology of New England*, New York: Hill and Wang Press, 1983, p. 56.

② Frederick Merk, *History of the Westward Movement*, New York: Knopf, 1980, p. 186.

③ 艾伦·特拉登堡:《美国的公司化——镀金时代的文化与社会》,邵重、金莉译,中国对外翻译出版公司1990年版,第14页。

一名死的印第安人'的口头禅从来没有被应用到毛皮贸易之中",[1]它是"作为商人的白人和作为狩猎者的黄种人之间所进行的一项合作。"[2]"除了极个别的特例外,印第安人这边对欧洲物品的渴望和欧洲人那边对印第安毛皮的渴望是商人与西北地区的土著人之间'友谊'的唯一基础。"[3]为了能得到持续的毛皮供应,这种经济形式需要保存北美毛皮产地的原始状态,与农业边疆那种大规模的砍伐森林、改天换地的情形相比,可以说是在北美诸多经济形式中对自然环境影响较小的一种。但这并不意味着它是保护环境和与自然和谐的。毛皮贸易以其特殊的方式同样在北美历史上制造了惨烈的生态灾难。

首先,毛皮贸易所导致的许多珍贵毛皮动物的加速灭绝,改变了印第安人的生存环境。毛皮贸易一直处于一种高度的竞争状态,最明智的方法是在其他竞争者到来前尽量猎捕,把一片空白留给对手。例如,19世纪20年代后,哈得孙湾公司总裁辛普森针对有争议的落基山西南部地区而要求他的员工:"该地区海狸资源非常丰富,基于政治原因,我们应该设法尽可能快地努力去猎光它。"[4]这就是海湾公司所采取的著名的焦土政策(scorched earth policy)。由于疯狂的灭绝式大屠杀,导致了这些珍贵的毛皮动物在多处灭绝。1640年,海狸在哈得孙河流域和马萨诸塞海岸一带绝迹;到17世纪末,新英格兰的海狸几乎完全消失;到1831年,海狸在北部大草原上也灭绝了。北美东南部的白尾鹿和草原上的野牛也遭到了几乎同样的命运。18世纪40—50年代,查尔斯顿每年平均运出17.8万张鹿皮。有的研究者认为,在贸易的盛期,每年大约要屠杀100万只鹿。[5] 到19世纪末,曾经庞

---

[1] Harold Innis, *The Fur Trade in Canada*, Toronto: University of Toronto, 1956, p. 144.

[2] A. B. Mckilop, *Contexts of Canada's Past: Selected Essays of W. L. Morton*, Toronto: The Macmillan Company of Canada, 1980, p. 88.

[3] Richard C. Danis, *Ruberts Land: A Cultural Tapestry*, Waterloo: Wilfred Laurier University, 1988, p. 68.

[4] Daniel Francis, *Battle for the West: Fur Traders and the Birth of Western Canada*, Edmonton: Hurtig Publishers, 1982, p. 145.

[5] Shepard Krech, *The Ecological Indians: Myth and History*, New York: W. W. Norton Company, 1999, p. 160.

大的白尾鹿面临着灭绝的危险。由于需要满足西北公司和哈得孙湾公司的牛肉饼供应,梅蒂人到1850年,就已经把马尼托巴省的野牛都杀光了。早在1642年,纳拉甘西特湾地区的印第安人酋长梅安特努莫(Miantonomo)就敏锐地看到了白人到来后所造成的生态变化:"我们的祖先们拥有很多鹿和毛皮,我们的平原上有数不清的鹿,林子里有数不清的火鸡,我们的池塘里满是鱼虾和水禽。而这些英国人占据了我们的土地,他们用大镰刀割去了草,用斧头砍倒了树木;他们的牛和马吃光了草,猪弄坏了我们盛产蛎蚌的海滩,而我们却只能忍饥挨饿。"①

其次,毛皮贸易在给毛皮动物造成灭顶之灾的同时,也深刻地改变了北美印第安人的生态伦理。虽然目前学术界对于印第安人是否可以定义为生态的居民仍然存在较大的争议,但印第安人的确拥有一些非常优秀的生态伦理传统,不能用我们现在的准则去苛求他们符合我们的规范。可是自从卷入毛皮贸易后,印第安人改变了自己的生活方式,变成了白人猎捕毛皮的杀戮工具,这"显然背离了他们原有的价值观"。② 一旦涉足毛皮贸易,印第安人屠杀动物的性质就变了,"随着毛皮贸易的加剧,卷入其中的土著部落开始了从为生计而捕猎向着为海湾公司而捕猎的转变,杀死的动物远远多于他们本身所需"。③ 白人到来前,印第安人每年猎捕的毛皮一般以满足自己和家庭需要为依据,如地处白尾鹿密集地区的克里克人在卷入毛皮贸易前,平均每个家庭每年需要25—30张鹿皮;可在卷入毛皮贸易后,平均每年要猎杀200—400只鹿。

再次,白人踏上北美洲的土地后,不仅从印第安人那里拿走了毛皮和土地,破坏了印第安人传统的生活方式,而且还带来了旧世界的各种传染病菌,使印第安人面临着灭顶之灾。天花这种传播速度极快的疾病是白人带到美洲给印第安人带来巨大恐惧和死亡的疾病。它的传播远远超出欧洲人开拓的疆界。早在16世纪初,英国和法国人还没有在北美建立殖民地时,

---

① William Cronon, *Changes in the Land*, p. 162.
② 李剑鸣:《文化的边疆》,天津人民出版社1994年版,第49页。
③ Peter C. Newman, *Empire of the Bay*, Toronto: The Madison Press Ltd., 1989, p. 88.

天花已经从南方的西班牙人那里传入了北美,很可能在16世纪20—30年代,这种疾病已经横扫了从五大湖到南美大平原的美洲广大地区。天花的传播速度极快,而且有一定的潜伏期,患病者首先发烧并感到疼痛,接着迅速出现脓包,有时破坏皮肤并使患者浑身充满脓血。[1] 早在1616年,根据皮艾尔·比尔德的记载,在缅因和新斯科舍地区传染病就已经流行。"他们感到震惊并抱怨道:自从法国人与他们混居并开展贸易以来,他们的死亡率剧增,导致人口锐减。他们争辩说,在这种联系和交往以前,他们所有的地区都人丁兴旺;他们诉说到,在各个不同的海岸,随着与我们发生交往,人口都被疾病严重减少。"[2]相对来说,北方的狩猎部落,流动性较强,人口密度也比较小,所以遭受天花的打击略小一点,而偏南地区的农业部落,人口密度大,流动性也没有前者强,遭受的天花打击更为严重。1616年,天花第一次在新英格兰南部地区流行了3年之久,深入内地20—30英里。此后,天花就经常在北美各地爆发,17世纪30年代在马萨诸塞的阿尔贡金人中爆发,结果印第安人"整村整村地灭绝,在一些村庄里逃脱厄运的还不到一个人"。[3] 其中1633年在北美东北地区爆发的一次最为惨烈,受感染者死亡率高达95%。殖民地的总督威廉·布雷德福曾对此做过详细的描述:

> 由于缺乏床铺、衣物和其他帮助,当他们病倒躺在他们冰冷的垫子上后,就陷入一种非常悲惨的境地。水疱破裂后流得遍地都是,由于他们所躺的垫子的原因,导致皮肤也开裂。当他们翻动时,一整片皮肤即随之粘落,他们就变成了一个血人,惨状难以言表。由于极度疼痛,再加上寒冷和其他不适,他们就像腐烂的绵羊那样死去。[4]

---

[1] 艾尔弗雷德·克罗斯比:《生态扩张主义:欧洲900年到1900年的生态扩张》,许友民、许学征译,辽宁教育出版社2001年版,第205页。
[2] William Cronon, *Changes in the Land*, p. 86.
[3] 艾尔弗雷德·克罗斯比:《生态扩张主义》,第206页。
[4] William Cronon, *Changes in the Land*, p. 88.

除了天花外，欧洲人还给印第安人带来了其他传染病，如肺炎、流感、霍乱、斑疹、伤寒、痢疾等，造成了土著人口的急剧下降，"世界上最大的人口灾难是由哥伦布、库克和其他航海者引发的，而欧洲的海外殖民地在其现代发展的第一阶段成了恐怖的坟场"。[1] 1519年，仅墨西哥有2910万人，而到1615年，这里的人口已经锐减到了不到100万人。在17世纪的前四分之三时间里，新英格兰的土著人口从7万多人下降到了不到1.2万，东北部曾经强大的阿本乃吉印第安人（Abenaki Indian）的人口从1万人下降到了不到500人。有的学者估计，大约80%的北美土著人口的消失是由天花等传染病所造成的，即便是最保守的估计也在65%左右。[2]

欧洲殖民者早就注意到了疾病对印第安人的危害，1640年耶稣会会士杰罗姆·拉勒芒写道："我们必须秘密研究一下这疾病了（因为他们相信它是个魔鬼），只有我们自己仍然健康并充满活力……我们无疑是遇上了麻烦，因为我们无论在哪里驻足，死亡和疾病都与我们形影相随……在这一点上必须承认，这些可怜的人是情有可原的。因为这一切的发生太频繁了，人民上百次地提到，我们在哪儿最受欢迎，在哪儿施洗礼最多，事实上那里的人便死得最多；相反，哪儿的小屋拒绝我们进入，尽管那里的人有时也会病入膏肓，到过些日子之后你就会发现每个人又都活蹦乱跳地痊愈了。"[3]

虽然不排除个别白人对印第安人的状况感到悲伤，但大部分的白人殖民者却对印第安人的悲惨境遇弹冠相庆，认为这就如同当年摩西带领犹太人出埃及时一样，是上帝对印第安人的惩罚和对白人的眷恋，意在使土著人为白人让出土地。甚至连马萨诸塞州的殖民地长官约翰·温斯罗普也对印第安人的灾难幸灾乐祸地在1634年5月22日写道："土著人几乎都死于天花，这样上帝就赐予我们拥有我们财产的权利"[4]；而一个法国人则把这种

---

[1] 艾尔弗雷德·克罗斯比：《生态扩张主义》，第212页。
[2] http://www.thefurtrapper.com/indian_smallpox.htm.
[3] 乔治·西维：《美洲印第安人自述史试编》，徐炳勋等译，内蒙古大学出版社2000年版，第4页。
[4] 艾尔弗雷德·克罗斯比：《生态扩张主义》，第213页。

思想表达得更加赤裸:"接触这些野蛮人后,有一件事我不能对你隐瞒:显而易见,上帝希望他们把自己的土地让给新来的移民。"①

三、森林边疆:新世界动植物资源被破坏和旧世界物种的入侵

北美大陆在白人到来前原本是一片资源极端富饶、物种十分丰富的地区。当 17 世纪初白人刚刚登上这片陆地的时候,这里简直就是动植物的宝库。东西两边都生长着茂密的森林。东边的森林一直绵延到密西西比河以西的地区,这些树都长得异常高大,波士顿地区早期的记述中称:"该地区的树木长得又高又直,一些树干在抽枝前就高达 20 英尺到 30 英尺",②而新英格兰和西海岸的一些松树甚至高达 250 英尺,树龄在 4000 年以上。③ 在东部林区还生长着很多可食用的野果和浆果,如樱桃、葡萄、黑莓、水越橘、覆盆子、草莓、桑葚等。生存于东部森林中的动物物种也非常丰富。据估计,当时北美东部一片 10 平方英里的森林里,可以生存 5 只黑熊,2—3 只美洲豹,2—3 只狼,200 只火鸟,400 只白尾鹿,20000 只灰松鼠。④ 约翰·史密斯(John Smith)在 1624 年所著的《弗吉尼亚通史》中,对于新大陆的描述极尽夸张之能事,称当冬天来临时,"整个河面都被天鹅、大雁、野鸭及鹤类笼罩着,我们天天都食用上好的面包、弗吉尼亚豆、南瓜、柿子、鱼类、水禽以及各种各样肥得流油的野兽"。⑤ 当欧洲人刚刚来到北美时,海狸的数量估计在 1000 万只到 4000 万只之间。⑥ 美国东南部的森林里还生活着大约

---

① 艾尔弗雷德·克罗斯比:《生态扩张主义》,第 218 页。
② William Cronon, *Changes in the Land*, p. 22.
③ 约翰·缪尔:《我们的国家公园》,郭名倞译,吉林人民出版社 1999 年版,第 195—196 页。
④ 唐纳德·沃斯特:《自然的经济体系》,第 92 页。
⑤ Char Miller, ed., *The Atlas of U. S. and Canadian Environmental History*, New York: Routledge, 2003, p. 2.
⑥ Harold Innis, *op. cit.*, p. 29;经济史学家 Innis 的估计是大约 1000 万只,而生物学家 Ernest Thomson Seden 的估计是大约 4000 万只。

4000万只白尾鹿。旅鸽这种在20世纪初期灭绝的物种在欧洲人到达北美时,数量大概有50亿只,相当于现在美国所有鸟类数量的总和。中部草原上最典型的动物就是野牛(bison),从阿巴拉契亚山西麓到落基山以西的高原盆地中都能见到这种动物的身影。"当第一批欧洲人抵达北美中部的大平原时,他们发现庞大的野牛群在那里闲逛。这些野牛群,其数量最少也有4000万头左右,很可能总数达到了6000万头。"[1]除北美野牛外,与这片草原气候相适应的其他物种还有鹿角羚、长耳兔和草原鼠等,数量也都非常丰富。除了这些草食性动物,草原地区最主要的肉食性动物是狼和郊狼。据估计,在白人到达草原前,草原上至少生活着150万只狼。[2]

然而,在北美殖民地的发展过程中,这些动植物资源都遭到了疯狂的破坏,从而使得本地的自然环境发生了巨大的变化,"多年以来美国人的拓殖是一场反对自然的战争,而随之而来的就是森林被砍伐和野生动物被屠杀"。[3] 首先遭殃的是美洲的森林。在北美历史上一度曾经出现过方木边疆。英国海军将眼光瞄准了北美东海岸生长着的高大树木,结果"新英格兰的森林成为维持英国海军力量的一个关键因素"[4],海军测量员在每棵被选作海军军舰用木的树上都标上箭头。除了海军用木外,东部优质的木材还是制造地中海酒桶的优质材料。当时的锯木厂效率低下,只用上好的木材,其他次等的都浪费掉了。许多北美人夏天耕种,冬天就转入伐木营去砍伐树木。除了专业的伐木业外,农民为了开垦耕地,建立农场,更是不分好坏

---

[1] 克莱夫·庞廷:《绿色世界史:环境与伟大文明的衰落》,王毅、张学广译,上海人民出版社2002年版,第189页;对于北美野牛的数量,各方面的估计差别很大。1929年自然学家Ernest Thomson Seden根据对1900年家畜的情况的观察,认为西部在1800年以前大约有7500万头野牛;而Tom McHugh根据对黄石国家公园里的野牛的观察,认为草原最多有3000万头野牛;环境史学者Dan Flores和Andrew C. Isenberg根据蒙大拿野牛保护区的情况,也认为野牛在2700万到3000万头之间。

[2] Andrew C. Isenberg, *The Destruction of the Bison: A Environmental History 1750—1920*, New York: Cambridge University, 2000, p. 106.

[3] R. F. Dasmamn, *Environmental Conservation*, Hoboken: John Wiley & Sons, 1984, 5th edition, p. 360.

[4] William Cronon, *Changes in the Land*, p. 110.

地肆意清除树木,通常的办法是环剥法,即在树下将树皮环剥一圈,使大树枯死。更具有危害性的则是放火焚烧,有时候这种火会蔓延成森林大火,失去控制,将很大范围的森林都统统烧光。除了农民毁林开荒外,取暖用柴也是造成北美东部森林迅速消失的一个重要因素。1826—1827 年冬天,仅仅费城一地就烧掉了 11 平方英里的森林。[1] 当时一个新英格兰家庭一年的平均用柴是 30—40 克德(cord),相当于 4 英尺高、4 英尺宽、300 英尺长的一堆木头,至少要 1 英亩森林才能提供这些木材。正是由于如此大规模的浪费和肆意砍伐,北美东部的森林消失得很快,一般一个镇建立 15 年后就会面临木材短缺。1749 年访问新英格兰的瑞典生物学家皮特·卡尔姆(Peter Calm)对于美洲人浪费木材的行径深感吃惊:"难以计数的木材实际上在这个地区被用作烧柴而浪费了,整个冬天的日日夜夜,即几乎半年的时间里,在所有的房间里,火都不停地燃烧着","我们在瑞典和芬兰对于我们森林的仇恨也没有这里更大:他们的眼睛只盯着眼前的利益,而不顾将来。"[2] 正是由于白人的肆意破坏,到 1800 年,新英格兰南部 3/4 的地区已经没有了森林。

随着东部森林的消失和西部开发,铁路用木、建设用木、工业燃料用木和加工工业的木材消耗量都大幅增加,大湖区的森林成为 19 世纪中期以后西部主要的木材来源地。内战前,美国 90% 的动力来源是靠燃烧木头提供的,美国冶铁业中 50% 的木炭是靠燃烧森林而提供的。另外,森林所支撑的北美的另一项产业就是制钾工业,自殖民地时期起,农场主就燃烧木材,从草木灰中提取钾,到 1870 年,加拿大共有 500 多家草木灰公司,每年出口 4 万桶的钾。[3] 1856 年,芝加哥取代阿尔伯尼成为全国的木材交易中心。在木材交易的盛期,芝加哥的晒木场上常年晾晒着 500 万立方英尺的木头,

---

[1] Char Miller, ed., *op. cit.*, p. 26.
[2] William Cronon, *Changes in the Land*, p. 122.
[3] Ken Drushka, *Canada's Forests: A History*, Montreal: Montreal: McGill & Queen University Press, 2003, p. 26.

这些木头需要砍伐25万棵大树,覆盖上百英里的范围。① 1870年,美国砍伐了128亿立方英尺的木材;到1900年,这个数字上升到360亿立方英尺。② 当时各地的伐木公司对林地所采取的通行做法是全部砍光(clear-cut),路易斯安那一家木材公司的老板亨利·摩洛(Hanry Merlo)声称:"我们采伐我们的林地时最令我恼怒的事情就是在地上留下什么东西了。我们不采伐到10英寸直径,不采伐到8英寸直径,或6英寸直径,我们采伐到最小,那些树木长在那里,我们全部都要。"③1876年,一位加拿大木材商约翰·利特尔(John Little)撰文称大湖区的伐木者"不仅两头点燃蜡烛……而且还把蜡烛一切为二,四头同时燃烧,以加快木材耗竭的速度",④当时他的这种观点还遭到了当地《西北伐木者》主编的猛烈攻击,可仅仅10年以后,连该报也不得不哀叹,"以前认为不可耗竭的白松和霍威松(horway pine)木材的末日即将来到了。"⑤

随着森林一道消失的还有这里原本丰富的野生动物资源。火鸡在17世纪还在新英格兰地区成群地活动,当时一只40磅的火鸡可以卖4先令,可到18世纪,就很少见到了,以至于连名字的来源都忘记了。到18世纪末,鹿在44度以南已经很难看到,殖民地史学家詹姆斯·沙利文(James Sulliwan)记载道,在缅因地区,"麋鹿这种大型动物,以前数量还很多,现在已经很难见到一只了。"⑥甚至连旅鸽这种数量达到50亿只的动物,也没有逃脱灭种的命运,野外的最后一只旅鸽大约是1900年死于俄亥俄,全世界最后一只旅鸽玛莎1914年也在辛辛那提的动物园里孤独地死去。

北美的现代化过程不仅是本地动植物资源遭到疯狂破坏的历史,也是

---

① William Cronon, *Nature's Metropolis*: *Chicago and the Great West*, New York: W. W. Norton and Company, 1991, p. 183.

② Benjamin Kline, *First along the River*: *A Brief History of the U. S. Environmental Movement*, San Francisco: Acada Books, 1997, p. 44.

③ Carolyn Merchant, *Green Verus Gold*: *Sources in California's Environmental History*, Washington D. C.: Island Press, 1998, p. 152.

④ William Cronon, *Nature's Metropolis*, p. 200.

⑤ *Op. cit.*, p. 202.

⑥ William Cronon, *Changes in the Land*, p. 105.

一部物种变迁的历史。"生态学上的偷乘者是随着最早的居民开始来临的"。① 在殖民者向美洲移民的船上就搭载了旧世界的动植物和微生物。在 1609 年,当弗吉尼亚才刚刚奠基时,詹姆斯敦的殖民者发现,他们所储藏的食物几乎被数以千计的老鼠给吃光了,他们则不得不靠打猎、采集和印第安人的救济而过活。② 除了老鼠之外,在新世界繁衍的旧世界的动物还有猪、马和牛。猪由于适应性强、繁殖率高而颇受早期殖民者的欢迎。马的祖先原来在美洲,可后来在这里灭绝了。马又重新被西班牙殖民者带到了这里,有些走失和被放野,成为北美草原上的野马。在有些地方,野马数量变得如此多,"从而使它们实际上成了令人讨厌的家伙。"③牛也是同殖民者一道来到新世界的首批移民,它们与猪相比,更有优势:可以消化掉人所不能消化的粗纤维,将它们转化成人类所需要的奶、肉和皮革。牛因此也深受殖民者青睐。在 18 世纪初期,根据约翰·劳逊的观察,卡罗来纳的牛已经多得"难以置信,因为一个人就可以拥有 1000—2000 头牛"。④ 蜜蜂也是被殖民者从旧世界引入的新物种之一,在 17 世纪 20 年代,蜜蜂随着移民们来到了弗吉尼亚,并迅速在北美东部繁衍起来。印第安人称蜜蜂为"英国苍蝇"(English flies),认为"它们向内陆的推进是白人临近的前兆"。⑤ 蜜蜂在 1792 年蔓延到了密西西比河以西的地区。除了上述这些动物之外,其他像鸡、鸭、羊等家畜和其他的昆虫、野生动物也都在美洲安下了家。

旧世界的植物也是在新世界安家的首批生命之一。除了欧洲人带到美洲的农业品种外,不经意来到的还有野草。据瑞典植物学家彼德·卡尔姆的研究,大多数欧洲野草早在 1750 年就在新泽西和纽约扎根了。⑥ 在 17 世纪的后半期,至少有 20 种野草在新英格兰安家落户。车前草被印第安人

---

① 利奥波德:《沙乡年鉴》,侯文蕙译,吉林人民出版社 1997 年版,第 143 页。
② 艾尔弗雷德·克罗斯比:《生态扩张主义》,第 198—199 页。
③ 同上,第 190 页。
④ 同上,第 185 页。
⑤ Alfred W. Crosby, *Germs, Seeds, Animals: Studies in Ecological History*, Armonk: M. E. Sharpe, 1990, p. 32.
⑥ 利奥波德:《沙乡年鉴》,侯文蕙译,吉林人民出版社 1997 年版,第 143 页。

称为"英国人的脚"(Englishman's foot),意即英国人足迹所到之处,都可见到这种植物的影子。另外,像白三叶草、蒲公英、肯塔基六月禾、小檗属植物、金丝桃、麦仙翁、雀麦等也都在北美扎了根。① 19世纪初,当杰斐逊总统任命生物学家古斯蒂斯(Custis)探查雷德河地区时,后者在那里发现了16种欧洲物种。② 在今日的美国,500种农地杂草中有258种来自旧世界,其中177种明确地来自欧洲。③ 20世纪初对圣华金河地区的调查表明:引进的植物在草地类型中占到了植物品种的63%,在林地中占66%,在灌木中占54%。④

四、大草原的拓殖:走向沙尘暴

西部开发是美国历史上最壮丽的篇章,也是美国现代化中人与自然关系得到最全面体现的区域。一部美国西部开发的历史其实就是一部生态灾难的历史。大草原是美国最后的边疆消失的地方,也是生态灾难最为引人注意的地方。野牛的灭绝仅仅是大草原生态灾难的预演。在美国内战后的20年里,大草原目睹了开放式放牧事业从快速崛起到灾难性结束的全部过程。从60年代开始,许多白人牧场主就在西部草原上非法圈占土地,从南部赶来小牛,在大草原上饲养。"到1880年,养牛业已经在整个大草原深深扎下了根。"⑤西部开放式的牧牛业从一开始就是建立在资本主义基础上的,它存在的基础是广大的所谓无主土地和牧草的自由占用。片面追求眼前的利益所带来的一个严重后果就是牧牛数量的疯狂增长,严重超过了草原的载畜量,在1880年后短短的5年时间里,怀俄明的牧牛从无到有,发展到900万头的存栏量。

---

    ① Alfred W. Crosby, *op. cit.*, p. 38.
    ② Dan Flores, *The Natural West: Environmental History in the Great Plains and Rocky Mountains*, Norman: University of Oklahoma, 2001, p. 46.
    ③ 艾尔弗雷德·克罗斯比:《生态扩张主义》,第171页。
    ④ 同上,第160—161页。
    ⑤ 雷·比林顿:《向西部扩张》,第343页。

就在草原上的牛越来越多时,形势逐渐向着不利的方向发展:首先是牧羊业的兴起,草原上羊的数量越来越多,对牛的牧草构成严重威胁;草原上可供自由放养的土地越来越少,农业边疆不断向西部推进,更使大批的牛向原来已经拥挤不堪的牧场集中;天公不作美,1885—1886 年的冬天是一个狂风呼啸的严冬,冻死了很多牛,而第二年的夏天又炎热干旱,牧草生长不善,根本满足不了牛的需要。忍饥挨饿的牛面对的 1886—1887 年的冬天又是西部草原上为数不多的严冬之一,气温下降到零下 68 华氏度。这年冬天,"南部牧区多达百分之八十五的牛群,有的饿死,有的冻死。……接着,1886—1887 年传奇般的冬季,残酷地狠狠抓住平原不放,搞得人畜都恐慌。等到解冻之日,篱笆旁,深谷中,瘦骨嶙峋的死牛堆积如山。北部平原牛群的损失估计高达百分之四十到五十"。[①] 牛价下跌和恶劣的天气使得无数牧场主破产,连著名的斯旺牧牛公司也在 1887 年因连续亏损而倒闭,开放式放养走到了它历史的尽头。

然而不幸的是,1886—1887 年开放式牧牛帝国的崩溃并不是西部人疯狂破坏自然的结束,恰恰相反,更残酷的破坏和更严重的灾难还在后面。

19 世纪 70—80 年代,开发草原所需要的内外条件都逐渐完备:铁丝围栏的发明,农业机械的改进,旱作农业种植方法的应用和耐旱作物品种的推广为草原农业的发展提供了技术保障;草原上迎来了新一轮的湿润周期和日益看好的市场行情。从 1865 年到 1905 年正好是一个多雨的周期,而欧洲市场上对美国小麦的需求有增无减,1880 年,有 1.53 亿蒲式耳小麦卖给了英国,获利 1.91 亿美元。小麦的利润相当可观,"如果碰上好年成,种小麦的利润就相当于畜牧业 10 年的收入"。[②] 就在科技进步为美国人扫清垦殖大草原的障碍的同时,美国人的自信心也在膨胀。从专家到普通农场主

[①] 布卢姆:《美国的历程》下册,第一分册,杨国标、张儒林译,商务印书馆 1995 年版,第 19 页。

[②] R. Douglas Hurt, *The Dust Bowl: An Agricultural and Social History*, Chicago: Nelson-Hall Inc., 1984, p. 24.

都相信"雨随犁至"(Rain follows plough)。提出"雨随犁至"这一著名观点的C.D.威尔伯甚至狂言:"上帝没有制造永久的沙漠,人是进取性的,因而,除了人类允许或忽视外,实际上不存在任何沙漠。"①

虽然在科技进步和大好的外部环境下,美国在19世纪末到20世纪初开发西部草原取得了辉煌的成就,但这种发展模式是建立在一个非常不稳定的基础之上的。首先是西部的生态系统本身就比较脆弱,降水少,春夏蒸发量大,而且土壤构成独特,容易因干旱和耕作而变成粉末。其次,虽然美国人狂妄地认为"雨随犁至",然而,西部的降水非常不稳定。整个西部开发的基础就是所谓的旱作农业法,在19世纪末20世纪初的丰水年份,这种耕作模式创造了奇迹。然而,当干旱年份到来之时,这种方法就不灵验了。根据对西部树轮的分析,学者们发现:从1406—1940年有11个持续10年以上的干旱周期,10个持续10年以上的湿润周期。② 再次,西部开发是一种典型的资本主义的对自然的掠夺式开发,是建立在传统的征服自然观念之上的,奉行的原则是先到先得、弱肉强食的森林法则。1936年所任命的"大草原调查委员会"在勘察了这个区域的定居情况后,认为"一种强烈的投机心理……一直是开发的驱动力。大部分居民大概都想为他们自己建立家园和农场,但是很多人的目的却是想投机获利。这一点受到了公共土地政策的激励,在一种扩张主义决策的指导下,它几乎不考虑这个区域长远的稳定。"③在这种资本主义掠夺自然、征服自然的法则的指导下,每个农场主所考虑的都只是眼前利益,都天真地相信西部资源无限、机会无限,明天会更好。甚至到了大沙暴肆虐的1936年,堪萨斯的女农场主艾达·沃特金斯还信心十足地宣称:"我猜仁慈的主正想把我们重新带领到希望之地。5年来,我们一直生活在这片沙窝的荒漠之中,而现在,充沛的雨水将把我们带

---

① Donald Worster, *The Dust Bowl: The Southern Plains in 1930s*, New York: Oxford University, 1979, p. 81.
② Andrew C. Isenberg, *op. cit.*, p. 18.
③ 唐纳德·沃斯特:《自然的经济体系》,第275页。

到高山之巅，而不远处就是富饶的迦南之地，小麦飘香，繁荣重新降临。"①
这种滥用科技、盲目乐观、违反自然规律的胡作非为的结果必然是严重的生态灾难和大自然的无情惩罚。

此外，原来的市场和气候条件正在逐渐消失。19 世纪末到 20 世纪初期相对丰沛的降水和良好的市场前景支持了小麦经济的繁荣。30 年代初期席卷全球的大危机沉重打击了西部农业，农产品价格直线下跌，以加拿大西部草原为例，从 1928 年到 1932 年农业收入下降了 82%，占全国总收入的比重由原来的 18% 下降到 5%。大危机对于"依赖资源的产业意味着灾难，而对于几乎完全仰仗于一种资源的经济则预示着完全的崩溃"，②而 30 年代相对较少的降水和高温更使西部的情况雪上加霜。从 1930 到 1936 年，美国整个大陆除了缅因和弗蒙特外，年降水量都比正常年份低 15% 以上。除干旱外，就是罕见的高温，1934 年，内布拉斯加的最高气温达到华氏 118 度，艾奥瓦 115 度，伊利诺伊 100 度。③

在以上多种因素的联合作用下，终于出现了美国西部历史上最大的生态灾难——30 年代的沙尘暴。1930 年 9 月 14 日，沙尘暴袭击了得克萨斯的大斯普林菲尔德，这是 30 年代的首次沙尘暴，以后，沙尘暴光顾的次数越来越频繁，强度越来越大，波及的范围也越来越广。1932 年有多次沙尘暴发生。1933 年 4 月，有 179 次沙尘暴袭击，11 月的一次一直吹到了东部的纽约和佐治亚。30 年代第一次比较严重的沙尘暴发生在 1934 年的 5 月 9 日，从蒙大拿、怀俄明而来的风沙以每小时超过 100 英里的速度一路咆哮着吹过达科他，携带着 3.5 亿吨沙尘卷向东部城市，当晚，芝加哥落沙达到 1200 万磅，平均每人 4 磅；5 月 11 日早晨，波士顿受到风沙的袭击，第二天，连东南部萨凡纳的天空也变成了灰色，300 英里外航行在大西洋上的航船

---

① Donald Worster, *The Dust Bowl*, p. 33.
② J. Conway, *The West: The History of a Region in Confederation*, Toronto: Toronto, 1994, p. 101.
③ Donald Worster, *The Dust Bowl*, p. 12.

也有沙尘飘落。① 根据美国土地保护局的统计,整个30年代,能见度不到1英里的天数,在1932年,有14次;1933年,38次;1934年,22次;1935年,40次;1936年,68次;1937年,72次;1938年,61次。② 根据俄克拉荷马农机学院的统计,该校所在的城市古德威尔在1933—1937年间共出现了352次沙尘暴,平均每年70次,甚至1937年多达134次。③ 1937年,地处大草原勺柄地带的盖蒙县,最糟糕的一次沙尘暴持续了550小时;而得克萨斯的阿马里洛县,1935年最糟的一次沙尘暴竟然持续了908小时,其中有7次能见度甚至为零,这样的情况有一次长达11小时!1935年3月,沙尘暴从美国西部运走的土是巴拿马运河所搬运土方的2倍。从2月21日到4月31日,道奇城有28天是严重沙尘暴天气,只有13天没有出现过沙尘暴,在最大的5次沙暴中,平均每英亩落土达4.7吨。8月份的一次沙尘暴中,有两家阁楼被上面沉积的沙土压塌,事后,清洁工人为该城的227户居民清扫阁楼,平均每户扫出尘土2吨。④

如此大规模的沙尘暴肆虐的结果是大草原地区严重的水土流失。堪萨斯西部、科罗拉多东南部、新墨西哥的东北部、俄克拉荷马和得克萨斯的勺柄地带长500英里、宽300英里的范围内,1000万英亩的土地成为受灾最严重的沙窝(Dust Bowl)地区。其中受灾最重的是堪萨斯的莫顿县、科罗拉多的贝卡县、俄克拉荷马的得克萨斯县和锡马龙县、得克萨斯的达勒姆县和新墨西哥的尤宁县。1938年是风蚀最为严重的一年,在1000万英亩的土地上,表土被吹走了5英寸;另外1350万英亩土地所损失的表土也超过2.5英寸。整个沙尘暴肆虐的地区,平均每英亩有408吨表土被吹走,总共被吹走的表土达到8.5亿吨。⑤ 被刮走的表土中含有丰富的有机质和氮磷等养分,比风蚀后所留下的沙土营养多10倍。沙暴还

---

① Donald Worster, *The Dust Bowl*, p. 14.
② *Op. cit.* p. 14.
③ Paul Bonnifield, *The Dust Bowl: Men, Dirt and Depression*, p. 71. 转引自高国荣:"1930年代美国大草原地区沙尘暴起因初探",《世界历史》2004年第1期,第134页。
④ Donald Worster, *The Dust Bowl*, p. 29.
⑤ *Op. cit.*, p. 29.

导致大批人口流向他乡,饱受风沙之苦的堪萨斯州西南部的16个县,人口减少24%。其中受灾最重的莫顿县,人口下降47%;格兰特县,下降37%;斯坦顿县,下降33%;斯蒂芬森县,下降31%。仅1938年一年,就有5000人离开上述几县。最后的边疆OK州,在30年代的最后5年,平均每月有6000人逃往加利福尼亚。在高平原地区,有1万人丢弃了自己的房屋,流向他乡。500万英亩的土地遭到严重风蚀,受灾面积达到5100万英亩。[1] 有900万英亩农田被撂荒,剩下满眼疮痍的沙土包。[2] 沙尘暴还造成大片农田减产或绝产。20年代,西部草原上平均小麦产量达到每英亩13.1蒲式耳;而30年代,只有0.9蒲式耳,1936年播种的25万英亩小麦,竟然颗粒无收。在沙暴的中心锡马龙县,1930年时,小麦的收入还达到70万美元,而到1933年下降到仅仅7千美元,有20万英亩土地被撂荒。1935年,该县全部债务总额达到475万美元,平均每户农场主5500美元。[3] 另一个例子是堪萨斯的哈斯克尔县,1888年时,仅有184英亩小麦,1931年小麦的播种面积达到181525英亩,短短几十年内,竟然增长了1000倍!该县在这一年有3500万蒲式耳小麦等待出售,可两年后,仅仅有39500蒲式耳小麦可供出售了。[4] 严重的沙暴还使得草原上的大批牲畜被渴死或呛死,并导致风疹、咽炎、支气管炎等疾病在草原上蔓延,夺去了许多人的生命。原来建立在草地—食草动物(野牛、草原鼠)—食肉动物(郊狼、秃鹰等)—印第安人这种基础上的生态系统到现在已经荡然无存。天苍苍,野茫茫,风吹草低野牛出没的大草原只剩下肆虐的风沙、被卷起的一道道沙丘、流亡他乡的难民和被埋没的废弃农场,失去了往日的绿色,也没有了生命的欢笑,原来的希望之地变成了绝望之地。1939年,《达拉斯农业新闻》哀叹:大草原,原先是鹿、野牛和羚羊的家园,现在则成了沙尘暴和联邦工程管

---

[1] 唐纳德·沃斯特:《自然的经济体系》,第271页。
[2] Donald Worster, *The Dust Bowl*, p. 50.
[3] *Op. cit.*, p. 123.
[4] *Op. cit.*, p. 149.

理署的家。①

美国历史学家马林曾经将西部沙尘暴的原因归结为西部独特的气候，著名环境史学家唐纳德·沃斯特批判了马林将沙尘暴归结为气候的观点，他指出："生态学家在 30 年代所辩论的尘暴，是美国在适应自然的经济体系上的一个最严重的失败"，那种个人主义的，以掠夺自然为基础增殖个人财富的文化价值观念才是这场灾难的罪魁祸首。大平原委员会 1936 年交给罗斯福总统的名为《大平原的未来》的报告中指出沙尘暴的产生是一系列美国传统观念的作祟："他们认为大自然是被使用和进行开发的某种东西；自然可以随意按人之便利去塑造。从表面上看，这是事实……然而，从更深的角度上来看，现代科学已经说明，自然基本上是无伸缩性的，它要求遵从……现在我们知道，最根本的在于使大平原上的农业经济适应周期性的雨量不足而不是充足的雨量，是适应风刮过干涸、松弛的土壤的破坏性影响，而不是首先去适应暂时的小麦或牛肉的高价格。这是我们的方式，而不是自然的，我们的方式是可以改变的。"②

五、工业化：资源的严重浪费和环境污染

美国现代化的两大动力其一是边疆开发，其二就是东部的工业化。边疆开发是东部工业化的重要保证和供应基地，是东部的工业化最终保证美国崛起为世界强国。美国在 19 世纪所进行的工业化同西部开发一样，充满着传奇色彩，有着许多成功的故事。不过，同边疆开发一样，美国的工业化过程中同样伴随着无休止的资源浪费、环境破坏和环境污染。

矿产资源是一个国家的重要资源，而采掘工业是"各工业部门的基础"和制造业发展的重要保证，美国采矿业的迅速发展是它工业化过程中的一个重要特征，因此，矿冶业的发展所带来的环境问题位居其他工业之最。进

---

① Donald Worster, *The Dust Bowl*, p. 35.
② 唐纳德·沃斯特：《自然的经济体系》，第 278 页。

步主义时期的著名记者艾达·塔贝尔(Ida Tarbell)揭露道:"人类的任何行业在其初期对环境、秩序和礼仪的破坏以石油业为最。"①甚至到20世纪初期,来自科罗拉多州菲尔普莱市的一位水利采矿总监仍然声称:"工业总要优于环境的美丽。"1960年,来自印第安纳州的参议员万斯·哈特基(Vance Hartke)称:采矿业是"一种不受控制的技术,它的唯一的法律就是利润,它多年来毒害着我们的空气,破坏着我们的土地,使森林变秃岭,并污染我们的水源。"②

采矿业中对环境的破坏最为严重的是当时盛行的水利采矿法,它"被证明是那个时代最具有破坏性的方法。"③这种方法需要修建很长的水槽和导管,将水流引到矿区,用高压水龙头洗去矿脉上面所覆盖的表土和沙石,然后再进行开采。被水流冲刷下来的覆盖在矿脉上面的沙石随着废水流进河道,使河流的沉积物增加,造成水质污染,不仅使水中的鱼类绝迹,甚至都不能用作农田灌溉用水。④ 在加利福尼亚的中央谷地(Central Valley),水利采矿所冲刷下来的沙石在有些山谷中堆积高达100英尺。水利采矿向萨克拉门托河所倾倒的沙石,即便是最保守的估计也有13亿立方码。比尔河(Bear River)从1870到1873年,由于水利采矿的沙石而抬高了97英尺。从1843到1913年,尤巴河的河床每年被抬高0.31英尺,萨克拉门托河每年被抬高0.25英尺。玛丽维尔(Maryville)的街道本来高出尤巴河25英尺,可到1879年,已经低于河床。从1868年,该市开始建立防洪堤。1878年的一次决口把玛丽维尔变成了汪洋中的孤岛。根据军用工程师的计算,到19世纪90年代,水力采矿所带来的沙石在这里一共掩埋了39000英亩的农田,并对另外的14000英亩造成了部分损害。然而荒唐的是,当农场主状告采矿公司要求赔偿时,采矿公司的理由竟是:他们有权往河里倾倒废沙

---

① Brian Black, *Petrolia*: *The Landscape of America's First Oil Boom*, Baltimore: John Hopkins University Press, 2000, p. 1.
② Duane A. Smith, *op. cit.*, p. 11.
③ *Op. cit.*, p. 8.
④ Carolyn Merchant, ed., *op. cit.*, p. 114.

石,而且他们采矿在先,农场主应该意识到这种后果!① 采矿业还消耗了大量的森林和木材,内华达的康斯托克矿1886年仅燃烧用木就消耗了大约12万考德(一考德等于128立方英尺)。该矿在30年内共消耗了8亿立方英尺的木材,估计可以修建5万幢房屋。② 威廉·怀特称:"康斯托克矿真可以成为是西拉山森林的坟墓,每年都有数以百万计的森林被埋进矿井里,再也挖不出来了。"③美国采矿业发展的另一项环境代价就是其中所造成的严重的资源浪费。由于采矿业边疆中奉行先到先得的森林法则,美国政府对资源的监管不力,1869年、1870年的密西西比州和1874年的俄亥俄州的采矿法对环境问题也只字不提,当时所设立的采矿检查员的职责也只是调查矿藏、报告机器事故等,并不包括环境污染问题。罗斯·布朗在1860年称:"世界上没有哪个国家所显示的采矿制度像我们如今所流行的那样具有浪费性。"④大量的矿藏和低品位矿石都被浪费了。俄亥俄的采矿调查员安德鲁·罗伊(Andrew Roy)也认为:"我们是在以一种极端可耻的方式浪费我们的矿产财富……因为煤炭价格低廉而且藏量丰富,最大的目标是以最可能的便宜的方式开采出最优质的煤炭,而不管最终的结局如何。"⑤1865年,纳萨内尔·希尔(Nathaniel Hill)到科罗拉多考察后得出的结论认为:至少有50%的金砂被白白地浪费了。加州的矿业专家亨利·汉克斯写道:水利采矿"方法非常浪费,水流的冲力是如此的迅猛和有力,以至于较轻的金片被冲走而失去了。"据说海伦娜城的"最后的机会峡谷"(Last Chance Gulch)金矿的矿渣中至少浪费了150万美元的金子。⑥ 在宾夕法尼亚的石油资源开发的过程中,也伴随着严重的浪费,原油起初都是利用敞口的油船利用水路运送到匹兹堡进行冶炼,"甚至在船开动前,所装运的石油就有三

---

① Richard White, *It's Your Misfortune and None of Mine: A New History of the American West*, Norman: University of Oklahoma, 1991, p. 233.
② Carolyn Merchant, ed., *op. cit.*, p. 127.
③ Duane A. Smith, *op. cit.* a, p. 12.
④ *Op. cit.*, p. 54.
⑤ *Op. cit.*, p. 58.
⑥ *Op. cit.*, p. 59.

分之一漏掉了,在到达匹兹堡前又有三分之一失去了"。①

美国加工工业兴起的过程中同样伴随着严重的资源破坏和环境问题。木材加工伴随着严重的浪费和森林破坏已是尽人皆知的常识,从东到西,锯木业一直是19世纪北美的一项重要的行业,带动了无数锯木城镇的崛起,留在后面的是一片伐光的光秃秃的空地,造成严重的水土流失。1947年,美国人贝内特估计:美国每年的水土流失达30亿吨。②

其他加工行业的情形也并不令人乐观。其一,是野牛皮制革的成功和随之而来的野牛的几近灭绝。19世纪70年代,野牛皮制革在东部获得成功,随之,大批的东部人蜂拥到草原上猎杀野牛。据估计,1872年至少有1000名猎手在草原上游荡,平均每个猎手每天能杀75—100头野牛。根据道奇上校的估计,1872—1874年,运往圣菲—堪萨斯太平洋铁路的牛皮是1378359张,而由于剥皮速度远远低于猎杀的速度,估计每获得1张牛皮要5头牛的代价。1872—1874年被白人猎杀的野牛达3158730头。疯狂的猎杀使得野牛的数量迅速减少,几近灭绝,1889年,哈纳迪(Hornaday)领导的调查队在五州交界的勺柄地带仅发现了25头野牛,科罗拉多山下20头,黄石河与密苏里河之间10头,大霍恩山附近26头,黄石公园200头。③ 对此,研究野牛问题的学者安德鲁·伊森伯格总结道:"19世纪70年代和19世纪80年代对野牛的猎杀毫无疑问是工业社会的杰作……西部草原变成了全球工业经济的一个遥远的延伸……草原上猎杀以满足对牛皮的供应是工业化美国环境退化模式的一个组成部分。"④美国人创造性地利用野牛资源的最后的创举是收集草原上剩下的野牛骨制作肥料,每吨牛骨由100块左右的牛头骨组成,可以卖得4—12美元,北达科他的牛骨公司每年都能收集成千上万吨的牛骨,铁路每年运出5千车皮牛骨。19世纪80年代,密歇根

---

① Brian Black, *op. cit.*, p. 90.
② Donald Worster, *The Wealth of Nature: Environmental History and the Ecological Imagination*, New York: Oxford University Press, 1993, p. 77.
③ Andrew C. Isenberg, *op. cit.*, p. 143.
④ *Op. cit.*, p. 132.

州底特律的炭业公司(Carbon Works)每年要生产5000吨骨制颜料和4000吨骨灰肥料。① 无怪乎伊森伯格哀叹:"如果没有19世纪美国工业的兴起,野牛不会濒临灭绝,它的栖息地如今也不会如此狭小受限。"②

另一个对环境和资源影响较大而又昙花一现的加工工业是密西西比河流域的贝类捕捞业。1857年,有人在新泽西的派特森(Patterson)附近发现了93哩(grain)重的珍珠,转卖给法国的公司后得到了2500美元,由此引发了美国的珍珠热潮。人们迅速聚集此地,共发现了价值5万美元的珍珠,也毁坏了当地的生态。此后每隔10年,这种热潮就在各地爆发一次。1889年,威斯康辛成为珍珠采集的重点地区,8年中共获得了价值30万美元的珍珠,几乎使得该州河流里面的甲壳类动物绝迹。珍珠采集所带来的一项副业就是美国制扣业的繁荣,取珠之后的贝壳为美国制造业者看中,成为纽扣加工的原料,以至于"到19世纪90年代后期,纽扣制造代替木材工业成为密西西比河边许多艾奥瓦和伊利诺伊城镇的最重要的工业。"③从1897—1898年,艾奥瓦的制扣厂从13家增长到49家,产量从1904年的1140万枚增加到1914年的2170万枚。1916年顶峰时期,年产量4000万枚。马斯卡廷市(Muscatine)在白松加工业垮台后,发展成为制扣中心,1898年有35家制扣厂,雇员829人;1927年该市生产了1100万枚纽扣,价值400万美元,占当年全国产量的一半。④ 1899年,密西西比河上游地区有60家制扣厂,雇工1917人,产值336000美元。在制扣业的顶峰时期,受雇于这一行业的人手达到2万人,产值1250万美元。⑤ 在当时的美国,贝类被认为是公共财产,任何人都可以获取和使用,直到20世纪初,这一宝贵资源一直处于无人管理状态。再加上美国人所流行的破坏性开发方式,本来,欧洲已经发明了一种用于撬开贝壳检查里面是否有珍珠的工具,可美国却仍然沿

---

① Andrew C. Isenberg, *op. cit* p. 160.
② *Op. cit.*, p. 196.
③ Philip V. Scarpino, *op. cit.*, p. 95.
④ *Op. cit.*, p. 96.
⑤ *Op. cit.*, p. 95.

用传统的用脚踩踏、然后剖开丢掉的办法,造成严重的资源浪费,由于疯狂的捕捞和上游的水质的污染,到 20 世纪 20 年代末,曾经繁盛一时的密西西比贝壳制扣业垮了。

美国工业化过程中不仅带来了动植物资源的严重浪费和破坏,还伴随着严重的环境污染和环境问题。这集中表现在随工业化而崛起的各种工业城市之中。"产生新城市的力量是矿山、工厂和铁路"①,"新的城市综合体里主要的组成部分是工厂、铁路和贫民窟"②,而且各种工业的"工厂场地要求坐落在滨水地区,因为在工业生产中需要大量的水供应蒸汽锅炉,还要冷却水,制造必要的化学溶液和燃料,尤有甚者,河流和运河另有其他重要用途,它们是最便宜也是最方便地倾倒所有污水和污物的场所,把河流改造成污水阴沟是新经济特有的功绩和技艺。"③正因为如此,北美现代化中的城市是环境问题最为严重的地区。首先,是城市本身的卫生问题,在使用汽车前,纽约大街每天要被浇注 6 万加仑的马尿、倾泻 250 万磅的马粪和搬运 40 具马的尸体。④ 许多城市里面污物处理基本上属于个人行为,许多城市的生活污水和工业污物不经处理就直接排入河流,造成饮用水源的污染。在微生物学发展找到传染病的真正根源以前,各个城市是传染病最为肆虐的场所。1832 年,霍乱在蒙特利尔爆发,仅 2 周内就有 800 人死亡;到 9 月,该市的死亡人数已经累计达到 1843 人。同年在纽约市所爆发的霍乱也至少夺去了 5000 人的生命。⑤ 其次,城市工业发展所带来的环境危害。芝加哥及密西西比河两岸的城市堪称工业化污染环境的典型。1888 年,仅明尼阿波利斯市每天就往老人河中倾倒 500 吨污物。1903 年,该市的锯木厂

---

① 刘易斯·芒福德:《城市发展史:起源、演变和前景》,宋俊岭、倪文彦译,中国建筑工业出版社 2005 年版,第 462 页。
② 刘易斯·芒福德:《城市发展史》,第 472 页。
③ 同上。
④ 托马斯·迪巴科:《美国造:美国企业的进取和创新精神》,戴彬译,三联书店 1989 年版,第 207 页。
⑤ 王旭东、孟庆龙:《世界瘟疫史:疫病流行、应对措施及其对人类社会的危害》,中国社会科学出版社 2005 年版,第 102—103 页。

生产了 3.28 亿立方英尺的木料,其木屑全部弃入河流。其他各种工厂,如木浆厂、煤气厂、饮料厂和屠宰厂都直接把废弃物抛入下水系统,然后经密西西比河冲走。当时沿密西西比河各市,只有一座城市建立了污水处理系统,虽然国会早在 1899 年就通过了《河流和港口法》(River and Harbor Act),但一直执行不力。1924 年,国会通过《石油污染法》,授权军事工程队(Army Corps of Engineer)阻止石油对水体的污染,依然不见成效,后来,该机构得出一个结论:"只要污染还没有事实上阻挠航运,那它就是州和地方事务。"① 作为加工工业和屠宰工业中心的芝加哥甚至把屠宰牲畜而产生的废弃物也直接排入密西西比河,从而导致其下游水体的严重污染。对此,一位愤怒的伊利诺伊人莫里斯怒斥道:"自从芝加哥河流出的水向下流入伊利诺伊河以后,那种臭味就几乎令人难以忍受。芝加哥人有什么权利将他们的臭水排入从前是甘甜而清澈的河流中,污染水体,并降低河流河运河两岸的财产的价值,把疾病和死亡带给这里的市民?"② 矿冶城镇的环境也同样恶劣,除了生活污水和工业垃圾的污染外,这些城市还存在着严重的重金属超标和大气污染。水利采矿虽然后来被禁止了,但采矿者用水银冶炼金银,许多水银随着污水流向下游,造成严重的环境污染。比如,拥有 1.5 万名居民的科罗拉多州的莱德维尔(Leadville)在 19 世纪 70 年代后期面临着严重的健康危机,导致这一危机的三个原因中有两个分别是水中含铅量太高和冶炼厂排放出来的有毒的烟雾。1879 年,一位丹佛人查理斯·哈维在见到本市最傲人的冶炼厂时,称"从它们的冶炼炉中冒出的烟雾总是遮黑了那个方向的天空,而且一旦有风吹向烟雾,就形成一片移动的云层,在我看来,似乎我们所有的云都是来自那些烟雾"。③ 更为荒唐的是,在当时拥有 6 大冶炼厂的比尤特市(Butte),该市的冶炼者鼓吹:"烟尘越浓,我们的经济实力也就越强大,比尤特人在烟尘最厚的时候,感觉最舒适。"④

---

① Philip V. Scarpino, *op. cit.*, p. 155.
② William Cronon, *Nature's Metropolis*, p. 250.
③ Duane A. Smith, *op. cit.*, p. 12.
④ *Op. cit.*, p. 75.

六、环境保护主义的缘起

就在现代化进行得如火如荼之际,严重的资源浪费和日益暴露的环境问题开始引起了美国一些有识之士的注意,他们开始从另一个角度重新审视人与自然的关系,呼吁政府制定措施保护环境,由此而引发了美国人的环境观念的逐渐变化。到 19 世纪中期,在美国上层中赞美自然已经成为时尚,有人声称,父母如果想要陶冶孩子的情操,让他们去观察、理解和靠近森林、荒野和大山。任何人如果想要走向成熟,就"必须生活在伟大的自然中,需要常常光顾大自然中浪漫的荒野,去欣赏她的生动的美景"。①

导致美国民众的自然观念发生改变的因素主要有如下几种:第一,从国际环境看,浪漫主义对西方传统自然观念的反思,为人类突破机械的自然观、重新认识人与自然的关系提供了可能。浪漫主义是"对启蒙运动时期的理性主义和经验主义的反动"。"尽管浪漫主义的人文主义在表现手法上各不相同,但是他们都有共同的理论旨趣,即着力同主张以改造和征服自然来体现人的主体性的古典人文主义划清界限,主张逃离工业文明所缔造的功利化、机械化的生存世界……追求人与自然的契合交感,反对工业文明带来的人与自然的对立与敌视。"②第二,对美国发展中所伴随的严重的资源浪费和环境灾害的反思。随着各种资源日益消失和减少,越来越多的美国人开始认识到美国的资源不是无限的和可以随意浪费的了,意识到了保护的重要性。早在 1864 年,著名的学者乔治·帕金斯·马什在其研究人与自然关系的名著《人与自然》,针对美国人对自然的肆意破坏而反驳道:"地球仅仅是给予了人类使用,不是消耗,更不是肆无忌惮地浪费的权利,人类把这一点遗忘的太久了。"③马什被称为"现代环境保护主义之父",其著作也

---

① Roderick Nash, *op. cit.*, p. 60.
② 李培超:《自然的伦理尊严》,江西人民出版社 2001 年版,第 84 页。
③ George Perkins Marsh, *Man and Nature*, Seattle: University of Washington, 2003, p. 36.

被誉为"环境保护主义的源泉"。① 第三,生态学的发展为人们正确认识人与自然的关系提供了科学上的依据。美国最著名的生态学家克莱门茨提出了顶级群落的概念,从动态的角度研究大草原上各种生物之间的依存和演化关系。1913 年,英国建立了生态学会,著名的生态学家 A.G.坦斯利担任主席;1915 年,美国人也建立了生态学会。1935 年,坦斯利提出了生态系统的概念,标志着这门学科逐渐走向成熟。生态学的发展让一批专家学者认识到了自然界万物之间的相互依存,感到了机械主义自然观的狂妄和灾难性后果。他们中的许多人后来成为呼吁人们保护自然、善待自然的先驱。第四,美国环境主义先驱们的不懈努力在动员群众、扭转人们的环境观念方面功不可没。在美国,真正以欣赏的目光歌颂和赞美自然的是 19 世纪的浪漫主义作家,如华盛顿·欧文、帕克曼·惠特曼等人,其中以亨利·梭罗对后世的影响最大。作为浪漫主义学者,梭罗深受超验主义哲学家拉尔夫·爱默生的影响,不仅出版了著名的生态学著作《沃尔登湖》,而且还在他最后的 10 年里,留下了 200 多万字的观察康克德森林的随笔。他的《沃尔登湖》成为生态伦理学的经典名著,美国《环境主义者书架》对它的评价是:"这部著作激励了无数自然主义者和倡导返回大地的人们","如果没有如马什、缪尔、巴罗斯(Burroughs)和罗斯福本人等上述作者的著作,就不可能存在对进步主义者所倡导的保护主义改革的广泛的民众觉醒和支持"。②

面对美国现代化过程中所出现的生态变迁,热爱自然的浪漫主义者们自然而然地成为呼吁保护自然的第一批先驱。《美国的鸟类》一书的作者约翰·J.奥杜邦(John J. Audubon)曾经因赞美大自然的美丽而一度成为 19 世纪早期环境保护的领袖人物,他在 20 年代到俄亥俄去搜集标本的旅途中,所见到的满眼都是西进运动对环境破坏的痕迹,他深深地感到:"贪婪的锯木场诉说着悲哀的故事,在一个世纪内,美国的森林将会荡然无存。"③画

---

① Daniel G. Payne, *Voices in the Wilderness*: *American Nature Writing and Environmental Politics*, Hanover, N.H: University of New England, 1996, p. 56.
② *Op. cit.*, p. 56.
③ Roderick Nash, *op. cit.*, p. 97.

家乔治·卡尔林(George Caltin)是第一个从仅仅悲叹转变到呼吁保护的人士。在目睹了印第安人也疯狂地屠杀野牛的场景后,他提出了建立国家公园的设想:"在未来岁月里,对美国来说,她所保护和呈现给她的文明化了的市民和世界的是多么美丽和激动人心的标本啊!在一个国家公园里,人和野兽都保留着他们自然的野性和美丽。"①亨利·梭罗也是那个时代呼吁保护的先驱之一。1858年,他在《大西洋月刊》上撰文,呼吁在马萨诸塞的每个城镇都保留一片500—1000英亩的森林,"在那儿,永远不应有一根树枝当柴烧,它为大家所有,为传授知识和消闲之用,男人和女人们可以在这里得知自然的经济体系是如何发生作用的",梭罗疑问:"在某些土地被赠与哈佛学院或另一个机构时,为什么不能将另外一些土地授予康科德做森林或越橘林用?"②

在民间保护主义者和政府的联合努力下,19世纪末到20世纪上半期出现了美国保护主义运动的第一次高潮,它"始于19世纪后期,在进步主义时期开花结果,新政时期走向成熟"。③虽然保护主义者都感到美国资源过快消耗和浪费的威胁,感到了保护的必要,但在如何保护,尤其是保护的目的上却存在着明显的分歧,出现了以约翰·缪尔为首的非功利主义保护和以吉福德·平肖为首的功利主义保护之间的斗争。但最终还是平肖为首的功利主义保护原则占据了主导地位。

吉福德·平肖属于"明智地保护,明智地利用"一派,他声称:"保护的第一要务就是发展",④"保护意味着在最长的时间内给最大多数人以最大限度的好处"。⑤平肖主持创建了美国林业局,并把他的保护主义观念贯彻到

---

① Carolyn Merchant, *The Columbia Guide to American Environmental History*, New York: Columbia University Press, 2002, p. 146.
② 唐纳德·沃斯特:《自然的经济体系》,第101页。
③ A. L. Riesch Owen, *Conservation under F. D. R.*, Westport: Praeger Publishers, 1983, p. Ⅷ.
④ Gifford Pinchot, *The Fight for Conservation*, Seattle: University of Washington, 1967, p. 42.
⑤ *Op. cit.*, p. 48.

了20世纪初期美国的林业保护之中。由于当时美国森林资源日益衰竭的状况引起了朝野的特别关注,所以,森林保护成为当时的首要目标。1873年,国会通过了《植树法》。1891年,美国的土地法经过修改,授权总统可以从公共土地中划定森林保留地(forest reserve)。哈里森总统在该法通过的当年就分别在怀俄明和科罗拉多划定了1239040英亩和1198080英亩的森林保留地。深受平肖和缪尔思想影响的老罗斯福总统更是当时著名的保护主义总统。他不仅再度扩大了国家森林保留地的面积,还设立了5个国家公园、4个动物保护区和51个鸟类保护区。1911年,美国国会通过了《威克斯法》(Weeks Act),授权联邦政府购买林地以保护可航运的河流的水源供应。1929年,胡佛总统正式签署命令,对国家森林进行保护。

缪尔继承了梭罗等人的浪漫主义和超验主义传统。1892年,他倡导建立了著名的保护主义组织"塞拉俱乐部"(Sierra Club),并出任主席,直到他1914年去世。对缪尔来说,"大自然既是供科学研究的实验室,也是供人们崇拜的庙宇"。[1] 自然保护的目的是为了保护大自然的原始之美,因为大自然有其自身的价值,保护并不需要带任何功利色彩。在缪尔的努力下,1903年,约塞米蒂谷被从加州纳入国家公园系统,从而奠定了约塞米蒂国家公园的基础。1908年,缪尔又领导了著名的反对修建赫奇水库的环保运动,虽然没有能够阻止国会在1913年最终批准了修建大坝的法案,但通过这场运动却唤醒了民众的环保意识。缪尔去世后,在另一位保护主义者斯蒂芬·马瑟的领导下,国会最终在1916年通过了《国家公园法》(National Park Service Act),建立起了国家公园管理局(NPS)。1919年,大峡谷也被开辟为国家公园。

30年代肆虐的沙尘暴引起了联邦政府的高度重视。富兰克林·罗斯福总统上台后,加大了环境保护的力度。1933年3月,建立了民间资源保护队(CCC);1933年5月,设立田纳西流域管理局(TVA),对田纳西地区进行综合

---

[1] Susan J. Armstrong and Richard G. Botzler, ed., *Environmental Ethics: Divergence and Convergence*, p. 118.

的治理和开发;1934年7月,罗斯福又拨款1500万美元筹划在西部建立风沙防护带;同年,国会还通过了《泰勒放牧法》(Taylor Grazing Act),其目的是"通过制止过度放牧和水土流失而停止对公共放牧土地的危害,保证土地的正常使用、改善和发展,并稳定依靠公共土地放牧的畜牧业"。[1] 1936年,政府任命了"大平原调查委员会"(Great Plains Drought Area Committee),授权对大草原的生态情况进行全面的调查。该委员会调查了占美国40%面积的土地,在其所提交的名为《大平原的未来》的报告指出:13%的土地已经遭受轻度退化(即植被价值退化了0—25%),37%的土地遭受重度退化(比原来减少了26%—50%),34%的土地严重退化(退化程度达50%—75%),16%的土地极端退化(退化程度达76%—100%)。报告最后的结论说:"在美国土地占据和利用的历史上或许再也没有比西部牧场更加黑暗和悲惨的章节了。"[2]根据草原调查委员会的报告,联邦政府购买了被沙尘暴严重破坏的600万英亩土地,进行综合治理,从而奠定了当今锡马龙国家公园的基础。[3]

七、尚未完成的使命

到20世纪上半期,美国不仅早已完成了工业革命,而且跃居为世界头号经济强国,工业产值超过农业,城市人口超过农村,大众消费时代来临,这一切都标志着它已经完成了现代化。而且经历了数代人的惨痛教训后,美国人终于认识到环境保护的重要性,走上了保护主义的道路。从进步主义时期开始的民间力量和政府力量联合推动的环境保护主义运动与政策的实施,一系列森林保留区、国家公园和国家纪念地的建立,再加上小罗斯福时期的环保举措,奠定了美国环境保护主义的基本框架。

虽然美国现代化已经完成,一系列环保举措已经实行,然而,环境保护

---

[1] Donald Worster, *Under Western Skies*, p. 44.
[2] *Op. cit.* pp. 47—48.
[3] 关于富兰克林·罗斯福总统期间美国的环保主义政策,可以参见 A. L. Riesch Owen, *Conservation under F. D. R.*, Praeger Publishers, 1983.

的使命却还远远没有完成。当时指导美国政府推行保护政策的指导思想是功利主义的保护,其目的和出发点都是为了保证人类的持续利益,让自然为人类服务,而不是如缪尔所主张的那样保持自然的原貌。1897 年,国会在通过森林管理法时,曾经公开申明:建立保留区的主要目的是"为了得到持续不断的木材供应,以满足美国人民的使用和需要"。① 1901 年,著名的保护主义总统老罗斯福也声称:"森林业的根本思路是森林的永久性利用。森林保护本身不是目的,它仅仅是一种手段,以保证我国自然资源以及依赖于它们的工业的持续增长。"②

正是在这种功利主义思想的指导下,在美国早期的保护过程中又出现了一些反自然的行为。这其中的一个典型例子就是 1905 年成立的农业部所属的生物调查局。该局在著名的生物学权威哈特·梅里亚姆的领导下,采取了所谓的"害虫控制措施"。按照詹克斯·卡梅农的解释:"首先是抑制不良的有害的野生动物,然后则是保护和鼓励野生动物中有利和有益的类型",③在这种思想的指导下,政府雇佣了 10—12 个猎手,用枪和毒饵猎杀当时被认为有害的野生动物。1907 年,在生物调查局的指挥下,共毒杀了 1800 只狼和 23000 只郊狼。到 20 年代,怀俄明还剩下不到 5 只狼,而山狮则全部灭绝。从 1916 到 1928 年,共猎杀了 63145 只动物,这其中包括 169 只熊,1524 只美洲野猫,706 只狼,1828 只狼的幼崽;除了这些比较典型的所谓有害动物外,当时猎杀的范围还包括獾、海狸、麝猫、黑脚雪貂、狐狸、貂鼠、貂、麝鼠、负鼠、浣熊、臭鼬、黄鼠狼、豪猪、响尾蛇、草原狗、地松鼠、地鼠、野兔和鹰等。④ 为了猎杀这些所谓的害虫动物,政府也花费了巨资;1915 年,为了猎杀公共土地上的狼,政府拨款 12.5 万美元;甚至到 40 年代,这种所谓的食肉动物控制还每年要花掉生物调查局 300 万美元。⑤ 哺乳动物学

---

① Roderick Nash, *op. cit.*, p. 140.
② *Op. cit.*, p. 162.
③ 唐纳德·沃斯特:《自然的经济体系》,第 313 页。
④ Donald Worster, *Under Western Skies*, p. 46.
⑤ 唐纳德·沃斯特:《自然的经济体系》,第 310—311 页。

会一直反对生物调查局的这种功利主义保护原则,甚至到 1950 年,该组织还通过了谴责上述做法的决议:"我们的毁灭性技术已经足够了,我们需要一种能成功地使我们与当地动物和植物共同生活的技术",密歇根大学的生态学家李·戴斯在 1924 年也写道:"我不提倡无限制地鼓励或到处都繁殖食肉哺乳动物;但是我肯定,在任何一个动物区系中,任何一个物种的灭绝,不论是不是食肉的,从科学角度看都是一个严重的损失。"①

另一个典型的例子就是开发局在灌溉荒漠和供应大城市用水的原则下在落基山区所进行的河道开发工程。灌溉农业由于管理不善而使土壤盐碱化,拦河大坝由于截断了自山区流下的盐类物质入海的通道,致使河流的含盐量增加:如科罗拉多河每年冲刷所携带的盐类物质为 600 万吨,在上中游的分界处,盐类物质的自然浓度为 250ppm,可是由于胡佛大坝的建设,截断了盐类入海的通道,到 1969 年,上中游分界处的盐类浓度已经上升到了 655ppm;下游更加严重,帝国谷地区(Imperial Valley)的盐类浓度在 60 年代是 850ppm,上世纪末上升到了 1210ppm,照此速度,未来这条著名的大河就要变成咸河了!②

除了这些功利主义的保护事与愿违,重新破坏了生态平衡,产生了新的问题外,还有迹象表明,美国的生态状况在 20 世纪上半期仍然在继续恶化。针对由所谓的保护而产生的新的生态灾难,尤其是大沙尘暴和生物调查局的行动,一些有远见的生态学家对于 20 世纪初期的功利主义保护原则逐渐提出了质疑。其中最著名的当属阿尔多·利奥波德了。他早年曾是平肖政策的支持者,20—30 年代的生态灾难使他逐渐"对自己的环境控制理想变得比以往更感焦虑不安"。与过去思想的决裂使他终于在 40 年代创立了著名的大地伦理学说,他后期的主要思想集中在他的遗著《沙乡年鉴》之中,他在该书中写道:"我们踩蹦土地,是因为我们把土地看成是一种属于我们的物品。当我们把土地看成是一个我们隶属于它的

---

① 唐纳德·沃斯特:《自然的经济体系》,第 325 页。
② Donald Worster, *op. cit.*, p. 81.

共同体时,我们可能就会带着热爱与尊敬来使用它。"①"与土地的和谐就像与朋友的和谐,你不能珍视他的右手而砍掉他的左手。那就是说,你不能喜欢猎物而憎恨食肉动物;你不能保护水而浪费牧场;你不能建造森林而挖掉牧场。土地是一个有机体。"②"当某事物倾向于保护整体性、稳定性及生物群体之美时,它就是善,是正确的,否则就是错误的。"③正是看到了自然的生态系统的博大精深,利奥波德才要求世人"像大山那样思考"。

像缪尔一样,利奥波德的理论在当时还不太被人们接受,但到了60年代以后,雷切尔·卡逊的《寂静的春天》引起新一轮的环境保护主义高潮,梭罗、缪尔和利奥波德等人的思想重新得到重视,生态保护成为美国人家喻户晓的词汇,与此同时,美国人也开始重新审视和考察前一个阶段的环境保护,并思考人与自然的伦理关系,进入新的环境主义时代。1964年,美国通过了《荒野法》,标志着美国政府放弃过去功利主义的保护原则,开始着手建立荒野保护体系。

虽然美国在现代化发展的过程中针对各种环境问题,痛定思痛,采取了一系列的环保举措,而且相比于19世纪,美国人在20世纪的环境保护意识已经有了明显的改观,绝对人类中心主义的自然观受到攻击和怀疑,在国内环境保护方面走在了世界前列。但是,自从20世纪中期为了同苏联争夺"中间地带",美国学者倡导现代化理论以来,许多新独立的民族国家在追随美国现代化模式发展经济的过程中,既没有像美国那样成功地实现现代化,也没有从美国现代化发展中的环境问题中吸取教训,仍然延续着先发展、后治理的老路。而且,由于这些国家在现代化启动前国内的生态环境就已经比当日的美国要恶劣得多,再加上不计环境代价,盲目追求经济增长指标的错误政策,致使许多国家经济发展和现代化没有搞出多少成就,环境问题却日益严重和迫切。如今全球性的环境问题已经摆在全人类面前,需要人类的共同努力,然而,美国国内

---

① 利奥波德:《沙乡年鉴》,第6页。
② 唐纳德·沃斯特:《自然的经济体系》,第337—338页。
③ 利奥波德:《大地伦理》,见《沙乡年鉴》,第212页。

的环境虽然自60年代以来得到了极大的改观,在全球性的环境问题面前,本来高呼美国的现代化就是其他后发展估价效法的榜样和样板的美国却奉行民族利己主义,并不主动承当治理全球性环境问题的责任和道义,甚至转嫁本国发展所带来的环境灾害,其拒绝批准《京都议定书》就是这方面的一个明显例证。由此可见,现代化与环境之间的矛盾远远还没有解决,人类,包括美国,在与自然和谐发展这条道路上还有很长的路要走!汤因比曾言:"在所谓发达国家的生活方式中,贪欲是作为美德受到赞美的,但是我认为,在允许贪婪肆虐的社会里,前途是没有希望的,没有自制的贪婪将导致毁灭。"[①]

[①] 池田大作、汤因比:《展望二十一世纪》,荀春生译,国际文化出版公司1985年版,第57页。

20世纪发达资本主义国家调整改革之概观
A General Survey of the Adjustments and Reforms in the Developed Capitalist Countries in the 20th Century

黄 正 柏(华中师范大学历史文化学院)

摘要:在思考现代史上西方资本主义的发展时,不应忽视各国进行的调整和改革。宏观地看,20世纪期间西方发达国家经历过四次重要的改革,即30年代经济危机引起以罗斯福新政为代表的改革、第二次世界大战后的资本主义世界较普遍的较大规模的以加强政府干预和社会公平为取向的改革、70至80年代的以重新强调市场和私有资本主义的新保守主义改革和90年代以来在总体保守的大背景下一些国家进行的"第三条道路"尝试。不同时期的改革,具有不同的侧重和取向。现代资本主义也在这些改革中发生着嬗变和扬弃。

关键词:发达资本主义国家; 调整和改革

Abctract: When thinking about the history of capitalism one should take the adjustments and reforms in the western countries into account. Generally speaking, there were 4 important waves of adjustments and reforms during the 20th century, i. e. the reforms caused by the great depression in 1930s embodied especially in the New Deal, the extensive reforms from the end of world war II till 1960s which emphasized the state regulation and social justice, the adjustments and reforms of the neo-conservatism in 1970s and 1980s characterized by returning to free market and private capitalism, and the new experiments of the so-called Third Way in some western countries under the general conservative background since 1990s. At different times the adjustments and reforms had different emphases and orientations, in which the contemporary capitalism underwent some significant changes and transmutations.

Keywords: Developed Capitalist Countries; Adjustments and Reforms

20世纪的西方资本主义,经历了工业化—现代化的高度发展,并从工业化—现代化向后工业化—后现代社会演进。人们常称这种发展为"垂而不死"、"腐而不朽",并力图对其做出解释。有人说,列宁曾指出过资本主义的垄断和腐朽并不排除其在一定时期的发展,应全面准确地理解列宁的论断。有人强调科学技术革命对现代资本主义发展的作用。这些都不无道理。但是,马克思主义认为,历史是人们的活动所创造的,因而不能"见物不见人"。人们在不同时期和环境下所进行的制度创新、体制改革和政策调整,是不应忽视的因素。20世纪期间,发达各国的各种调整改革,贯串始终。现代资本主义正是在这种调整和改革中发展的。宏观地看,20世纪西方资本主义国家大体经历过四次较大的调整改革,即30年代经济危机背景下的改革、二战后的资本主义世界普遍的大规模改革、70—80年代的新保守主义改革和90年代以来的"第三条道路"试验。

一、30年代的资本主义改革：
两条道路,两种结果

历史进入20世纪初,西方主要发达国家虽然发展程度并不相同,但大都进入了工业社会。工业化—现代化创造了丰富的物质财富,引起了巨大的社会变迁,但由于其资本主义属性,也伴随着严重的社会两极分化和尖锐的阶级矛盾,引起了对现存社会的种种批判,并提出了不同的解决之路。马克思主义提出资本主义私有制才是万恶之源,主张推翻资本主义制度,在无产阶级领导下建立一个新的制度和新的社会。这一主张遭到资产阶级的坚决抵制,并利用国家权力对革命斗争进行镇压。温和的主张是进行现行制度之下自上而下的改革(以往习称"改良"),以期革除弊端,限制垄断资本的极端行为和自由放任的市场竞争过度严重的负面后果,扩大工人阶级和普通民众的政治和经济民主权利,在一定程度上改善他们的处境,缓和尖锐的社会矛盾。19世纪末20世纪初,这类改革主张和理论在西方工业化国家已相当广泛,并为一些国家的政府所接受和实行。如美国先后有"进步主义"和在此背景下共和党老罗斯福的"进步主义"改革,有民主党伍德罗·威尔逊的"新自由主义"及其改革。这些改革出自不同党派的执政者,但取向基本一致,内容包括实行政府干预、在一定程度上限制垄断资本(反垄断的立法与措施)、扩大政治和经济民主(妇女选举权、开始实行劳资谈判制度等)、建立劳动安全保障机制等。[①] 在欧洲工业化国家,也有改革思潮和政策的出现,如英国费边主义的社会改良主张,以及与传统自由主义不同的"新自由主义",主张国家应在社会、经济领域有所作为。在实践方面有一系列措施,如扩大选举权范围、议会改革、早期社会保障制度(1905年的失业工人法,1908年的养老金法等)的建立。在德国早就有俾斯麦的社会保险立法。法国也开始制定社会保险的立法。据调查,到1913年,西欧14个国家中,有13国建立起国家管理的工伤保险制度,12国建立起疾病保险制度,9国通过养老保险等建立对老人的救济制度。[②] 可见,尽管当时主流思想是资本主义自由竞争主张,国家权力已在介入经济和社会生活,承担某些责任。这种改革,使人们有望通过和平的改革来改善其处境,从而起到了缓和矛盾、消弭革命影响的作用。西方工人运动中"改良主义"思潮的发展,正是在这种背景下出现的。第一次世界大战加剧了社会矛盾,激起了革命情绪,十月革命后苏俄也多方面鼓励世界革命,但西方工业化国家却并未形成持久的革命运动。只有在工业化—现代化发展较为落后、社会矛盾特别尖锐的俄国,成为20世纪新的革命运动的发

---

① 资中筠主编:《冷眼向洋——百年风云启示录》上卷,三联书店2000年版,第144—150页。
② 丁建定:《从济贫法到社会保险》,中国社会科学出版社2000年版,第277—278页。

源地。

第一次世界大战曾经使一些参战的国家加强了国家对经济和社会生活的干预,但主要出于战争的需要。战后就开始"恢复常态",重新强调自由市场竞争,甚至是自由放任主义。这在20年代的美国表现特别突出。但是资本主义现代化进程中的矛盾却积累和深化起来,30年代经济大危机表明了这些矛盾的激化,并推动了新的改革。最有代表性的是罗斯福政府"新政"的大规模"自由主义"改革,其涉及之广泛、影响之深远,为此前美国的改革所不及。按照罗斯福的说法,文明是一棵树,需要除去枯枝败叶,而保持新鲜枝叶的成长。"新政"不仅涉及经济,也涉及政治和社会领域,不仅仅是应对危机,也包括重大的改革。其突出特点是重新定位国家与社会的关系,认为国家对社会负有责任,要限制垄断资本的过于极端的方面,扩大中下层民众的政治和经济权利,扶助社会弱势群体,"关注被遗忘的人们"。这与美国传统思想中不信任国家、反对政府干预的主张颇有不同。而在理论上最重要的成果,则是以凯恩斯主义为代表的经济学理论的形成。它修改了以亚当·斯密为代表的传统经济学的"自由主义"主张,认为资本主义仅仅靠自由市场来调节已经不够,需要国家权力来发挥作用。罗斯福"新政"式的改革,凯恩斯的经济学理论,具有深远影响,标志着现代资本主义发生着重要的变化。

在此期间,一部分国家在不改变资本主义基础的条件下,建立起法西斯主义国家对经济的控制,并转上军事化的轨道,以减少失业,同时为侵略和战争目标服务。在政治上则全面取消基本的民主和自由,建立法西斯极权独裁制度。德国法西斯曾称其一系列措施是对资本主义的"革命",日本法西斯也称"革新国家"。它曾一时收效,如德国在法西斯统治下曾几乎消灭了失业,但在本质上是完全反现代、反民主、反社会的。这种法西斯的国家统制经济和极权独裁政治,这种以侵略和战争来摆脱危机的道路,终究是一条逆历史而动的、灾难性的道路。随着法西斯的失败,这条道路也被摒弃。

二、第二次世界大战后至60年代:侧重社会公平取向的改革潮流

第二次世界大战以世界反法西斯阵线的胜利而结束。它打败了法西斯主义、军国主义等资本主义发展历程中的毒瘤,为西方资本主义新的改革开辟了道路。战争也暴露出战前资本主义的深刻矛盾和种种弊端,激发起对于新的改革的向往。人们反思历史,认识到不仅应彻底清除法西斯和军国主义势力,而且战后不应一成不变地恢复战前的旧秩序。一战之后,人们曾把所谓"恢复常态"作为选择。二战之后,人们考虑的是怎样防止旧的制度(和"旧的一帮")卷土重来。他们认为战后"不能简单地恢复原来的政治和经济结构",希望"根本性的变革",实现"更公正、更民主的社会",形成相当强大的改革压力,一股"左倾"潮流。[①] 不仅共产党、社民党等左翼政党倡议改革,保守政党也发生了重要变化。基督教民主党"真诚地接受了民主,并进行了一些重要的经济改革"。[②] 英国保守党内形成了改革派,他们起草的"贝弗里奇报告",提出了广泛改革的主张。保守党在战争甫告结束之际即为工党击败,也说明改革实为人心所向。法国抵抗运动中广泛存在着战后改革的要求,包括本属保守派的戴高乐。1944年他在阿尔及尔咨询议会上指出:"法国的民主应当是社会性的民主……应当有组织地保障每一个人有劳动的权利和自由,保障全体人民的地位和安全,这一切都要在一个为了开发全国资源,而绝不是为了个人利益而规划出来的经济体系中去完成;……国家要在劳动者和企业主合理协作的基础上去执行指导和监督。"[③]他在领导抵抗运动时期就鼓励组织研究小组制订改革计划。法国解放后,这些计

---

① 亨利·米歇尔:《第二次世界大战史》下册,卢佩文、刘幼兰译,于干、萧乾校,商务印书馆1981年版,第235页;Walter Laqueur, *Europe Since Hitler: The Rebirth of Europe*. Revised Edition, England: Penguin Books, 1982, p.30, pp.40—41。

② Walter Laqueur, *op. cit.*, p.140。

③ 夏尔·戴高乐:《战争回忆录》第二卷,北京编译社译,世界知识出版社1959年版,第581—582页。

划有许多都付诸了实施。在德国,社民党主张战后实行经济和政治的"彻底变革",基督教民主联盟在1947年2月的经济纲领中指出,资本主义的经济体系已不能适应德国人民的国家和社会生活的利益,认为将要出现一种"崭新的社会和经济制度",它"再也不能是资本主义的逐利和争霸,而只能是为我国人民谋幸福"。[①]

所以,二战后西方资本主义世界的重建,并未照旧恢复战前原貌,而是也经历了一个改革的过程。当时共产党人所要求的激进和彻底的改革受到了压制,但还是在资本主义的基本制度之下进行了重要的改革。这个改革过程上承反法西斯战争的胜利,战后初期出现高潮,下延至60年代。宏观而言,经历了几方面的改革:首先是在战争摧毁法西斯和军国主义势力的基础上,进一步对法西斯主义、军国主义以及与它们合作的其他极右力量进行进一步的清洗、打击。虽然各国在具体政策、措施、尺度等方面并不完全相同,但还是大大扫除了许多过时的、有害于工业化—现代化正常发展的痼疾,为资本主义经济和政治的新发展开辟了道路。

其次是资本主义政治现代化—民主化取得了新进展。在德、意、日等国法西斯和军国主义统治崩溃之后,进行了广泛的民主改革,恢复了政治生活。在此过程中,自由和民主的力量在盟国的帮助下,掌握了权力,建立了新的政治制度。在德国的西部地区建立起德意志联邦共和国,在日本否定了天皇专制政体,建立了议会民主的政治体制。1947年意大利成为一个资产阶级共和国。

再次是在经济方面的改革和新的经济体制的建立。在德国,法西斯的国家统制经济被彻底废除,旧有的大垄断组织受到打击,农村进行了土地改革。一种以"新自由主义"理论为指导的"社会市场经济"体制建立起来,它力图把自由的市场经济与国家干预、社会公平结合起来。在日本基本扫除了农业经济中的封建残余,打击了封建家族性的旧式垄断组织。在英、法、

[①] 莱因哈德·屈恩尔:《法西斯主义剖析》,邸文、李广起译,军事科学出版社1992年版,第98页。

意等国，也有一系列经济方面的改革，包括实行国有化和计划干预等。例如英国工党政府实行了大规模的国有化。法国成立了以让·莫内为首的现代化计划总署，起草了经济现代化的规划，于1946年公布。戴高乐下野后，第四共和国继续实行了这些计划。1947年莫内与一些人起草了综合方案，确定了经济恢复和发展的总体布局、优先发展的部门、在一定期限内的发展指标、具体措施等。在制订计划时还参考了苏联的五年计划。[①] 在一些西方工业化国家开始形成"混合经济"的体制。

　　最后是进一步扩大和普及民众的基本民主权利和社会保障。法兰西第四共和国宪法规定了人民的劳动权、工人的罢工权、妇女的选举权等。意大利1947年宪法规定了劳动权、妇女平等权利等。西德《基本法》对公民的基本权利作了广泛的规定。在西欧国家还出现了企业决策和管理中的职工参与制。最有代表性的是联邦德国法定的企业"共决制"。法国在临时政府时期也开始建立"企业委员会"，以便使资方与工人合作解决相互间的问题。[②] 各国广泛地建立起社会保障和福利制度，甚至形成"从摇篮到坟墓"的福利保障体系。有的国家宣布成了"福利国家"。资本主义成为"福利资本主义"。

　　美国在战后初期解决战时经济向和平经济过渡时期中，也进行了改革。杜鲁门政府强烈反共，但还是实行了"公平施政"，包括控制价格、实行充分就业政策、援助农业、扶助中小企业、实行最低时薪法案、保护资源、兴建公共工程、扩大社会保障和教育津贴、实行保障民权立法等，涉及面相当广泛。它们是罗斯福"新政"式的国家干预和社会改革的继续与发展。

　　在这一时期资本主义世界的改革中，不同国家，具体情况和做法并非相同，中间（50年代）有一个小的保守主义回潮，但从总的趋势或基本取向上来看，可以说是一个扩大大众民主和侧重于社会公平的现代化改革时期，其指导思想在欧洲是凯恩斯主义、社会民主主义，在美国则是"新政自由主

[①] 让·莫内：《欧洲之父——莫内回忆》，孙慧双译，国际文化出版公司1989年版，第二章。
[②] 布赖恩·克罗泽：《戴高乐传》，西安外语学院英语系、四川师范学院外语系、广西大学外语系、南开大学外文系合译，商务印书馆1978年版，第456页。

义"。这些改革措施,形成了国家对社会经济生活的广泛干预,改变了以往国家与社会的关系。国家承担起了调整社会各阶级阶层之间的关系、介入社会财富再分配、维持社会公正等方面的责任,扩大了一般劳动者等社会弱势群体的政治和经济民主权利。即使保守主义党派上台,调整政策,也不曾扭转这个基本趋势,而是向它趋同。比较典型的,如英国保守党政府,尽管反对工党的价值观和政治主张,也不得不承认国家干预的必要性。两党政策基本倾向相互接近,形成所谓"共识政治"。美国 50 年代艾森豪威尔共和党政府属于保守主义,但提出"现代共和党主义",也没有取消从罗斯福到杜鲁门政府"新政自由主义"改革的主要成果。联邦德国基督教联盟党的"社会市场经济",要把市场竞争与"社会"责任结合,也体现了这种理念。以后到 60 年代,美国的民主党肯尼迪和约翰逊政府时期,先后提出"新边疆"和"伟大社会"的口号,提出广泛改革措施,宣布"向贫困开战",把"新政自由主义"改革推向一个高峰。英国工党也重新上台,再次推行其"社会主义"改革。德国社会民主党上台后,按其政治、经济和社会理念推行一些改革。在其他发达国家,也普遍地加强国家宏观干预和实行福利制度。日本在 50 和 60 年代执政的自民党"保守本流"多届政府,都积极运用"看得见的手",进行宏观调控,实施"积极财政",制订发展计划,推行产业政策等,推动日本的经济高速增长。

三、保守主义的回归:70 年代以后的"新保守主义"改革

进入 70 年代以后,发达国家经济高速增长阶段结束。各国相继出现经济"滞胀",低增长、高物价和高失业并存。一种"昏惨惨似灯将尽"的悲观情绪弥漫开来。"滞胀"导致一种两难局面。如果用赤字财政和膨胀性货币政策刺激经济,会造成通货膨胀与经济停滞之间的恶性循环,而实行紧缩性政策,又会加剧衰退,而社会矛盾也同时加剧起来。

困境的出现,需要寻找新的出路。一些人认为,正是以凯恩斯主义、社会民主主义和"新政自由主义"为指导思想,以国家干预为特征的那些政策

和措施,导致了负面效果。于是经济学领域"风水轮流转",主张反凯恩斯主义和国家干预而行之的现代货币主义、供应学派等"新自由主义"的经济理论跃上了前台。1974年,从30年代就与凯恩斯唱反调、批评社会主义和计划经济、坚信自由市场竞争原则的经济学家哈耶克,获得了诺贝尔经济学奖。1976年,美国货币主义经济学家弗里德曼独获诺贝尔经济学奖。他也批评凯恩斯主义,认为经济中的种种弊端,皆归咎于国家干预。还有供应学派的理论,认为供应会创造需求,主张以增加供给、提高生产率来促进增长。而减税是促进增长和抑制通膨的有效途径。1984年,供应学派的代表人物之一保罗·克雷·罗伯茨出版了题为《供应学派的革命:华盛顿决策内幕》的书,阐述这些理论。

经济的"滞胀"也引起了发达国家政坛格局的变化,出现强劲的回归保守主义的趋势。在美国,"新政式自由主义"影响下落。60年代末共和党的尼克松上台后,把保守主义与凯恩斯主义杂而用之,开始了向保守主义回归的尝试。70年代民主党的卡特政府则是先沿用"新政式自由主义",采取凯恩斯主义措施刺激经济。由于无法克服反而加剧通货膨胀,又转向具有保守主义特点的政策。在他任职后期,起用保罗·沃尔克担任美联储主席,采取紧缩政策,削减联邦预算、控制信贷等,控制通货的飞速膨胀,避免美元贬值。这些反映了新政式的国家干预政策的困境。

更大的保守主义浪潮随之而来。80年代初,罗纳德·里根以压倒多数当选为美国总统,实行所谓"里根革命"。欧洲"中左"势力陷入颓势,保守主义浪潮也开始高涨。在英国,战后持续多年的"共识政治"难以为继,"新右派"崛起。其重要标志就是1975年玛格丽特·撒切尔夫人当选为保守党领袖。保守党发表"正确的方法"的声明,强调要与"共识政治"决裂。[①] 1979年,保守党在大选中获胜,撒切尔夫人成为首相,后来又连选连任。在联邦德国,基督教联盟党的赫尔穆特·科尔在80年代初上台执政。这一时期西

[①] 王振华、申义怀主编:《撒切尔主义与80年代英国内外政策》,中国社会科学出版社1992年版,第23页。

方的保守主义与传统的保守主义有所区别,人们称之为"新保守主义"。在日本,80年代初以中曾根为代表的"新保守派"倡言进行新的改革,成为日本政治的一个转折,开启了日本"新保守主义"崛起的序幕。[①]

里根是美国共和党右翼的代表人物,他旗帜鲜明的新保守主义政策,形成对新政以来自由主义改革的一次最大的逆反。里根指出,美国处在大萧条以来最坏的经济困境之中,已经到了一个转折点,应该制定与以前不同的方针。里根政府强调私人资本的利益和私人资本的积极性,反对政府承担进行调控以维持社会公平的责任,要求弱势群体加强自立精神,减少对社会和国家的依赖。他甚至指出:"政府不解决问题,政府本身就是问题。"里根政府兼收货币主义和供应学派的理论,提出"经济复兴计划",涉及方方面面,主要包括四大支柱:一是大幅度减税,以鼓励私人资本增加投资和扩大生产的积极性;二是削减联邦政府开支,把一部分负担转交给州政府和私人团体,削减社会福利;三是减少政府对经济的干预,取消不利于企业发展的种种规章制度约束,以发挥自由市场的作用;四是继续实行保罗·沃尔克的货币紧缩政策,控制货币流量。这一套经济复兴计划被称为"里根经济学"。

发生在凯恩斯主义的故乡英国的所谓"撒切尔的革命",则是另一有代表性的新保守主义改革。撒切尔夫人曾说,她"改革了一切"。概括起来,主要是五个方面:一是控制货币供应量,以削减公共开支,提高银行利率和调整英镑汇价等措施,抑制通货膨胀。二是大力减少国家对经济的直接干预和控制,倡导自由市场竞争,推行国有经济私有化,以恢复基于保守主义传统的私人经济、个人负责和自由竞争为目标。撒切尔夫人声称,要通过私有化实现"民众资本主义",使人们都成为拥有资本的人。三是改革税制,削减直接税,增收间接税,削减收入税,增收消费税,主要的受惠者是中上层阶层。四是改革福利制度,削减福利开支,实行"选择性"原则,要使英国"从一个依赖的社会转变为一个自立的社会"。五是对工会和罢工运动采取强硬

---

① 李寒梅:"新保守主义与日本的政治改革",北京大学亚非研究所编:《亚非研究》第6辑,北京大学出版社1996年版,第32—34页。

政策,改变工会与政府的关系,削弱工会权力,取代过去与工会协商和妥协的方针。

里根政府和撒切尔政府的"新保守主义"为代表的这股改革潮流,其政策既有应对经济"滞胀"的工具性意义,有意识形态色彩(如撒切尔夫人把她的政策与反对"社会主义"联系起来),也具有深刻的社会根源,反映了欧美发达国家由工业化—现代化向后工业化—现代化的过渡和社会结构的变化,特别是社会的"中间阶层"扩大和社会总体趋于保守的状况。其主要特点是对战后以来的自由主义或"中左"的甚至带有"社会主义"色彩的改革进行"纠偏",重新调整国家与社会的关系和不同阶层的利益关系,没有根本否认国家干预和国家的社会责任,而并非回到19世纪。戴维·卡莱欧指出,新保守主义者所崇奉的经济理论家哈耶克反对凯恩斯主义,但他不是回到自由放任的资本主义。他仍然主张除非存在一个强大的国家并提供一个适当的法律框架,否则无论是自由市场或是自由社会都难以持久。他所强调的是对国家权力的运用规定严格的限制,并尊重个人自由和财产。国家不能把保证公平正义和关注弱者偏离到追求"分配公平"(distributive justice)——即根据社会主义者的理念对财富重新分配。[1] 所以,这时的保守主义加了一个"新"字,称之为"新保守主义",在经济学的角度上则称为"新自由主义"。

虽然如此,"新保守主义"改革大力减少政府对经济的直接干预,限制社会福利,重新加强私人资本主义和自由市场体制,却是更有利于社会中上层而不利于下层弱势群体,有"劫贫济富"的色彩。这种改革措施有助于克服经济效率低下、通货膨胀严重等问题,走出"滞胀"。但通过牺牲公平来提高效益,减少国家在维持社会公平和扶持弱势群体方面的责任,却使资本主义"丛林原则"更为突出,社会鸿沟有重新扩大的趋势。资本主义依然未能克服严重的内在矛盾,存在着两难困境。

---

[1] 戴维·卡莱欧:《欧洲的未来》,冯绍雷、袁胜育、王蕴秀译,相兰欣校,上海世纪出版集团2003年版,第87页。这里所谓"分配公平"是相对保守主义者所主张的"机会公平"而言的。保守主义者认为,社会主义者强调"分配公平",不利于鼓励人们努力工作增加财富。——引者

四、新世纪之交的新尝试:美国和欧洲的"第三条道路"

"新保守主义"(经济学上的"新自由主义")对克服资本主义工业化—现代化固有矛盾的作用有限,并导致社会鸿沟重新加深等负面效应,以及新的科技革命和全球化加速发展的新挑战等因素,导致冷战结束后,在新的世纪之交,欧美国家出现了"第三条道路"的新尝试。

冷战结束不久,美国迎来新的大选。民主党大力抨击在共和党执政下人民境况的恶化。民主党总统候选人比尔·克林顿抓住经济问题,提出变革的口号,取得胜利。克林顿被称为"新民主党人",提出要走"第三条道路"。他说:"我们必须采取的变革既不是自由主义式的,也不是保守主义式的。它是两者的结合,而且与两者截然不同。""第三条道路"的提出,是因为新政式的自由主义改革到 70 年代已经走入困境,而新保守主义改革也有诸多负面作用。美国社会经过几十年的发展也发生了深刻的变化。克林顿的智囊团主编的《克林顿变革方略》中说:"选民们强烈地拒绝了常规的左翼和右翼的政治方略,要求赋予美国一个新的方向","因为我们的两大政治哲学和意识形态方针,即自由主义和保守主义,都未能适应新的现实"。[①]

克林顿政府的"第三条道路",首先体现在财政和税收政策上,大力削减赤字,平衡预算,但削减赤字的办法是增税,并提出"公平税负",把增税的大部分加在高收入者和大企业的头上。这与共和党保守主义相通,又体现了民主党自由主义的传统。其次是改革福利制度。克林顿认为现行福利制度只能治标而不能治本,要革除其中的弊端,核心是"改救济为就业","不再把福利作为一种生活方式,而是成为走向自立和尊严的一条道路"。既要限制福利开支,又要有利于促进就业,并覆盖更多的人群。再次鼓励新兴高科技产业特别是信息产业,推动产业结构更新。为此,控制政府开支,把联邦开

---

① 转引自牛军主编:《克林顿治下的美国》,中国社会科学出版社 1998 年版,第 302 页。

支的重点从消费转向投资,导向更有生产性的用途上,如人力资源投资、基础设施建设和科技发展。最后改革政府机构,要使政府"更加积极、有效、节约"。主要是精简机构,裁减冗员,提高效率。据民主党人自称,到90年代末,美国联邦政府是自肯尼迪以来最小的政府。克林顿执政时期美国经济出现持续增长,政府财政出现扭亏为盈等良性发展,应该说与他的政府的一系列政策有关。

几乎与此同时,西欧一些"中左"政党在新形势下,也在进行新的一轮理论和纲领的更新,提出"第三条道路"。1997年英国"新工党"上台。随后法国社会党与共产党联合执政。1998年德国社会民主党和绿党组成"红绿联盟"政府。从1994年荷兰工党重掌政权开始到1998年10月,欧盟十五国中,有十三国是由工党、社会民主党一类的"中左"政党执政。英国工党领导人托尼·布莱尔、德国社会民主党领导人格哈德·施罗德、法国社会党领导人莱昂内尔·若斯潘、意大利前总理普罗迪等,都信奉"第三条道路"。1999年布莱尔和施罗德发表《欧洲"第三条道路"/新中间派》共同声明,系统阐明他们的价值观念、政治理念和政策主张。[①] 他们执政后,将其理念和主张付诸实施。

德国社会民主党的研究机构"德国社会民主党基本价值委员会"将欧洲的"第三条道路"分为英国模式、荷兰模式、瑞典模式和法国模式。[②] 由于在英国对此做出了较多的理论阐发和实践,了解布莱尔政府"第三条道路",可以见其一斑。

布莱尔政府的"第三条道路",一是要调整政府管制与自由竞争的关系,建立两者之间的平衡,建立"新的混合经济",既发挥市场机制的作用,鼓励私人经济,又要照顾公共利益,不搞"市场原教旨主义"。布莱尔说:"我们的

[①] 托尼·布莱尔、格哈德·施罗德:"欧洲'第三条道路'新中间派——布莱尔和施罗德共同声明",蔡雪琴译,李勤真校,陈林、林德山主编:《第三条道路:世纪之交西方的政治变革》,当代世界出版社2000年版,第36—50页。

[②] 德国社会民主党基本价值委员会:"社会民主主义种种'第三条道路'之比较",李进军、郭亚洲、王怀成、苏萍译,陈林、林德山主编:《第三条道路:世纪之交西方的政治变革》,第299—336页。

态度是:在可能的地方实行竞争,在必要的地方实行调控。"[1]在"国有"还是"私有"上,既不搞大规模私有化,又不像老工党那样搞国有化,而是要建立公私"伙伴关系"。二是税收和财政的改革。按布莱尔所说,要发展一种鼓励人们自立而不是依赖的、有利于促进经济持续增长的税收政策。三是改革福利制度。既不取消福利制度,又要做到有利于鼓励人们自立。认为劫富济贫式的均等歪曲了公平的含义,公平应是机会均等而不是结果均等。1998年政府推出了"削减福利开支,提倡劳动福利"的改革方案,削减了部分福利支出,同时鼓励并帮助失业者就业,实施"变救济为就业"计划。此外还要把福利变成政府、企业、社会和个人分担的事业,而不由政府包揽。四是推动产业结构的调整和知识经济产业的发展,增加科学研究和教育的投入。五是政治改革。所谓"再造政府",以更大透明度和开放性为取向,提高效率,实行"民主制度的民主化",克服国家与市民社会的"二元对立",建立两者合作互动的良性关系。具体举措有改革下议院选举制度、废除世袭贵族在上院的特权、扩大地方自治等。

欧、美的"第三条道路"有相通之处,都标榜一种"中间道路",试图追求对原有的"左"与"右"的超越。克林顿的"新民主党"的"第三条道路"自称是自由主义与保守主义"两者的结合",又"与两者截然不同"。英国"第三条道路"的理论家说:"'第三条道路'的意义在于:它试图超越老派的社会民主主义和新自由主义。"[2]同时布莱尔承认,"第三条道路"有"相当程度的实用主义"。这即是说,在新的条件下,对传统左派或是保守派的主张,要兼收并蓄,杂而糅之,择其可用者而用之,其不适用者弃之。其实质还是试图在国家调控与市场自发作用、社会安全感与个人责任、公平与效率之间求得一种新的平衡,一种新的综合。但是,细加观察,可以发现"第三条道路"所追求的"平衡"或综合,却更多地倾向于后一方面,即市场作用、个人责任、经济效

---

[1] 托尼·布莱尔:"第三条道路:新世纪的新政治",陈林、林德山主编:《第三条道路:世纪之交西方的政治变革》,第16页。

[2] 安东尼·吉登斯:《第三条道路:社会民主主义的复兴》,郑戈译,黄平校,北京大学出版社和三联书店2000年版,第27页。

率这方面,是更多地向新保守派方向趋同。所以有的批评者指出,克林顿和布莱尔实际上是在完成里根和撒切尔夫人的"未竟事业",克林顿是 100 年来美国最保守的民主党人,而布莱尔则是"改头换面的撒切尔主义"等等。这是因为,在 20 世纪晚期以来西方发达国家由工业化向后工业化时代转变所发生的巨大而深刻的社会变化、社会总体趋于保守的背景下,"新保守主义"仍然强劲有力。"第三条道路"的主张者也要向这个方向靠拢。

"第三条道路"的实践,到 21 世纪初,在美国由于共和党布什政府执政,在德国随着社民党和绿党联合政府的下台,而告一段落。在英国仍然处于"进行时态"。实际后果和影响如何,还有待观察,但它似乎也未必能一劳永逸。

20 世纪期间发达各国的发展和改革情况有别,也并非同步。例如,在 90 年代欧美出现"第三条道路"之际,在日本则是鼓吹"平成革新"的"'鹰派'新保守主义"稳掌政坛。他们奉行新保守主义理论,对内主张建立"小政府"之下的完全自由市场经济,对外则具有强烈的民族主义和大国主义倾向。[①] 本文不是对各国的调整改革具体和全面考察,仅是宏观而言,择其要者,大而化之。从中大体可以看出,调整改革贯串于 20 世纪发达国家的整个发展过程之中,面对资本主义工业化—现代化的内在的矛盾,西方社会的精英们,不断地思考和尝试如何缓和尖锐的社会矛盾及其破坏性后果,实现资本主义社会的长治久安和经济的繁荣发展。这些调整改革有些是扫除那些阻碍现代化发展的、过时的前资本主义因素,更多的是资本主义本身体制和机制上构建、创新和调整,不同阶层之间财富和权益的分配和协调等,总是寻找社会与国家、市场与调控、效率与公平、资本与劳动等之间相对适当的关系。它们不是一劳永逸。每次调整改革在取向上有着不同的侧重,有的更注重政府调控和社会公正,关注弱势群体;有的更侧重于市场和效益,加强私人资本,适应社会中上层利益。它们的累积效果,是政府广泛介

---

① 李寒梅:前引文,第 38—39 页。

入了资本的运营和社会财富的再分配,一般民众对政治和经济决策的参与得以扩大和制度化,在一定程度上抑制了资本主义现代化发展中的极端消极面,而且引入一些"社会"性质的因素。即使是 80 年代以来强劲的"新保守主义",也未彻底取消这些成果,而是调整它们的"度",寻求适当的结合点。西方发达国家经历了工业化—现代化的高度发展并向后工业化—后现代社会过渡,仍然以私有制为基础,其基本制度仍然以保证资本的利润最大化为基本宗旨和主要原动力。但是这些调整和改革,也在改变着现代资本主义自身,使其体制和机制在变化中,进行着更新和扬弃,发生着嬗变,同时增强对于经济与社会变化的适应能力和"抗震"、"减震"的能力,把下层的不满引入了体制内改革的轨道,从而代替了或者说避免了社会革命。20 世纪西方经济的发展,特别是 20 世纪下半期以来总体上的社会稳定和经济增长,是与此分不开的。当然,资本主义的内在基本矛盾并没有彻底消除,随着历史的发展和社会的变化,又会出现新的矛盾,其调整、改革不可能一劳永逸。从这个意义上说,历史不可能"终结"。深入研究这些调整和改革,是理解 20 世纪至今西方发达资本主义的现代化发展史时,值得重视的问题之一。

中世纪英国城市市民的社会和经济生活考察
The Burgesses' Social and Economic Life in English Medieval Towns

刘 景 华（天津师范大学历史文化学院）

摘要：本文考察了英国中世纪城市社会和经济生活各个方面，包括市民的职业结构、市民的来源、工商组织、市民不同的经济角色、市民的社会分层和贫富差别等，认为中世纪城市里发育着市场经济因素，孕育了新兴经济关系，培育了新生社会力量，培育了新的思想文化和价值观念体系，推动着商品经济化的进程，为英国最先走向现代化准备了条件。

关键词：英国； 中世纪城市； 市民； 社会经济生活

Abstract: This article inspects some important aspects of the social and economic life in English medieval towns, including occupational structure, industrial and commercial organization, migration from countryside to towns, various roles of town people, social hierarchy of town and the gap between the rich and the poor, etc. It suggests that factors of market economy, new economic relations, new social class and new spirit and value system, all of them had been inspired in medieval town, and they were beneficial to the rise of modern England.

Keywords: England; Medieval Town ; Burgess; Social and Economic Life

　　工商业自治城市的出现，是中世纪西欧经济社会发展的一大特点。虽然英国远离中世纪经济发展的中心地区，特别是国际贸易中心区，城市在中世纪的发展远没有大陆国家那样出色,但它也呈现出一些特点。除伦敦等个别城市外,大多数英国城市与国际市场联系并不很多,受外界因素的干扰和影响较小,因此它们的发展更带有自然性、原发性,更具有研究价值。作为一个最先向近代工业社会转型、最先有现代化倾向的国家,英国中世纪城市的作用和地位应该怎样估价呢?这应该以对城市市民的社会和经济生活有较为充分的了解为前提。本文力图对此做出较为系统而细致的考察。

英国城市的发展开始于罗马不列颠时期,在东部、南部和中部,都有一些由罗马人建立的军事堡垒式的城市。随着罗马人撤出,以及盎格鲁-撒克逊人的涌入,岛上本来就不多的城市都毁于一旦。到盎格鲁-撒克逊时代中后期,即公元7世纪至10世纪,具有工商业功能的城市出现,但不成气候。据中世纪英国教会史家比德记载,604年左右,伦敦作为一个商业中心,吸引着许多从海路和陆路来的人进行贸易。[①] 一批由王室或教会建立的城市,也逐步衍生了工商业中心的功能。[②] 10世纪左右,又有一批新的城市萌芽,这就是那些被称为"堡"(burg)的地方。堡有较高的安全系数,工商业活动便逐渐在其周围集中。不过这时的城市还有相当大的农业性,属于庄园管辖,要向庄园负担租役。[③] 到11世纪后期《末日审判书》时代,英格兰大小城市约有100多个。其中人口在一千以上的30余座。后来一些重要城市,大多在11世纪已经存在。12世纪至14世纪是英国城市的较大发展时期。1350年,英国有600来个自治市(镇)。16、17世纪的城市总数只比这个数目略多一点。[④]

英国中世纪城市的兴起,主要是各地社会内部经济发展和经济关系变动的产物。11世纪以后,由于英国封建化过程的最后完成和封建庄园

---

① 比德:《英吉利教会史》,陈维振、周清民译,商务印书馆1991年版,第106页。
② Susan Reynolds, *An Introduction to the History of English Medieval Towns*, Oxford: Oxford University Press, 1977, pp. 24—30.
③ 马克垚:《英国封建社会研究》,北京大学出版社2005年第2版,第46—47页。
④ 彼得·克拉克和保罗·斯莱克:《过渡期的英国城市1500—1700》,薛国中译,武汉大学出版社1992年版,第7—8页。

经济体制的最终确立,社会生产力无论是农业还是手工业,都有显著的提高。由于农业生产力的提高,人均农产量就会有所增加,这样,一方面可以腾出部分农业人手去专门从事工商业活动;另一方面又有剩余农产品可供应工商业者基本生活。由于手工业生产水平的提高,手工业技术日益复杂化,越来越需要熟练的生产技巧,缺乏专门训练的农民们不可能过多地兼营。生产水平提高也促使消费水平提高,领主需要高级的手工业品和奢侈品,农民对生活品追求的档次也会逐步提升,这些都需要专门的手工业者来制造,或需要专门的商人从外地和远方运来,由此便出现了专门的工商业者。工商业者聚集在便利于进行生产和交换的地方,城市便形成了。

中世纪英国远离国际贸易中心区,与国际贸易体系联系并不很密切,因此,用"商业起源论"来解释英国城市的兴起显然行不通,英国事实上也没有出现因国际贸易而兴起的大商业城市。作为本土社会经济发展变化的自然结果,英国城市工商业的服务区域主要是周围农村。依此原则,大致可分为三大类。最基层也是最广泛的,是数百个中小城镇,它们与周围方圆数十英里的乡村组成经济活动圈,是圈内的工商业活动中心地。中间层次是大约100个左右的地方城市,包括郡城、港口城市,一般以本郡为腹地;也包括五六个更大一些的地方都市,辐射区域多在两个郡以上。地方城市一般是工商并重,个别城市略有特色手工业,也有与国内市场体系联系紧密、与国际市场有一定联系的商业城市。最上是伦敦,作为首都和全国最大的工商业中心,辐射整个英格兰,城市规模也最大。14世纪以前,伦敦人口超过第二位城市3倍以上。直到16、17世纪,英国城市体系基本上还是由这三个层次构成。用中世纪欧洲大陆的标准衡量,英国城市都是很小的。只有伦敦达到了大陆二流城市的规模(2万—5万人)。大陆那种1万—2万人的三流城市,英国几乎没有。英国的地方城市一般在2000人至1万人间,相当于大陆的中等城镇。中小城镇人口约为500—2000人。许多中小城镇只有一条街道,一座小城不需一小时就可走完。即便伦敦,16世纪旅行家利兰

(Leland)说,他一个下午就步行走完了伦敦全城。①

一、城市市民的职业结构

城市是作为工商业中心兴起来的,市民的职业主要是工商业,这是中世纪英国城市的本质特征。但各类城市在工商结构方面各有侧重,并随经济的总体变化而变化。

(一)中小城镇。中小城镇主要是周围农村经济发展的产物,因此它们经济生活的一大特征,就是带有浓厚的农业气息。城镇居民一般都有菜地,大多数居民还放养有生猪。居民们大多有亲友在乡下,每到农忙季节,他们都要停下手中工作,到农村去帮助亲友干活。中小城镇里还有以农业为生的人。在彭克里奇镇(斯塔福德郡),农业生产者甚至还多于工商业者。该镇有23个农民,却只有20人从事手工业。即使到了17、18世纪,在苏塞克斯郡这样一个发达地区,13个主要中小城镇都有相当比例的农业人口,最高的超过50%。②

但无论其农业气息如何浓厚,无论其农业人口占多大比例,中小城镇之所以出现,就在于它的首要职能是工商业。作为工商业中心,中小城镇里一般是手工业和商业并重。其商业职能主要为两方面:其一,它是周围乡村居民互相交换剩余农产品的市场地,也是城镇手工业品与周围乡村农产品交换的场所。如布尔福德城1322年为修桥筹资的过桥税账目上,列举了进入该城市场的各种货物,大多数是产于周围乡村的农牧渔产品③。其二,它是

---

① 今天的英国城市仍有这样的特点。城市的市中心(city centre)为商业、娱乐和行政区,面积很小,与住宅区有非常明显的界线,宛如汪洋中一座突出的岛屿。笔者曾实地考察了英国许多著名城市,除伦敦作为现代超级大都市无法靠步行外,其余如爱丁堡、伯明翰、曼彻斯特、利物浦、利兹、设菲尔德、诺丁汉、莱斯特、加的夫、剑桥、牛津、考文垂等,其市中心所有街道和广场都可在2小时内步行走完。

② John Patten, *English Towns 1500—1700*, Folkestone: Wm Dawson & Sons Ltd, 1978, pp. 170—171.

③ M. Beresford and J. St. Joseph, *Medieval England*; *An Aerial Survey*, Cambridge: Cambridge University Press, 1979, p. 187.

本地区与外地进行商业联系的窗口。一方面,周围乡村的农产品通过中小城镇运往外地市场,城镇中一部分人以向外地转运本地农牧产品为生。如奇平康普顿就是以转运本地科茨沃兹羊毛而繁荣的,不少居民从事羊毛贸易发了财。该城最大的羊毛商格雷维尔经营的范围非常广泛,远至欧洲大陆市场。① 图克斯伯利则是谷物贸易中心,14 世纪 80 年代中的 3 年里,城里 13 个谷物商从附近村庄买下至少 3340 夸特大麦、600 夸特其他谷物,运往布里斯托尔。奥斯河上的圣内奥茨小镇,也是一个粮食市场,主要收购邻近贝德福德郡、剑桥郡和亨廷顿郡农民种植的大麦。② 另一方面,周围农村以及本城居民所需的一部分外地商品,也主要从中小城镇市场上取得。如萨默塞特郡的布鲁顿和温坎顿两个市镇,就负责向周围农村将近 7000 毛纺业人口供应粮食,③ 这些粮食主要来自外地。

手工业方面,中小城镇基本上面向周围农村,主要为周围农村和本城居民提供日用消费品,提供日常手工服务。因之,手工业者的生产大致包括两大方面:一是日用品制造;二是服务性行业。由于地区人口生活需求的广泛性,中小城镇也就相应的行业众多而杂乱。档案记载,斯塔福德郡塔姆沃思城 14 和 15 世纪里人口不过 1000,却有将近 30 个行业,手工业、商业、服务业诸备。温奇库姆城的市民从事成衣、食品、皮革、木器、建筑、纺织、运输等行业,余者为商人。④ 前述苏塞克斯那 13 个小镇,居民们从事的工商职业也很复杂,涉及食品、纺织、成衣、建筑、商业、服务业、皮革、航海等若干门类。⑤ 随着经济发展以及与国内外市场接触增多,中小城镇居民所从事的职业也越来越多。如东盎格里亚 40 多个中小城镇里,1500 年行业平均数

---

① R. Hilton, *The English Peasantry in the Later Middle Ages*, Oxford: Oxford University Press, 1979, pp. 80, 89; M. Beresford and J. St. Joseph, *op. cit.*, pp. 187—188.

② R. Hilton, *op. cit.*, p. 89.

③ Joan Thirsk ed., *The Agrarian History of England and Wales*, Vol. 4: 1500—1640, Cambridge: Cambridge University Press, 1967, p. 495.

④ R. Hilton, *op. cit.*, pp. 82—83.

⑤ John Patten, *op. cit.*, pp. 170—171.

为 14 个,1600 年为 17 个,1650 年为 22 个。①

（二）地方城市。市民的职业更为广泛、庞杂。同中小城镇相似,这些城市也带有某种农业气息。如莱斯特,城墙内遍布果园。牛津城一位木匠的妻子,养了两三头奶牛,"用以挤奶和制造牛油、奶酪",在市场上出售。坎特伯雷约有 9% 的市民从事农业及与农业相关的行业。巴恩斯特普尔城的人们因主教来到城里而"惋惜他们失去了一个晴朗的收割日"。在布里斯托尔、诺里季和埃克塞特这样的地方都市,市民们也喂养生猪,农忙时下乡帮亲友干活。16 世纪纽卡斯尔最富有的人是屠户,他们也是牧场主。② 有的城市在收割季节里工商经济甚至停止了运转。时人约翰·泰勒说他游览温彻斯特时,该城非常寂静的原因之一是"也许他们都在忙于收获工作"。在伯明翰,铁钉制造也是季节性活动,商人们说在秋收季节很难收买到铁钉,因为制钉工匠们都在忙于收割庄稼。3 月的春耕时节也是这样。③

但绝大多数市民是以工商为主要职业的。工商并重,服务周围地区,是地方城市的经济本色。1381 年,在西伦斯特这个不到 550 个纳税人的城市里,职业有 43 种之多。④ 在考文垂、北安普敦、莱斯特这三个密德兰城市里,16 世纪几大主要职业基本上是面向本地区的。⑤ 约克这种较大的地方中心城市,职业结构更为复杂。根据 1415 年负担庆典费用的名册,约克其时有 71 个行会,包含 84 种工商职业。这些职业可概括为五大类。第一,作为 14、15 世纪英国的毛纺中心城市之一,从事毛纺业的市民占有相当比重。第二,作为一个较大地区的日用品生产中心,日用品制造业有 30 余种。第三是日常服务性行业。第四是武器、高级消费品和奢侈品制造业,以及一些

---

① *Op. cit.*, p.254, p.273, p.283.
② 克拉克和斯莱克:《过渡期的英国城市》,第 25—26、50 页。
③ John Patten, *op. cit.*, p.40.
④ R. Hilton, *op. cit.*, p.79.
⑤ W. G. Hoskins, *Provincial England, Essays in Social and Economic History*, London: Macmillan & Co Ltd, 1963, p.95.

高档服务行业,共 20 余种。第五是各类商人。① 从总体上看,约克市民的职业结构是手工业重于商业,以面向地区需要为主。当然这种职业结构并非静态的。15 世纪中期后,在附近西莱丁地区乡村毛纺业的竞争下,约克的毛纺业衰落了,但从事商业活动的市民却多了起来,城市的商业职能突出地发达。它从外地调入粮食供应西莱丁,也逐渐控制了本地呢绒等产品的外运。垄断进口货物销售权的"商人冒险家公司"成员,是城内最富有的人。② 约克市民还改变手工业发展方向,根据周围乡村畜牧业和毛纺业发达的特点,发展了呢绒服装业和皮革服装业,成衣商行会成为最大的行会。③

商业化是地方城市在 15 世纪以后的普遍趋势,商人在市民中的比例不断增加。有些原本就有较强商业功能的港口城市,这时候商业化倾向更甚,从事商业及其相关服务业的市民更多。如埃克塞特,17 世纪后期成了西南部最重要的商业贸易中心。每年在埃克塞特市场上成交的呢绒总值在 200 万英镑以上,每年对海外和沿海市场以及国内市场的贸易额也在 200 万英镑以上。④ 布里斯托尔则是西部最大的港口商业城市。14 世纪 60 年代,年平均出口呢绒达 2500 匹,其中一年达 8000 匹,远远超过同年伦敦的 3500 匹。布里斯托尔商人对外进行贸易活动的范围很广,包括冰岛、西班牙、葡萄牙、法国和爱尔兰等地。⑤ 1453 年,一个叫约翰·海因顿的布里斯托尔商人,先后去了里斯本、爱尔兰、诺曼底、西兰和布列塔尼等地,经营红酒、蜂

---

① L. C. Marshall, *Industrial Society*, Chicago: University of Chicago Press, 1924, pp. 81—82.

② 克拉克和斯莱克:《过渡期的英国城市》,第 49—51 页。

③ D. M. Palliser, "The Trade Gilds of Tudor York", in P. Clark and P. Slack eds., *Crisis and Order in English Towns 1500—1700*, *Essays in Urban History*, London: RKP, 1972, p. 93.

④ W. G. Hoskins, *Industry, Trade and People in Exeter, 1688—1800*, Manchester: Manchester University Press, 1935, p. 43, p. 30.

⑤ J. L. Bolton, *The Medieval English Economy 1150—1500*, London: J. M. Dent & Sons, 1980, p. 253.

蜜、盐、熟皮等货物。① 17 世纪后，布里斯托尔又称雄于大西洋贸易和爱尔兰贸易，是英格兰西部主要出口贸易港，塞汶河流域和爱汶河流域的农产品，西部毛纺区的纺织品，萨默塞特和金斯伍德的煤，门迪普斯的铅，威尔士南部的炼铜，主要是从这里输出的。② 在国内贸易中，布里斯托尔是陆路、内河和沿海运输的枢纽点，城内的圣詹姆斯和圣保罗两大集市，吸引着所有西部各郡和南威尔士地区的消费者。

16、17 世纪，城市市民所从事的职业越来越多。像约克、布里斯托尔这样的地方都市，1500 年时至少有 100 个各种职业，1700 年时，则至少达到 200 个。即便温彻斯特这个乡土气息甚浓的汉普郡城市，职业也有显著增加。1500—1549 年间，这里记录了 65 个职业；1550—1599 年间达到了 87 个，其中金匠和文具商第一次出现；1600—1649 年间大约有 100 个左右的职业，其中新出现的职业有制枪工匠、烟草商；接下来半个世纪里职业数目比较稳定，但新职业却仍在出现，如书商、钟表匠、烟斗工等。③

（三）伦敦。中世纪，伦敦人口不过 5 万，与大陆城市比起来，只能算二流。伦敦的膨胀性发展是从 16 世纪开始的。这个世纪里，伦敦人口几乎翻了两番，达到 20 万左右，大约 15 倍于第二位城市。17 世纪末，伦敦人口达到 50 万左右。18 世纪末，伦敦人口达到 100 万，一个世纪里又增长一倍，成为当时世界上最大的城市。伦敦的财富增长也极为迅速。1334 年，伦敦市每千英亩财富拥有量为 19070 英镑；1515 年则为 284000 英镑，增长近 14 倍。1334 年，伦敦世俗财富占全国世俗财富总量的大约 2%，1515 年则上升为 8.9%。④ 1523 至 1527 年伦敦缴纳的世俗补助税为 16675 英镑，比其他 24 个主要城市补助税总和（12525 镑）还要多将近 1/3。1543—1544 年

---

① H. E. Fisher and A. R. J. Jurica eds., *Documents in English Economic History：England from 1000 to 1760*, London: Bell & Hyman, 1984, pp. 293—294.

② Roy Porter, *English Society in the Eighteenth Century*, London: Penguin Books, 1982, p. 216.

③ John Patten, *op. cit.*, pp. 166—167.

④ R. S. Schofield, "The Geographical Distribution of Wealth in England, 1334—1649", *Economic History Review*, 2nd series, Vol. 18, No. 3, December 1965, p. 504, p. 508.

度的补助税征收中,伦敦所缴的比重更大,30倍于诺里季,40倍于布里斯托尔,①等于所有城镇所缴补助税的总和。② 因此,伦敦在英国有着无与伦比的重要地位。在16世纪的一场辩论中,曾有法国人讥笑英国人:"在你们英格兰的土地上,除了伦敦,其他没有一个城市称得上城市。"③17世纪初,英国国王詹姆斯一世也曾自嘲地说,伦敦"真像一个佝偻小儿的硕大的头"。④

15世纪以前,伦敦虽是首都,但市民的职业结构与地方城市并没有多大不同,工商并举,既庞且杂。14世纪伦敦的档案上,曾记载有180个不同的行业。⑤ 在伦敦12家著名的制服公会中,起源于手工业和起源于商业的各占一半,可见手工业和商业的同等重要性。伦敦工商业的服务和辐射范围是三个同心圆,即本城及周围地区,近畿各郡,全英格兰,15世纪以前以第一、第二个圆为主。此时伦敦的对外贸易,主要控制在外国商人如意大利商人、汉萨商人手中。15世纪后期起,伦敦由工商并重的城市向商业占优势的城市转变,逐渐以国内市场中心和国际贸易中心形象出现。1581至1711年间,伦敦贸易大约要占整个国家贸易的80%左右。⑥ 这种商业职能体现在国内贸易、对外贸易和转口贸易三个方面,是国内最重要的物资集散中心,也是英国进出口贸易的主要口岸、国际转运贸易的中心。从事国内外贸易的市民极多。在国内贸易中,伦敦市民主要从事批发业务,如17世纪中期商人贾尔斯普利就是一个面向全国的呢绒批发商,在全国各地雇有代

---

① W. G. Hoskins, *Provincial England*, *Essays in Social and Economic History*, p. 86.
② 克拉克和斯莱克:《过渡期的英国城市》,第50页。
③ E. A. Wrigley, "A Simple Model of London's Importance in Changing English society and Economy 1650—1750", *Past and Present*, No. 37, 1967, p. 37.
④ *The New Cambridge Modern History*, Vol. 4, Cambridge: Cambridge University Press, 1971, p. 72.
⑤ John Patten, *op. cit.*, p. 182.
⑥ L. W. Moffit, *England on the Eve of the Industrial Revolution*, New York: International Publishers, 1925, p. 72.

理人。[①] 1600 至 1624 年的伦敦市政会长老中,几乎有一半是在国内贸易中发家的。[②] 同时,伦敦是英国进出口贸易商人和海外贸易商人的大本营。不论是早期的羊毛出口商,还是 16 世纪垄断呢绒出口的"商人冒险家公司"成员,以及 16 世纪后期兴起的殖民贸易公司商人,他们大多是伦敦市民。从教区档案可以了解到,拥有财富的伦敦居民主要是各种批发商、转运商和金融商。[③]

除了基本的工商市民外,英国城市从 15 世纪起又出现一类新的职业群体,这就是律师、公证人、医生、教师、学者、艺术家等自由职业者。这是一群正在成长为中产阶级的人,其财富和势力逐渐引人注目。如 18 世纪,布里斯托尔和利物浦的律师都在 70 人以上。设菲尔德一个叫班克斯的律师极为富有,1705 年到 1727 年间,他有 4 万英镑的财富投入土地。德比城一个叫达尔文的医生,每年纯收入都在 1000 英镑以上。即使是小如苏塞克斯郡的彼特沃斯镇(居民 1000 人),自由职业人员(律师、医生等)也达 5%[④]。1704 年,伦敦光是药剂师就有 1000 人之多,比 1500 年大约增加 10 倍。[⑤] 1688 年格里高利·金的统计表上,律师属于富有的社会阶层之列,学者、艺术家等,也能形成积聚一定社会财富的能力。[⑥]

二、城市市民的来源

英国中世纪城市的兴建,可以分为两种情况:一是主要靠外来移民复兴

[①] T. S. Willan, *The Inland Trade*, *Studies in English Internal Trade in the Sixteenth and Seventeenth Centuries*, Manchester: Manchester University Press, 1976, pp. 126—133.

[②] R. Grassby, "English Merchant Capitalism in the Late Seventeenth Century, the Composition of Business Fortunes", *Past and Present*, No. 46(1970), p. 46.

[③] John Patten, *op. cit.*, p. 86.

[④] Roy Porter, *English Society in the Eighteenth Century*, London: Penguin Books, 1982, pp. 90—91, pp. 96—97.

[⑤] 克拉克和斯莱克:《过渡期的英国城市》,第 69 页。

[⑥] 亚·沃尔夫:《十六、十七世纪科学技术和哲学史》,周昌忠等译,商务印书馆 1985 年版,第 676—677 页。

或建立,二是主要由村庄和村民在原地转变为城镇和市民。① 如此相似,城市在发展过程中市民也主要有两个来源,一是该城的原住民;二是来自于周围乡村或外地的移民。

所谓原住民,即指出生于城市的居民;所谓移民,当然是指出生于乡村或外地,后迁移进城的人口。两者在城市人口中各占多大比例,各有不同情况。但有一点是清楚的,即如果没有移民进城,城市的人口是不会增加的,因为在中世纪,城市人口的死亡率通常高于出生率,或者说,城市人口的自然增长率为负数。城市人口死亡率高有两个值得注意的原因。一是由于医疗卫生和保健条件差,婴儿的死亡率较高,通常每出生 1000 人,大约有 200 余人死亡。如 16 世纪 70 年代,约克一个堂区里,每出生 1000 婴儿,有 235 人死亡;17 世纪头三年,伦敦某个最贫困的堂区,每出生 1000 人死亡 250 人。一些较小的城镇婴儿死亡率略低一些,如科莱顿为 150 人。② 二是疾病和瘟疫因素。有些城市总人口虽然增长很快,但仍是死亡率高于出生率。如普利茅斯,1582 年至 1640 年间人口成倍增长,但安葬者仍然多于受洗者。诺里季,1582 至 1646 年间,死者多于出生者近 1 万人,然而人口却并非下降,而是上升了 5000 人。这合理的解释自然是外部移民不断涌入,每年有不低于 400 移民进入诺里季。主要由于瘟疫,伦敦在 1604 至 1643 年间,死亡人数超过了出生人数 10 万人,但其总人口却从 20 万人增加到近 40 万人,这增加的 20 万加上死亡数与出生数的差额 10 万共 30 万人,当属外来移民。据分析,每年需 8000 移民进城才能维持伦敦的人口增长水平。③ 有些城市中,大多数成年人是外来移民。例如,教会法庭案例表明,16 世纪后期至 17 世纪初,坎特伯雷和伦敦东区的证人,只有稍多于 1/10 的人是本地出生的。在人口发展较慢的小城莫尔登,16 世纪 70 年代,将近半数成年男性居民可以认定是移民。④ 流入伦敦的移民人数,可能高达伦

---

① 侯建新:《现代化第一基石》,天津社会科学院出版社 1991 年版,第 134 页。
② 克拉克和斯莱克:《过渡期的英国城市》,第 86 页。
③ 同上,第 87—88 页。
④ 同上,第 92 页。

敦总人口的50%左右。①

这些移民的原籍,是随着时代发展由近而远的。最初,移民多来自附近农村。如爱汶河上的斯特拉特福(莎士比亚故乡)建城后的最初50年里,移民几乎全部来自半径16英里以内地区;西密德兰各城市的绝大多数农村移民,也都来自30英里至40英里以内地区。② 16世纪后,移民的原籍则遥远得多。1710至1731年间诺里季的1601份学徒契约中,除了43%的学徒是本城居民的子弟外,余下的57%里,只有22%的学徒来自诺福克郡,③其余的35%来自萨福克郡以及更远的地方。伦敦的农村移民最先来自最近的南部地区,继而又来自较近的密德兰和东盎格里亚地区,到16、17世纪,伦敦的移民来自不列颠全岛。④

在城市兴起阶段时,进城移民多为所谓逃亡农奴。而城市在发展阶段中所吸收的移民则有三种类型。第一种可称为"改善型"移民,他们希望在社会和经济方面得到进一步改善而迁居城市,哪怕某些大号服公会的学徒费高达10英镑(如金饰商公会),地方商人和富有工匠也在所不惜,千方百计将子弟送到伦敦学艺⑤。17世纪中叶,伦敦的学徒多达2万人,其中来自北方和密德兰地区的达40%。一些小手工行业,更能给一些后台不硬的人以成功希望。一位叫布朗的人在1631年感叹说,他来伦敦之前,曾在莱斯特工作多年,可还是不能维持生活。而自从"来到伦敦后,现在我们成了首都的自由人,成了成衣商同业公会的成员",很便于今后开业。⑥ 有的商人和工匠为寻找发财机会而举家迁往城市,或从小城市迁往较大城市。还有希望在城里受雇而从事家庭服务劳动的年轻姑娘。更多的是企图通过学徒

---

① 克拉克和斯莱克:《过渡期的英国城市》,第88页。

② Susan Reynolds, *op. cit.*, p.70.

③ P. Corfield, "A Provincial Capital in the Late Seventeenth century: the Case of Norwich", in P. Clark and P. Slack eds., *Crisis and Order in English Towns 1500—1700, Essays in Urban History*, London: RKP, 1972, p.272.

④ Susan Reynolds, *op. cit.*, p.70.

⑤ Peter Ramsay, *Tudor Economic Problems*, London: Victor Gollancz, 1963, p.110.

⑥ 克拉克和斯莱克:《过渡期的英国城市》,第66页。

途径而进入城市社会的青少年。这种移民以短距离的为主,但也不排除远范围的,如诺里季就有不少学徒来自北部的约克郡,布里斯托尔在 16 世纪中叶有 9% 的学徒来自北部和西部的山区。16、17 世纪伦敦书商与文具商制服公会所接受的学徒,来自远近几十个城镇。

第二类是"生计型"移民。多是农村贫困阶层为城市的就业或施舍机会所吸引,或是为能在城市中自由行动所诱惑,从而进行长途迁徙,甚而从一个城市流向另一个城市,距离长达 100 英里以上。这些移民容易引起城市中的贫困等问题,属于不稳定因素。

第三类是外国移民,他们兼有改善和谋生双重特点。早在 14 世纪,就有不少来自佛兰德尔的工匠移居英国东部和南部的城市。16 世纪前,还有相当数量的外国商人居住在伦敦和南安普敦这样的港口。16 世纪中期后,从尼德兰来的瓦隆人和荷兰新教徒掀起了新一轮移民高潮。到 1568 年,他们在伦敦就有 6000 多人。16 世纪 70 年代诺里季的 15000 居民中,几乎有 1/3 是瓦隆人或荷兰人。此外,在桑德威奇、坎特伯雷、南安普敦、科耳切斯特等城市,也都有庞大的移民团体。移民中有不少技术工匠,为英国带来了"新呢布"(New Drapery)之类的新工业,但他们中也有很多贫困者。[①] 外国移民到来,既为城市带来了活力,也使城市市民结构更加复杂化,并加剧城市的社会矛盾。

在某些城市,移民对城市发展的贡献率和重要性甚至还大于城市原籍居民,尤其是吸引了各地商人的伦敦。1480 至 1660 年间伦敦共有 172 任市长,其中只有 14 人出生于伦敦;403 个"大商人"中,出生伦敦的不到 10%;813 个号服公会商人中只有 75 人(9%)、389 个店主和零售商中不到 4% 是伦敦原籍人。上层商人移民主要来自西部、东部沿海和近畿各郡。大约有 1/3 到 1/2 的外地移民在工商业上仍同本家族保持联系。[②] 如 1599 年的伦敦市长莫斯利,实际就是曼彻斯特呢绒制造商莫斯利家族在伦敦的常

[①] 克拉克和斯莱克:《过渡期的英国城市》,第 93—95 页。
[②] G. D. Ramsay, *op. cit.*, p. 110.

驻代表。[①] 来自曼彻斯特的乔治,是伦敦成衣商公会的号服成员,他与其兄曼城的大呢绒批发商兼制造商汉弗莱合作,专门负责本家族在伦敦方面的工业与贸易事务。[②] 这种联系,有利于伦敦工商业的发展,也强化了伦敦对各地工商业的控制网络。

三、城市市民的工商业组织

所有取得了自由人资格、在城内开业的人都是市民。但他们开业资格的取得,他们日常的工商活动,都要受到城市工商业组织即行会以及城市当局的管理和约束。

行会(gild, guild)这个词 5 世纪时就有,原指法兰克战士的一种祭奠仪式,加洛林时期指的是喝酒的俱乐部组织。在英国,10 世纪的伦敦及其附近都出现了 gild。行会最初作为一种集体组织,在农村和城市中都有,它也可能有宗教团体、慈善机构、互助团体等性质。[③] 在有的地方,gild 这个词与收集钱的意思等同,而 gild 这个词就是来源于盎格鲁-撒克逊词"gild",意思是一笔支付,一笔贡献给共同基金的支付,[④] 显然也带有慈善性质。gild 只是到后来才用于工商业组织,但在城乡仍有不少宗教组织仍用"gild"做名称。

英国行会发展经历了三阶段:第一阶段,商人基尔特(gild merchant),12 世纪下半叶和 13 世纪上半叶是其全盛时期;第二阶段,手工业行会(craft gild),在 13 世纪下半叶和 14 世纪里独揽大权;第三阶段,公会(com-

---

① A. L. Rowse, *The England of Elizabeth: a Structure of Society*, New York: The Macmillan Company, 1951, p. 144.
② G. W. Daniels, *The Early English Cotton Industry*, Manchester: Manchester University Press, 1930, pp. 33—34.
③ 马克垚:《英国封建社会研究》,第 244 页。
④ C. Gross, *The Gild Merchant*, Oxford: Oxford University Press, 1927, p. 58.

pany),15世纪开始进入城市经济领域。① 总体上说基本如此,但各个时期、各类城市各有一些不同情况。

商人基尔特很可能是从诺曼底引进的。它是大陆国家如法国和佛兰德尔早就有的经济组织,对英国却是个舶来品。那时候,许多法国人和诺曼人群集于英国城市和市场,使英国人立刻知道了这种商业组织的优越性。这时英国和诺曼底形成的密切联盟,促进了英国对外贸易的增长,相应也促进了国内工商业的发展。贸易的扩张使商业成分在城市生活中日趋重要,因此更感到有必要联合起来,形成商人基尔特之类的保护性联盟。有关商人基尔特的最早文献记载见于11世纪末。亨利一世时期,城市特许状中经常提到。其后商人基尔特得到了很快发展。那时,国王或贵族在给城市的特许状中总允许城市建立商人基尔特或商人同业公会(hanse)。至13世纪,至少有1/3的自治市被赐予建立商人基尔特。但是,1191年约翰王承认伦敦公社(communa)的特许状中,没有提到伦敦有商人基尔特。地方城市如东南五港(Cinque Ports)也没有。②

一个城市通常只有一个商人基尔特,它有比较完整的管理机构和章程,有较为齐备的管理人员。12、13世纪,商人这一概念并不是指专门的经商者,而是指有经商和买卖活动的人,因此每一个手工业者都是商人,他既购买原料,也出售产品。所以,商人基尔特几乎囊括了城里所有的工商业者,手工业者可能还构成基尔特成员的大多数。但并非居住在城内就一定有入会资格。有的城市里,逃亡来的维兰不能参加这个基尔特。如安多沃(Andover),商人基尔特成员被划为两个阶层。一个拥有自由成员资格,称为"free gild"或"forwardman",是会员中的高级阶层。另一个则只有"维兰"(villein)或"hanse gild"资格,又被称为"custumarii",主要是一些小商人和工匠。会员资格可以转让,但接受者必须付费。这里1296年规定,接受转

---

① C. Gross, *op. cit.*;George Unwin, *The Industrial Organization in the Sixteenth and Seventeenth Centuries*, Oxford:Clarendon Press, 1904;金志霖:《英国行会史》,上海社会科学院出版社1996年版。

② C. Gross, *op. cit.*, chapter 1, pp. 1—22.

让的人必须向基尔特付半个马克;如果是父亲转让给儿子,只需付 2 先令,其他人付 60 先令。会员资格终身享有,不得继承。凡重罪者,逐出行会,"不得接收他,不得同他做买卖,不得给他水与火,不得同他保持联系,否则要给予剥夺自由的处罚"。[1]

  商人基尔特的主要职能在于维持垄断,即只有基尔特成员才享有在城内自由从事商业、买卖商品的权利。成员还享有优先购买权(right of pre-emption),即可优先购买城市新进货物;或成员有超出规定的货物必须处理时,首先应由其他成员买去,而且只能按原价。成员间以"兄弟"(brethren)相称。非基尔特成员者,不得在城内开店,不得零售当地的主要商品如呢绒、羊毛、谷物、肉等。在城内买商品也要受限制,主要商品不能买后再倒卖,只允许买自己需用的。有些城市允许外人以批发形式在城内出售商品,但必须面向基尔特成员,而且必须将商品放在指定地点,必须全部打开包装出卖,以便随时接受检查。在城内停留不能超过 40 天,40 天内也要受到严密监督,以防他们受到基尔特成员的掩护。非基尔特成员不能同基尔特成员合伙经营。莱斯特规定,外人即便借了资本给基尔特成员,也不能分割利润。享受了自由贸易特权的基尔特成员,其义务主要是分担城市财政费用,统称为"scot and lot"。为减轻经济负担,城外的人如修道院长、骑士和其他显贵也经常被吸收进商人基尔特。1281 年,莱斯特与林肯大主教的佃户达成协议,同意后者加入该城的商人基尔特,分享商业特权,后者付出的代价是:国王、王后和大臣们来视察该城时向他们送礼,王室向该城征收罚金时出钱帮助。[2] 概括起来说,中世纪城市允许外来人员进城交易的条件有三:第一,必须缴纳通行税(tolls),而这一点市民可以全免或部分地免除;第二,外来人员不得与别的外来人员进行买卖交易活动,市集(fair)上或某些地方开市期间除外;第三,外来人员不经特别许可,不得在城内零售商品。[3]

---

 [1] C. Gross, *op. cit.*, chapter 2, pp. 23—33.
 [2] *Op. cit.*, chapters 3 and 4, pp. 36—58.
 [3] Sir William Ashley, *An Introduction to English Economic History and Theory*, Book 2: *From the Fourteenth to the Sixteenth Century*, London: Green, 1909, p. 13.

商人基尔特组织与市政机构不能等同，它只负责城内有关商业和买卖方面的事务。商人基尔特成员的身份与市民的身份也不能等同。其一，基尔特权利为许多不住在城内的人所享受，加入了基尔特不等于成为市民。其二，是市民的人不一定属于商人基尔特，南安普敦、伯里圣爱德蒙等城均有文件说到市民不是基尔特成员的情况。城内有些市民并不从事工商行业，因而无必要或无资格参加商人基尔特。其三，城内还有些既不是市民，也不是基尔特成员的从业者。如林肯城，约翰王时期漂洗工住在城内，他们既非市民亦非基尔特成员。城内还常住有自由索克农的佃户，住有寻求庇护的维兰，住有犹太人。基尔特成员资格与市民资格的不同主要表现在，前者的主要资格是有能力付"scot and lot"，后者主要是有能力积极完成工作职责，如检查与监督、担任公职、参加陪审团等。市民也被征税，但比基尔特成员轻。市民必须是城内不动产的拥有者，必须在城内住，基尔特成员则不受这些限制。当然不能无限夸大这些区别，很多时候两者混为了一体。①

商人基尔特所获特权主要只涉及商业和经营活动，一般不过问生产事务。随着生产和分工的进一步发展，按生产和行业分别组织的手工业行会和商业行会不断涌现，商人基尔特逐渐失去存在的价值。手工业行会不同于商人基尔特。他们没有成为官方的市民组织，不是城市行政的一个分支。它们的存在是以向国王付出年贡为代价的，而商人基尔特则得到特许状的保证。手工业行会拥有对自己这一行业制造和买卖的垄断权。随着商人也按照行业组成独立组织，商人基尔特便逐渐被取代，这一过程主要发生在14、15世纪。② 许多城市的手工业行会或商业行会，常撇开城市当局，直接从国王或领主手中取得工商方面的特权。

英国城市的手工业行会最早出现于12世纪，其名称被提到只比商人基尔特晚半个世纪左右。③ 它在13和14世纪里得到广泛发展，一些重要城市一般都有几十个行会，几乎每一个小行业都有自己的组织。如约克1415

---

① C. Gross, *op. cit.*, chapter 5, pp. 61—76.
② *Op. cit.*, pp. 114—117.
③ *Op. cit.*, p. 114.

年曾有 71 个行会负担演剧经费,最小的制蜡烛工行会,仅仅 6 名成员,而与铁制品相关的几个行会,平均拥有会员也只有 11 人。[1] 在中小城镇,由于每个行业从业者人数甚少,从而无法形成行会组织。[2]

行会的出现是生产者为了保护自身利益,为了传授生产技术而团结起来的组织。在经济生活中,行会的作用主要体现在三个方面,这些做法在其规章里都有明确表达:

其一,行会对成员的生产活动,从生产规模、生产手段、生产工具、工作时间、帮工和学徒人数、产品规格与质量等方面,都有极为严格的规定和限制,并且组成专门的监督和监察机构。有些规定相当细致,譬如不准晚上工作,因为在昏暗的烛光下,产品质量难以得到保证。又譬如 1520 年前约克城规定,师傅身边的学徒一般不能超过 2 人;1586 年约克还出台新规定,禁止任何开业在 5 年内的师傅带学徒或佣工的数量超过 1 人。[3]

其二,控制城市手工业的发展。这种控制主要体现在行会极力维持对手工业的垄断特权,对外来人员极力排斥。行会对手工业的垄断,包括严格规定加入本行会、从事本行业的资格;严格禁止本行会以外的人员在城内从事这一行业,包括从事甲行业的人员不得从事乙行业,严格防止属于本行业的生产活动向外扩散,极力阻止乡村地区发展本行业生产等。

其三,对商业活动的控制。由于行会手工业者本身又是小商人、小店主,因此维护本城既定的市场范围,不容许外来人员闯入他们的禁地,是行会的一贯政策。例如,1448 年施鲁斯伯利城的织工行会规定,任何住在除什罗浦郡、赫里福德郡以及靠近威尔士边界各郡以外的英格兰人,除集市期间可销售帆布外,不得在施鲁斯伯利出售亚麻制品。[4]

手工业行会和商业行会组织从 14 世纪开始发生变化,这种变化一直持

---

[1] L. C. Marshall, *op. cit.*, pp. 81—82.
[2] 马克垚:《英国封建社会研究》,第 246 页。
[3] D. M. Palliser, *op. cit.*, p. 98.
[4] D. C. Douglas, *English Historical Documents*, Vol. 4, London: Routledge, 1969, p. 1094.

续到 17 世纪。变化的主要内容是向所谓公会(company)转变。关于这种变化的性质,学术界颇有争议,不少学者认为是向资本主义性质的生产组织转变,① 也有学者认为是"一个从城市经济时代的手工业生产单位向民族经济形成时代商人统治下的组织的变化"。②

伦敦是最先开始由行会向公会转变的城市。旧有意义上的封建行会制度,在伦敦只存在了很短暂的一个时期。大约还在 14 世纪,伦敦就显示了向公会转变的征兆。这个世纪末,伦敦出现了至少 60 个公会。③ 15 世纪时,伦敦的大小手工业行会和商业行会相继过渡为公会。这种过渡有多种形式。一是小行会合并为大的公会。二是大的手工业行会吞并或控制小行会,从而上升为公会。如刀剑业的例子。1408 年,刀柄匠行会向市政当局申诉说,刀剑的制造分布在三个不同行业:刀片匠制造刀片,刀鞘匠提供刀鞘,刀柄匠安装刀柄,因为由刀柄匠出售最后产品,有关刀具质量好坏的一切毁誉都落在他们头上。由此,刀柄匠取得了所有在英国制造和在伦敦出售的刀鞘的检查权力,后来又限制刀片匠不得提高刀片价格。这样,刀柄匠实际取得了刀剑业的控制权。1415 年,国王敕令其升级为自治公会。④ 三是大手工业行会转变为商业公会,并控制与其经营商品相关的手工业行会。如呢绒修整工行会于 1364 年得到国王特许状,获得了"唯一的制造呢绒的权利",并根据特许状成立了"呢绒商公会",由生产者变成了纯粹的商人。而织呢工则失去了制造呢绒的权利,也不能搞漂洗、染色和加工出卖;染呢工只能染色,漂洗工只能漂洗。呢绒商公会不但掌握了伦敦呢绒工业的支配权,而且还有在本城及郊区零售呢绒的独占权,并进一步垄断了全国运往伦敦呢绒的贸易,还参与了对外贸易。⑤ 这一局面直待 1537 年漂洗工和剪呢工合并成立呢绒制造商公会才予以打破。四是各种商业行会上升为公

---

① 如金志霖的《英国行会史》。
② G. Unwin, op. cit., p.12.
③ Sir William Ashley, op. cit., Book 1, p.80.
④ G. Unwin, op. cit., pp.24—25.
⑤ Op. cit., p.30.

会。16世纪伦敦12大号服公会中,商人号服公会占绝大多数。① 这些公会还合并或吞并了许多与其经营商品相关的小行会。五是纯粹的外贸商人组成公司。② 15世纪,英国专门的羊毛出口商(The Staplers)公司基本上垄断了羊毛出口权利。1407年成立的商人冒险家公司(Merchant Adventurers)后来获得了垄断呢绒出口的权力。16世纪后期,特许贸易公司纷纷诞生,著名的有利凡特公司、土耳其公司、莫斯科公司、东印度公司等,这些公司后来成了股份公司。

穿着鲜亮齐整的号服,被当时人认为是成功商人的标志之一。在伦敦的公会中,一些较小公会的上层成员都着号服。那些较大、较有实力的公会,则是所有成员都着号服。16世纪伦敦的12大号服公会里,成衣商公会、金饰商公会和呢绒制造商公会是起源于手工业的。分化成商人和手工工人两部分后,商人们组织起公会,穿起了有别于下层人物的"号服",同行业的工匠则完全依附于他们。如伦敦呢绒商公会,1493年一共有229个成员享有充分权利,其中只有114人着有号服。③ 12大号服公会基本上控制了伦敦的统治权。16世纪的100年中,丝绸商号服公会有24人当过市长,呢绒商号服公会有17人当过市长,食品杂货商号服公会有14人,其余几个大号服公会,均有六七人当过市长。④

地方城市中的行会向公会转变,曾被人认为是对伦敦时髦形式的简单模仿。⑤ 但各地城市的这种转变确是事实,而且没有哪一个城市、哪一个行会能避开这一趋势。只不过在时间上略晚一点,一般都开始于15世纪。如1436年,考文垂的铁匠行会、制动器匠行会、腰带匠行会和金属拉丝匠行会

---

① 12大号服公会分别是:丝绸商公会、呢绒商公会、食品杂货商公会、服饰商公会、盐商公会、酒商公会、鱼商公会、皮革商公会、小五金商公会、金饰商公会、成衣商公会、呢绒制造商公会。
② 公司一词也是company,主要由于翻译习惯,我们把15、16世纪从事外贸的英国商人组织都说成是公司。
③ Sir William Ashley, *op. cit.*, Book 2, p.131.
④ 施托克马尔:《十六世纪英国简史》,上海外国语学院编译室译,上海人民出版社1958年版,第66页。
⑤ D. M. Palliser, *op. cit.*, p.89.

合并为一个公会。1449年,诺里季的刀片匠行会、锁匠行会和鞍具匠行会合并到铁匠行会。① 布里斯托尔、切斯特、林肯、索尔兹伯里、赫里福德、格洛斯特等城市,商人同各种金属行业合并为一个大公会,其中多是商人因素支配手工业因素。②

16世纪后期地方城市里还出现了跨行业合并的趋势。1574年,北安普敦的七家行会合并为一家,一年后,其余的行会合并为四家大公会。1622年,诺里季全城的贸易都被组织在12家大公会内。③ 1576年,伊普斯威治出现了四个控制全市所有工商业部门的公会:丝绸商公会、呢绒商公会、成衣商公会、鞋匠公会。每个公会都设一名会长和两名执事。虽然不能断言每一类工商业者原来是否有自己的行会,但原有的行会都被置于这四个公会的控制之下当是无可怀疑的。1598年,赫尔金匠公会的成员更为庞杂。在圣阿尔班斯,最初所有的行业都被合并到四个公会中,后来这四个公会又重新整合,只剩下丝绸商公会和客栈老板公会。④ 威尔特郡吉维斯的所有行会全被三个商人公会即呢绒商公会、丝绸商公会和皮革商公会吞并。施鲁斯伯利的丝绸商公会也合并了十几个行业。⑤

四、城市市民的不同经济角色

无论是行会发展的哪一阶段,有一点是变化不大的,即手工工匠也好,批发商、零售商也好,服务业老板也罢,他们的作坊或店铺都是独立的生产或经营单位。在这个单位里,有三种不同地位的人在从事劳动、生产或经营活动,即行东(老板)、帮工和学徒。

手工作坊和服务店铺的老板也就是行东师傅(master)。这些城市工匠

---

① 金志霖:《英国行会史》,第157页。
② G. Unwin, op. cit., pp.83—84.
③ 里奇和威尔逊主编:《剑桥欧洲经济史》,第5卷,高德步等译,经济科学出版社2002年版,第419页。
④ 金志霖:《英国行会史》,第158—159页。
⑤ 施托克马尔:《十六世纪英国简史》,第69页。

一般兼有五种职能。首先,他是工作者、劳动者(workman),用自己的双手参加作坊中最重要、最关键环节的劳动,特别是技术性很强、技术含量高的劳动,或产品最后总装或修整的劳动。其次,他又是监工(foreman),即带领和监督作坊里帮工和学徒们劳动。再次,他又是雇主(employer),即作为老板,他要承担生产责任,提供资本,满足作坊在原材料、工资、食物等生产和生活方面的需要。第四,他还是商人(merchant),负责组织作坊里所需原材料的购进和供应。最后,他也是店主(shopkeeper),在作坊的前面开设门面销售自己的产品。[1] 这五种职能可以归纳为两种,即生产职能(1,2,3)和商人职能(4,5)。

"前店面后作坊"是典型的手工作坊形式。在城市中心区,普遍的情况是,手工业者的住处和工作场所基本上在一所房子内,属于立体式居住模式。底层为商店,后院是工棚,师傅及家庭住在商店上面的一、二楼,学徒、帮工和女佣则挤住在屋顶的阁楼里。[2]

学徒(apprentice)是作坊里的无偿劳动者,而且还需向师傅交纳一笔学徒费。学徒期间,一般要为师傅家庭做繁重的家务活,与旧时中国"徒弟徒弟,三年奴隶"说法差不多。至于学手艺,一般是在前几年干没有技术含量的粗活,直到最后一两年师傅才给予技术上的指点。拉长学徒期限是一种普遍做法。学徒期一般为7年,但有的更长些。1574年,约克的铸造工行会(The Founders)要求学徒期为8年;1589年,面包师行会要求10年、11年,甚至12年。该行会于1560—1570年吸收的35名学徒中,有15名多于7年,有1人达12年。[3] 7年学艺期间,学徒只能得到很少的零用钱,有的师傅甚至干脆不付给。[4]

帮工(journeyman)属于雇佣劳动者。他们都是学徒出师之后,在自己师傅的作坊里再做若干年雇工,领取工资,积蓄初始资金,也积累一些经验。

---

[1] George Unwin, op. cit., pp.1—2.
[2] John Patten, op. cit., p.36.
[3] D. M. Palliser, op. cit., p.98.
[4] Sir William Ashley, op. cit., Book 2, p.87.

从理论上说,这是一条成长为独立工匠的基本途径,但实际中并非坦途。因为从城市工商业的状况来看,只要城市经济没有大的扩展,它所需的各个行业人员就不会有大的增加,而城市行东师傅们一生所带过的学徒总数绝对要超过城市所需增加的工匠数,这就势必有一部分出师学徒停留在帮工这个角色上,只能靠打工挣钱而养家糊口,而不能自己当老板。从学徒通过或不通过帮工阶段而最后成为师傅的,要么是有很硬家庭经济背景的,能够以巨额资金支持子弟开业;要么是原有师傅的子弟或女婿。行会常以种种名目使一部分帮工不能独立开业。譬如规定苛刻的开业资格和条件:要经师傅同意才能自立门户,开业年龄必须在 24 岁以上。1585 年约克手套工行会规定,学徒成为师傅的年龄不能小于 24 岁。[①] 又譬如增加新会员负担,削弱他们的竞争实力。各地都规定,新开业入会者,必须宴请行会会员,必须承担行会的庆典费用。这些做法,无疑抑制了行会成员数量。少数积累了小量资金的帮工移出城外另谋出路,大多数帮工则从 14 世纪下半叶起沦为永久性的雇佣劳动力。[②]

15 世纪初,帮工们为维护自己的利益,开始组成联谊会。1417 年前,伦敦至少出现了 8 个这样的帮工组织,埃克塞特有成衣匠帮工会,牛津有鞋匠帮工会,考文垂、布里斯托尔也有类似组织。帮工会的主要目的是增加工资。为达到这一目的,它们不一定与行会闹翻。如 1446 年,伦敦的成衣匠帮工会就变成了成衣匠公会的从属成员。1458 年帮工会设立了"监事"(warden),受公会之命检查外来人员从而获取报酬。1569 年,成衣匠帮工会有 4 个监事,由公会从行东中指定;16 个助手,从帮工自身中产生。1608 年,监事们指责助手们花天酒地,16 个助手则回答说,他们从行业中驱逐了 1000 个外人,为公会带来大笔收入,意思是花这点不算什么。1661 年,成衣商公会最后废除了帮工会。[③] 在伊普斯威治的各毛纺业公会,规定任何成员不得向帮工付多于法律规定的工资。如果帮工为了工资而拒绝工作,公

---

① D. M. Palliser, *op. cit.*, p. 98.
② 刘景华:《城市转型与英国的勃兴》,中国纺织出版社 1994 年版,第 68 页。
③ Sir William Ashley, *op. cit.*, Book 2, pp. 106—115.

会的执事和管事可将其控告进监狱。①

16、17世纪,通过学徒途径成为独立开业者的自由人很少。约克城内最著名的皮革业行会"手套匠行会",伊丽莎白时期每年只吸收2个自由人。② 在登记成为学徒的人里,只有一小部分能成为自由人而独立开业。下表是布里斯托尔的例子:③

年代	登记为学徒者	登记为自由人者	学徒中成为自由人的比例
1560s	108	30	27.8%
1570s	142	28	19.7%
1580s	149	37	24.8%
1590s	183	35	19.1%
1600s	203	—	—
1610s	209	52	24.9%
1620s	241	68	28.2%
1630s	265	82	30.9%
1640s	213	69	32.3%
1650s	250	88	35.2%
1660s	268	—	—
1670s	223	130	58.2%
1680s	256	117	45.7%

伦敦的学徒在16、17世纪里成为自由人的比例也只有50%上下,如木匠公会在1540—1590年间,没有学完艺便提前退出的学徒比例高达45%。在诺里季,学徒最后能成为自由人的比例比布里斯托尔还低。④ 所以,诺里季一些织工学徒出师后,往往返回家乡约克郡的西莱丁区、威斯特莫兰郡、

---

① G. Unwin, *Studies in Economic History, the collected papers of George Unwin*, London: Macmillan, 1958, p.282.

② D. M. Palliser, *op. cit.*, p.93.

③ Ilana Krausman Ben-Amos, "Failure to become freemen: urban apprentices in early modern England", *Social History*, Vol.16, No.2, May 1991, p.157.

④ Ilana Krausman Ben-Amos, *op. cit.*, p.155.

坎伯兰郡,在本地发展织呢业。① 布里斯托尔那些没有成为城市自由人的出师或未出师的学徒们,学织布和呢绒制造的可能去了附近格洛斯特、萨默塞特和威尔特郡的乡村毛纺区,学金属工艺的也可能在附近的农村立业,因为第因森林(Forest of Dean)炼出的铁,使布里斯托尔周围乡村制钉业非常发达。②

如能在城市独立开业,其前程便可能不可估量。17世纪伦敦一个富商市民从学徒到海外贸易商人的商海生涯,非常有代表性。托马斯·卡勒姆,呢绒商,伦敦市长老,复辟王朝时期获从男爵封号(baronet)。他所保存的账本记录了自己从1616年学徒出师(时年29岁)到1664年去世的情况。其祖上是萨福克郡索恩顿人,1400—1550年间曾为村庄的铁匠世家。家族中的另一支在伊丽莎白时代兴旺起来,到1630年代获得"绅士"(gentleman)称号。托马斯的父亲花费了50或60英镑让他到伦敦一家大公司(company)学徒。学徒期满后,父亲遗赠200镑,兄、姐各借100镑与他,使他在师傅的公司里占有一股份。其师傅约翰·雷尼,呢绒商,住在伦敦格雷斯教堂街。卡勒姆1616年开始记账时,手中的积蓄为92英镑2先令6便士(其中只有17镑现金,10镑已交给其叔代为经营,余者皆是他为人做工而别人欠他的账),几个月后,其兄将父亲的200镑遗产交给了他。到1620年底,五年时间里他便积蓄了1000英镑。1621年,他将一半投入呢绒贸易,一半投入现纱交易。1621年他带了一个徒弟,为诺福克一乡绅之子,得80镑学徒费。1622年建一商店。1623年娶伦敦一商人之女为妻。由于一定的花销,这年年底他才积蓄到2118镑。1624年他开始自己开业经营,不再与师傅合伙。1626年,他成为帮工联谊会的执事(这时他实际已是老板)。1627年成为号服成员。从1624至1642年,他又先后接受了来自伦敦、约克、伍斯特等地的商人或乡绅的子弟共11人当学徒,每人学徒费分别为80、100、120英镑不等。他将资本借出去以求利息。这期间,他每年都要

---

① John Patten, *op. cit.*, p.123.
② Ilana Krausman Ben-Amos, *op. cit.*, p.163.

增加1000镑收入,1641年时积累财富已达2万英镑。此后20年,他致富的途径有四条:两条是原有的,即投资海外贸易和经营呢绒贸易;两条是新有的:官职收入(1644—1650年年均达1200英镑)和地产收入。呢绒贸易收入每年不过七八百镑。这20年中,他的生涯可分三阶段:第一阶段,全力投入呢绒贸易。第二阶段,与自己的出师学徒尼科尔斯合伙经营呢绒贸易,但他自己的大部分投资和精力转入了海外贸易,1647年加入东印度公司。第三阶段,1658年后,他已70多岁,便放弃经营,退居农村,靠地租和股份投资收入过活,年收入在1000镑以下。1644年他花800英镑购买了六处房产。购买土地和房屋主要是出于不稳定的时局。①

16世纪,随着行会解体,一些破产的手工工匠和帮工逐渐形成了新的社会阶层——小匠师(small master)。② 这些小匠师虽拥有自己的工作场所和工具,但实际已丧失了生产的独立性。他们无资金购买原料,也无资格自销产品,因此只能从商人工场主那里接受计件工作,将完成的产品交回,再领取工资。如威尔特郡沃敏斯特城织呢工马赛厄斯·佩里,1696年为呢绒制造商旺希织造38至39码长的粗毛毡,每匹得工资14先令。用剩余的线头织作一种结构简单、质地粗糙的呢绒,每匹获工资8便士。织一种长25码、宽49.6英寸的双面哔叽呢,每匹获工资27先令6便士(其中由他自己提供经纱)。旺希太太有一次从一个织呢工手中买走一架织机,尔后又反租给他,每年收取租金6先令。③

五、市民的社会分层和贫富差别

从法理上说,中世纪城市市民的身份是平等的,市民都有从事工商业活

---

① A. Simpson, "Thomas Cullum, Draper, 1587—1664", *Economic History Review*, 2nd series, Vol. 15, 1962, pp. 236—244.
② George Unwin, *op. cit.*, p. 58.
③ J. DE L. Mann, "A Wiltshire Family of Clothier", *Economic History Review*, 2nd series, Vol. 9, 1956, pp. 67—80.

动的自由。但在事实上,那些帮工、学徒和伙计们,人身上是自由的,却很难取得城市自由人身份,因而独立从事工商业活动的自由实际上被剥夺了。他们在城市是没有地位的下层,是城市的贫民阶层。比他们地位更低的,还有那些没有基本生活保障的城市流浪者、乞丐、无业人员等。独立的手工工匠、服务业和零售商业的店主,是城市市民的中间阶层,或可称城市平民。富有的批发商、外贸商、高利贷者和房地产主则成为城市的上层阶级。所谓市民,多指的是手工业者和店主以上的人员,城市下层贫民不被包括在内。

按说中世纪城市是作为自由人的天堂而出现的,城市在本质上是应该没有社会等级的。中世纪英国也没有哪个城市公开张扬要建立等级制度,或在法理上规定社会等级。但由于城市诞生的母体是等级的封建社会,它又同这个母体有千丝万缕的联系,因此"无论如何绕不开"封建母体中等级制度和等级观念的影响。因此,中世纪城市里等级意识、等级观念毫无疑问是存在着的。[①] 英国当然也不例外。这种等级观念与社会阶层的收入差距、贫富程度相结合,从而使城市中存在着以财富为基础的十分明确的社会分层。

不过,在中世纪英国城市里,并没有一个等同于今天中产阶级那样的一个社会阶层。一方面,富人是极少数,城市人口的大约5%是头面人物和富商,他们拥有城市2/3的财产,掌握着城市大部分财富;另一方面,穷人占多数,而且至少有50%的人生活在贫困线下,有1/3的人口穷得不能进行像样的经济活动。[②] 贫富之间的鸿沟有多大呢?有学者这样估计,在伍斯特这样一个地方城市,呢绒制造商死时留下的财产,是大多数劳动者财产的50倍。伦敦商人的财富至少是该市手工工匠财产的100倍,手工工匠之下还有无数完全没有财产的人。[③] 在1678至1693年间死去的伦敦自由人里,5%左右的人拥有5000英镑以上的财产。班克爵士和吉尔德爵士这样

[①] 施治生、徐建新主编:《古代国家的等级制度》,中国社会科学出版社2003年版,第481—508页。

[②] John Patten, op. cit., pp.34—35.

[③] 克拉克和斯莱克:《过渡期的英国城市》,第115页。

的实业界巨头,死时留下的财产多达 10 万英镑以上。在这少数巨头之下,是拥有 100 英镑至 5000 英镑的自由人阶层。往下是一些收入不到 100 英镑的小市民。再下就是一大群小匠师和帮工,他们与郊区贫民差不多。[1]城市的财富差异,还常常反映在市内住宅区的差异上。

除伦敦外,地方城市也有富有的豪商巨贾。1294 年,施鲁斯伯利的大商人"勒德洛的劳伦斯",向国王让渡过一笔惊人的羊毛关税。在邓斯塔布尔这样的小镇,居然也有极富足的羊毛商人借钱给当地贵族[2]。甚至连英国王室财政也要依靠商人们的支持。1397 年,共有 193 个人向理查三世提供私人借款,其中包括各城市的大商人 70 人。[3] 1411 年,考文垂呢绒商普雷斯顿和转运商希普利,又是城内两个最大的房地产主,都拥有可容 12 家住户的房产。[4] 在约克,据说死于 1435 年的商人阿尔斯坦莫尔留下的不动产,价值达 760 英镑。商人拉塞尔死时光留下的现金和存款就超过 700 英镑,布莱克本遗留的财富达 800 英镑。[5] 这在当时都是不小的数目。1461年,布里斯托尔大商人坎尼在接待国王爱德华四世时,排场足可与大贵族媲美。[6] 在 16 世纪 20 年代的世俗补助税征收中,拉文翰的斯普林家族,拥有该城应纳税财产总数的 37%,坎特伯雷大约 1000 名市民中,只有 29 人纳税在 40 英镑以上。[7] 布雷德福城呢绒商霍顿所缴的税金,等于全城总额的70%。[8]考文垂三大巨贾即杂货商马勒、呢绒商内瑟米尔、羊毛商普斯福交纳了该城总税额的 1/4;莱斯特的威廉兄弟俩缴纳了本城的 1/3;诺里季杂货商詹尼斯缴纳了该城的 1/14,达 120 英镑,等于罗彻斯特城的税款总额;

---

[1] 克拉克和斯莱克:《过渡期的英国城市》,第 70 页。
[2] Susan Reynolds, op. cit., p.79.
[3] W. Cunninghan, The Growth of English Industry and Commerce, Cambridge, 1915, Vol.1, p.385.
[4] R. Hilton, op. cit., p.211.
[5] J. L. Bolton, op. cit., p.29.
[6] C. M. Waters, An Economic History of England, Oxford: Oxford University Press, 1961, p.131.
[7] 克拉克和斯莱克:《过渡期的英国城市》,第 108 页。
[8] John Patten, op. cit., p.193.

埃克塞特的克鲁奇家族缴纳了本城的 1/10。①

另一方面,则是大量既无工资又无一英镑动产,被完全豁免补助税的人们。他们要么是失业者,要么是未充分就业的贫民。在考文垂,这样的人占了城市人口的一半;在埃克塞特、伍斯特、莱斯特,占了 1/3 多。靠工资为生、只缴极少补助税的人,比例也相当大,如莱斯特是 43%,埃克塞特是 47%,索尔兹伯里是 48%。把这两部分人加起来,可以说,在 16 世纪 20 年代,生活在贫困线下或接近贫困线的人,多达城市人口的 2/3。②

到 17 世纪六七十年代征收炉灶税时,这种情况有所改变。城市中生活优裕的人,大致占城市人口的 1/4,他们居住在有 2 个以上壁炉的房子里,其中有 1% 或 2% 的富豪有 9 个以上的壁炉。在底层平民里,免纳炉灶税的人构成房主的 40%;有时甚至更多些,如科耳切斯特,这类人的比例达到 52%;布伦特里和博金这种小纺织城市,有 67% 和 81% 的房主穷得不能纳税。③ 1666—1672 年,各城市中因贫穷而免去炉灶税的人占了很大比例:④

布里斯托尔	20%	约 克	16%—20%
诺里季	55%	莱斯特	25%
罗瑟尔翰	18%	但卡斯特	19%
里士满	27%	比塞斯特	30%

富人尽管数量不多,但无疑在城市中居于主导地位,掌握城市统治权,有的还实行寡头政治,甚至家族统治。如约克,1399 年至 1509 年的 85 任市长中,至少有 68 任是商人和丝绸商。在林城,神圣三一行会的长老可自动变成城市的代理市长,他还可挑选市政会核心层 12 人委员会的前 4 名成员,这个委员会的职责就是每年选举市长和其他官员。三一行会和市政会

---

① W. G. Hoskins, *Provincial England, Essays in Social and Economic History*, pp. 73—74.
② 克拉克和斯莱克:《过渡期的英国城市》,第 114 页。
③ 同上,第 115 页。
④ John Patten, *op. cit.*, p. 34.

24 人委员会成员全部由显贵组成。① 在北安普敦,梅德纳家族、麦克尼家族、斯里克文家族以及莱昂家族维持的统治地位,达一个世纪之久。伊普斯威治的多恩迪家族、斯帕罗家族和布洛伊家族统治该城的时间,则从 16 世纪初一直延续到 17 世纪末。② 上威库姆这种小城镇也有寡头集团,亨利八世在位的 38 年间,该市的市长职务被这个集团中的 15 人垄断。一个叫阿斯特布罗克的人,在 1489 至 1530 年间曾经 11 次出任公职。③ 17 世纪也有寡头政治的存在,1641 年,博辛斯托克镇按特许状建立了一个由 1 名市长、7 位长老和 7 个市民组成的寡头政治机构。"它非但是一个封闭的集团,而且随着时间推移变成了一个家族党,它的所有成员都通过血缘和婚姻关系而相互依存"。④ 当然到这个时候,寡头政治逐渐衰落,中产阶级开始在城市政治舞台上起主导作用。

上述考察表明,英国中世纪城市是一种拥有较大独立和自主权的政治经济单位,城市市民是享有充分人身和行动自由的自然人。虽然它不能彻底摆脱封建主阶级的控制和封建政治局况的纷扰,虽然它的内部也有社会分层和社会对立,但与封建农村相比,它是一种越来越异态和异质的社会组合。正是在它这里发育着市场经济因素,孕育了新兴经济关系,培育了新生社会力量,培育了新的思想文化和价值观念体系,推动着商品经济化的进程。可以说,它是最先为英国走向现代化准备着条件的土壤,尽管这种准备过程是相当曲折的,在时间上也是相当漫长的。

---

① J. L. Bolton, *op. cit.*, pp. 260—261.
② Joan Thirsk ed., *op. cit.*, p. 489.
③ J. Cornwall, "English Country Towns in the Fifteenth Twenties", *Economic History Review*, 2nd series, Vol. 15, 1967, p. 56.
④ P. Clark and P. Slack eds., *op. cit.*, p. 21.

论德国法西斯武装干涉西班牙决策的战略得失

On the Strategic Gain and Loss in Nazi Germany's Armed Interference in Spain's Civil War

倪 学 德(聊城大学历史文化学院)

摘要:关于二战前纳粹德国干涉西班牙内战的战略得失问题,学术界的意见并不一致。本文认为,从政治军事战略的角度来看,德国的干涉是得失参半的。在试验德军新战术和获取战略原料方面,希特勒基本上达到了目的,但在劝说西班牙参战的问题上却一无所获。

关键词:希特勒; 西班牙; 干涉; 内战

Abstract: Before World War II, Nazi Germany interfered in Spain's Civil War, but on the issue of the strategic gain and loss in this interference, the opinions of the scholars and experts in academic circles are different. In this paper, it maintains that the Germany's gain and loss is half if we consider this problem from the political and military strategy. Generally speaking, Hitler basically came to his purpose in experimenting German new military tactics and obtaining strategic materials. However, Hitler completely failed to persuade Spain to join the war.

Keywords: Hitler; Spain; Interference; Civil War

1936年7月17日,西班牙反动军人佛朗哥发动了推翻共和政府的武装叛乱,西班牙内战爆发。接着,德国和意大利法西斯几乎同时做出了武装干涉西班牙的决策,这对佛朗哥取得内战的胜利起到了至关重要的作用。对于德国法西斯干涉西班牙的战略得失,西方学者和政论家的看法不尽一致。有人认为德国获得的利益远远超出了干涉的规模,有人则认为希特勒并没有得到预期的报偿。实际上,这两种观点都是片面的。从政治和军事战略的角度来看,德国可谓是得失参半。在德意结盟、实验新的战略战术、攫取战略原料等方面,德国基本上达到了目的,但在争取西班牙参战的问题上德国却一无所获。

一

西班牙内战给希特勒德国提供了拉拢墨索里尼的良机。本来在1936年5月意大利攻占埃塞俄比亚之后,英法两国就急忙通过国际联盟取消了对意大利的经济制裁,力图重新拉拢墨索里尼回到西方阵营,以应付当年3月德国进军莱茵兰后的欧洲局势。可是西班牙战争使英、法与意大利修好的企图落空。希特勒对于德意共同武装干涉西班牙的政策,一开始眼光就看得很远、算盘打得很精。他曾经对他的外交部长和将军们这样说:"从德国的观点来说,佛朗哥获得百分之百的胜利并不是值得向往的。我们倒是愿意战争继续下去,保持地中海的紧张局势。"[①]这样就能使西方国家同意大利保持不和,进而把墨索里尼拉到德国这边来。希特勒充分利用了这场在西地中海发生的战争去拉拢意大利。1936年9月上旬,为了摸清德国干涉西班牙的意图和探求划分势力范围的可能性,墨索里尼派代表到德国作"私人访问"。希特勒在接见意大利代表时说:"地中海属于意大利,中欧属于德国。两个无产国家的共同使命要通过各自的力量去完成。不存在种族冲突的任何可能性。"[②]希特勒还强调指出,德国同意大利一样不能容忍英国在地中海的存在。他不仅对意大利干涉西班牙内战的立场表示理解,而

---

① 李巨廉:《希特勒的战争谋略》,上海人民出版社1995年版,第45页。
② 陈祥超:《墨索里尼与意大利法西斯》,中国华侨出版社2004年版,第264页。

且还明确表示"这个问题的解决,要服从意大利的利益"。为了进一步消除墨索里尼的疑虑,希特勒又派他的亲信、司法部长弗兰克于9月23日访问罗马。弗兰克在会见墨索里尼时说:"德国援助西班牙民族主义各党,只是出于政治思想上的一致,而德国在地中海既无利益,也无目标",德国的兴趣在波罗的海,"波罗的海是德国的地中海"。墨索里尼在得到上述许诺后,一方面加紧向西班牙派出军队;另一方面立即派外交部长齐亚诺访问德国,就武装干涉西班牙问题同德国签订正式协议。1936年10月底,德意达成如下协议:双方立即共同进行军事努力,占领马德里后承认佛朗哥政府。随后,意德签订了正式协定,这成为两国关系加强的纽带。希特勒在接见齐亚诺时说,在西班牙问题上德国"将给予意大利以充分的支持"。齐亚诺的柏林之行标志着意德同盟的形成。因此,对西班牙内战的干涉使墨索里尼最终投入了希特勒的怀抱。

　　插手干涉西班牙的战争,给刚刚武装起来的德国军队提供了一个实战的试验场。在西班牙内战期间,德国空军除将其新型作战飞机派往战区投入使用外,更重要的是以轮换方式最大限度地使其部队参加空中作战的实战锻炼,提高人员的技术战术素质,改进作战方法,试验新的战术。纳粹党二号头目、德国空军司令戈林,在战后的纽伦堡国际军事法庭上供认:"在元首的许可下,我派遣了我的一大部分运输机和若干试验性战斗机、轰炸机和高射炮去西班牙。这样我就有机会来弄清楚,在作战情况下,这些军备是否顶用。为了使人员也取得一定经验,我就实行了不断的轮换制度,这样新人员不断被派去,老的人则被召回。"[①]德国空军"秃鹰军团"是希特勒派出的武装干涉军队的重要组成部分。"秃鹰军团"(Condor Legion)是在西班牙执行特殊任务的一支空军部队,军团包括四个轰炸机中队和四个战斗机中队,另外,还配备高射炮部队和反坦克部队。在西班牙内战结束时,"秃鹰军团"带着许多难得的实战经验,回到德国。这些经验主要是:

　　1. 用运输机从空中机动部队,改变双方兵力对比,以取得战略优势。

[①] 李巨廉:《希特勒的战争谋略》,第53页。

在西班牙内战开始时,反政府的佛朗哥军队处于劣势。为了改变这一不利态势,佛朗哥在德、意空军的援助下,从摩洛哥紧急向西班牙国内调动兵力。1936年8月平均每个飞行日空运600—700人,10月以后,空中运输更加频繁,大致使用了400架运输机,总共空运了10000名官兵。由于得到了空中机动兵力的支援,佛朗哥军队把政府军分割在地中海地区和比斯开湾方向,获得了战略优势,对以后战斗的发展十分有利。

2. 对地面和海上军队实施直接的空中支援。在西班牙战争中,双方的航空部队都竭尽全力对己方地面和海上军队实施直接的空中支援。德国"秃鹰军团"的轰炸机频繁地轰炸政府军阵地,同佛朗哥的军队紧密配合作战。在极为重要的马略卡岛战斗中,德国"秃鹰军团"仅出动三架轰炸机进行空中攻击,就扭转了战局。在1938年3月16日开始的巴塞罗那作战中,"秃鹰军团"出动轰炸机多架,仅三天就炸死政府军900人,炸伤1500人,为地面部队作战提供了有利的空中支援。德军在西班牙战争中所取得的航空兵对地面军队进行空中支援的重要经验,在以后发展成为机械化部队和航空兵部队密切配合进行"闪电战"的思想。

3. 改进轰炸战术,创造了俯冲轰炸的新方法。在西班牙战争中,德国"秃鹰军团"不断换装新型飞机,并努力改进战术。1937年春,他们装备的是HS—123A轰炸机,但发现这种飞机性能不好。1937年12月,首批换装的三架JU—87A型轰炸机,在特鲁韦尔参加了战斗,成功地使用了俯冲轰炸的新战术,结果证明这种轰炸方法能提高轰炸的命中率,给对方以极大威胁,以后,德军就进一步把大批JU—87A和JU—87B俯冲轰炸机派往西班牙战场。在第二次世界大战开始阶段,德国空军极其有效的俯冲轰炸战术,就是从西班牙战争中发展完善而来的。

4. 空战战术得到新的发展。同第一次世界大战期间一样,在西班牙战争中,双方空军主要通过空战来夺取制空权。在空战活动中,德国飞行员麦尔达斯上尉,对一战时歼击机空战的战斗队型提出了改进,创造了以双机为基础的四机编成"四指"队型的新方法,并将其用于实践,取得了良好的效果,开辟了空中作战方法的新领域。这种四机队型,现在仍为世界各国空军所广泛采用。①

德国武装部队的多种新式武器和作战理论,经过西班牙战争的实战试验得以完善,在后来德国发动的世界大战中起了重要作用。

佛朗哥西班牙为德国发动侵略战争提供了大量战略原料和物资。西班牙的战略物资十分丰富,汞和黄铁的矿藏储量均占世界第一位。另外,煤、钨、铅、锌、铜、锰等矿产也很富足。希特勒在谈到德国为什么要支持佛朗哥叛军时,曾经直言不讳地说:"德国需要铁矿。这就是我们为何需要一个国家主义政府的原因——为了购买西班牙的矿石。"②西班牙虽然没有正式参战,但它却在经济方面与德国进行了密切合作,特别是通过提供战略原料和粮食为后者输血打气。战争期间,西班牙向德国提供了需求量90%的钨、3000万吨铁矿石以及大量的粮食和石油产品。同时,还通过其港口向德国转运了许多重要的战略物资。当德国在战争开始后断绝了从英帝国各成员国获得原料的途径时,西班牙向德国输出物资的比重则由1939年的24.8%增加到1941年46.5%。据官方资料,除了战略物资外,西班牙运往德国的还有植物油、水果、酒、罐头等食品。1941年,西班牙向德国出口了1.67亿德国马克的货物。1943年,德国要求西班牙提供的货物达3.8亿德国马克,其中每月从西班牙获得100吨钨。1943年底,德国又要求西班牙提供价值1亿德国马克的物资。西班牙向德国提供的粮食和原料,部分是从美国和英帝国各成员国、巴西、比属刚果和阿根廷进口的,例如美国提供的汽油、航空汽油也被转口到了德国。西班牙从这些倒手贸易中获利颇丰,然而它国内的居民却在挨饿,各地都在实行严格的食品配给制。1941年11月,西班牙向德国运送粮食甚至还引起了纳瓦拉人民的反德示威游行。

---

① 谢学钫:"浅谈第二次世界大战前德国空军的战争准备",军事科学院军事历史研究部编:《三十年代世界主要国家的战略与军备》,军事科学出版社1990年版,第369—371页。

② 卡尔:《惶惑的旅程:西班牙的现代化历程》,许步曾、林勇军、郑风译,学林出版社1996年版,第191—192页。

二

1939年9月1日，法西斯德国入侵波兰，第二次世界大战正式爆发了。而此时的西班牙，刚刚结束了持续三年的内战，百废待兴。佛朗哥清醒地认识到，当时西班牙所面临的主要问题是稳定政局，发展经济。而要做到这一点，唯一的出路就是避免卷入战争，保持中立。所以尽管西班牙已于1939年3月27日同德意日签订了《反共产国际协定》，又于同年3月31日和德国签订了友好条约，但是，当战争真正降临时，佛朗哥政权仍采取了明哲保身的态度。早在1939年8月31日，德国驻西班牙大使就向国内报告说，战争一旦爆发西班牙将宣布中立，但是这种中立将带有对德国非常友好和善意的色彩。9月1日，德国大使会见了西班牙外交部长，在了解到西班牙政府将采取中立的立场后说："毫无疑问，西班牙事实上在这次战争中是不能保持中立的，因为它的未来和它的希望的实现都取决于德国的胜利。"[①]但是佛朗哥在9月4日的广播演说中宣布，西班牙在已发生的军事冲突中保持中立。同日，佛朗哥在政府的中立法上签了字。

1940年5、6月间，当德军在西线连连获胜，攻占比利时、荷兰、卢森堡的时候，佛朗哥的确有点坐不住了。6月19日，佛朗哥向德国递交了备忘录，宣称：如果有必要的话，他准备放弃中立立即参战，但要以获得直布罗陀和法国在非洲的部分殖民地作为条件。希特勒由于预计英国很快就会遭到和法国同样的命运，所以对西班牙的声援没有表示出任何兴趣。

然而，在佛朗哥的热情被浇灭之后，希特勒进攻英国的"海狮计划"受挫失败，这时他又试图推行地中海战略，极力把佛朗哥西班牙拉入战争，以便牵制英国。1940年9月间，德国海军司令雷德尔两次敦促希特勒，从地中海及其邻接的北非和中东打击英国。他提出了具体的建议：利用德国同西

---

① 伊·米·马依斯基主编：《西班牙史纲》，中山大学外语系翻译组译，三联书店1983年版，第287页。

班牙的关系,夺取直布罗陀海峡和大西洋东部的加那利群岛,然后以大规模攻势占领苏伊士运河,并向北推进控制巴勒斯坦和叙利亚。雷德尔强调说,地中海是英国人"世界范围的帝国的中枢",是英帝国最易受到攻击的薄弱环节,在那里采取行动更适合德国的力量。希特勒同意雷德尔的看法,打算派遣一个集团军假道西班牙去夺取直布罗陀。佛朗哥对此大为不满,他不愿意看到外国军队开进西班牙,因此对德国的要求迟迟不予答复。于是,希特勒决定亲自出马,劝说佛朗哥参战。10月23日,希特勒乘火车专列到法国和西班牙边境城镇昂代与佛朗哥举行会谈。两个独裁者见面后,希特勒眉飞色舞,滔滔不绝地吹嘘他已经赢得了胜利,英国人即将投降。为了维护和平,德国希望和西班牙结盟。他对佛朗哥说,在欧洲即将建立的新秩序中,历史已为西班牙留下了位置,让它起光辉的作用。他仿佛一个通神的术士一样在描绘着胜利的前景。面对这个已经占领了大半个欧洲,正处于人生和事业顶峰的富有煽动力的演说家,佛朗哥采取了以静制动、以守为攻的策略。当希特勒安静下来的时候,佛朗哥冷静地告诉他:战争还远远谈不上已经打赢,丘吉尔既然拒绝和谈,这就意味着他深信美国会加入战争,英国将在英国本土以及庞大的英帝国的任何地方继续战斗下去。因此,只能说战争刚刚拉开了序幕。希特勒看见佛朗哥并未被自己的高谈阔论所打动,不无惊讶地问道:"你认为战争会拖得很久吗?战争拖长了对我们就非常麻烦啊!"佛朗哥回答说:"你丝毫也不要怀疑这一点。因此,尽管西班牙相信德国能取胜,但它还没有条件参战,因为它还有许多的问题没有解决。最重要的一个问题是人民的供应问题。"[①]佛朗哥诉说了国内的诸多困难,表示西班牙无力参加长期的战争。事实上,佛朗哥的参战热情已经随着"海狮计划"的受挫渐渐冷却,他对德国取胜的信心已远不如几个月前那么坚定了。他认为即使西班牙参战获胜,战争也将使其遭受损失,甚至得不偿失。但是,为了不让希特勒看出自己的真实意图,佛朗哥又提出许多非分要求:如

[①] 弗·佛朗哥·萨尔加多—阿劳霍:《佛朗哥私人谈话录》,陈用仪等译,商务印书馆1987年版,第158页。

修改比利牛斯山脉的边界,割让法国的加泰罗尼亚、阿尔及利亚和整个摩洛哥给西班牙,以此作为参战的条件。这次谈判持续了整整 9 个小时,但最后在联合议定书上只有进行军事谈判这项协议。无论希特勒如何努力,佛朗哥总是拐弯抹角,不作保证参战的承诺。虽然希特勒一直保持常态,表现得不急不躁,一点也没有像往常那样暴跳如雷,但佛朗哥仍旧清楚地意识到了希特勒掩藏在内心深处的失望和不满。几天后,希特勒在同墨索里尼会谈时指责佛朗哥提出的要求是与西班牙的实力绝对不相称的,并且满腔怨愤地说:"我宁可被拔掉三四颗牙齿,也不愿再搞这样的谈判。"[1]

佛朗哥心里明白,面对强大凶悍的德国,国力弱小的西班牙只是个小兄弟,所以对德国三番五次催促其参战的要求,他只能采取边谈边拖的方针。1940 年 10 月,佛朗哥任命有亲德派名声的塞拉诺·苏涅尔为外交部长,以此向希特勒表示西班牙政府的亲德倾向。11 月 18 日,苏涅尔在德国的贝希德斯加登拜访了希特勒,双方举行了 4 个多小时的会谈,希特勒向苏涅尔宣布了进攻直布罗陀的决定,这一代号为"伊萨贝拉—菲利克斯"的战役计划,连最后的细节都作了明确的规定。但苏涅尔按照佛朗哥的指示仍未作具体答复,只是含糊其辞地宣布西班牙将继续做好参战的准备。随着时间的迫近,德国建议西班牙于 1941 年 1 月完成进攻直布罗陀的准备工作,佛朗哥和苏涅尔则表示西班牙不能在上述日期参战。佛朗哥的一味推脱惹恼了德国人,希特勒指责说:"苏涅尔是伪善者,佛朗哥是忘恩负义的懦夫,他们喋喋不休地感谢我们,但就是不想拿出东西来帮助我们。"佛朗哥后来却说:"希特勒应当懂得,我不能为了报恩而把我的祖国拖进一场毁灭性的战争中去,而且这场战争的结局还很渺茫。我永远感激他给我的帮助,但是我没有必要用西班牙人民的鲜血作为报答,拿祖国的独立去冒险。"[2]因此,当德国要求在 1941 年 1 月 10 日越过西班牙边界进攻直布罗陀时,又遭到了佛朗哥的拒绝。佛朗哥为了保卫西班牙的中立,使它免遭可能的侵犯,下令

---

[1] 伊·米·马依斯基主编:《西班牙史纲》,第 291 页。
[2] 宋永成:"佛朗哥——凶残狡诈的西班牙独裁者",彭树智主编:《世界阴谋家正传》,三秦出版社 2005 年版,第 431—432 页。

加强了比利牛斯山地区的防务,修建了一道道混凝土战壕,并把整个地区划分为五个战区。对德国来说,如果违反佛朗哥的意愿开进西班牙领土,那将是一种极其危险的和没有把握的行动。希特勒对此愤恨不已,却又无可奈何。因为保持一个对德友好的西班牙总比把它推到敌对的立场上要好。

由于西班牙拒绝德军通过它的领土进攻直布罗陀,1941年2月6日,希特勒在信中要求西班牙迅速行动。2月12日佛朗哥在回信中表示,请希特勒相信自己的真诚,他同意继续准备进攻直布罗陀,但又提出新的条件:必须单独由德国武器装备起来的西班牙军队参加这次战役,而要做到这一点还需要时间。德国人终于失望地发现,佛朗哥根本无意参战。1941年6月22日,苏德战争爆发,西班牙表示将派出志愿军参加对苏作战,以报答德国在内战时期给予西班牙的援助。但同时又解释说:"做出这种声援的姿态当然同西班牙全面和最终参加到轴心国一边作战是两回事,西班牙要到适当的时候才能参战。"[①]

在法西斯战争狂人看来,佛朗哥是个很不起眼的独裁者。希特勒曾经为他能成为西班牙的国家元首感到诧异,纳粹宣传部长戈培尔则称佛朗哥是胆小怕事之徒。但是历史已经证明,佛朗哥在处理与德国的关系方面是非常精明的。

综上所述,德国干涉西班牙内战只是部分地达到了目的,西班牙战场对二战初期德军战略战术的形成起了重要作用。但是,希特勒企图把佛朗哥拉上法西斯战车的所有努力却付诸东流。

[①] 伊·米·马依斯基主编:《西班牙史纲》,第297页。

论佛罗伦萨早期文艺复兴的经济基础
——兼论计量史学方法的运用

On the Foundation of Florence in the Early Renaissance
—Discussing the method of quantity history

王 乃 耀(首都师范大学历史系)

摘要:本文旨在运用计量史学的方法并采取宏观与微观相结合的研究方式对佛罗伦萨早期文艺复兴产生的经济基础进行定量分析,并在此基础上深入研究佛罗伦萨这一时期文艺复兴的经济基础与上层建筑之间辩证关系。

首先,通过计算得出:14世纪初期佛罗伦萨的毛纺织雇工每年创造的财富不少于20万佛罗琳。正是这笔巨大的财富构成了新兴资产阶级发起早期文艺复兴运动的物质基础。其次,论证了人文主义与经济基础的关系及其特点。

关键词:早期文艺复兴; 资本主义经济; 计量史学; 人文主义

Abstract: The purpose of the article is to use the method of quantity history to carry on the quantitative analysis of the foundation which was produced in early Renaissance in Florence by combining the macroscopic studies with the microscopic studies, and to analysis the dialectical relationship of the foundation and the superstructure in the early Renaissance of Florence.

First, the computation is that the employees of woollen created 200000 florins per year at the beginning of the 14th century, and this huge wealth constituted the foundation of the bourgeoisies which initiated the early Renaissance. Second, it discusses the relationship of the humanism and the foundation and its characteristic.

Keywords: Early Renaissance; Capitalist economy; Quantity history; Humanism

佛罗伦萨是欧洲文艺复兴运动的发祥地,用计量史学方法深入研究佛罗伦萨文艺复兴运动产生的经济基础具有重要的意义。

欧洲文艺复兴运动的历史分期学术界尚有不同观点,西方学者格伦德勒(P. F. Grendler)主编的《文艺复兴百科全书》将文艺复兴时期定为1350—1650年。[①] 西方学者黑尔主编的《意大利文艺复兴辞典》将意大利的文艺复兴时期定为14世纪20年代至16世纪二三十年代。[②]

笔者认为,欧洲整个文艺复兴大约是1320—1650年比较恰当,其中,意大利的文艺复兴时期大约是1320—1550年。佛罗伦萨的文艺复兴大体上可以分为两个时期,即早期1320—1500年;晚期1500—1550年。如果细分,早期又可以分为初始期(1320—1370)和发展期(1370—1500)。

本文旨在运用计量史学的方法并采取宏观与微观相结合的研究方式对佛罗伦萨早期文艺复兴产生的经济基础进行定量分析,并在此基础上深入研究佛罗伦萨这一时期文艺复兴的经济基础与上层建筑之间辩证关系。

关于研究意大利文艺复兴时期经济发展状况的文章可谓汗牛充栋,下面列举从19世纪至20世纪几部(篇)西方比较有代表性的论著。

1879年,奥国学者多伦(Alfred Doren)发表了《13世纪和14世纪时期佛罗伦萨行会的发展与组织》的论著,此后,又发表了若干专著。他认为

[①] P. F. Gredler, *Encyclopedia of the Renaissance*, Vol. 5, New York: Charles Scribner's Sons, 1999, p. 283.

[②] J. R. Hale, *The Thames and Hudson Dictionary of the Italian Renaissance*, London: Thames and Hudson, 1997, p. 278.

14—16世纪时期,佛罗伦萨的资本主义企业达到最高发展程度,从资本集中、劳动分工及雇佣劳动者的地位等方面都反映了当时佛罗伦萨与近代主义相似。

1932年,德国学者冯·马丁(Alfred von Martin)发表《文艺复兴社会学》一书,将文艺复兴视为资产阶级革命,力求从资本主义经济基础的角度解释布克哈特派所强调的各种文艺复兴现象。

1934年,意大利学者萨波里(A. Sapori)发表了《皮鲁西家族账册》一文,而后,又整理出版了佛罗伦萨几个大商人的残存账册。萨波里从这些大商人的故纸堆中,发掘整理了大批原始账册,为研究佛罗伦萨中世纪经济史提供了宝贵的资料。

1950年,比利时学者德·鲁维尔(De Roover)在《意大利历史档案》杂志上发表美第奇银行"秘册"账簿,引起了学术界的轰动,因为,"秘册"账簿是企业主为自己私用而记下的各项保密资料。1963年,德·鲁维尔以这些秘册史料为基础撰写了一部《美第奇银行的兴衰》,被学术界视为经济史的杰作。[①]

当前,有的西方学者对意大利文艺复兴时期的经济史料利用计算机进行定量分析,相信他们的计算机编程将会有力地推动文艺复兴经济史的研究工作向更深入的方向发展。但是,我国目前对佛罗伦萨早期文艺复兴时期的经济史还缺乏定量分析。本文试图弥补这方面的不足。

一

佛罗伦萨资本主义生产关系的出现决定了佛罗伦萨文艺复兴运动兴起。

究竟什么是资本主义?关于这个问题在经济学学术界中有如下三种主

[①] 朱龙华:"文艺复兴时期的佛罗伦萨企业",赵文洪主编:《20世纪中华学术经典文库·历史卷》上册,兰州大学出版社2000年版,第393—395页。

要的解释。

其一,认为目的在于获取利润的私人雇佣关系就是资本主义。私人业主占有生产资料,雇佣劳动力进行生产,被雇佣的劳动力领取工资,占有生产资料并雇佣劳动私人业主获得利润。

其二,认为资本主义是一种特定的交易关系,即市场关系。在市场中,所有的人都以私人交易者的身份出现,买主卖主各为一方,而卖方的目的是为了利润。这也适用于雇佣关系,因为私人雇佣也是一种交易行为:私人业主作为一方,雇工作为另一方,他们受雇于私人业主,双方之间的关系是交易关系,在市场这个大环境中实现。交易双方在人身上都是自由的,而不像在前资本主义之下,使用劳动力的人同劳动者本人不是平等的,后者依附于前者,于是也就不存在交易关系。这就可以分清资本主义同前资本主义的区别了。

其三,把资本主义看作是一种特定的社会经济制度,在这种社会经济制度下,资本家占有生产资料,雇佣工人进行生产,取得利润,并在此基础上构成一整套与此相适应的政治和法律制度。[1]

笔者认为第三种学说比较正确地阐释了资本主义的本质概念。资本主义经济关系是以资本剥削雇佣劳动为特征的,正如列宁所说,"在资本主义发展问题上,雇佣劳动的普遍程度差不多具有最大的意义。资本主义是商品生产发展的这样一个阶段,这时劳动力也变成了商品"。[2] 这里需要解释一下的是,私人雇佣关系不一定就意味着资本主义经济关系,只有当社会生产力发展到了一定的水平,并且遇到了适当的体制之后,这种雇佣关系才能转化为资本主义经济关系。

佛罗伦萨位于意大利中部的托斯堪尼地区,亚诺河从城中穿流而过。这条河是意大利重要的商旅要道,将它与地中海和上游的亚平宁山区连接起来。14世纪初,又建成一条连接比萨和佛罗伦萨的大道,这就更为佛罗

---

[1] 厉以宁:《资本主义的起源——比较经济史研究》,商务印书馆2003年版,第1—4页。
[2] 《列宁选集》第1卷,人民出版社1995年版,第220页。

伦萨提供了商旅之便,①使佛罗伦萨发展商品经济获得了良好的条件。

12世纪初,佛罗伦萨还是一个僻乡小镇,处在托斯堪尼农村的封建经济强烈影响之下。1115年成为独立的城市公社。1187年佛罗伦萨建立独立的城市共和国。从13世纪中期起佛罗伦萨经济发展迅速,城市进行扩建,在1284年开始建造第三道城墙,这个浩大的工程历时半个世纪才完成,城区面积扩大到1500英亩,即将近2.5平方英里。②

1289年佛罗伦萨共和国废除了农奴制,农奴获得了人身自由,但是,他们却没有获得土地,只好到城市里手工作坊中充当雇工以谋生,使城市人口迅速增长,14世纪初佛罗伦萨市区和近郊区的人口达到了8万人,③占它的总人口的80%以上。农奴制的废除标志着佛罗伦萨资本主义萌芽的诞生。

13世纪中叶之前,佛罗伦萨的政权掌握在城市贵族手里。1293年,佛罗伦萨的市民在资产阶级民主派领袖基诺·贝拉的领导下,取得政权,制订了世界上最早的宪法《正义法规》(Ordinances of Justice),将贵族打入另册,限制他们的权利和自由。④ 按照这部宪法的规定,长老会议是佛罗伦萨共和国的最高管理机关。最初,长老会的议员由七大行会选举产生,每个大行会选派代表1人。这七大行会是:羊毛商、丝绸商、呢绒工场主、毛皮商、银钱商、律师及医生等行会。因为他们十分富有,被称为"肥人"。后来,长老会的议员又增加2名,由14个小行会选派。这些小行会是由小手工业者如铁匠、鞋匠和泥瓦匠等组成,因为他们财产不丰,被称为"瘦人"。佛罗伦萨城市共和国的最高领导人叫做正义旗手。

14世纪,佛罗伦萨的资本主义经济获得很大发展,毛织工业、外来呢绒

---

① 坚尼·布鲁克尔:《文艺复兴时期的佛罗伦萨》,朱龙华译,文化生活译丛1985年版,第5页。

② 坚尼·布鲁克尔:《文艺复兴时期的佛罗伦萨》,第62页。

③ A. Molho, Social and Economic Foundations of the Italian Renaissance, New York: John Wiley & Sons, Inc., 1969, pp. 19—20.

④ G.W. Dameron, Episcopal Power and Florentine Society 1000—1320, Cambridge: Harvard University Press, 1991, p. 150.

深加工业和银行业是它的三大产业,其中毛织工业发展最快,13—14世纪毛织工业已是这个城市共和国繁荣昌盛的根基。正如美国研究文艺复兴的专家布鲁克尔(Gene A. Brucker)所说,"国际商家和银行家虽然为佛罗伦萨的繁荣作了重大贡献,但他们的活动却不是这个城市在13世纪经济大发展和人口猛增四倍的主要原因。这个奇迹是由毛织工业创造的,它为成千上万的工人提供了就业机会,它生产的毛呢质量如此之好,以至于在三大洲的市集、商场中都能卖到最高的价格"。[1]

14世纪初,佛罗伦萨的毛纺织手工工场已经普遍地使用雇佣劳动,其性质属于资本主义工场手工业。毛织工业将佛罗伦萨社会上层与下层纳入一个庞大而复杂的经济体系中,布鲁克尔说:"佛罗伦萨经济中的一套最错综复杂的关系网存在于毛织工业之内。和这一工业有关联的包括资本家、经理、代理商、染匠、漂洗师、织工、纺工,囊括了佛罗伦萨社会最高层到最底层的男男女女。"[2]

毛织工业的发展还带动了佛罗伦萨国际贸易、银行业的发展。

佛罗伦萨的市民阶级的手中掌握的巨大财富是创造文艺复兴运动的经济基础,他们这些财富主要来自雇工们所创造出的剩余价值。那么在文艺复兴时期佛罗伦萨的市民阶级从雇工身上攫取多少财富呢?下面我们用计量史学方法作一下定量分析。因为毛织工业在14世纪是佛罗伦萨的支柱产业,所以,本文以毛纺织业为例进行定量研究。

首先,我们计算一下14世纪初(该世纪30年代之前)佛罗伦萨由毛纺织业雇工所创造的剩余价值。

因为我们现在掌握的资料只知道14世纪初佛罗伦萨的呢绒制品的总价值和利润率,并不掌握当时购买原料的费用(不变资本),所以要经过一番数学计算才可以得出剩余价值的数据。

资本主义社会所生产的商品价值的表达公式是:

---

[1] 坚尼·布鲁克尔:《文艺复兴时期的佛罗伦萨》,第65页。
[2] 同上,第73页。

$$W=c+v+m$$

其中，W＝商品价值，

c＝不变资本，

v＝可变资本，

m＝剩余价值。

利润是剩余价值的一种转化形式，是商品售后资本家所获得的超过他预付资本的余额，它源于雇工所创造的剩余价值。

因而，商品价值又可以用下面公式表达

$$W=c+v+p$$

其中，p＝利润，

利润率的表达公式是

$$P'=m/c+v$$

其中，P'＝利润率，它是剩余价值同预付总资本的比率。

$P'=m/c+v$ 的公式可以转化为：$m=P'(c+v)$

我们用上述数据建立一个方程组

$$W=c+v+m$$
$$m=P'(c+v)$$

解这个方程

$$m=P'W/(1+P')$$

从上述公式中我们可以看出只要知道 P'（利润率）和 W（商品价值）的值就可以算出 m（剩余价值）的数值。

P'（利润率）的数值是多少呢？

文艺复兴史专家萨波里于1952年发表了《阿尔伯蒂家族账册》一书，该书首次向世人揭示了佛罗伦萨富商阿尔伯蒂（Alberti）家族的"秘册"账簿。这个账簿比较完整地反映了该家族1302—1329年的企业经营情况。

下面是该账簿1304年9月20日至1307年1月1日的总账明细表。

表 1 阿尔伯蒂业务公司总账[1]

资产		镑	先令	迪纳尔	债务		镑	先令	迪纳尔	利润分配		镑	先令	迪纳尔
国外各代办处现存贷款	法兰德斯	23490	0	0	应付款		6825	8	0	阿尔伯托	1股	3556	16	0
	阿普利亚	9164	0	0	已付工资(至1307年1月)		4198	4	0					
	威尼斯	9276	0	0		小计	11023	12	0	拉波	1股	3556	16	0
	米兰	1433	1	0	业主资产(股本)	阿尔伯托	16072	0	0	内里	1股	3556	16	0
	小计	43363	8	0		拉波	15999	0	0		总计	3股	10670	8	0
应收贷款		15409	1	0		内里	9293	14	0					
现金		783	8	0		小计	52388	6	0					
库存货物		3503	4	0	股东应分利润		10670	8	0					
总计		63059	0	2	总计		63058	14	0					

[1] 德·鲁维尔:《从账册所见的佛罗伦萨阿尔伯蒂公司历史》,转引自朱龙华:"文艺复兴时期的佛罗伦萨企业",赵文洪主编:《20世纪中华学术经典文库·历史卷》上册,第397页。

上表反映出阿尔伯蒂公司是由这个家族的三兄弟阿尔伯托、拉波和内里合伙经营的。在 14 世纪初的 27 个月中(1304 年 9 月至 1307 年 1 月),兄弟三人共分得利润 10 670 镑,平均每年的利润为:4742 镑。他们的股本为 41 364 镑,因而可以算出每年利率约为:11.46%。中世纪西欧商人的惯例是在投资时,预先加上 8% 的年利率,这样,这个家族的实际年利率大约是:19.46%,为了计算方便,我们将其定为近似值 20%。①

阿尔伯蒂公司在 14 世纪初的佛罗伦萨是一个比较典型的公司,公司的经营大权掌握在阿尔伯蒂家族手中。这个家族的祖先是佛罗伦萨附近一个领主,于 14 世纪初移居佛罗伦萨城内,因经营外来毛呢深加工业而致富,成为佛罗伦萨首富之一。这个家族的财富主要是靠毛纺织业雇工创造的剩余价值积累起来的。这个公司的盈利状况比较有代表性,反映了当时佛罗伦萨资本主义经济发展的鼎盛状况,因此,我们将这一时期佛罗伦萨大公司的年利润率定在 20% 看来不会离谱太远。

我们知道了佛罗伦萨 14 世纪初利润率的数值,再看一看这个时期呢绒制品的商品总价值是多少,即 W 的数值是多少。关于这方面,14 世纪的佛罗伦萨商人乔凡尼·维兰尼(G. Villani, 约 1276—1348)在他所著的《编年史》中给我们一些宝贵的数据。按照他的记述,佛罗伦萨在 1336—1338 年期间,有毛纺织业行会作坊(Workshops of the Arte della Lana)200 余家,它们每年生产 7 万至 8 万匹呢绒,价值在 120 万金佛罗琳(gold florins②)。③ 从中我们可以知道当时佛罗伦萨呢绒制品总价值(W)为 120 万佛

---

① 赵文洪:《20 世纪中华学术经典文库·历史卷》上册,第 398 页。
② "金佛罗琳"是佛罗伦萨于 1252 年开始铸造的一种金币名称,1 金佛罗琳(亦称:佛罗琳)含金量为 3.536 克,是中世纪时期欧洲通用货币。中世纪佛罗伦萨的货币单位分三级:镑、先令和迪纳尔。表 1 中的 1 镑相当于 1 佛罗琳。1 镑=20 先令,1 先令=12 迪纳尔,也就是说:1 佛罗琳=1 镑=20 先令=240 迪纳尔。当时,佛罗伦萨市场上还流通银币。银币的货币单位也分为三级:里拉(镑)、索尔迪(先令)和迪纳尔(便士),1 里拉(lire)=20 索尔迪(soldi)=240 迪纳尔(denari)。金币可按银币值进行折算,其兑换率在各时期有所不同,例如,1 金佛罗琳在 1252 年可兑换 20 索尔迪银币;1300 年则兑换 47 索尔迪银币;1400 年则兑换 77 索尔迪银币;1500 年则兑换 140 索尔迪银币。上述兑换率请参见:R. A. Goldthwaite, *The Building of Renaissance Florence*, London: The Johns Hopkins University Press, 1980, pp. 429—430。
③ A. Molho, *op. cit.*, p. 20.

罗琳。

我们把 P′和 W 的数值代入公式 m=P′W/(1+P′)中,得出

m=20%×120 万/(1+20%)=20 万

由此得出结论,14 世纪初,佛罗伦萨的新兴资产阶级每年从毛织工业的雇工身上攫取 20 万佛罗琳的剩余价值,这相当于每年积累 700 多公斤黄金。这是他们积累财富的根本源泉所在。当然,当时的佛罗伦萨的市民阶级还通过经营商业、银行业获得财富,不过这些财富都源于产业雇工所创造剩余价值,这是因为商业资本、银行资本都源于产业资本。

在 14 世纪 30 年代,佛罗伦萨从事毛织工业的人口为 3 万人,相当于该城总人口(9 万人)的 1/3,[1]也就是说,佛罗伦萨 1/3 的人口就每年创造了 20 万佛罗琳的财富,如果将其他行业(如五金业、建筑业)雇工创造的财富计算在内,佛罗伦萨每年积累的财富是相当可观的。这笔巨大的财富正是新兴资产阶级发起早期文艺复兴运动的物质基础。

当时,佛罗伦萨手工工场以混成型为主,它属于资本主义初始期的生产组织形成,即家内制生产形式。平均每家手工工场约有雇工大约在五六十人左右。[2]绝大多数手工工场由两个或者更多的手工工场主合伙经营。他们很少参与日常生产,而是由代理商进行代管。代理商的责任是负责经营并监管生产,他们把从英国、西班牙进口的羊毛等原料运到工场后,由雇工集中在企业主的工场中进行清洗和梳理。这些雇工在工头的监督下,从事简单而繁重的体力劳动,他们基本上没有什么劳动技能,被视为壮工,工资十分微薄。然后,由捐客(工场主和雇工之间的中介人)将羊毛发放给农村家庭女工,并由她们纺成毛纱,再由捐客收集毛纱,并按件付给工资。而后,捐客又将毛纱交给纺织工,由他们自备织机在自己的店铺和家庭里织成毛呢(粗呢)。然后,毛呢又交到漂洗工匠手里,在他们开设的作坊里,对毛呢进行漂洗。洗净后的呢绒还要交到染匠手中,在他们的自己的作坊中进行

---

[1] A. Molho, *op. cit.*, pp. 19—20.
[2] 赵文洪:《20 世纪中华学术经典文库·历史卷》上册,第 403 页。

染色,这是一项技术性比较高的工作,属于熟练工种。最后,还要经过剪绒、平整等工序,①才制成一匹匹精致的呢绒制品。

为了增加企业经济效益,佛罗伦萨的大公司聘请高级经理一类人员对企业进行管理,他们的薪俸都比较高,例如,14世纪初,阿尔伯蒂公司就聘用了14名职员,他们年工资总额为769佛罗琳,平均每人年工资约为55佛罗琳,而当时壮工的平均年工资只有18佛罗琳,技工的平均年工资为39佛罗琳。②

14世纪,佛罗伦萨每家毛纺织手工工场的年产量是多少?据现存的企业档案记载,1386年最大的手工工场每年至少生产呢绒200匹。③

除毛织工业外,佛罗伦萨的金融业也十分发达,银行一般实行家族制的管理方式。佛罗伦萨的金融业触角伸向意大利境内外许多地区和国家。14—15世纪,佛罗伦萨大金融家族有巴尔迪家族、佩鲁基家族、阿齐乌里家族和美第奇家族等。这些大银行家同欧洲封建君主及达官显贵的关系十分密切,往往贷款给这些有权势的人,以求得到庇护和某些特权。这种贷款风险很大,封建君主赖账不还的事时有发生,使得银行面临破产的危险。

佛罗伦萨发达的金融业为文艺复兴运动的发展奠定了一定的物质基础。④

15世纪中叶之后,佛罗伦萨的社会上层积累了大量的财富,当权者科西莫·美第奇拥有的家产超过100万佛罗琳。他拿出大量金钱赞助文艺复兴,出巨资建立了意大利第一座颇具规模的公共图书馆。

市民阶级的平均年收入相对雇工来说也相当可观,当时,著名律师的平均年薪约500佛罗琳,是壮工的近20倍。

---

① 坚尼·布鲁克尔:《文艺复兴时期的佛罗伦萨》,第74页。
② 按雇工每星期工作6天计算,年平均工资额为3.1索尔迪×313天=970索尔迪,以1308年54索尔迪合1佛罗琳计算(参见,R. A. Goldthwaite, *op. cit.*, p.429),可以得出当时壮工的年平均工资约为18佛罗琳;同样可以算出,当时技工的平均年工资约为39佛罗琳。
③ 坚尼·布鲁克尔:《文艺复兴时期的佛罗伦萨》,第75页。
④ 厉以宁:《资本主义的起源——比较经济史研究》,第212—213页。

表2 15世纪中叶前后佛罗伦萨各阶层的平均年工资①

职业	平均年工资（佛罗琳/年）
著名律师	200—500
著名大学教授	200—500
银行经理	100—200
佛罗伦萨文书次长	100—150
一般大学教授	74—75
中产阶级的裁缝(1445—1455)	60
毛纺织工	43
木匠	36
壮工	27

据弗里克(C. C. Frick)估算，佛罗伦萨在1440—1480年间，维持一个四口之家的基本生活水平，每年的开销应该在56—70佛罗琳之间。② 按照这个标准，处于社会下层的雇工工资是十分微薄的，不足以维持一家的温饱。而市民阶级收入丰厚，能够资助文艺复兴运动。正如布鲁克尔所说，"文艺复兴文化，正如各类教书强调的那样，是由一个新兴的社会阶级、城市资产阶级(市民阶级)资助扶持起来的。……他们依靠从商业、银行和工业活动中获得的财富，能够雇用、延聘大批诗人、学者和艺术家，让这些人的辉煌成就为他们和他们的城市扬名争光。通过这些作为雇员和助手的知识分子和艺术家，资产阶级得以抒发他们自己的理想与价值观念"。③

15世纪中叶至15世纪末佛罗伦萨的经济状况可以说好坏参半。一方面，丝织业获得稳步的发展；另一方面，毛纺织业进一步衰落。尽管15世纪末之前，呢绒制品仍然在佛罗伦萨市场上占主导地位，④但是，它的颓势已经十分明显，与丝织业的强劲发展势头形成鲜明的对比。此时，商业也日益萎缩，由于受到英国、西班牙、法国的竞争，佛罗伦萨的海外市场不断缩小，

---

① C. C. Frick, *Dressing Renaissance Florence*, London: The Johns Hopkins University Press, 2002, p.97.

② C. C. Frick, *op. cit.*, p.96.

③ 坚尼·布鲁克尔:《文艺复兴时期的佛罗伦萨》,第13页。

④ C. C. Frick, *op. cit.*, p.96.

许多佛罗伦萨的商人步履维艰。这一时期佛罗伦萨的资本主义经济从整体上来说处于停滞状态。

二

文艺复兴运动是否是一场新文化运动并且开创了一个新时代,即资本主义时代?这是国际学术界研究的一个重大课题。从 1860 年至今,文艺复兴研究大体上经历了一个正—反—合的发展过程。

第一阶段:创立文艺复兴传统理论。

19 世纪 60 年代,布克哈特探讨了意大利文化发展基本特点,提出了个人主义是人文主义世界观基础和文艺复兴的重大意义在于创新等观点,这奠定了近代资产阶级史学家关于文艺复兴运动的理论基础。他发扬了伏尔泰等人的文化史创新精神,摆脱了欧洲传统史学的束缚,强调了文艺复兴的历史意义。他说,"最高尚的政治思想和人类变化最多的发展形式在佛罗伦萨的历史上结合在一起了,而在这个意义上,它称得起是世界上第一个近代国家"。[①] 但是,他的这部著作也有局限性,例如书中没有提到资本主义经济萌芽问题;又例如将文艺复兴的成就归功于一小部分上层人物的天才等。

第二阶段:反文艺复兴传统理论。

人类进入 20 世纪以后,世界性的经济危机和两次世界大战,在一些西方学者的心理上投下了厚重的阴影,他们关于布克哈特那种对新时代充满乐观主义的看法提出了质疑。其中代表人物是美国中世纪史学家哈斯金斯,他提出了一个反文艺复兴传统理论的著名论断,即现代研究表明,中世纪并非那么黑暗而静止,文艺复兴也不是人们所想象的那么光明和突如其来。哈斯金斯的这一论断等于否定文艺复兴代表了一个新的历史阶段的论断。

---

① 雅各布·布克哈特:《意大利文艺复兴时期的文化》,何新译,商务印书馆 1979 年版,第 72 页。

第三阶段:重新肯定并发展文艺复兴传统理论。

20世纪中叶,第二次世界大战结束后,学术界从批判中又"回到"布克哈特的传统理论上来。一大批西方史学家对布克哈特的传统理论进行重新分析和修正,达到了一个新的综合研究阶段。其中比较有代表性的是英国学者丹尼斯·哈伊。他于1961年将文艺复兴作为一个时代的意义进行了反复的论证,但是,又对这一论证抱以相当小心谨慎的并带有某种"讽刺意义的保留"态度。[1]

20世纪80年代以后,国际历史科学委员会下专设欧洲文艺复兴史专门委员会,西方文艺复兴的研究又有了较大的发展,出现了新理论并进一步拓宽研究领域,例如,城市史成为一些学者专门研究的课题。

当今,我国多数学者认为文艺复兴是一场资产阶级新文化运动,它的指导思想是人文主义。人文主义是"14—16世纪,在西欧,首先在意大利,在对古典文化发生巨大兴趣和批判罗马天主教神学的基础上进行的一场新思想、新文化运动"。[2]

人文主义以"人"为中心,反对以神为中心,这里所指的人是资产阶级的个人。人文主义的基本内容可以概括为三提倡三反对,即:提倡人权,反对神权;提倡人性,反对神性;提倡个性解放,反对宗教束缚。

佛罗伦萨早期文艺复兴运动创立了人文主义思想,它作为一种上层建筑是由当时的经济基础所决定的。换句话说,14世纪佛罗伦萨的经济上的资本主义萌芽决定了早期文艺复兴运动的人文主义的产生。马克思早在1859年精辟地阐述了经济基础与上层建筑之间的关系,他指出:"人们在自己生活的社会生产中发生的一定的、必然的、不以他们的意志为转移的关系,即同他们的物质生产力的一定发展阶段相适合的生产关系。这些生产关系的总和构成社会的经济结构,即有法律的和政治的上层建筑竖立其上并有一定的社会意识形式与之相适应的现实基础。物质生活的生产方式制

---

[1] 丹尼斯·哈伊:《意大利文艺复兴的历史背景》,李玉成译,三联书店1988年版,第3页。
[2] 张椿年:《从信仰到理性——意大利人文主义研究》,浙江人民出版社1993年版,第1页。

约着整个社会生活、政治生活和精神生活的过程。不是人们的意识决定人们的存在;相反,是人们的社会存在决定人们的意识。社会的物质生产力发展到一定阶段,便同它们一直在其中运动的现存生产关系或财产关系(这只是生产关系的法律用语)发生矛盾。于是这些关系便由生产力的发展形式变成生产力的桎梏。那时社会革命的时代就到来了。随着经济基础的变革,全部庞大的上层建筑也或慢或快地发生变革。"①

从上述的论述中,我们可以看到经济基础决定上层建筑是唯物史观的一条根本原理。但是,我们在坚持这一原理的同时,也要对这一理论做正确的、全面的理解,不然就会陷入"唯经济决定论"的错误思想之中。这一点恩格斯早在1890年给约·布洛赫的信中就做了精辟的阐述。他说:

……根据唯物史观,历史过程中的决定性因素归根到底是现实生活的生产和再生产。无论马克思或我都从来没有肯定过比这更多的东西。如果有人在这里加以歪曲,说经济因素是唯一决定性的因素,那么他就是把这个命题变成毫无内容的、抽象的、荒诞无稽的空话。经济状况是基础,但是对历史斗争的进程发生影响并且在许多情况下主要是决定着这一斗争的形式的,还有上层建筑的各种因素:阶级斗争的政治形式及其成果——由胜利了的阶级在获胜以后确立的宪法等等,各种法的形式以及所有这些实际斗争在参加者头脑中的反映,政治的、法律的和哲学的理论,宗教的观点以及它们向教义体系的进一步发展。这里表现出这一切因素间的相互作用,而在这种相互作用中归根到底是经济运动作为必然的东西通过无穷无尽的偶然事件(即这样一些事物和事变,它们的内部联系是如此疏远或者是如此难于确定,以致我们可以认为这种联系并不存在,忘掉这种联系)向前发展。否则把理论应用于任何历史时期,就会比解一个最简单的一次方程式更容易了。

我们自己创造着我们的历史,但是第一,我们是在十分确定的前提

---

① 《马克思恩格斯选集》第2卷,人民出版社1995年版,第32—33页。

和条件下创造的。其中经济的前提和条件归根到底是决定性的。但是政治等等的前提和条件,甚至那些萦回于人们头脑中的传统,也起着一定的作用,虽然不是决定性的作用。……

青年们有时过分看重经济方面,这有一部分是马克思和我应当负责的。我们在反驳我们的论敌时,常常不得不强调被他们否认的主要原则,并且不是始终都有时间、地点和机会来给其他参预相互作用的因素以应有的重视。但是,只要问题一关系到描述某个历史时期,即关系到实际的应用,那情况不同了,这里就不容许有任何错误了。可惜人们往往以为,只要掌握了主要原理——而且还并不总是掌握得正确,那就算已经充分地理解了新理论并且立刻就能够应用它了。在这方面,我是可以责备许多最新的"马克思主义者"的;而他们也的确造成过惊人的混乱……①

14世纪佛罗伦萨资本主义经济的出现决定了人文主义的诞生。但是,佛罗伦萨的新兴资产阶级之所以能够创造人文主义是由多方面因素决定的,这就需要我们要从众多方面的因素进行考察。

首先,我们要考察14—15世纪佛罗伦萨资本主义经济的发展程度及人们在物质生产过程中所结成的生产关系,这方面前文已经论及,此处不再赘述。

其次,我们要考察佛罗伦萨新兴资产阶级在从事资本主义生产的过程中,思想观念所发生的新变化。这种新的变化就是人文主义的产生。

人文主义并不是某些天才人物头脑中的产物,而是当时的人们在从事物质生产的实践活动中,思想观念对社会存在的一种反映。因为"观念的东西不外是移入人的头脑中改造过的物质的东西而已"。②

13世纪末,佛罗伦萨农奴制废除后,资本主义经济发展迅速,新兴的资

---

① 《马克思恩格斯选集》第4卷,人民出版社1995年版,第695—698页。
② 《马克思恩格斯选集》第2卷,第112页。

产阶级积极投身到商品经济中,在市场上,所有人都以私人交易者的身份出现,买主卖主都是独立的个人,他们的人身都是自由的,即使在雇主和雇工之间在进行劳动力买卖时,也不存在任何强制性和依附性,因为工人可以受雇这一私人业主,也可以受雇于另一私人业主。商品交换通行的原则是自由买卖、等价交换。交换的目的是获取利润。因而,当时的佛罗伦萨人,在从事商品经济的活动中,不论是下层民众还是上层市民都强烈地感到独立个人的价值,感到自由、平等可贵,感到占有财富的愉快。他们对天主教会的种种思想禁锢再也不能容忍了。他们反对以神为中心,提倡以人为中心;对天主教会宣传的封建依附关系、禁欲主义、蒙昧主义、安贫苦修等学说嗤之以鼻。宣扬个人的自由、平等与追求财富的思想已经成为一种深入人心的社会思潮,这种思潮最终酝酿起文艺复兴运动。因此,"文艺复兴史"又被称之为思想与宗教信仰领域中的"个人复兴史"。[1] 由此,我们可以说,资本主义生产关系是产生人文主义的前提条件。

佛罗伦萨市民阶级顺应了历史发展的潮流,创立了人文主义,揭开了长达几个世纪之久的欧洲文艺复兴运动的序幕,并为资产阶级日后登上政治舞台制造了舆论。因而,从本质上说,文艺复兴运动是市民阶级的产物,正如恩格斯所说,"从15世纪中叶起的整个文艺复兴时期,在本质上是城市的从而是市民阶级的产物。"[2]

再次,我们要考察意大利的传统文化与文艺复兴之间的关系。

佛罗伦萨的新兴资产阶级以何种方式在思想文化方面进行反封建的斗争?他们选择了"名为复兴古典文化,实则创立资产阶级新文化"的形式,这一形式在英文中被称做"Renaissance",即"再生"之意。这种选择是与意大利的文化传统密不可分的。中世纪的意大利人对他们的祖先创造的光辉灿烂的古罗马文化念念不忘,并引以为自豪。所以,当意大利新兴的资产阶级在与封建文化进行对抗时,他们首先想到的是以传统的古典文化为武器,创

---

[1] 孟广林:"唯物史观与思想文化史研究",《史学理论研究》2003年第3期,第23页。
[2] 《马克思恩格斯选集》第4卷,第254页。

立符合自身需要的人文主义。正如西方学者所说:"意大利文艺复兴时期,人们根据西塞罗、塞涅卡和李维的思想,创造出'公民人文主义'理论。"[1]当然,意大利的人文主义者在发掘古典文化遗产中,不但对古罗马而且对古希腊的古籍进行收集整理。不过我们从文艺复兴时期意大利的人文主义者所搜集整理的古典文献来看,还是以古罗马典籍为主。

最后,我们要考察佛罗伦萨特定时期的政治环境与人文主义的关系。

文艺复兴早期,佛罗伦萨共和国与周边的国家或地区经常处于敌对状态,战争时有发生。面对民主制度被敌对国的专制势力颠覆的危险,佛罗伦萨共和国的政治路线就是动员全体国民捍卫自己祖国的独立和自由,例如,1397—1398年,佛罗伦萨顽强抵抗米兰公爵吉安加里亚佐·威斯孔第(Giangaleazzo Visconti)的进攻。佛罗伦萨共和国为了捍卫自己祖国的独立和自由,不惜一切代价投入战争中来。佛罗伦萨当局宣称,"共和国不但习惯了自己家乡的自由,而且还要捍卫我们家园之外的自由。因此,我们为和平而战斗是实现一个长远目标所必需的,因为只有在和平环境之中,我们才能享有自由。"[2]这种政治上对独立和自由的要求,反映到思想文化上则是强调人的个体的独立性和自由平等性,这点正是人文主义反复强调的。

人文主义从本质上讲属于正在形成中的资产阶级的世界观和思想体系。

佛罗伦萨最早出现了资本主义生产关系,因而它成为人文主义的发源地,从这里走出了许多杰出的人文主义者。在佛罗伦萨早期文艺复兴的初始阶段(1320—1370年)产生了文艺复兴运动的"前三杰"——但丁、彼特拉克和薄伽丘。

但丁(Dante Alighieri,1265—1321)是文艺复兴运动的先驱者。恩格斯说:"封建的中世纪的终结和现代资本主义纪元的开端,是以一位大人物为标志的。这位人物就是意大利人但丁,他是中世纪的最后一位诗人,同时

---

[1] 理查德·詹金斯:《罗马的遗产》,晏绍祥等译,上海人民出版社2002年版,第7页。

[2] H. Baron, *Crisis of the Early Italian Renaissance*, Princeton:Princeton University Press,,1993, pp.28—29.

又是新时代的最初一位诗人。"①但丁出生于佛罗伦萨一个没落的贵族家庭,青少年时受过良好的大学教育,并对古罗马的文学作品十分热衷。青年时代投身于佛罗伦萨的政治斗争中,在共和国中担任执政长官,后因政治斗争失败,被放逐,终生在意大利其他城市过着流亡生活,最后客死他乡。但丁在1307—1321年以诗歌体裁撰写了《神曲》这部文学巨著。这首长诗讴歌了人的爱情和理性,赞美了现实生活,肯定了人生,褒扬了人的自由意志,同时,鞭笞了罗马教廷的腐败,揭露了封建主的贪婪。这些都表现出了诗人的雏形人文主义思想。但是,诗人还没有完全摆脱中世纪神学的束缚,仍然认为神学高于哲学,信仰高于理性,还用中世纪的神学形式表达自己的思想观念。诗人这种新、旧并存的两种思想观念,正好是当时佛罗伦萨新、旧两种生产关系交替的反映。

彼特拉克(Francesco Pertrach,1304—1374)是人文主义第一人,被誉为"人文主义之父"。

他是佛罗伦萨人,生于阿雷佐,出身于豪门。早年随父流亡,迁居法国阿维农。自幼喜欢古典文学,青少年时受过良好的大学教育。一生致力于文学创作与古典文化的研究。大约在1327年23岁的彼特拉克与一位美丽的少妇劳拉邂逅相识,爱慕之情油然而生,于是用托斯堪尼方言写下了大量的爱情诗篇,后来收集在《歌集》中,在这个诗歌集的366首诗中,其中有87%(317首)是用十四行行诗体裁写的。这些爱情诗完全摆脱了天主教会的禁欲主义的束缚,大胆直白地向世人袒露自己内心深处的爱情世界,歌颂了现实人的幸福与欢乐。诗中还表达了作者对大自然的热爱之情。

彼特拉克开创了研究古典文化之先河,对古罗马作家的手稿进行收集和整理,并且主张在写作时,摒弃经院神学家们所使用的野蛮的拉丁语,而恢复高雅的古典拉丁语。② 1351年,彼特拉克到佛罗伦萨讲学,宣扬人文主

---

① 《马克思恩格斯选集》第1卷,人民出版社1995年版,第269页。
② E. Gouwens, *The Italy Renaissance: The Essential Sources*, Malden: Blackwell Publishing, 2004, p. 24.

义思想,使佛罗伦萨成为人文主义思想的中心。

薄伽丘(Giovanni Boccaccio,1313—1375)是人文主义早期的杰出作家,佛罗伦萨人文主义的奠基人之一。

他生于佛罗伦萨附近,父亲是佛罗伦萨富商。由于是私生子的缘故,受到继母的冷落,因而薄伽丘的童年是在孤寂中度过的。青少年时,薄伽丘学过商业和法律,但兴趣不在于此,而在文学研究。1350年他定居于佛罗伦萨,并且受到佛罗伦萨政府的重用。1348—1353年薄伽丘完成小说《十日谈》。这部现实主义的小说从人文主义立场出发,以幽默辛辣的笔锋淋漓尽致地揭露了禁欲主义的反人性的本质,批判了天主教会的腐朽糜烂,热情地歌颂了人的现实生活,赞颂了人的真正爱情。

薄伽丘对人文主义的推广工作十分热心,曾邀请彼特拉克到佛罗伦萨讲学,宣传人文主义思想。不但如此,到晚年还致力于研究但丁的学术活动,并且在佛罗伦萨开设了《神曲》公共讲座。薄伽丘为人文主义在佛罗伦萨扎根呕心沥血,功不可没。

佛罗伦萨文艺复兴初始期的文艺复兴的特点是以文学作品为主,创立了人文主义思想。人文主义的根本任务是对社会的阶级变化给以新的解释,抨击封建的贵族出身高贵论,反对基督教的禁欲主义和来世思想,宣扬人的卓越和天生平等,为商人、手工业者、新出世的资产阶级的地位进行辩护。[1]

佛罗伦萨早期文艺复兴的发展阶段(1370—1500)涌现出更多的优秀的人文主义者。由于篇幅所限,只介绍如下几位。

萨留塔蒂(Coluccio Salutati,1331—1406)是14世纪中叶至15世纪初,佛罗伦萨最重要的人文主义者。他继承14世纪的彼特拉克的人文主义思想,并对15世纪的"市民人文主义"的发展奠定了基础。

他生于佛罗伦萨地区的一个小乡村——斯丁南诺(Stignano),青年时受过大学教育,热衷古典文化,与彼特拉克成为忘年交。1375—1406年担

---

[1] 张椿年:《从信仰到理性——意大利人文主义研究》,第29页。

任佛罗伦萨政府文书长30余年。他把人文主义活动与社会政治生活紧密结合起来,提出了"为社会服务"的口号。认为人文主义者不应待在书斋中远离现实运动去研究学问,而应投身到现实生活中,从古典文化中汲取营养,为现实服务。他一生致力于人文主义为社会实践服务。西方学者说"萨留塔蒂作为文书长的光辉生涯就证实了将修辞学与道德观有机地联系起来才有益于社会。"[1]

他认为佛罗伦萨的繁荣应归功于工商业的发展,因此,那些从事经济活动的人是值得受人尊敬的。他的这一观点开始扭转人们千百年来形成的"财产越多离上帝越远"的财富观。

他的外交文书以古典的拉丁文写就,文风典雅而犀利,令世人赞叹,就连他的敌人米兰统治者吉安加利佐·威斯孔第都说:"萨留塔蒂的书信抵得上一支骑兵队。"[2]他在1396年所著的《论命运和幸运》(De fato et fortuna)中,认为把神的命运与人的自由调和起来的说法基本上谈不到什么原创性。[3] 他主张人应该运用自由意志对待生活,这样就可以战胜命运。通过他的几十年的不懈努力,佛罗伦萨成为人文主义在各方面的活动中心。他的人文主义思想被他的学生布鲁尼加以继承和发扬。

布鲁尼(Leonardo Bruni,约1370—1444)是"市民人文主义"(civic humanism)创始人,[4]他生于阿雷佐,出身于一个商人家庭,20多岁时来到佛罗伦萨学习法律,并参加萨留塔蒂的人文主义团体,钻研拉丁文典籍并努力学习希腊文。1405年,去罗马担任教廷秘书一职近10年,然后回到佛罗伦萨曾担任文书长一职长达17年(1427—1444)。在担任佛罗伦萨政府公职期间,他还投资商业、金融业、保险业等,收入颇丰,成为当时佛罗伦萨最富有的人之一。他对人文主义者大师彼特拉克十分推崇,于1436年写了《彼

---

[1] C. G. Nauert, JR, *Humanism and the Culture of Renaissance Europe*, Cambridge: Cambridge University Press, 1995, p. 29.
[2] J. R. Hale, *op. cit.*, p. 285.
[3] P. F. Gredler, *op. cit.*, p. 391.
[4] E. Gouwens, *op. cit.*, p. 43.

特拉克生平》一书,对人文主义思想大加宣扬。此外,他还撰写了《佛罗伦萨人民史》、《论佛罗伦萨国家》、《佛罗伦萨颂》著述,而且还将亚里士多德的《伦理学》、《政治学》翻译成拉丁文。这些著述在伦理、政治、教育、历史和宗教等方面全方位地发展了人文主义,创立了"市民人文主义"新流派。这一流派主张捍卫佛罗伦萨的市民民主制度,公民应以积极的生活态度对祖国尽责,为社会的利益服务,围绕上述任务学习古典文化。[1] 这个流派的特点是具有浓厚的佛罗伦萨地方精神。

尼可利(Nicclo Niccoli,1364—1437)是佛罗伦萨的最重要的人文主义者之一,首次在西方建立了开放的图书馆,在收集古典手稿方面做出了不可磨灭的贡献。

他是皮斯托亚人,父亲是佛罗伦萨的毛纺织企业家,家境十分富有。他自幼受到良好的教育,对古罗马、古希腊的文化发生浓厚兴趣。1401年在布鲁尼举办的对话会上,尼可利首次向世人展示了他是一个急进的古典主义者。[2]

尼可利一生几乎没有什么著述。他将毕生的精力都倾注在对古希腊罗马的古籍收集整理方面。他用自家资财购买的古典文献达800余册,并欢迎公众前来阅读。通过他的锲而不舍的努力,极大地促进了佛罗伦萨的人文主义学术活动的深入发展。

佛罗伦萨这一时期(1370—1500)的人文主义的特点可以从两个阶段来分析。

前一阶段是从14世纪70年代至15世纪50年代。这个时期人文主义的显著特点是与现实生活的紧密结合,扎根于市民的生活中。在此基础上,人文主义者对人的美德和社会义务,对人的地位和财富的意义等一系列问题从理论上进行了说明,提出了比较系统的、世俗的伦理思想,使伦理问题成为人文主义的主要内容。

---

[1] 张椿年:《从信仰到理性——意大利人文主义研究》,第33—34页。
[2] J. R. Hale, op. cit., p. 225.

后一阶段是从15世纪60年代至90年代。这个时期人文主义已成为社会的广泛承认的文化思想运动而且新的人文主义中心相继出现。诗歌、修辞学、伦理学同传统的医学、法律等科目在大学中占据了比较重要的地位。人文学科已获得特定的含义。人文主义本身进一步发生分化,一部分人文主义者继续坚持市民人文主义,从伦理和政治的角度突出强调公正和自由的重要性,更激烈地反对美第奇家族的统治。另一部分人文主义者,主要是柏拉图学园的成员,在美第奇家族的保护下研究人类对世界的认识和人类智力的认识能力。他们推崇知识、强调理智的作用,为人的尊严和地位作了最充分的论证。[1]

综上所述,14—15世纪佛罗伦萨的资本主义生产关系是产生代表新兴资产阶级利益的上层建筑——人文主义思想的经济基础。这里要指出一点是上层建筑具有一定的相对稳定性,或者说惯性。当一种新的经济基础出现之后,旧有的上层建筑还要存在一段时间之后,才会发生相应的改变。例如,佛罗伦萨的资本主义生产关系在14世纪初期就达到了鼎盛,而这时期封建的上层建筑仍具有较强的势力,只是到了14世纪中期新的上层建筑——人文主义思想才在佛罗伦萨普及,出现了具有人文主义倾向的民间文化集会。也就是说,新的上层建筑比它的经济基础晚了几十年。

---

[1] 张椿年:《从信仰到理性——意大利人文主义研究》,第36—38页。

十月革命:20世纪初俄国现代化的唯一出路
The October Revolution: The Only Way for Russia at the Beginning of 20th Century

赵 士 国(湖南师范大学历史文化学院)

摘要:始于19世纪初的俄国现代化,至60年代沙皇亚历山大二世废除农奴制并在上层建筑领域进行一系列改革时,掀起了首次高潮。但至20世纪初,农奴制的残余和沙皇专制统治的存在使俄国现代化步入了死胡同。为消灭农奴制残余而进行的斯托雷平改革未获成功,而姗姗来迟的二月革命虽推翻了沙皇的专制统治,却并没有使俄国摆脱困境。资产阶级临时政府及其合作者——孟什维克和社会革命党都表现出政治上的近视和麻木,他们在持续的混乱中进一步恶化了形势。此时的俄国不仅现代化前景黯淡无光,就连国民的生存也毫无保障。危难之时,是列宁找到了唯一正确的道路——十月革命。十月革命使俄国摆脱了困境,将俄国现代化推进到了一个新阶段。

关键词:现代化; 十月革命; 唯一出路; 新阶段

Abstract: The Russian modernization began at the beginning of 19th century, and reached its fist high tide when the tsar Alexander Ⅱ abolished the Serfdom and made a series reforms in the realm of the superstructure in 19th 60s. But it got into the last lane because of the survivals of the Serfdom and the existence of the tsar's autocracy at the beginning of 20th century. The Stolypin's reform aimed at abolishing the survivals of the Serfdom was not successful. The February Revolution that was very late though overthrew the tsar's autocracy, did not extricate Russia from a difficult position. The bourgeois' provisional government and its cooperator—Menshevik and the Socialist Revolutionaries Party both were political myopia and numb; they deteriorated the situation in the continued confusion. At that time the prospects of the Russian modernization was dim, moreover the subsistence of the Russian people had not a shred of security. In the dire peril, Lenin found the only correct way—the October Revolution. The October Revolution extricated Russia from a difficult position, carried the Russian modernization to a new stage.

Keywords: Modernization; The October Revolution; Only Way; New Stage

一

俄国的现代化进程大体始于 19 世纪初。伴随着法俄之间的战争,西方近代的启蒙思想和民主观念,猛烈冲击着封建专制的俄国。[①] 从 19 世纪 20 年代起,西方的自由、民主、平等观念成为俄国思想解放的主题。接着,1825 年发生的十二月党人起义、30 年代开始的工业革命,推动俄国现代化缓慢行进。60 年代,俄国沙皇亚历山大二世宣布废除农奴制,并在上层建筑领域进行了一系列改革,掀起了俄国现代化的首次高潮。经过 60、70 年代的改革,俄国经济迅速发展。90 年代,俄国出现了工业高涨。1887 年至 1897 年,俄国煤产量增长了 2.5 倍,石油增长了 2.7 倍,生铁增长了 3.1 倍。[②] 俄国的工业布局大为改观。80 年代以前,重工业主要集中在乌拉尔地区,进入 90 年代中期,南俄已成为重要的重工业基地,其地位已超过了乌拉尔。1902 年,南俄生铁产量已占全国生铁总产量的 53.1%,而乌拉尔仅占

[①] 赵士国:"论俄国早期现代化",《世界历史》1999 年第 6 期,第 32 页。
[②] Ф. М. Дмитриев, *Хрестоматияпоистории России*, Т. 3, М. 1948, С. 189.

28.12％。①过去曾是不毛之地的顿巴斯,90年代中期后成为俄国巨大的煤炭业中心,其煤的开采量已占全俄总产量的2/3。地处偏远的巴库则成了俄国石油工业的中心,至1900年,它的石油产量已占全国的95.1％。19世纪末和20世纪之交,俄国社会经济的发展使资本主义文化与封建宗法制度文化之间的矛盾越发尖锐,并且后者已越来越处于劣势。

1905年沙皇军队在日俄战争中失败揭开了俄国革命的帷幕。革命的冲击曾迫使沙皇政府进行宪政制度改革。在政治上,国家杜马的召开和新版《国家根本法》(即1906年颁布的《国家根本法》)的颁布,使俄国像其他欧洲国家一样,至少外表上成了一个代议制的国家。在人民的心目中,沙皇已不再像过去那样是"神"一般的人物,而事实上其无限专制的权力已不复存在。这时的国家杜马已具备与西方民主国家的议会相似的基本组织形式及基本权力。国家行政体制也发生了重大变化。1905年尼古拉二世签署《10月17日诏书》后,即发布敕令,改革大臣会议。改革后的大臣会议成为俄国唯一的常设性的最高行政机构,在其事务范围内拥有决定权和实际执行权,它已形成为近代意义上的中央政府。俄国学者亦认为,大臣会议是"俄国历史上第一个(法律形式上的)政府"。②

然而,这一时期俄国在现代化的程度上与西方先进国家,即使是与后起的德国、日本比较,亦相去甚远。就政治制度而论,英美国家早在18世纪即已建立了虚君式立宪君主制和共和制,贯彻了资产阶级的分权与制衡原则。它们都是比较典型的资产阶级民主制国家。俄国的半立宪式的沙皇政治体制与上述两国不可同日而语。德国、日本与俄国同为二元制君主立宪制国家,但就其民主化的程度而言,俄国亦不及它们。③ 俄国在经济上与先进国家的差距更大。它没有建立起发达的资本主义经济体系,工农业等的生产力水平仍然十分低下。俄国拥有世界上1/6的土地和1/13的人口,而

---

① Н. М. Лукин, *История России*, М. 1956, С. 170.
② А. М. Давидович, *Самодержавне в эпоху империализма*, М. 1975, С. 248—249.
③ 赵士国:前引文,第36—37页。

1913年,美国、德国和英国工业生产规模分别是俄国的14.3、6和4.6倍。[①]俄国仅有9%的人口从事工业和建筑业,而75%的人口从事农业;在俄国国民收入中29%来自工业和建筑业,而54%来自农业。[②] 就国家的社会经济实质而言,尽管19世纪下半期俄国进行了重要的改革,但它的基础仍然是传统的,不符合新时代的要求。国家管理的专制形式、地主土地所有制、农民村社、自然经济色彩浓厚、落后守旧的村社生活方式,一方面阻碍了现代化的发展;另一方面,个别经济领域资本主义过快的发展速度加剧了社会紧张程度,从而滋生了社会危机。

进入20世纪,俄国不仅政治、经济落后,教育文化落后,而且前途未卜,这就使国家进一步落后于文明世界,文明世界坚决奉行工业化方针并尽种种可能享用工业化的丰硕成果。第一次世界大战的失败充分证明此时俄国的现代化已步入了死胡同。

二

20世纪初,俄国现代化最大的障碍是什么?一是封建农奴制残余,二是沙皇专制制度。列宁说,"在俄国,不仅地主土地占有制是中世纪式的,而且农民份地占有制也是中世纪式的。这种占有制极其混乱,它把农民分散为无数细小的中世纪式的类别和等级"。[③] 这种现象是1861年改革不彻底的产物。改革虽然使农民获得人身自由和份地,但农民要被迫缴纳远远高于当时土地市场价格的高额赎金。对于农民来说,支付赎金是一场掠夺,它夺走了农民多年积累的资金,阻碍了农业经济按市场原则改组的过程,使俄国农村长期处于贫困状态;改革不仅没有废除中世纪的村社组织,反而加强了村社的经济职能。为保证国家税收,村社内实行连环自保。土地一如以

[①] П. И. Лященко, История народного хозяйства СССР Т.2, М.1948, С.228.

[②] В. В. 阿列克谢耶夫:"关于20世纪俄国现代化问题的若干思考",张广翔译,《吉林大学社会科学学报》2005年第5期,第56页。

[③] 《列宁全集》第16卷,人民出版社1988年版,第390页。

往,定期重分,并与赋税分摊联系。它与农户的人口变化和他们的纳税能力相适应。农民所得份地只有使用权没有所有权,份地在原则上仍是地主的财产,农民无权转让或出卖。这是一种农奴制的严重的残余,它延缓了农民的分化,影响了土地的集中和雇佣劳动制的形成,阻碍了农村资产阶级的成长;同时,定期重分,造成了土地经营的短期行为,加速了地力的消耗;又由于宗法制的束缚,农民不能自由迁居、择业,因而不能为资本主义的发展提供急需的自由劳动力。农民赎买份地,地主不是同农民而是同村社签订契约。村社限制农民离开农村,遏制了劳动力的自由流动。农民获得的份地通常低于改革前拥有土地的数量,地主占去了一部分农民的好地。俄国农民的贫困、不自由和任人宰割的状况在欧洲是独一无二的。

改革后,由于人口自然增长率提高,农民的份地不断减少,从1861年的4.8俄亩(1俄亩等于1.09公顷)减少到1905年的2.6俄亩。农民缺乏土地的现象日益严重。农民小生产者的地位限制了他们与市场的结合,妨碍了国内市场的扩大。改革后,地主土地所有制得到了巩固和加强。根据1900年的资料,在私人所有的土地中,贵族占有79.8%,而农民只占有5.5%,商人和市民占有12.8%;20世纪初,拥有500俄亩以上大地产的地主占有很大比重,甚至形成了拥有5万俄亩的土地寡头集团。155个大地主的土地面积达1620万俄亩,几乎占全国私有土地的20%。[1] 由于农民缺乏土地,农村存在着大量剩余劳动力,地主可以通过工役制继续奴役农民,他们让农民用自己的农具和耕畜为其耕种土地。工役制妨碍了地主用先进农具和雇佣劳动者按资本主义方式经营农业。农奴制残余的存在,限制了工业化持续发展的进程。19世纪90年代的工业高涨为1900—1903年的工业危机所打断。发生危机的重要原因就是农业落后和国内市场狭窄。在危机之后,俄国进入了战争和革命的年代,经济长期萧条。到1906年时,俄国的土地重分型村社仍是生机勃勃,发挥着作用。[2] 事实表明,村社和农民

---

[1] Сахаров А. Н., *История России с начала XVIII до конца XIX века*, М. 1997, С. 494.
[2] С. М. Дубровский, *Столыпинская земельная реформа*, М. 1963, С. 189—199.

份地制的存在,已成为俄国现代化发展的严重障碍。

为了消灭农奴制残余,改变农业的落后状态,1906年任大臣会议主席的彼得·斯托雷平开始实行以消灭村社,扶植富农经济的土地改革,力图使农业现代化得以发展。斯托雷平土地改革的内容主要为:允许农民自由退出村社和把份地固定为私人所有;通过土地调整重新分配土地建立个体农户,主要是建立独立田庄和独家农场,以培植农村资产阶级;组织移民,即从人口稠密的中央黑土地带和非黑土地带以及乌克兰地区向物产丰富,但自然条件恶劣,向来人烟稀少的西伯利亚以及中亚地区移民。斯托雷平土地改革具有值得肯定的重要意义。改革在一定程度上破坏了1861年改革时留下来的村社和份地制度,加速了农民的分化,促进了农村资本主义的发展。列宁认为,这次改革是1861年改革的继续,"是为了资本主义的利益……的第二个重大步骤"。① 如果说,1861年改革是俄国由农奴制专制制度向资产阶级君主制转变道路上的第一步,那么,这次改革则是"在同一道路上迈出了更为重要的第二步"。

但是,斯托雷平土地改革的主要社会目标,即通过摧毁村社,培植富农经济,使富农成为农村中决定性社会经济力量的目标没有达到。改革没有触动半农奴制的地主土地所有制,绝大多数农民不仅没有获得土地,甚至在重分土地中再次遭到剥夺,农民必须继续为土地而斗争。斯托雷平鼓励农民退出村社,但到1916年1月,退出村社的农民总共才约300万户,不及农户总数的1/3,划出的份地也仅占村社土地面积的22%。② 此时,农民和地主贵族的矛盾仍然是俄国农村的主要矛盾。这场改革"注入了浓厚的警察色彩",实际上成为有权势的私有者对"无权的或半无权的私有者——农民"进行的掠夺。"结果是骚乱四起,农民中无疑产生了千千万万的无产者"。

---

① 《列宁全集》第16卷,第242页。

② Академия наук России институт истории России,*История России XX век*,М. 1996,С. 99.

维特预言,"将来很可能招致一定程度的,甚至是严重的革命动乱"。① 后来的事实表明,维特的预言是对的。

在俄国,沙皇专制的传统根深蒂固。俄国是被具有改革倾向的统治者如彼得一世、亚历山大一世、亚历山大二世等"拖向西方"的,统治集团学习西方的目的在于巩固传统型的政治制度。即使像斯托雷平的土地改革也带有同样的政治目的,改革开始时他曾坦言,在农村扶植"殷实的私有者,这对于在稳固的君主制基础上延续我们的皇统,对于阻碍革命运动的发展是非常必要的"。② 所以,俄国虽然引入了一些西方现代社会的体制因素(主要在技术和经济领域),但政治制度并没有得到改造,而且在经济发展进程中进一步强化了传统的政治架构。由于历代沙皇顽固地拒绝现代社会的政治民主制,拒绝君主立宪,从而堵塞了新兴资产阶级进入统治集团的政治通道,也失去了议会机构对君主的辅佐和制衡,于是不可避免地出现了政治体制的腐朽和统治集团的退化。罗曼诺夫王朝末代几位沙皇都具有昏庸与反动的特征。1881年因兄长被刺而出其不意登上皇位的亚历山大三世,"既没有文化,也不喜欢念书"。③ 20岁以前所受教育最多不过是小学文化程度,而且性格偏激、固执,资质平庸,反应迟钝。在政治上"秉性保守,而且由于父亲被暗杀而变本加厉",④他的当政开始了俄国历史上"一种肆无忌惮、毫无理性和残暴至极的反动"。⑤ 最后一代沙皇尼古拉二世有一种根深蒂固的观念:他是专制君主,国家的全权主宰,任何人的意见都不能和他的旨意等量齐观。他"冷漠和懦弱得近乎病态",继承了其父自私、自负、缺乏想象力的性格特征,在他身上非常明显地表现了"19世纪王室和贵族从整体

---

① 谢·尤·维特:《俄国末代沙皇尼古拉二世续集——维特伯爵的回忆》,张开译,新华出版社1985年版,第289页。
② 转引自张广翔:"俄国农业的艰难推进与斯托雷平的农业现代化尝试",《吉林大学社会科学学报》2005年第5期,第65页。
③ M.K.卡斯维诺夫:《拾级而下的二十三级台阶——末代沙皇尼古拉二世评传》,贺安保等译,商务印书馆1987年版,第78页。
④ F.H.欣斯利编:《新编剑桥世界近代史》第11卷,丁钟华等译,中国社会科学出版社1987年版,第504页。
⑤ 《列宁全集》第2卷,人民出版社1984年版,第263页。

上在文化和知识上都已出现的颓势"。① 他几乎丧失了对社会变动趋势的感应能力和管理国家的能力,听任其喜欢弄权而又毫无政治才干的妻子和一个混入宫廷的疯疯癫癫的"长老"的摆布,充分暴露了已病入膏肓的沙皇专制制度的腐朽本质。他的种种倒行逆施使俄国现代化进程的内在矛盾日趋尖锐,终于引发了全面的社会危机,把一场政治革命推上了历史舞台。如前所述19世纪60—70年代的"大改革",标志着俄国由封建君主制向资产阶级君主制的转变。但是,政治的民主化、法制化比经济的现代化更为滞后。1905年革命虽然迫使沙皇政府走上资产阶级君主立宪制的轨道,但是,沙皇仍有任命官吏、解散杜马的权力。沙皇专制制度仍是旧生产力的代表,是资本主义发展和政治现代化不可逾越的障碍机制。

也许,俄国社会中的精英们在当时选择了解决现代化问题的最佳方案——推翻沙皇专制统治,建立如同西方一样的资产阶级民主国家,这样农奴制残余的问题也将自然随之解决。1917年二月革命成功,沙皇专制统治终于寿终正寝,而且,资产阶级临时政府也建立起来了。然而,俄国现代化并未因此走上坦途。

三

1914年,沙皇政府为了缓和日益加剧的国内矛盾,积极发动和参加了欧洲列强之间的大厮杀,企图将人民对沙皇专制统治的斗争矛头转移到外部去。战争的爆发也的确暂时平息了社会上和政治上对沙皇专制统治的反对浪潮,人们把怨恨集中到了外部敌人的身上。但这种脆弱的爱国团结没有维持多久。战争的拖延以及俄国在战场上的接连惨败加剧了社会中原有的大部分矛盾。俄国社会危机深重,沙皇专制统治走投无路。二月革命推翻了罗曼诺夫封建王朝,完成了"从沙皇政府的专横恐怖到广泛的政治自由

---

① 马克·斯坦伯格、弗拉基米尔·赫鲁斯塔廖夫:《罗曼诺夫王朝的覆灭》,张蓓译,新华出版社1999年版,(导言)第5页。

的急剧转变",其历史意义是应该肯定的。列宁曾多次肯定这一点,他在二月革命刚结束不久时说:"目前在世界各交战国中,俄国是最自由的国家","现在世界上没有一个国家有俄国这样的自由。"①

临时政府成立之初即宣布了言论、出版和结社的自由。1917年4月2日,临时政府颁布法令,宣布"废除建立在民族、宗教和社会成分基础上的歧视",规定全体居民不论宗教、社会成分和民族,都享有居住、迁徙的自由,拥有私有财产和参加工商业的平等权利;也有参政权以及教育和受教育的权利;可以使用俄语和俄语以外的语言和方言。显然,临时政府是要在俄国建立资产阶级的民主制度,并通过这种制度,使俄国从一个半封建的专制主义国家转变为西方式的资产阶级民主国家,在俄国发展资本主义。按理说,资产阶级临时政府如能沿着这条道路走下去,俄国的现代化也将充满希望。但是,临时政府的政策和措施与其设计的方向南辕北辙,与人民的愿望亦背道而驰,俄国的形势异常糟糕,前景令人失望。

二月革命是在人民群众厌战情绪高涨、生活急剧恶化以及广大农民为争取土地所进行的反对沙皇专制统治的斗争中出现的。鉴于此,资产阶级临时政府建立后,理所当然地应针对革命所提出的重大问题展开工作,这样才能获得人民群众的支持,巩固已到手的政权并努力达到自己要求达到的目的。二月革命后,俄国所面临的迫切需要解决的重大问题是:退出战争,实现和平;恢复经济,稳定社会;解决土地,安抚农民。但是,资产阶级临时政府对上述问题一样也没有解决。临时政府代表地主、资产阶级的利益,而置广大人民群众的利益于不顾,因此在它存续的短暂时日里,就经历了多次政治危机。

临时政府继承沙皇的战争政策,力图保持同盟国的关系,目的是企望战后获得君士坦丁堡及黑海两海峡。外交部长米留可夫照会各国政府,重申俄国对外政策不变,同时保证"将世界战争进行到彻底胜利",以此获取美、英、法、意等对临时政府的承认。他在回答有人提出必须退出战争的问题时

---

① 《列宁全集》第29卷,人民出版社1985年版,第176页。

说:"也许正是由于战争,我们还能勉强维持这一切,如果没有战争,一切会很快垮台。"①临时政府在如何恢复经济方面毫无打算当然也就毫无建树,相反工农业生产每况愈下,经济进一步恶化,问题越来越严重。粮食供应更为紧张。临时政府实行的国家粮食采购计划完全破产,城市粮荒更为严重。为应付军费需要,政府滥发纸币,致使通货继续贬值,工人生活进一步恶化。②临时政府也根本没有打算去满足农民对土地的强烈要求。在其专门的号召书里,政府一方面承认必须进行土地改革,另一方面又宣布农民起来"夺占"地主土地为"违法行为",通令采取一切措施直至"调动军队"镇压农民夺取地主土地的行动。直到十月革命前,临时政府始终没有采取任何解决农民土地问题的举措。临时政府及其合作者——孟什维克和社会革命党都表现出政治上的近视和麻木,它们无力把俄国引出危机,并且在持续的混乱中进一步恶化了形势:前线士兵厌战情绪高涨,开小差者日众,战场败绩连连;国内经济崩溃,工厂停工停产,粮荒接踵而至;民怨沸腾,革命烽火四起;统治阶级内部离心离德,内讧不断,难以自制。此时的俄国不仅现代化前景黯淡无光,就连国民的生存也将毫无保障。当时俄国的形势有如俄国社会民主工党(布)第六次代表大会声明中所概括的那样:"国家在战争的困境中辗转行进,酿成了前所未有的像雪崩一样的政治和经济危机……战争像一个巨大的吸血鬼,吸干了国家机体上的血液,耗尽了其整个体力。国家没有燃料、没有原料、没有面包。饥饿像幽灵一样在城镇、乡村和穷人的宅院游荡。国家已经面临着毁灭的深渊。"③

谁来拯救俄国? 谁来拯救俄国的现代化? 俄国的出路在哪里? 前述已经证明:斯托雷平改革的道路不能成功,资产阶级民主的尝试也宣告了失败。危难之时,是列宁找到了唯一正确的道路——十月革命。十月革命的

---

① 参见德·阿宁编:《克伦斯基目睹的俄国1917年革命》,丁祖永等译,三联书店1984年版,第163—167页。

② 参见梁士琴科:《苏联国民经济史》第1卷,中国人民大学编译室译,人民出版社1959年版,第650页。

③ П. Волобуев, Пролетариат и буружазия России В 1917г. м . 1964. С. 227.

道路使俄国摆脱了困境,将俄国现代化推进到了一个新阶段。

列宁的高明之处在于,他创造性地把马克思主义的革命理论与俄国的具体实践相结合,提出了社会主义可以在一国首先取得胜利的理论。据此,他根据变化了的新的情况,迅速而果断地领导布尔什维克和广大人民将资产阶级民主革命迅速向社会主义革命转变,而且取得了胜利。他证明了,像俄国这样的落后国家完全可以跨越资本主义的"卡夫丁峡谷"而进行社会主义革命。按照列宁的思维逻辑,十月革命并不意味着立即实现社会主义,它要解决的仍然只是资产阶级民主革命的任务。但由于俄国所处的特殊国际环境和国内条件,它可以而且应当越过资产阶级民主革命的阶段,向社会主义过渡,采取社会主义的一些最初步骤。列宁的选择前无古人,具有开创性的意义。在布尔什维克1917年的四月会议上,李可夫反对列宁的新的选择,他认为,社会主义应当从其他工业比较发达的国家产生。李可夫所依据的前提就是:俄国是一个落后的、农民的、小资产阶级的国家,因此根本谈不上社会主义革命。列宁对此加以反驳,他说,"工人群众有责任帮助农民群众找到一条摆脱业已造成的经济破坏的出路"。列宁解释道,最后几个字是决议的关键。"我们提出的社会主义不是一种跳跃,而是一条摆脱业已造成的经济破坏的实际出路"。"既然资产阶级不能摆脱现状,革命就要继续前进"。① 很显然,进行社会主义革命是摆脱困境的唯一出路,是在毫无出路的处境逼迫下作出的一种可行的选择。

十月武装起义胜利后,以列宁为首的苏俄政权不失时机地成功地解决了当务之急——战争与饥饿问题。《和平法令》颁布后,又相继战胜了国内白卫反革命集团的叛乱和各帝国主义国家的武装干涉,终于赢得了人民盼望已久的和平。与此同时,苏维埃政权推行战时共产主义政策,着手解决经济问题首先是粮食问题。进入1921年,战时共产主义政策开始向新经济政策转变,并对其不断补充调整。新经济政策是适合俄国国情的社会主义建设之路,国家经济形势得以明显好转。到1925年末,俄国工业总产值达到

---

① 《列宁全集》第29卷,第438页。

773900万卢布,比1920年增加632900万卢布;俄国谷物产量,1925年达到44.24亿普特,比1920年增加16.65亿普特,这一产量甚至超过战前年平均产量4.45亿普特(战前年平均产量为39.79亿普特)。① 此时,苏俄已加快了工业化的步伐。到了第二个五年计划末期,工业生产水平超过1913年相应指标的7.2倍。按照工业总产量,革命前的俄国占世界第五位,占世界工业生产比重的2.6%,而在第二个五年计划末按照工业总产量苏联已跃居欧洲第一位,世界第二位,它在世界工业生产中的比重达到了13.7%。② 1913年,俄国农业总产值为240.43亿卢布,占国民收入的34.8%,工业和运输业仅为133.83亿卢布,占国民收入的19.3%,③到1937年苏联农业产值为262亿卢布,工业总产值已达955亿卢布。④

苏联在短短几十年时间内走完了西方上百年才能走完的工业化进程,迅速成为世界工业强国,向实现现代化迈出了坚实的步伐。所有这一切,应该归功于由列宁领导的伟大的十月革命。

---

① 参见姚海等:《当代俄国》,贵州人民出版社2001年版,第36页。
② В. В. 阿列克谢耶夫:前引文,第57页。
③ Академия наук России институт истории России, Россия 1913 год. Статико-документльный справочник, С-П. 1995, С. 32—33.
④ 苏联科学院经济研究所:《苏联社会主义经济史》第4卷,马文奇等译,三联书店1982年版,第23页。

福 祸 相 随
——早期阿根廷经济现代化发展的特点
Weal and woe—the characteristics of Argentine early economic modernization

潘 芳(南开大学历史学院)

摘要：19世纪80年代，阿根廷开始了本国现代化的进程。阿根廷早期现代化主要集中于经济领域。早期经济现代化的蓬勃发展是因为阿根廷不仅充分利用了本国资源，而且适应了国际市场的供需变化。早期经济现代化为阿根廷带来了经济上的繁荣和开放，改变了阿根廷贫穷、落后的经济面貌。但是早期现代化也为阿根廷带来了产业结构和发展动力的单一性，以及经济发展的依附性。单一性和依附性逐渐成为阿根廷经济发展中最大的弊端。纵观阿根廷经济发展的历程，早期经济现代化对阿根廷来说可谓"福祸相随"。

关键词：阿根廷； 早期经济现代化； 特点

Abstract：Argentine early modernization began in the eighties of the 19th century. The early modernization mostly focused on economic domain. The reason of early economic modernization flourishing was Argentina not only made the best of national resource but also adapted the change of supply and demand in the international market. The early economic modernization brought prosperity and opening for Argentina. But the modernization also brought the oneness of industrial frame and developmental dynamic as well as the adhering of economy development for Argentina. The character of oneness and adhering become the maximal abuse in Argentine economy development. Review the course of economic development, the early economic modernization is "Weal and woe" to Argentina.

Keywords: Argentina; Early Economic Modernization; Characteristics

在19世纪初,阿根廷在名义上虽然获得了独立,但是并未建立起真正意义上的民族国家。在独立后相当长的一段时间内,阿根廷与现代化失之交臂。阿根廷的现代化正式起步于以胡利奥·A.罗加为代表的"80年代"人当政时期。对秩序与和平的向往促使阿根廷社会选择了罗加,选择了寡头政治。在一定意义上,阿根廷社会选择了寡头政治也就选择了福祸相随的早期经济现代化。现代化是一个全面的社会变革过程。现代化的启动和发展推动了阿根廷社会向更开放、更文明的社会发展。然而由于经济模式和社会结构的特殊性,阿根廷早期经济现代化本身又具有相当大的局限性。

发展动力的个性化和单一性

阿根廷现代化起步的动力是进出口经济的发展和繁荣。从19世纪70、80年代以来,阿根廷就逐步以初级产品出口国的角色进入世界经济体系中。19世纪70年代,阿根廷主要是以羊毛和羊皮的出口为主。到70年代中后期,国际市场上皮张和羊毛的价格下跌,饲养业收益下降。罗加将军在1879—1880年发动的讨伐印第安人的"征服荒漠"的行动虽然为饲养业的发展提供了大量廉价的新土地,但是阿根廷饲养业已经历了高潮,开始下滑。新土地只能减缓饲养业的衰退而不能阻止饲养业丢弃在阿根廷贸易中的首要地位。罗加将军"征服荒漠"的行动虽然没能挽救阿根廷的饲养业却在更大程度上推动了阿根廷经济的发展,开启了阿根廷现代化的大门。19世纪80年代,"征服荒漠"后,阿根廷获得了3000多公顷的新土地。这些土地后来成为支撑阿根廷经济发展的最宝贵的资本。"征服荒漠"之后,阿根廷真正进入地广人稀时期。在广袤的土地上,不仅人口密度低,而且交通设施相当缺乏,阿根廷全国各地尤其是新征服的土地基本处于隔绝状态。受到这种地域上的局限,阿根廷国内贸易不通,国际贸易不畅,内地的产品无法运往沿海出口,海外产品无法深入内地满足当地生活的需要,整个阿根廷社会处于待开发状态。但是依靠自身微弱的财力,阿根廷是无力开垦这块广大并且孕育着勃勃生机的处女地。正当阿根廷陷入这种"捧着金饭碗要饭"的时候,国际环境发生了巨大的变化。国际资本主义尤其是欧洲的资本主义国家到19世纪80年代经历了漫长的发展时期开始进入成熟阶段。资本主义经济的发展使得欧洲各国尤其是英国积累了大量的资本。资本的本质就是向有利润的方向流动。阿根廷这个待开发的宝地自然成为资本的一个焦点。阿根廷当时最紧迫的任务就是修建交通设施,沟通内地与沿海,使阿根廷成为一个可以开放的国家。阿根廷有建设基础设施的需要,国外资本有进行投资的能力,这两者在80年代后期开始结合。80年代后期,阿根廷开始掀起铁路建设的高潮。铁路交通设施的建设为阿根廷现代化的发展真正打开了大门。铁路的建设沟通了阿根廷内地肥沃的土地与沿海良好的港口,也沟通了阿根廷与国际市场。由于人口增多等原因,国际市场对农产品的需求直线上升。铁路的建设沟通了阿根廷农业产区与沿海港口,也就疏通了农业产区与国际农产品消费市场。铁路修建首先受益的是农业生产。铁路修建之后,阿根廷农业得到了蓬勃发展。19世纪80年代后期,农业生产特别是小麦生产逐年扩大。1880年阿根廷的农耕地是494万英亩,1895年增加到1535万英亩,1905年是3064万英亩,1923年5082万英亩。[1] 著名的历史学家詹姆斯·斯科比写道:"英国资本兴建了铁路,畜牧业改进了技术,草原上的资源得到广泛利用。……在这种情况下,土地每年为地主提供12%至15%的收益,土地价格往往每10年提高1000%。已经掌握土地,权力和金钱的人垄断着大草原上新开发的财富,而耕耘土地和放

---

[1] José Luis Romero, *A History of Argentine Political Thought*, California: Stanford University Press, 1963, p.171.

牧牛羊的人只能勉强糊口度日。"[1]农产品成为阿根廷主要的出口产品,成为继饲养业衰落之后,阿根廷经济发展的一个新的动力。

表1 国际贷款,已完工的铁路总长度和出口值[2]

年份	(1) 国际款总额 百万英镑	(2) 竣工铁路的长度 公里	(3) 小麦的出口量 千吨	(4) 玉米出口量 吨	(5) 羊毛出口量 吨
1885	39	864	78	198	128
1886	68	1334	38	232	136
1887	154	853	238	362	109
1888	248	882	179	162	132
1889	154	567	23	433	142
1890	45	1294	328	707	118
1891	8	3043	396	66	139
1892	—	1207	470	466	155
1893		170	1008	85	123
1894	—	178	1608	55	162
1895	17	86	1010	772	201
1896	37	345	532	1571	188
1897	38	294	102	375	206
1898	46	696	645	717	221
1899	25	962	1713	1116	237
1900	26	150	1929	713	101

Sources(1) J. H. Williams, *Argentine International Trade under Inconvertible Paper Money 1880—1900*, Harvard, 1920, p. 152. (2) Tornquist, *50 years of economic development in the Argentine Republic*, p. 117. (3) Extracto Estadistico de la Republica Argentina correspondiente al ano 1915, Buenos Aires, 1916, pp. 72—73. (4) Ibid., pp. 67—68. (5) Ibid., p. 67.

由表可知,19世纪80年代中期以后,阿根廷铁路线在逐年增加,在80

---

[1] 詹姆斯·斯科比:《大草原上的革命:阿根廷小麦的社会史》,第5页。转引自莱斯利·贝瑟尔主编:《剑桥拉丁美洲史》第五卷,中国社科院拉丁美洲研究所组译,社会科学文献出版社1992年版,第345页。

[2] A. G. Ford, "Argentina and the Baring Crisis of 1890", *Oxford Economic Papers*, New Series, Vol. 8, No. 2, Jun., 1956, pp. 127—150.

年代末90年代初达到最高峰。这正是由于在现代化起步之初,阿根廷的铁路建设吸引了大量资本主要是外国投资。这项长期投资的果实在当时并没有达到立竿见影的效果。到80年代末90年代初,开工的铁路建设相继完工,阿根廷铁路的长度明显增加。19世纪80年代末以后,伴随着铁路等基础设施的不断完善,阿根廷农产品尤其是小麦出口迅速增加。在正常年景中,每次铁路修建高峰之后都要出现农产品出口的一次新的增加。1886年阿根廷完工的铁路由1885年的864公里增加到1334公里之后,1887年阿根廷小麦的出口就由38000吨增加到238000吨。之后,小麦的出口基本上一直保持着稳定增长。农产品的出口成为阿根廷经济发展的支柱之一。

在农业发展的同时,以养牛业为主的畜牧业经济也开始发展。畜牧业产品的出口,其中主要是牛肉的出口,也在逐渐增多。虽然在19世纪90年代阿根廷从英国引进了冷冻技术,开始出口冷冻牛肉,但是在19世纪,阿根廷牛肉的出口依然是以新鲜肉出口为主。新鲜肉类有限的保质期制约了19世纪阿根廷牛肉的出口量,限制了阿根廷畜牧业的发展。在19世纪阿根廷经济的主要支柱是农产品出口。

进入20世纪,阿根廷出口经济结构没有发生实质性的变化,发生变化的只是出口经济内部的调整。19世纪末20世纪初国际市场尤其是欧洲市场对阿根廷畜牧业产品的需求量开始增加,为阿根廷畜牧业的发展开辟了广阔的前景。但是苦于从阿根廷向欧洲运输新鲜牛肉的困难,阿根廷畜牧业在19世纪一直没有出现迅猛的发展势头。在出口畜牧业产品的丰厚利润的驱动下,阿根廷开始引进新技术,力图扩大肉类产品的出口。从19世纪末,阿根廷就开始从英国引进冷冻技术,开始向欧洲出口冷冻牛肉。只是到了20世纪初,冷冻技术和冷冻运输才开始在阿根廷普遍推广,向欧洲出口冷冻牛肉才成为畜牧业出口的主要方式。冷冻技术的引进为阿根廷畜牧业的发展解决了技术上的瓶颈之困,推动了畜牧业产品的出口。在冷冻技术之后,阿根廷又逐渐地采用了更为先进的冷藏技术。冷藏、冷冻技术的使用将阿根廷畜牧业产品的出口推向高峰。20世纪初,在国际市场逐渐扩大和国内加工、运输技术不断更新的促使下,畜牧业经济异军突起,成为阿根廷经济增长的新的兴奋点。畜牧业和农业成为阿根廷经济现代化主力军。

从市场需求和阿根廷地广人稀的自然条件来说，阿根廷畜牧业发展的前景显得更加广阔；从畜牧业发展的势头来看，畜牧业将成为 20 世纪阿根廷经济的焦点。在畜牧业强劲的发展势头影响下，阿根廷农业内部发生了变化。农产品的种植向内地转移，而大草原上原有的农业生产出现调整。其重点转为种植苜蓿等为畜牧业发展提供饲料的作物。阿根廷的农业并没有因为畜牧业的发展而退出主体经济，而是主动去适应畜牧业的发展。19 世纪末 20 世纪初，阿根廷的铁路网基本建成，内地农产品出口的交通可以说是畅通无阻；大草原上，畜牧业经济又得到了充分的发展。在阿根廷形成了农业与畜牧业并行、互补的发展形势。不仅有广阔的国际市场而且有丰裕的国内资源的农牧业经济结合体成为阿根廷经济的主流和阿根廷现代化的主要动力。农牧业产品的出口也成为阿根廷的主要对外贸易。农牧业的结合以及农牧业产品出口的增加奠定了农牧业经济在阿根廷经济中不可取代的地位。

农牧业经济之外的其他产业从 19 世纪 80 年代后期也开始发展。首先是工业的发展。阿根廷工业在 19 世纪 80 年代末开始起步。但是由于国家经济的重心在农牧业经济，工业在阿根廷经济结构中一直处于次要地位，没有得到应有的保护，发展速度缓慢。不过在阿根廷现代化起步以后，工业还是得到了一定程度的发展。1895 年在阿根廷全国有工业企业有 24114 家，雇佣工人 175000 人，1913 年工厂数量增加一倍，雇工达 41 万人，工业投资只增加了三倍。[①] 但是工业发展的步伐和速度是没办法与农业、牧业经济相比拟的。直到 20 世纪 20 年代，阿根廷工业活动还主要是小规模的生产单位，与工厂企业相比，更具有工匠作坊的特点。1913 年平均每个工厂的工人只有 8.4 人。[②] 此外，就阿根廷已有的工业企业来说，几乎全部都是轻工业企业，生产一些日用消费品供普通市民消费。阿根廷几乎所有的重工

[①] José Luis Romero, *op. cit.*, p.171.
[②] David Rock, "Machine Politics in Buenos Aires and Argentine Radical Party 1912—1930", *Journal of Latin American Studies*, Vol. 4, No. 2, Nov., 1972, pp. 233—256.

业产品和大农牧业主的奢侈消费品都是从海外市场进口。

表2　阿根廷进口贸易①

年代	消费品	资本货	燃料	其他产品	总和
1900—1904	1069	417	86	1240	2806
1905—1909	1604	932	178	1830	4544
1910—1914	2065	1098	285	2271	5719
1915—1919	1634	438	136	1137	3345
1920—1924	2212	924	262	1997	5395
1925—1929	3037	1789	389	3000	8214

Extracted from economic commission for Latin America(CEPAL)El desarrollo económico de la Argentina (México,1959).

在阿根廷的进口商品中,消费品和资本货一直占有绝对多数。阿根廷的工业发展缓慢、工业结构单调与大量进口外国产品尤其是消费品和资本货是互为因果的。正是因为工业的不完善和不健全,阿根廷才大量地进口弥补国内的需要;反之,也正是因为阿根廷大量地从海外市场、从发达资本主义国家进口国内所需要的工业品,大量进口货流入阿根廷市场排挤了处于幼年时期的阿根廷工业,加剧了阿根廷工业的不健康发展。

阿根廷的工业从萌芽到20世纪20、30年代一直没有得到很好的支持和保护,工业生产在阿根廷一直是在艰难的发展,一直没有受到国家的重视,也一直处于被边缘化的地位。这种状况在庇隆上台后才有所改善。

现代化的深入发展也为阿根廷新兴产业部门的出现提供了机会。商业、服务业在阿根廷经济体系中从无到有,从弱到强的发展过程见证了阿根廷现代化的发展。商业、服务业本身就是阿根廷现代化的产物,是作为农牧业经济发展的补充以及为农牧业经济提供服务而兴起的。从诞生之日起,

---

① Roger Gravil,"The Anglo-Argentine Connection and War of 1914—1918",*Journal of Latin American Studies*, Vol. 9, No. 1, May, 1977, pp. 59—89.

商业、服务业就适应了阿根廷现代化的特点,以农牧业经济依附产业的身份融入阿根廷经济结构中。

商业和服务业的发展丰富了阿根廷的产业结构,完善了阿根廷的经济结构。而且商业和服务业对阿根廷国民生产总值的贡献也在逐年增加。尽管如此,阿根廷商业和服务业从本质来说并非独立的产业,是农牧业经济的附属产业。商业、服务业发展的机会和前景都有赖于农牧业经济的发展。可以说,没有农牧业经济的发展和繁荣就没有商业和服务发展的空间。因此,商业、服务业的产生和发展只是对阿根廷经济结构的微调,只是对原有的经济结构进行了修饰和完善,并没有改变阿根廷的经济结构。

剖析阿根廷经济结构不难发现,自阿根廷现代化起步以来,农牧业经济始终把握着阿根廷经济发展的命脉,是阿根廷经济发展的首要推动力;分析阿根廷经济发展的模式同样可以发现,自现代化起步以来,阿根廷"大出大进"型经济发展模式也不曾发生实质性的变化。阿根廷在经济上经历了19世纪末20世纪初的金融危机,也经历了20世纪初的几次经济衰退;在政治上同样也是经历了寡头政治、伊里戈延早期民众主义时期。无论是经济上的波动还是政治上的变迁都没有动摇农牧业经济在阿根廷现代化中的至尊地位,也没有改变"大出大进"经济发展模式的巩固地位。从19世纪80年代末到20世纪30年代,阿根廷经济现代化始终是在循着一个单一的发展中心,在一个单一的模式中发展。期间阿根廷经历了历史的变迁,但是经济的发展动力和发展模式的核心是原封未动地延续下来。阿根廷早期经济现代化选择的这种发展动力和发展模式,一方面充分利用了本国丰富的自然资源,推动了阿根廷经济的发展,是经济个性化的体现;另一方面这种发展动力和发展模式又给阿根廷带来了一个根本性的经济弊端即单一性。随着阿根廷经济活动范围的日益扩大、经济活动内容的日益复杂,这种单一性逐渐成为制约阿根廷经济健康、有序发展的最大顽石。

发展进程的开放化和依附性

以农牧业出口经济为依托的"大出大进"型的发展模式造就了阿根廷早期经济现代化进程从一开始就是开放的。开放化是阿根廷早期经济现代化的本质和特性。阿根廷经济精英的主导思想和发展理念,对经济发展前景的规划以及阿根廷经济发展的方向等等,处处都表现出阿根廷早期经济现代化发展进程的开放化。这种开放化是阿根廷经济发展的精髓,也是阿根廷经济现代化给阿根廷带来福音的根源。但是阿根廷早期现代化的"开放"却走到了另一个极端,在开放中失去了自我,成为外部经济世界的依附者,阿根廷经济的发展呈现出强烈的非自主性和依附性。阿根廷经济的非自主性和依附性表现为阿根廷总体上对国际经济的非自主性,也表现为阿根廷经济内部其他经济部门对主导经济的依附性。

从阿根廷经济现代化起步开始,阿根廷经济就是以出口初级产品、进口工业品的角色参与了国际经济体系。阿根廷现代经济从一开始就属于国际经济体系的一部分。现代化进程的开放化为阿根廷带来了广阔的市场、充裕的资金、丰富的劳动力以及先进的技术等。所有这些都是现代化启动和发展所必备的。从某种意义上说,阿根廷早期经济现代化成于开放化。但是阿根廷在国际贸易体系中的地位决定了阿根廷经济现代化并没有走上一条自强发展的道路,而只能充当国际贸易的追随者而不是弄潮者。

纵观阿根廷经济从19世纪80年代到20世纪30年代的发展,支持阿根廷经济现代化起步、发展的资金主要都是依靠海外投资。之后,伴随着阿根廷现代化的发展,外国资本在阿根廷始终占有重要地位,而且外资大部分集中于关键部门和关键产业中,对阿根廷经济发展具有相当大的影响力。在经济现代化起步阶段,阿根廷就向国际资本主义国家大量地借贷。这些资本流向阿根廷不同的行业和部门。

19世纪80年代到第一次世界大战,英国一直保持着资本主义世界的霸主地位,是资本主义世界的"领头羊"。一战之前,在阿根廷的外国资本中,英国资本占有绝对优势。据联合国拉丁美洲经济委员会后来估计,1914年的外国公私投资(其中英国资本约占 60%)占全国股本的一半,相当于两年半的国内生产总值。从 1900 年起,外国投资以每年 11.41% 的速度增加。英国投资者拥有阿根廷大约 80% 的铁路、大片土地、大部分电车和城市公用事业,以及一部分肉类加工厂和工业。① 国际资本尤其是英国资本逐渐在向阿根廷的关键部门、关键领域渗透。

从一战到大萧条,国外资本在阿根廷总资本中的地位基本上没有发生实质性的变化。变化的只是在阿根廷资本结构中各国资本地位和数量的消涨。第一次世界大战中,美国与英国经济实力和地位对比发生了显著的变化。一战以后,美国资本加大力度向阿根廷扩张,美国资本在阿根廷外国资本中的比例有所增加,向传统的英国资本提出挑战。

表3　1913 年和 1929 年美国与英国投资阿根廷的名义资本(百万美元)②

国家	美国投资		英国投资	
	1913	1929	1913	1929
阿根廷	40	611	1861	2140
巴西	50	476	1162	1414
智利	15	396	332	390

应该注意一点:完全按国别区分是不可能的。S.G. 汉森的《南美洲的法卡尔辛迪加公司》一文(载于《西班牙美洲历史评论》1937 年 8 月)列举了巴西铁路公司的例子:"由美国人注册,加拿大人联合创立,属巴西财产,在伦敦市场上融资,主要由法国和比利时投资者提供资金。"关于更早的阶段,D.C.M. 普特拉在其《1870 年以前英国在海外的证券投资:某些疑惑》一文(载《经济史评论》1980 年第 33 期)中认为,这种现象可能严重夸大了英国的数字。但相对重要性的变化是本表反映的一个主要方面。

---

① 莱斯利·贝瑟尔主编:《剑桥拉丁美洲史》第 5 卷,第 401 页。
② 莱斯利·贝瑟尔主编:《剑桥拉丁美洲史》第 4 卷,中国社科院拉丁美洲研究所组译,社会科学文献出版社 1991 年版,第 63 页。

表4 美国投资与美国+英国投资总额之比(%)①

	1913	1929
阿根廷	2.1	22.2

资料来源:M.温克勒著《美国资本在拉丁美洲的投资》(世界和平基金会,波士顿,1929)。

表5 1913年和1927年拉丁美洲从美国、英国的进口占进口总额的比重(%)②

	从美国进口		从英国进口	
	1913	1927	1913	1927
阿根廷	14.7	19.8	31.0	20.7

资料来源:M.温克勒著《美国资本在拉丁美洲的投资》(世界和平基金会,波士顿,1929)。

由表3、4、5可以看出,一战后,进入阿根廷的外国资本主要是来自美国。美国在阿根廷的投资直逼英国,成为阿根廷经济的又一个重要的投资者。这一时期,美国的投资比英国几乎多了一倍。一战冲击了英国经济,英国的经济地位开始下滑,开始丧失资本主义世界霸主地位。与此相对,由于种种原因,美国经济在一战以后成为国际经济体系中的一枝独秀,出现欣欣向荣的发展势头。英美经济的不同发展态势影响了两国的国际投资和国际贸易。英国对外投资和国际贸易开始紧缩,美国的投资和产品出口渐趋高涨。但是由于阿根廷的发展理念和经济思想没有发生根本性变化,阿根廷经济发展中"亲英"的传统也没有发生实质性的变化。英国依然保持作为阿根廷最大的投资者和产品供给国的角色。

第一次世界大战期间和战后初期,英国在阿根廷的投资全部停止了,20世纪20年代后期仅有少量恢复。大战严重影响了外资在阿根廷的投资,大战期间及战后初期,外资流入只及战前的1/5。在1913年至1927年之间,外资对国内资本的比率由48%降到34%。

第一次世界大战之后阿根廷的外资虽然在数量上有所减少,但是从19

---

① 莱斯利·贝瑟尔主编:《剑桥拉丁美洲史》第4卷,第63页。
② 同上,第67页。

世纪 80 年代到 20 世纪 20 年代末,在阿根廷资本市场中,外资始终占有相当大的份额。阿根廷现代化从起步到发展都没有摆脱在资金上对外资的依赖。

从市场来说,阿根廷经济现代化对国际市场更具有依赖性。与国际老牌资本主义国家相比,阿根廷工业的发展在整个国家现代化的发展过程中显得极端迟缓。阿根廷工业是在农牧业经济大发展之后才开始萌芽、发展。在阿根廷的经济现代化发展的初期,工业一直处于滞后状态。工业是阿根廷现代化的产物而不是现代化的动力。阿根廷工业不仅姗姗来迟,工业结构更是残缺不齐。阿根廷工业从萌芽到 20 世纪 20 年代末,始终是以轻工业为主,重工业部门没有得到发展。阿根廷工业发展的这些劣势决定了阿根廷经济现代化在技术、设备等方面对国际市场的依赖。在现代化的起步阶段,阿根廷工业没有能力给予经济现代化"脱壳而出"的技术上的支持。就技术方面,阿根廷始终依靠国际技术市场,引进本国发展所需的几乎所有技术。在现代化发展过程中,此类问题依然存在。设备的不断更新和完善对于现代化的深入发展来说是非常关键的。但是阿根廷残破不齐的工业体系无法满足现代化发展的要求。国际市场又一次充当了关键性角色。在阿根廷进口货中,资本货一直都占有一定的比例,这与阿根廷工业的不足有极大的关系。

如果说由于工业发展的迟缓引起阿根廷对国际市场的依赖,那么阿根廷"大出大进"的自由主义经济模式则完全将阿根廷抛给了国际市场。这种经济发展模式的信条就是经济上的自由主义,向世界完全敞开大门,毫无保留地融入国际经济体系中。阿根廷经济的发展是随着国际市场的变化而变化,从饲养业到农业再到农牧业的结合,经济重心转变的指挥棒就是国际市场。毫不夸张地说,没有国际市场就没有阿根廷的现代化。

"大出"是阿根廷经济现代化的支柱之一。1887 年阿根廷有 8400 万比索的货物出口,1880 年出口 10000 万比索。小麦、玉米和亚麻籽的年均出口额由 1910—1914 年的 210 万吨、310 万吨和 68 万吨分别增加到 1925—1929 年的 420 万吨、350 万吨和 160 万吨。同时期,冷藏牛肉的出口由年均仅 2.5 万吨增加到 40 万吨以上。①

从 19 世纪末 80 年代后期开始,阿根廷出口值在逐年增加,这种趋势在 20 世纪更加明显。到 1926 年,阿根廷出口世界亚麻籽的 72%,66% 的谷物,20% 的小麦和面粉,30% 的毛皮,26% 的肉类和肉类产品,54% 的牛和牛产品。② 出口收入在国民生产总值中一直占有重要的位置。

"大进"则是阿根廷经济现代化的另一条重要的支柱。阿根廷现代化发展从资金、技术、设备等资本货到阿根廷市民的基本日用品、贵族的奢侈品等很大部分都是依靠进口来满足。阿根廷政府收入的主要来源也是进口的关税收入。无论是现代化的起步还是发展,进口经济是阿根廷经济的重要一环。

无论是"大进"还是"大出",阿根廷经济现代化的运行始终依赖国际经济体系,成为发达国家的初级产品的来源地和工业品的销售地。离开了国际市场,阿根廷的经济将陷入停顿。阿根廷经济发展模式了决定了阿根廷经济发展的脆弱性。

从劳动力来说,阿根廷经济的依赖性更加明显。移民在阿根廷经济中的地位是不言而喻的,没有大量移民的涌入就没有阿根廷经济的起飞和发展。阿根廷被誉为移民国家。移民在阿根廷经济发展中作出了重大贡献。

表6　阿根廷净移民③

年份	1881—1890	1881—1890	1901—1910	1911—1920	1921—1930
总数	637667	319882	1120222	269094	877970

Source: Argentine Republic, Dirección de Inmigración, Resumen estadistica del movimiento migratorio en la República Argentina, 1857—1924 (Buenos Aires 1925).

移民不仅大量地进入阿根廷而且充斥了阿根廷劳动力的各个阶层,弥

---

① José Luis Romero, *op. cit.*, p.172.
② Clarence F. Jones, "Argentine trade development", *Economic Geography*, Vol.2, No.3, Jul., 1926, pp.358—39.
③ Samuel L. Baily, "Marriage Patterns and immigrant Assimilation in Buenos Aires, 1882—1923", *The Hispanic American Historical Review*, Vol.60, No.1, Feb., 1980, pp.32—48.

补了阿根廷劳动力不足的弱势。

表7　移民在社会各个阶层中40岁以上的雇佣者中所占比例①

年份	1887	1895	1904	1909	1914
精英或上层	25%	31%	26%	29%	19%
蓝领和白领雇员	79%	70%	67%	64%	65%
体力劳动者	79%	82%	79%	68%	86%

Calculations based on censo general de la ciudad de Buenos Aires de 1887,2:43—47,541—542; de 1904,55—63;de 1909,1:53—60. censo nacional de 1895,2:47—50;de 1914,4:201—212.

移民的不断涌入不仅为阿根廷劳动力市场带来了单纯的数量上的增加,而且改善了阿根廷劳动力的结构。就提高阿根廷人口的识字率上,移民的作用是显而易见的。阿根廷在1895年,7岁以上的人口中有54.4%为文盲,到1914年35.1%为文盲,2.7%为半文盲。

表8　1914年阿根廷不同社会群体中7岁以上儿童的识字率②

总人口	63.0%
阿根廷人	60.4%
外国人	65.1%

Source:censo,1914,Ⅲ,329.

由表可以看出,移民的识字率要远远高于阿根廷本国人口。大量移民的涌入提高了阿根廷劳动力的总体素质。移民也为阿根廷带来了技术、先进的管理方式、经营方式以及欧洲先进的思想观念等。大量的海外移民对阿根廷经济现代化的发展起到了不可取代的作用。

无论是从资金、技术还是市场、劳动力等方面,从19世纪80年代到20

---

① James R. Scobie, "Buenos Aires as a commercial-bureaucratic city, 1880—1910:characteristics of a city's orientation", *The American Historical Review*, Vol. 77, No. 4, Oct. 1972, p. 1058.

② Hobart A. Spalding, JR, "Education in Argentina, 1890—1914:The Limits of Oligarchcal Reform", *Journal of Interdisciplinary History*, Vol. 3, No. 1, summer, 1972, pp. 31—61.

世纪 30 年代,阿根廷经济现代化都表现出对国际经济体系的依赖性。这种依赖性是一种非自主的依赖。对国际经济体系的依赖使得阿根廷经济的发展失去了自我的主体意识,完全成为逐国际经济变化而动的被动者。在国际经济体系中没有自主性,有的只是被动的适应性。

阿根廷经济依赖性的另一方面就是阿根廷经济体系内部不同产业之间的地位和关系。回顾 20 世纪 30 年代以前阿根廷经济现代化的发展历程,阿根廷经济体系内部一个最大的特点或者说是一个最大的缺陷,就是其他所有产业部门对农牧业经济的依赖性。

无论是工商业还是其他服务业都在不同程度上对主导经济即农牧业经济具有依附性。阿根廷工业发展所需的资金是依赖出口部门的收入,原料也主要依靠进口;商业和服务业兴起于主要的沿海大城市,主要是为出口部门和出口产业提供服务,从另一个角度看,商业和服务业也是农牧业经济这个大的经济体系中的一个分支。以布宜诺斯艾利斯为例,从 1887 年到 1914 年,工业设备和雇工主要集中于肉类包装、面粉加工、羊毛洗涤、食品加工和建筑。所有这些都支持着布宜诺斯艾利斯发挥一个内地农产品出口的港口作用。从第一次世界大战到 20 世纪 20 年代末大萧条,阿根廷的工商服务业虽然有了一定程度的发展,但是并没有压倒农牧业出口经济,没有改变农牧业经济在国家经济中的主导作用。阿根廷经济无论是对内还是对外都带有极大的依附性和非自主性。就阿根廷经济整体对外来说,阿根廷经济在市场、资金、劳动力等方面具有非自主性,严重依赖欧美等资本主义国家;就阿根廷经济体系内部,其他工商服务业在很大程度上是主体产业——农牧业经济——的辅助和次生产业。

阿根廷早期经济现代化发展的进程就是阿根廷向世界尤其是向欧洲开放的过程。这种开放化的发展过程为阿根廷带来了发展的契机。但是这种开放化的发展过程却走到了另一个极端,给阿根廷经济带来了另一个根本性的弊端,即依附性。无论是整体经济对国际市场的还是阿根廷经济体系内部不同部门之间,这种非自主性和依附性是显而易见的。阿根廷经济发展的非自主性和依附性与阿根廷经济的现代化的开放性共生、共存。

小　结

综上所述,自19世纪80年代开始的阿根廷早期现代化以惊人速度和威力迅速改变了阿根廷的经济面貌。阿根廷经济状况发生了翻天覆地的变化,彻底改变了阿根廷原有贫穷、落后的面貌,将阿根廷社会带入了一个充满希望的时期。阿根廷凭借自己的优越的自然条件跻身于国际经济体系之中,成为国际经济体系中一颗耀眼的明珠。然而阿根廷早期经济现代化并没有走上一条逐渐完善、逐渐丰满的道路,却走上了一条畸形发展的现代化道路。阿根廷政治无论由保守派还激进党掌握,这种经济发展模式始终没有发生根本性的变化。以农牧业出口经济为动力的"大出大进"经济发展模式确实彰显了阿根廷经济结构的个性,发挥了阿根廷经济上的比较优势;经济发展的开放化也的确为阿根廷经济带来了发展的机遇和发展的空间。但是阿根廷早期经济现代化在张扬个性和捕捉良机的同时又陷入了另一个困境,即发展动力的单一性和发展进程的依附性。早期经济现代化将阿根廷带入一个新的发展时期的同时又给阿根廷的经济发展套上了沉重的"枷锁"。这副枷锁在阿根廷早期经济现代化发展时期非但没有被打破,反而成为阿根廷经济的核心内容。这副枷锁一直伴随着阿根廷经济现代化的发展历程。随着阿根廷经济的不断发展,这种经济结构和经济体制上的局限性越来越制约着阿根廷社会的进一步深入发展,成为阿根廷经济现代化发展的最重要的症结所在。阿根廷早期经济现代化为封闭、落后的阿根廷社会带来福音的同时也为阿根廷带来了魔鬼。回首阿根廷早期经济现代化发展的历程,阿根廷早期经济现代化的特点就是福祸相随。

印度城市化进程缓慢原因探析
Cause and Effect of Slow Urbanization in India

王 红 生(北京大学历史学系)

摘要:纵观近百年来印度的城市化进程,总体呈缓慢发展的态势。分析其原因,主要是工业化、农业现代化、基础教育、人口移动等城市化的动力不足。而这些又受印度社会固有的种姓制度、城乡差别、土地制度等因素的深刻影响。预计在未来30年间,印度将加快城市化步伐,但考虑到以上因素不可能在短期内消失,印度城市化缓慢的局面将会延续相当长一段时间。

关键词:城市化; 种姓制度; 土地私有制; 城乡差别

Abstract: India has experienced slow process of urbanization in the past century. It was resulted from its weakness of dynamics in terms of industrialization, agricultural modernization, primary education, and labor migration. Some social and historical institutions such as caste system, urban-rural gap, and landownership are considered as main factors that have played both positive and negative role in the process. It is anticipated that the process of urbanization of India would get impetus. Considering the factors above, however, the slow process of urbanization will continue in India for a longer period.

Keywords: Urbanization; Caste System; Private Landownership; Urban-rural Gap

一、印度城市化进程总体趋势

印度城市化的历史可以追溯到印度河流域文明时期。历史上，印度的城市先后受到三种文明的影响：早期的印度教文明、中世纪的伊斯兰教文明和现代时期的基督教文明。在很长时间里，印度的绝大多数人生活在农村，在过去 100 年里印度才缓慢地发生城市化进程。下表显示 1901—2001 年百年间印度城市化的总体趋势。印度的城市人口从 1901 年的 25.8 百万增加到 2001 年的 285.4 百万，在此 100 年中城市人口增加 11 倍多。与独立前相比，独立后印度城镇化的步子有所加快。每 10 年城市人口增加比例从 1961 年的 26.4％增加到 1971 年的 38.2％，1981 年的 46.0％，1991 年的 39％，以及 2001 年的 31.4％，均大大高于 20 世纪前 30 年的增长水平。

表 1 印度城市化的趋势，1901—2001

普查年份	城镇数目	人数（百万）	占人口比例	每 10 年增加（按人数）
1901	1888	25.8	10.8	—
1911	1875	25.9	10.3	0.3
1921	2012	28.1	11.2	8.3
1931	2145	33.5	12.0	19.1
1941	2329	44.2	13.8	32.0
1951	2924	62.4	17.6	41.4
1961	2462	78.9	18.0	26.4
1971	2643	109.1	19.9	38.2
1981	3425	156.2	23.7	46.0
1991	4689	217.2	25.7	39.0
2001	5161	285.4	27.8	31.4

资料来源：M. S. A. Rao ed., *A Reader in Urban Sociology*, New Delhi: Orient Longman, 1991, p.78。

就印度城镇人口的绝对数量而言，在世界各国中已经名列前茅，实际数量印度排在中国和美国之后名列第三。但若依据城镇人口在总人口中的比例,情况就不是那样了。根据居住在城里的人口的比例,印度仍是世界上城市化水平最低的国家之一。依据1991年普查,只有25.7%的印度人住在城里,而在像美国、日本和西欧这些世界上高度发达的国家,城市人口的比例在66%—85%之间。即使在亚非不太发达的国家中,城市人口的平均比例也在34%左右。因此,与其他发展中国家比较,印度的城市化是低的,有些研究者认为印度仍然是一个农村社会。① 另外,依据三个产业在国民生产总值的比重,2001年印度的农业产值在国民总产值中不到20%,而农村人口却超过总人口的70%,其他国家当经济发展到这一水平时,具有高得多的城市人口。② 因此相比于其他国家,印度城市化水平是较低的,城市化的速度是较慢的。

二、城市化动力不足对城市化的影响

影响印度城镇化进程的动力主要有工业化、城乡市场经济的发展、教育的发展和人口移动。

独立后的印度政府将迅速工业化作为发展经济的指导方针。经过几十年的发展,在工业结构上,印度已从一个主要生产消费品的国家变为轻重工业全面发展的国家,成为世界第十大工业国。印度的工业,无论是公营部门还是私营部门,无论是旧有的还是新建的,基本集中在城市地区,工厂主要坐落于城市,从而促进城市的发展。

现代农业的发展是城市化的另一个动力。印度农业现代化进程同绿色革命紧密相关。绿色革命在增加粮食产量的同时,为活跃城乡商品经济做出了贡献。由于农业和工业发展的结果,在城镇中商业活动增加了几倍。绿色革命地区的农业产生出巨大的剩余,由附近村庄的农民们卖到城镇中

---

① P. Judge, *Strategies of Social Change in India*, New Delhi: Orient Longman, 1996, p.59.
② Rakesh Mohan, Shubhagato Dasgupta, "The 21st century: Asia Becomes Urban", *Economic and Political Weekly*, Jan. 15.2005. p.215.

心。同样地,农村地区农民的繁荣为城镇区域的商人的货物提供了市场。绿色革命大大增加了农业的投入,已经生产出来的工业品找到了销路,从而强化了城乡间的贸易活动。这是上世纪六七十年代印度城镇化加快的主要原因。

影响印度城市化进程的第三个动力来自教育的发展。独立以来,历届印度政府都强调教育,民间对子女教育也怀抱颇高的热情。不少学者的研究表明,能在城市中找到工作的许多是受过较好教育、生活条件较好的年轻人,农村中真正贫困家庭是无力也不想走出去的。其实,不见得在城市里就能找到待遇优厚的工作,就能挣得比农村多。也不是待在农村就没有活路了,许多人迁移是为了让孩子能上个好学校。城市学校一般比农村强,考上大学的机会大得多,孩子考上大学后,高昂的学费又迫使父母不得不寻求打工的机会,无论在中国还是印度,许多父母是为子女的教育而外出打工的。在印度,接受更好的教育被绝大多数村民认为是外出的最大动力。[1] 对于那些根本无力也不想让孩子接受良好教育的贫困家庭来说,出外的动力和能量都要小得多。

最后,移民既是以上三个因素的结果,也是城市居民增加的一个重要因素。城市工商业的繁荣将各种各样的农村人口吸引到城市。劳动力移动加快城镇化过程。

总之,城市化既是发展过程和社会经济变迁的原因,又是其结果。工业化促进农业的发展,农业发展导致生产力的提高并提供市场化剩余的增加。当此剩余到达城市中心时,受此影响,各种经济活动增加了。这种现象保证了城市中经济机会的增长,由于存在巨大的商业机会,个人和群体被此吸引,以这样或那样的方式卷入进来,产生农村人口向城镇和大城市移动,导致城市化过程加快。

那么又如何解释印度城市化的速度缓慢问题呢? 答案就在独立几十年

---

[1] Jean-Luc Racine eds., *Peasant Moorings, Village Ties and Mobility Rationales in South India*, New Delhi: Sage Publications, p. 330.

来印度社会变迁的步子不太快,因此仍维持了很大程度的城乡之间差别的宏观社会结构。城市化既是社会变动的动力,又是社会变化的结果,城市化缓慢在于社会变化的动力不足。如同前面分析提到的,在独立以来的50余年里,印度在通讯、工业、教育等方面已经产生出部分现代化的状态。但工业的增长率同东亚邻国相比仍很低。据2002年一项统计数字,印度的IT和外包产业,吸纳了320万从业人员,印度制造业仅吸纳620万劳动力。① 绿色革命的成果仅限于一些地区、某些作物和一部分农户,失业和就业不足问题十分严重,农村已经存在大量的剩余劳动力,城市却无力吸纳。

城市化速度取决于社会经济发展的程度,但这并不足以说明印度城市化步子为什么如此缓慢,显然还有别的原因。城市就业机会不足是印度城市化进程缓慢的重要原因,但不是唯一的原因。我们还应该从印度社会文化结构上寻找原因。

三、种姓制度对城市化的影响

印度城市化进程的缓慢还在于很大比例的移动人口最终还想回到农村。农民走出村庄是必然的,关键是如何走出去。走出去是有条件的,其中之一是有人介绍和联系,要有工作机会。很难想象一个农村居民会突然离开自己的村庄到外面闯世界。一般说来,通常的途径是,政府部门的招工,中间人包工头招工,或者亲戚朋友的介绍引导。其中,最后一种途径尤为重要。因为外部世界是个未知世界、风险性很高的世界,一出门就开始花钱,能否找到是个未知数,有了工作后能否及时拿到钱也是未知数。农民们承担不起这种风险,当然也不愿承担这种风险。避险的重要方式之一,就是充分利用熟人、亲戚、族人的关系。在印度,农村劳动力移动模式主要有三种类型:第一种是男性劳动力周期性地到异地农村打工,属于季节性移动;第二种是男性劳动力较长时期地到较远的城市打工,将妻子儿女留在村子,自

---

① 《中国软件业应该从印度学什么》,http://www.ciweekly.com/A20020110059196。

己在年节假日回乡探亲;第三种则是在城市中有了较稳定的工作和收入后,将自己的妻儿接到城市一道生活,实现核心家庭的城市化。① 无论何种模式的外出,种姓观念和种姓因素在其中起重要作用。虽然独立后,印度宪法宣布歧视贱民为非法,但种姓隔阂的观念是难以消除的。很难想象让村里一个婆罗门带领一群贱民出外打工,或者让一个婆罗门为贱民老板打工。一般说来,婆罗门和贱民外出打工的工种一般是不同的。贱民往往承担城市的环卫工作,婆罗门力图挤进公务员的圈子。婆罗门是不会为了生存而去打扫厕所的。因此,印度研究者一般认为:农村劳动力进城后,所接受的并不像一般文献认为的是从事城里人不愿做的事,他所能做的更大的可能是由社会结构决定的工作。农民们移往何处,移到多远,主要取决于他们所认识的人,是人际关系的纽带而不是其他因素在起作用。②

一般说来,大规模的人口从农村移往城市会带来社会结构和文化的重大变动。农村社会强调血缘和地缘关系,城市社会重视社会经济地位。但由于印度城市化进程中强大的种姓因素,在一定程度上减缓了社会变动。独立后,印度的商业种姓仍活跃在工商业领域。商业种姓由于他们从事商业的时间长,大多从事他们的世袭和运营良好的商业活动。他们从父辈继承下来目前的事业,仍然以相似的路数经营生意。也有些人是自己建立的事业,有些店主不再经营祖传的生意,但他们分享了父辈们的经验、得到金钱上的支持并学到商业的计谋,他们还从商业网络上得到帮助。对从事私营商业的非商业种姓说来,他们缺乏足够的资本和合适的社会网络来建立一项新的事业,因此他们大部分人只能参与小生意。

另外,现代工商业的发展也产生出许多新的工商业门类,这些门类同传统工商业没有多少联系,更多的是手工业和其他行业的发展的结果。这为广大非商业种姓中很大数量的人进入与他们的种姓职业多少有关的工商业经济活动提供了条件。如贾特是印度北部的传统务农种姓,他们主要参与

---

① J. L. Racine, *op. cit.*, p. 332.
② *Op. cit.*, p. 353.

关于农机具、拖拉机、抽水机和收割机的修理工作,在田野操作农机具时他们已获得初步的技术知识。

一些高级种姓,如婆罗门和拉其普特虽总的已从原来种姓职业中偏离,但他们从事与他们的种姓地位相一致的高度受尊敬的职业。最典型的是印度软件业,随着软件业的发展,一批新的财团迅速崛起,电脑软件同传统印度工商业任何行当都没有多大的联系,印度软件业被认为同印度人的英语水平和数学能力有关,这被认为是高级种姓婆罗门的领域。因此,今天在印度软件业中执牛耳的大亨大多不是传统的工商业种姓,而是传统的高级种姓。[①]

总之,关于当前印度城镇中种姓和族群关系的状态正由于经济和其他生活领域中的变化而变得越来越复杂。政府为保留和提拔落后种姓的政策、技术进步、不断完善的通信网络都是造成这种复杂性的根源。但种姓和族群因素没有在印度城市化进程中消失,有时甚至出现强化的趋势。为了垄断某种行业,获取安全和利益,各个进入城市的地方或族群或迟或早会努力形成某种利益群体。在印度,由于移民从进入移入地的第一天起就获得了当地的选举权和被选举权,他们成为当地政治势力努力争取的对象,如果他们显示出足够的内聚力的话,不仅外人不敢随意欺辱,而且可以积极参与移入地的政治。

为了加强内聚力,方便生活和工作,增强安全感,来自同一地区或同一族群移民们往往选择住在一起,久而久之,在城市中,出现独特的居住区域。在首都德里的居民中,孟加拉人、旁遮普人、比哈尔人是重要的居民成分。孟加拉人的移入,同殖民时期英国人将首都从加尔各答移往德里有关,他们许多人随着中央政府搬迁作为官员和公务员而来。旁遮普人主要由于印巴分治,大量锡克教徒从今天的巴基斯坦移居首都德里。而比哈尔人大量进入德里是近20—30年的事,比哈尔是印度最为贫困的地区之一,首都是他们的首选。在德里,旁遮普人大多从事公务员或白领工作,比哈尔人则大多

---

① P. Judge, *op. cit.*, pp. 57—80.

从事非正式部门的体力劳动。他们各有较集中的居住区。

　　在新的中产阶级居住区内以及在旧的城镇和城市带中,种姓附属机构不仅仅存在,而且由于政治化而得到重组来应对它们的成员所面临的威胁与挑战。城市化进程中,往往同时带来人际关系的疏离,在具有高度城市化水平的城市中居民们对自己的邻居一无所知是十分正常的。但某些印度城市阻挡住了非人际化的城市力量的发展。Doshi 的文章"现代阿哈麦达巴德的传统邻居:Pol"考察了印度现代城市阿哈麦达巴德中 Pol 的重要性。①Pol 是由街道居民构成的邻里组织。由一条街和四至分明的界线圈起的一带房屋组成。将这些房屋的居民联结在一起的是社会—政治网络,它反映了共同体或社区生活的特征。Pol 的同质性得自于共同种姓,其成员全部或大部同属于该种姓。在一个 Pol 的非正式的、人际间的和亲密生活的背后,Doshi 发现根深蒂固的正式结构,这些结构在现代城市的背景中组织和调节他们的生活。各个 Pol 有自己的董事会,除了维护 Pol 的规范外还管理当地事务。Pol 也有效地防止了不安全和无助等这些城市中的共同问题。它们不仅仅具有防卫取向的有形结构,四周有坚固的墙和有人防卫的大门,也要求居民邻里间相互合作自我保卫和相互帮助。虽然不断有些年轻人搬出 Pol,居住到现代居住区,他们总是愿意保留在父母 Pol 中的成员资格,并参与 Pol 的社会和宗教活动。

　　这种现象是普遍的,有研究指出:

> 日益增加的人口和村庄中教育的推广已经导致受过教育的年轻人不断地从村庄移往城镇和城市。表列种姓和表列部落的成员作为农场佃户和雇佣劳工季节性地或永久地移往城镇区域。这些群体的成员倾向于生活在他们城镇区域中属于自己族群的排他性的地带。虽然他们在收入、职业、语言、种姓、宗教和社会阶层上分化,他们在习俗、行为模

---

① Harish Doshi, "Traditional Neighbourhood in Modern Ahmedbad: The Pol", in M. S. A. Rao ed., *A Reader in Urban Sociology*, Orient Longman, 1991, pp. 179—210.

式、价值和生活标准上保持同质性。①

总之,种姓为印度的城乡关系提供强劲的纽带。这种关系纽带为某些种姓的人口移动提供了方便渠道;促使城乡之间的居民产生亲戚关系,并通过亲戚关系间频繁进行金钱与其他形式财富、货物、服务的交换,例如通过财产的继承、送嫁妆财礼以及婚丧嫁娶礼尚往来的活动等;这种关系纽带还有利于城乡之间交换信息和观念,从而使得无论是居住在城市还是居住在乡村的个人可以通过城乡间的种姓纽带进入地方和全国政治,城市既是政治中心也是种姓活动的中心。② 同时我们也应该看到,种姓因素也在妨碍许多农村种姓进入城市,尤其是那些弱势种姓群体。

四、城乡矛盾对城市化的影响

农村人进城后,很快发现城市并不是乐园和天堂。

失业,就业不充分,以及就业的人的低收入是印度贫困的主要原因。在第三世界城镇中心的一个值得注意的现象是在城市收入中的两极分化,在资源的分配、社会服务和就业机会中存在极端的不平等,这些可能仍然在加剧,一代又一代地持续下去;使那些低收入的人日益难以改善甚至维持他们的状况。城镇贫困的人口由于穷人的不断涌入而膨胀增长,他们最终都停留在城市贫民窟中。

贫民窟或棚屋居民已经变成印度城市风景不可回避的一部分。由于靠近工作场所的住房不易得到、土地的高成本、无力支付房租等因素迫使数千万城市居民在贫民窟栖身。这些贫民窟的条件是可怕的,缺乏自来水、电力、洗澡房和厕所等基本的设施。

---

① Harshad R. Trivedi, "Towards a General Theory of Urbanization and Social Change", in A. M. Shah ed. , *Social Structure and Change*, Delhi:Sage Publications. , Vol. 3,1996,p. 257.

② A. M. Shah, "The rural-urban networks in India", in K. L. Sharma(eds), *Country-town Nexus*, New Delhi: Rawat Publications,1991, p. 29.

由于贫民窟或擅自占地者其增加速度远高于城市物质环境改善的速度,它们正作为城市居住的支配形式出现。20世纪80年代的一项研究表明,在加尔各答2/5以上的家庭只有一间房,甚至没有,大约20万人在其生命中的一部分,居住在公共人行道上,估计175万—200万人住在被称为bustees的单层棚屋中。在孟买,60万人住在棚屋中,更多的人住在多层的出租屋中。印度城镇总人口的1/5住在贫民窟或私搭乱建房中。印度大部分城市的贫民窟人口大约占各城市总人口的20%—30%。[1] 进入90年代后,这种状况并没有得到有效的改变,有研究显示,到1990年,在印度最大的四个城市:孟买、加尔各答、德里、钦奈(马德拉斯)中,居住在贫民窟的人口竟分别高达42%、40%、38%和39%。2000年的一项研究表明,大城市中的贫民窟人口仍高达3200万。[2]

城市中大片贫民窟的存在成为发展中国家城市化进程中的共同问题,它是任何城镇发展计划的一个主要障碍,也是影响社会安定的因素。印度政府也曾做出过努力来遏制贫民窟的进一步扩散,措施之一是通过帮助贫民窟居民在其工作地点附近,或者在城市的边缘,提供替代性的住房或房基地来清理贫民窟,但效果不大。Rao在对位于印度南部一个城市的名为Peta的贫民窟进行实地考察后发现,贫民窟居住者接受或反对该措施的态度很大程度上取决于他们的社会经济状况和所提供的免费住房和房基地、无息的建房资金帮助或分期付款等的条件的激励。虽然某些工作群体或种姓群体准备移走,其他人则抵制这种移动,因为担心失去他们的职业性基础。这种干扰和贫民窟—地主的既得利益进一步使得任何清理贫民窟的措施复杂化。作者提出只有通过协调的计划、恰当设置工业和商业区域以及控制农村人口的移入才可能保证没有贫民窟的城镇发展。[3]

进城农村人口还遭遇城里人的抵制和反感。城市与农村在各方面存在巨大差距。印度社会总是有一部分人世袭地是城市群体,他们出生并成长

---

[1] M. S. A. Rao ed., *op. cit.*, p. 307.
[2] 孙士海:"印度政治五十年",《南亚研究》2000年第11期,第11页。
[3] M. S. A. Rao ed., *op. cit.*, p. 309.

在城市中心,从事与农业无关的职业,疏离于农村人,他们一代又一代地生活在城市中心,他们是城市文化的载体,具有独特的生活方式、习俗、制度组织,以及思维方式。因此,城里人,无论贫富都同乡下人存在隔阂与距离。[1]

来自农村的移民在城市时常感到委屈。民工群体往往被过分边缘化,使得该群体产生了强烈的被剥夺感,对城市主流社会产生心理排斥,很容易激发该群体以一种消极报复性行为来反抗。尽管城市居民完全知道进城农民给他们日常生活带来的种种便利,但还是怀疑甚至欺负他们,认为这些乡下人进城造成城市的种种问题,如交通拥堵,治安和卫生状况恶化。

城乡矛盾往往与族群冲突纠缠在一起。印度城里人和乡下人的冲突时常表现为"本地人"与"外地人"冲突。旁遮普曾出现要外地人回家的运动。在旁遮普,84%的锡克人生活在农村地区,仅仅16%居住在城市地区。在42个旁遮普城镇中,印度教商人占主导地位,旁遮普十大公司中,只有一家属于锡克人,其余9家都是印度教徒。锡克人担心过多的印度教徒的移入,影响锡克人在当地政治中的地位。在印度东北部,大量移民的涌入挤占了原住民的生存空间,加剧了该地区阿萨姆人与孟加拉人的矛盾。孟加拉人在英国人统治时期开始大规模移入,印巴分治后也没停止。从西孟加拉邦移入的大多是印度教徒,属国内移民;从孟加拉国移入的大多是穆斯林,成了国际移民。随着大批移民的进入,阿萨姆人发现孟加拉人处于领导地位,而他们自己则处于从属地位,"教师是孟加拉人,学生是阿萨姆人;医生是孟加拉人,病人是阿萨姆人;律师是孟加拉人,委托人是阿萨姆人;店主是孟加拉人,顾客是阿萨姆人;政府官员是孟加拉人,请愿者是阿萨姆人"。[2] 在马哈拉施特拉邦,城乡矛盾与族群宗教教派矛盾纠缠在一起。湿婆军被认为印度教教派主义极端组织,其在80年代的崛起同印度的城市化进程有关,工业化和城市化促使大批外地人涌入到孟买这样的大城市寻求发展,使得当地马拉塔种姓感到在求学、就业、提拔等方面的巨大压力,他们因而容易

---

[1] A. M. Shah, *op. cit.*, p. 25.
[2] Myron Weiner, *Sons of Soil*, Delhi: Oxford University Press, 1978, pp. 115—116.

成为印度教教派主义组织的社会基础,孟买周期性爆发"当地人"反对"外地人"运动,并引发教派冲突。

城市的贫困,基础设施建设的滞后,城里人对乡下人的敌视,以及与之相混杂的种姓与族群矛盾使得大量进城农村劳动力即使进了城,也不想将城市当作自己的最终落脚点,在相当长时间里,他们只能是城市的匆匆过客。下面印度学者所观察到的现象在印度有一定的普遍性:

> 在印度,外出打工只是年轻人生命历程的一部分。例如,单身汉们在十来岁时到孟买谋生,数年后他们从自己的家乡找姑娘结婚,按照传统由家中老人安排。因为在他们,尤其是家中老人看来,孟买姑娘只会讲究时尚,而不愿干活。他们在孟买也只是与自己或相邻村庄的人住在一道。自己的家乡仍是最终的养老之地。因而在家乡娶亲与购买土地在他们看来是一种理性选择。总之,人们离开村庄只是为了他们最终能在村庄待下去。①

五、土地制度对城市化进程的影响

进城农民选择回乡除了以上所说的城市"推力"的因素外,还有来自农村的根深蒂固的"拉力"。印度没有户籍的限制,但是印度存在土地私有制,这种土地私有制与其他传统印度社会制度结合在一起,对城市化产生消极的影响。

众所周知,印度未经历社会革命,土地私有制度得以保存下来。同时印度盛行大家族共有制度和多子平分制。多子平分制意味着每个儿子都有权平均地获得一份祖上留下的田产。经过数代人的不断析产,如果不买进新的土地的话,每户拥有的土地数就会出现递减的趋势,以致土地产出根本无法养活一家子人。因此,为了维持生计,家中的男劳动力不得不外出谋生。

---

① J. L. Racine, *op. cit.*, p. 350.

尽管外出,家中的土地是不会出卖或转让的。一般采取如下几种办法应付,一种是由家中妇女平时照管农田,农忙时节自己回乡帮忙。一种是将土地交由家中其他兄弟打理,收获时自己会得到一份产品或其他东西作为补偿。还有更普遍的一种是,土地实际上根本就不进行分割,仍保持大家族共有。无论采取何种方法,这样做既避免土地集中于某一农户,从而回避土改政策中的最高土地占有限额的限制,又不会因为外出打工而失去土地所有权。同时,一旦在城里挣了钱就会努力在村子中买土地。所以,出外打工的结果不是失去土地,而是为了保住土地或扩大土地。[1]

博卡罗钢铁厂是印度20世纪50年代兴建的大型现代钢铁厂,在一项对该厂250名工人的抽样调查中,发现竟有223名工人同村庄保持各种各样的联系。这些工人属于第一代工人,他们都受过中学或中学以上教育,因此属于村庄中较富裕的家庭,不愿意务农,然而却有占有土地的强烈欲望,他们将占有土地当作类似城里人买股票或储蓄的投资方式,而且认为这种投资方式既安全又能提高自己在村庄上的地位和威望。他们的人生哲学是,在外头尽力地挣钱、攒钱,然后寄回家买地,退休后回到家乡,当地主老爷子,雇用工人为自己种地。[2]

同时,由于科技交通信息的进步,过去那种泾渭分明的城乡差别被模糊了。现代快速的信息传播、便捷的交通和各种变化动力的作用使城乡生活条件不再像过去那么悬殊。富人们在村庄中也能享受城市品质的生活。他们在外边致富,然后在家乡建起舒适的时尚房子。一位印度受访者这样表达他为什么要留在家乡:"作为家中长子,我可以从家族田产中得到生计,到外头去,我可能挣得一些钱,但在村子中,我有许多亲戚朋友,有许多关系,钱与关系二者都是重要的。"[3]

---

[1] J. L. Racine, *op. cit.*, pp. 332—335.

[2] Sharit Kumar Bhowzik, "Social compartion of industrial workers: rural-urban links of workers at Bokaro Steel Plant", in K. L. Sharma & Dipankar Gupta (eds), *Country-town Nexus*, pp. 166—178.

[3] J. L. Racine, *op. cit.*, p. 348.

值得注意的是,有土地的人不愿放弃土地,那些没有多少土地的人同样也不愿或不能离开土地。几十年印度式土地改革的结果,虽然没有实现"耕者有其田"的目标,但也使一般农民至少有一块房基地,数量越少越珍贵,不愿放弃。另外地主们不愿放弃土地,又不愿亲自耕种,于是就想尽各种办法将一些农民束缚在土地上。这些与土地有关的因素使得许多印度人不愿居住在城市,或者说不愿割断与农村的联系纽带。

六、结语:21世纪的机遇与挑战

长期以来,亚洲是世界城市化水平较低的地区。但这种状况正在发生变化。亚洲几个人口大国:中国、印度、孟加拉、巴基斯坦、印度尼西亚已出现城市化进程加快的势头。尤其是中国和印度,随着近些年经济的快速增长,出现人口大量流动,有人预计在未来30年里,这两个国家的城市人口将从目前的25%—35%上升到50%左右的水平,完成城市化的进程。中印两国政府的领导人已经决心加快城市化进程。随着城市化进程的加快,必然面临许多问题与挑战,如何应对这些问题与挑战,成为值得认真研究的课题。

印度目前城市人口仅过1/4,3/4仍属农村人口,要达到城市人口过半的目标,需要将相当大部分的农村人口移往城市。印度要实现这一目标,必须强化城市化的动力,工业化、农业现代化和教育科技事业必须加快发展步伐。同时,城市的基础设施投资必须加大,城市应该成为更适合人们居住的区域。还有种姓观念和对土地的依恋应有所淡化,而这些不是一朝一夕能解决的,因而可以预计,印度的城市化进程仍将是漫长和艰难的。

解析拉丁美洲现代化进程中的贫困化

Analysis on the Poverty during the Process of the Latin American Modernization

王　萍（南开大学历史学院）

摘要：拉丁美洲是发展中国家较早走上现代化道路的地区，但是伴随现代化的推进，拉美国家出现了贫困化与现代化相伴、贫困率与经济增长同步的现象。就拉美地区整体而言，拉美国家在贫困问题上大致呈现出下面几大特点：1. 农村被摒弃在现代化之外，长期以来存在着严重的贫困问题；2. 城市绝对贫困人口的数字高于农村；3. 拉美贫困问题具有一定的地域性和行业性特点，贫困人口大多集中在拉美较发达或中等发达程度的国家；4. 拉美的贫困问题具有浓厚的种族色彩。形成上述特点的原因既与殖民时期遗留下来的社会经济结构有关，也与全球化改变了劳动力市场的需求和经济改革政策的倾斜性密切相关。拉美国家为此付出了经济增长、社会和政治进步的高昂代价。

关键词：拉丁美洲； 现代化； 贫困化

Abstract: Latin American is the region which early started the modernization in the developing countries. However, with the development of the modernization, some of the particular situations have emerged, such as poverty happened simultaneously with the modernization, the ratio of poverty increased with the economic growth. As for the whole region, poverty in the Latin American countries has the following characteristics: 1. The countryside has been got rid of the modernization and the poverty has been existing for a long time. 2. The number of poverty people in the cities are higher than in the countryside. 3. The Poverty people concentrate in some areas and fields, especially serious in the Latin American developed countries. 4. The poverty in Latin America has the characteristics of race. The causes of the above-mentioned are not only related to the social-economic structure which formed in the colonial period, but also to the labour demand changed by the globalization as well as the economic reforms. The Latin American countries have paid high cost of the economic growth, social and political progress owing to the poverty.

Keywords: Latin America; Modernization; Poverty

拉丁美洲是发展中国家较早走上现代化之路的地区。19世纪初期,拉美国家先后独立,获得国家主权。1870年前后,阿根廷、巴西、墨西哥等拉美较发达国家出现早期工业,20世纪50年代,大部分拉美国家先后进入工业化、现代化的发展阶段。在独立后的200年里,拉丁美洲国家在经济建设和社会进步方面均取得了一定成就。但是,同时也出现了与现代化目标相背离的贫困化以及与之相交织的分配不公和社会排斥所引发的返贫现象,这些问题一直困扰着拉美国家,成为拉美发展的主要障碍,严重地影响着拉美国家的经济发展和社会政治的进步。

一、伴随拉美现代化进程的贫困现象和主要特点

纵观拉美国家建国后的200年发展史,其社会、政治与经济发生了巨大变化,特别是后100年,变化更是惊人。"1900年拉美人口仅为7000万,到2000年人口已达到5亿;20世纪初,拉美国家的3/4的人口居住在农村,而现在,每三个拉美人中就有两个住在大城市;1900年,拉美人中的3/4是文盲,100年后,8个人中就有7人会看书写字。经济增长十分迅速。2000年拉美地区的人均国民生产总值是1900年的5倍,工业部门占国民生产总值

的比例从1900年的不足10%上升到25%"。① 人均GDP收入也逐渐提高。据美洲开发银行统计,拉美国家的人均收入比东欧、非洲、东亚等发展中国家都高,2003年,人均GDP已达到3763美元(以1995年不变美元价格计算)。上述数字显示出拉美国家正在从传统农业社会向现代工业社会过渡。如果单纯看数字的变化,应该说拉美国家在实现工业化和现代化取得了不小的成就。但是,现代化的目标归根结底是人的现代化,既要保证人们在现代化进程中享受到经济增长带来的好处,提高生活水平,同时还要在"心理、思想和行为方式上实现由传统人到现代人的转变"。②

事实上,在拉美快速推动工业化、现代化的进程中,出现了与现代化相悖的、与现代社会极不协调的现象:贫困与现代化相伴,贫困率与经济增长同步,甚至超过经济增长率。就拉美整个地区的贫困化趋势来看,贫困现象随着现代化进程的演进不仅没有好转,反而从农村逐渐向城市蔓延,促使拉美贫困人口的总数迅速增加,造成越来越多的拉美人陷入贫困。根据英国著名学者罗斯玛丽统计,到20世纪初拉美国家"大约每5个家庭中就有1个家庭处于贫困状态"。③ 20世纪80年代以后,拉美国家贫困人口数量的急剧增加,引起了国际机构的关注,开始对拉美的贫困问题进行调研。根据世界银行和美洲开发银行的统计资料,20世纪80年代拉美的贫困人口达1.35亿,10年后,贫困人口上升到2个亿,到2000年,该数字又飙升到2.24亿。④ 联合国拉美经委会最近发布的《2004年拉丁美洲社会报告》又披露了拉美近年来的贫困状况,2002年,拉美的贫困人口为2.21亿,占总人口的

---

① Rosemary Thorp, *Progreso, Pobreza y Exclusion*: *Una Historia Economica de America Latina en el sigo XX*, Washington D. C.: Banco Interamericano de Desarrollo, 1998, pp. 1—2.
② 罗荣渠:《现代化新论》,北京大学出版社1993年版,第15页。
③ Rosemary Thorp, *op. cit.*, p. 2.
④ 本数字转引自 Centro de Investigaciones Economicas y Politicas de Accion Comunitaria: The DEF's of the IDB, *Chiapas al Dia*, No. 377, October 9, 2003, p. 6. 由于计算贫困人口的方法不同,拉美经委会的统计结果与世界银行统计结果存在差异,按照拉美经委会公布的《2004年拉丁美洲社会概览》的统计,2000年拉美的贫困人口(含赤贫)为2.07亿。

44%,其中赤贫人口达 9700 万人,占 19.4%。[1] 这些数字反映出自 1997 年以来拉美国家政府实施的减少贫困政策并没有取得太大的进展。2003 年由于人均 GDP 增长率不高,拉丁美洲的贫困率又继续攀升到44.2%,其中赤贫也上升到 19.6%,虽然到 2004 年,强劲的经济增长促使贫困率有所回落,几乎接近于 2001 年的情况,达到 43.2%。但是,这一好转却又被人口的自然增长抵消,所以,从根本上说,贫困人口和贫困率都没有减少。

上述统计数据援用了世界银行、美洲开发银行和拉美经委会的研究成果。三大国际机构在贫困概念的界定标准上采取了不同的指标判断体系。世界银行的界定贫困线采用"1985 年不变美元价格购买力"(purchasing power parity dollars),即 PPP 的方法,把每月生活低于 60 美元者确定为贫困,每月不足 30 美元者定为赤贫。[2] 美洲开发银行完全沿用世界银行的方法进行统计。而拉美经委会则是根据 1981 年世界卫生组织专家委员会提出的一系列营养标准来确定拉美国家贫困线,即用所摄取的卡路里作为考察各国贫困水平的基本参数来衡量人们是否满足了基本食品营养需要。由于拉美经委会和世界银行在确定贫困线上的方法不同,使二者在贫困人口的统计上各有优劣,同时也使反映出来的数字略有差异。拉美经委会的方法反映出各地和各国随着需求变化的营养水平,但是这一方法却不能反映满足基本营养标准所需要的最低成本。世界银行恰恰弥补了拉美经委会这方面的不足,特别是给我们提供了把拉美同世界其他地区的贫困状况进行比较的便利。尽管确定贫困线标准的不同致使三大国际机构在贫困人口的统计结果上稍有差异。但是,无论是拉美经委会的调研结果还是世界银行或美洲开发银行的统计数字都为我们了解拉丁美洲的贫困状况勾勒出了一幅图景。

---

[1] ECLAC, *Social Panorama of Latin America in 2004*, http://www.eclac.org/publicaciones/DesarrolloSocial/o/LCL222opI/PSI2004-Summary-web-pdf, pp. 6—7.

[2] World Bank Technical Paper No. 351, *Poverty and Income Distribution in Latin America: The Story of the 1980s*, Washington D. C.: The World Bank, 1997, pp. 56—57.

虽然拉美各国情况不一,差异性比较明显,但在贫困问题上,拉美国家则存在诸多共性。就拉美整体而言,大致呈现出以下几个主要特点。

一是农村的贫困问题由来已久、十分严重,成为困扰拉美国家的主要难题。虽然拉美国家历经工业化和"过度城市化",但农村贫困人口一直居高不下。根据世界银行的统计数字,1980年农村贫困人口占总人口的45.1%,城市的贫困人口则占16.8%。这种状况一直持续到1989年之前,拉美农村贫困人口一直保持在城市贫困人口的2倍以上。[1] 但是,到1989年,城乡贫困人口占有的百分比开始出现变化,城市贫困人口的比例开始增加,农村贫困人口的比例开始稍有下降。直至今日,城乡贫困人口仍然具有这一特点。据2003年美洲开发银行公布的文献资料显示,2003年农村贫困人口占总人口比例为59.1%,城市占26.1%[2]。城乡贫困人口比例的此消彼长并不意味着农村贫困问题有所改善。相反,拉美农村的赤贫人口逐年增加,赤贫现象日益严重和普遍,在农村,不仅缺乏城市的物质生活,甚至缺少像学校、医院和公共交通等社会公共设施。

二是城市绝对贫困人口的数字高于农村。随着工业化、现代化的发展,战后拉美国家由于农村内部的巨大"推力",经历了空前的农村人口向城市的迁移过程,成为战后发展中国家城市化发展速度最快和目前发展中国家城市化水平最高的国家之一。快速的城市化和农村人口向城市的迁移转嫁了农村的贫困问题,农村的贫困人口向城市扩散开来,1989年贫困人口在城市和农村的绝对数字发生了根本的变化。城市贫困人口从1980年的3800万猛增到1989年的6600万,上升了31个百分点;而农村贫困人口则从5300万增加到6400万,上升了18.4个百分点。从绝对意义上来说,城市贫困人口增加了约2800万,而农村贫困人口则增加了约1200万(见下表)。在城市贫困人口中,其中以女性为户主的家庭比男性户主家庭的贫困

---

[1] World Bank Technical Paper No. 351, *op. cit.*, p. 49.

[2] IDB Document, *Inequality, Exclusion and Poverty in Latin America and the Caribbean: Implications for Development*, http://europa. en. int/Comm/external-relations/la/sc/idb. pdf, p. 2.

率要高得多。

1980—1989 年拉美贫困人口的变化

年份	拉美地区	总人口数（单位：百万）	贫困人口数（单位：百万）	所占百分点
1980 年	总数	345.4	91.4	26.5
	城市	227.4	38.2	16.8
	农村	118	53.2	45.1
1989 年	总数	421.4	130.9	31.0
	城市	300.1	66	22.0
	农村	121.3	64.8	53.4
1980—1989 年的变化	总数	76	39.5	+17
	城市	72.7	27.8	+31.0
	农村	3.3	11.6	+18.4

资料来源：World Bank Technical Paper No. 351, *op. cit.*, p.71。

三是拉美贫困人口在地理位置和行业部门的分布上也具有一定的地域性和行业性特点。从常理上讲，一般情况下，贫困人口应该在低收入或不发达国家较多，而其中背负沉重的债务负担的贫穷国家应该最严重。但在拉美，70%的贫困人口集中在5个较发达或中等发达程度的国家，包括巴西、墨西哥、哥伦比亚、秘鲁和阿根廷，贫困人口分别为6950万、2060万、1640万、1070万和650万。① 而从拉美贫困人口所从事的工作部门来看，贫困人口主要集中在农业和城市非金融服务部门，其人口分别占本地区贫困人口的35.5%和29.1%。② 20世纪80年代末90年代初，随着拉美国家实施新自由主义改革政策后，越来越多的拉美人被排除在第一、第二和第三产业之外，近乎有56%的拉美人在非正规经济部门工作，③对于这些人来说，收入微薄和失业早已是司空见惯的事，他们成为受新自由主义改革影响较大的贫困群体。

最后，拉美的贫困现象具有浓厚的种族色彩，并且贫困化与社会不公和

---

① IDB Document：*op. cit.*，p.34.
② *Op. cit.*，p.2.
③ "Poverty in Latin America", *NAFTA Inter-American Trade Monitor*, Vol. 1, No. 13, 26. June, 1998, http://www.hartford-hwp.com/archives/40/129.htm.

社会排斥现象如影随形、相伴而生,造成拉美国家内部不同地区、穷人与富人、男人与女人、土著人与其他民族群体、非洲后裔与其他种族以及城乡居民之间在人力资本、社会条件和生活水平方面均产生极大的差异。其中尤以玻利维亚、巴西、危地马拉和秘鲁等国最为明显,在这些国家印第安人和非洲后裔的贫困问题远较国内其他族裔群体严重得多,贫困率是其他种族和民族的2倍。

二、基本原因分析

在美洲开发银行最近公布的《拉丁美洲不公正、排斥和贫困》工作报告中,对拉美国家实现"千年目标",即贫困率减少一半的进展情况进行了考察和评估,认为拉美国家已经实现了"千年目标"中的有关指标,例如在初级教育、减少婴儿死亡率、扩大供水和控制艾滋病以及其他传染病等方面。但遗憾的是,本地区在实现贫困率减半目标上却不尽如人意。为什么经济发展不能使拉美人从中受益?什么原因造成拉美现代化没有促使拉美国家贫困率降低和经济增长率上升同时并存,反而形成贫困问题随着现代化进程不断恶化?究竟是什么因素阻碍了拉美国家实现贫困减半的目标?事实上,导致拉美贫困的因素诸多,这里主要从社会经济的角度进行探究。

首先,殖民时期遗留下来的社会经济结构是拉美贫困产生的根源。带有种族歧视特点的社会经济结构和政治制度,一方面导致了殖民时期各社会阶层在生产资料上的分配不公,进而决定了收入不公;另一方面造成非伊比利亚种族群体长期以来处于社会的边缘,在初次社会财富的分配中居劣势地位。15世纪,西班牙和葡萄牙殖民者强迫印第安人社会建立了以大地产制为特征的土地所有制和役使印第安人开采大量农业和矿产资源为基础的经济体制,由此培育了拉美贫困和不公平的土壤。通过引进大地产制,授予西班牙征服者大量的土地和役使印第安人和非洲黑人充当廉价劳动力的特权,建立起殖民制度,形成了具有种族特征的金字塔型社会结构。西班牙人居于社会阶梯的顶端,然后分成两条下行线,一条通过梅斯蒂索人到达印第安人,另一条通过穆拉托人到达黑人。而如果按照融入西班牙人世界的程度,则可又将各种族群体直线排列成西班牙人、梅斯蒂索人、穆拉托人、黑人、印第安人。① 西班牙在长达 300 多年对拉美的殖民统治时期就是以西班牙人为中心建立起这种社会等级的阶梯,他们把"一个人越像西班牙人,其等级就越高"②作为至高无上划分等级制度的原则,形成以少数西班牙白人的为主的上层社会和由梅斯蒂索人、穆拉托人、黑人和印第安人组成的社会底层,两大阶层地位悬殊,在社会政治经济的权力和利益分配上显然存在着明显的差异。

社会分离随着二元经济的形成亦步亦趋地发展起来,为当代社会的不公正和排斥奠定了基础。尽管独立后拉美受到西方自由主义思想的深刻影响,试图摒弃殖民时期等级森严的社会结构,希望把不同社会集团和种族集团融入国家,但遗憾的是,西班牙政治、经济和社会结构的传统和历史却被完好无损地保留下来。拉美国家独立,建立主权国家后,以土生白人——克里奥尔人为代表新的权贵阶层取代了西班牙人,他们依靠对生产资料的占有和在政治上的主导权力成为财富的拥有者,位居社会阶梯的顶层;而不占有或拥有很少生产资料的人则沦为社会的下层。这种社会状况即使是在国家出口经济发展的"繁荣时期"也丝毫没有改观。1870 年前后一直到第一次世界大战爆发,拉美国家适逢欧美资本主义国家工业化的发展盛世,从而带动了拉美出口经济的空前繁荣和国家经济的快速发展。1913 年,拉普拉塔河地区出产的羊毛将近 1/5 进入英国市场。③ 完全依赖国际贸易的拉普拉塔国家,如阿根廷,发生了惊人的变化,"从一个荒凉的帝国前哨基地,成为一个快速发展的国际性都市"。④ 经济的高速增长并没有改变社会底层

---

① 莱斯利·贝瑟尔主编:《剑桥拉丁美洲史》第 2 卷,高铦等译,经济管理出版社 1997 年版,第 289 页。

② 同上,第 287 页。

③ 莱斯利·贝瑟尔主编:《剑桥拉丁美洲史》第 4 卷,涂光楠等译,社会科学文献出版社 1991 年版,第 10 页。

④ 同上,第 11—12 页。

人民的生活状况,出口经济的繁荣反而刺激了社会上层——土地所有者——对占有土地的狂热,致使拉美国家土地进一步集中到极少数人手中,殖民时期遗留下来的两极社会结构得以强化。

1929年经济大萧条以后,拉美国家寄希望于工业化、现代化来解决贫困化和贫富分化的社会不公正问题,但是建立在二元社会结构基础上取得的经济增长没能起到在广大人民中扩散工业化、现代化的发展成果,使人们享受到经济发展带来的好处,反而推动了社会持续向贫富两极方向发展,导致这一时期拉美国家社会不公正现象进一步恶化。1950—1980年可谓是拉美现代化的"黄金时期",各国普遍采取了促进工业化政策。30年来,拉美国家的工业化推动了经济发展,取得了持续较高的经济增长率,平均增长率为5.6%。但是由于利益集团的阻碍,僵化的进口替代战略的实施,忽略本国与工业发达国家之间差距的、不切实际的发展计划以及腐败独裁的政治体制和经济与社会政策的失误等内源性障碍制约了拉美现代化进程,同时也加大了社会底层的贫困程度以及高收入阶层和低收入阶层之间差距。美国经济学家曼库尔·奥尔森对现代化过程中的利益集团对经济增长的阻碍和危害作用进行了深入研究,他在《国家兴衰探源:经济增长、滞胀与社会僵化》一书中指出,利益集团的数目及其成立的时间长短与经济增长具有统计学上的负相关性。原因在于在传统社会的现代化进程中,垄断性的利益集团由于凭借其在传统结构中拥有的社会和政治资源优势,阻碍技术的进步和资源的合理流动,并通过权钱交易来降低生产经营活动的报酬。利益集团的活动不是增加社会总收入而是减少社会总收入,具有尾大不掉的阻碍经济发展的消极作用。从拉美这一时期的统计资料来看,结果确实如此。这一因素不仅制约了现代化进程,而且强化了初始外因性障碍,造成拉美工业化、现代化高速发展时期贫困和不公正的延续和不断恶化。20世纪70年代,20%高收入阶层比20%低收入阶层的收入差距进一步拉大,高收入阶层是低收入阶层收入的10—20倍之多,如在委内瑞拉是24倍;巴西是21倍;哥伦比亚是17倍。而同期,发达国家只有5.5倍,根据世界银行的估计,20世纪60年代拉美20%最贫困人口的收入是世界最低的。① 不仅如此,拉美还可以称得上是世界收入最不公平的地区。90年代,基尼系数不仅大大高于发达国家的0.33,而且高于亚洲、非洲等发展中国家,达到0.51。截止到2002年,除乌拉圭外,其他拉美国家的基尼系数居高不下,保持在0.500—0.639。②

其次,全球化和经济改革加速了拉美国家的贫困化。自20世纪90年代以来,经济全球化的快速发展正在对世界各地区和国家产生影响,在这一背景下,拉美国家又因1982年的债务危机被迫先后实行经济改革,内外形势的巨大变化对拉丁美洲现代化进程产生了重大的冲击,主要表现如下。

一、全球化和拉美国家的经济改革强化了植根于拉美历史的财富分配不公,导致贫困问题不断恶化。如果不考虑经济全球化给发展中国家带来的不稳定经济因素对贫困人口的冲击,而仅仅从收入分配的角度来看,全球化带给贫困人口的影响也是十分重大的。相对于历史传统而言,在经济全球化时代拉美人之所以陷入贫困源于多种因素。拉美历史上的财富观在很大程度上是指对土地和资源的占有,而现在除了涵盖传统意义上的物质资本,即生产资料,包括土地、资金和基础设施,还要受人力资本,如教育、健康等因素的影响。这一变化显然与90年代以来全球化的发展息息相关。诸多事实表明,在全球化进程中,发达国家凭借先进科学技术,以及对世界经济贸易和国际金融的主导权,通过价格垄断在商品流通领域中控制着不发达国家的经济,以及在生产领域中对这些国家廉价劳动力的剥削,导致不发达国家的经济体系在世界体系中逐渐演变为依附性经济。在这一过程中,知识、技术与信息越来越凸显出其在国际竞争中的重要性,形成了知识型经济和劳动型经济,两种经济之间的差距不断扩大,在这一过程中劳动力市场的需求也发生了相应的变化,教育成为决定劳动收入多少的主要因素之一,市场对受教育程度较高的人给予的回报越来越高。在拉美地区,尽管近年

---

① Rosemary Thorp, *op. cit.*, p.28.
② ECLAC, *op. cit.*, p.12.

来教育取得了一定的进步,但穷人和富人接受教育的年限仍存在着较大的差距。就一般情况而言,20%最贫困人口平均只受过 4 年的教育,而最富有的人平均所受的教育要达 10 年,这样就形成穷人和富人在人力资本上的悬殊,进而使他们在教育回报上产生差异。相比之下,没有完成小学教育的人所获得的收入要比完全文盲的人的收入高出 18%,完成中学教育的人的收入又要比文盲高 61%,而受过大学教育的人的收入又要比没有上过学的人高出 152%。① 而且值得注意的是,教育对穷人和富人收入的影响是长期的,甚至在这一代和下一代人之间起着传递作用。这就从一个角度解释了为什么几乎占儿童总数 44% 的人生活在贫困家庭,除了低收入家庭的人口高出生率外,其父母受教育很少或根本没有接受过教育是儿童贫困的主要因素,也是贫困向下一代传递的关键。

二、拉美国家在经济改革政策和社会政策上的倾向性是贫困人口持续增加的主要原因。在新自由主义理论指导下的新一波现代化②过程中,由西方学者提出的新自由主义理论倡导市场至上的原则,虽然在理论上能够为市场参与者创造更大的收益,但是在财富的分配上却是极不公平的。罗伯特·吉尔平曾提出国际经济扎根于"政府和私人组织的国际体系中,最重要的是扎根在民族国家的国际体系中","市场并非中立,而天生是有政治性的"。市场是有利于强大行为者的利益,却对相对弱小的行为者提出更大的挑战,在这一点上可以说,新自由主义的改革政策是有阶级性和倾向性的。

拉美的现实印证了这一论断。90 年代初期,绝大多数拉美国家开始了旨在改善财政和金融的政策,以及促进经济增长和减少贫困的改革计划。总的来说,宏观经济得到了稳定,并取得了适度经济增长,但是,在减少贫困问题上,其结果却是令人失望的。90 年代头五年,通货膨胀已降到 1 位数;财政赤字也从占 GDP 的 5% 下降到 2% 左右;平均关税从 40% 以上下降到

---

① IDB Document, op. cit., pp. 8—9.
② Lynne Phillips ed., The Third Wave of Modernization in Latin America, Delaware: A Scholarly Resources Inc., 1998, p. xii.

10%。① 国有企业私有化促使私人资本大量流入,贸易和投资数量也直线飙升。但遗憾的是,这些成绩并没有促进更大的经济发展和贫困人口的减少。事实上,90年代期间,实际GDP的年均增长率只达到了3%(如果按人均GDP来算的话,只达到了1.5%),同期生产效率也略有下降,改革在创造就业和就业质量,特别是为受教育不多的人创造就业机会上不能满足人们的需要,致使拉美国家非正规行业②的数量激增,在某些部门已经超过了50%,因而出现了在现代部门,特别是现代制造业和服务业生产率大幅度提高的同时,非正规部门的生产率不断下降的局面。在这一变化过程中受害较大的往往是非正规部门的劳动力。

贸易自由化、国有企业私有化以及税制改革虽然给拉美国家带来了短期利益,但同时也导致拉美贫困人口的迅速增加,提高了拉美国家的社会成本。特别是,私有化和税收改革所采用的方法,更加剧了拉美不公正和社会排斥的现象,价格、补贴、不完善的市场文化以及软弱的政府政策促使资本流入和税收的好处向高收入阶层倾斜,致使贫富差距进一步拉大。以税收政策为例,税收政策应该是调节收入差距的有效手段,但是拉美在税收政策上政府实行向富人阶层倾斜的政策,这样不仅降低了分配功能,而且使二次分配出现了扭曲的状况,进一步扩大了收入上的差距。长期以来,拉美政府的税收来源主要依赖于大众消费中的增值税,尽管20世纪80—90年代拉美国家进行了税制改革,但是税收格局基本上未发生变化,仍然以征收增值税作为财政收入的主要来源之一,同时由于增值税的税率和收入税的税率差异较大,增值税的税率为0.33,收入税的税率为0.14,并且收入税和财产税税基的减少,③结果使拉美政府从收入税或财产税中只能获得较少的收入。而工业发达国家的情况恰恰相反,OECD国家税收的75%来源于收入

---

① IDB Document, *op. cit.*, p.15.
② 非正规行业又称地下经济,是相对于正规经济而言,是指其经济活动不受国家各种制度的约束。有关非正规经济的概念、起源和发展等问题,详见苏振兴:"关于非正规经济的几个问题",《苏振兴文集》,上海辞书出版社2005年版,第467—474页。
③ IDB Document, *op. cit.*, p.16.

税和财产税。拉美国家依赖增值税的制度反映出拉美社会的高度不公正和软弱的税收管理机构,揭示了这一税收制度保护富人利益的本质。这样的税制改革既纵容了偷税漏税,也造成国家财政收入的不足,限制了政府解决社会问题的能力。

在社会政策方面,不论是在拉美工业化、现代化的黄金时期,还是经济改革的今天,拉美政府并不是没有投资于社会公共事业和实行相应的社会政策;而是社会开支和社会政策具有一定的倾向性,导致贫困人口不能从社会政策中享受到好处。在近10年,拉美国家把稳定宏观经济政策放在首位,与此同时还增加了社会开支。如果用社会部门的开支作为衡量标准,那么正如有些人所说的那样90年代是社会发展的"黄金的十年",政府把预算中较大比例用于社会开支,当GDP增长时,又会增加一定的比例。以IMF数据库所涵盖的23个拉美国家为例,中央政府的社会开支从1970年占GDP的7.7%上升到1999年的12.3%。[1] 另外,据拉美经委会对17个国家的统计也显示出同样的情形,社会开支从1990年的占GDP的10.4%上升到1999年的13.1%。人均开支上升了50%,如果以近10年为一个统计单位,拉美经委会估计人均社会开支则提高得更多,上升到56%,[2] 拉美国家加大社会开支的原因主要基于从财政政策上更多地向社会倾斜,而不是公共资源增长的考虑。90年代初,拉美国家先后实行了各种社会政策措施。如2002年巴西颁布"国家行动"总统令,农业部还对解雇员工的数额做了限制性规定;墨西哥也拟定了反对歧视法案;秘鲁制定了反对种族歧视的法律等。迄今为止,拉美国家除了制定减贫战略外,巴西、墨西哥等国还实行了多种形式的减贫、扶贫计划。例如,巴西的"阿尔瓦拉达计划"(Alvorada Program)、墨西哥的"可能和你在一起"(Contigo es Posible)计划和智利的"智利团结计划"(Program Chile Solidario)等。上述计划旨在联系和加强现有社会的减贫计划的协调作用,解决和改善目前的贫困状况。随着

---

[1] IDB Document, *op. cit.*, p.37.
[2] *Op. cit.*, p.17.

社会开支的增加和各项社会政策的实施,近 10 年来拉美国家在社会方面取得了一定的成就。政府推出了各项新的房屋计划,改善了社会援助和社会保护计划,通过减少贫困战略和社会政策的对话增加了人们参与制定社会政策的可能。

尽管取得了上述成就,但是社会改革既没有克服政策执行过程中的一些问题,也未能有效地将这些成就扩大到穷人阶层,其主要原因在于:拉美国家的社会政策存在着明显的有利于富人阶层的倾向性。以阿根廷为例,2000 年阿根廷政府将 GDP 的 18% 用于社会开支计划,[1]但是这些开支并不完全用来减少贫困,而是将其中的绝大部分开支用于社会保险和支付正规部门人员失业的补偿金,这样一来,在非正规部门从业的人员不仅得不到养老金,而且一旦失业还得不到补偿。一般来说,非正规部门的工人是社会的弱势群体,最容易丢掉工作,也常常受到降低工资和经济形势波动等各种不稳定因素的影响,是失业大军的主要群体。至于低收入群体,其社会开支的覆盖面十分有限,贫困家庭只能获得有限的以现金或食品等为主要形式的社会援助。因此尽管表面上看阿根廷政府的社会投入较大,但保护的是社会中产阶层,而不是最需要的社会低层。同样,巴西在这个问题上也反映出相同的特点。虽然巴西政府社会计划的投入大,但解决贫困问题的效果不大。1990 年巴西政府投入社会计划的资金为 900 亿美元,约占国民生产总值的 1/5,但是社会投入大并没能改善社会状况或缓解贫困问题,其原因在于巴西公共社会开支的好处大部分流向富人阶层,而处于社会底层的人们只分享到有限的益处。据世界银行的研究表明,社会底层只能享受到社会开支所带来好处的 13%,而社会上层则得到至少相当于社会底层 2 倍以上的好处。[2] 事实表明,如果不调整社会政策的倾向性,加强管理,提高社会开支的有效性,只单纯增加社会开支想必对解决拉美国家的贫困问题于

---

[1] World Bank:"Argentina: Poor People in a Rich Country", http://web.worldbank.org/WBSITE/EXTERNAL/TOPICS/EXTPOVERTY/EXTPA/017contentMDK:20206704—menuPK:443285—pagepk—pipk:216618—the SITE.

[2] *Brazil: A Poverty Assessment*, www.worldbank.org, p. 2.

事无补。

最后，经济危机和宏观经济的不稳定是促使贫困人口和不公正现象恶化的外源性因素。过去 20 年以来，拉美国家经受了一场严重的经济危机，成为导致贫困和社会不公正恶化的主要原因。美国经济学家西蒙·库兹涅茨的"倒 U 形曲线"假说解释了经济增长与收入分配之间的关系，拉美的实践也表明人均 GDP 的增长有利于改善社会不公。而经济危机和经济衰退与社会公正之间的关系如何？对此，一些学者的研究显示，危机和不公正之间存在着高度的正相关性关系。[①] 经济衰退和经济危机通过失业、工资减少、价格上的变动、财政紧缩等对贫困和收入分配产生影响。美洲开发银行的报告认为收入每下降 1%，就会抵消收入增长对减少贫困作用的 1% 以上。[②] 此外，通货膨胀也可以加剧社会不公正，因为穷人只依赖于劳动收入和政府的补贴及养老金等大部分以现金形式拥有的资产，而并非像富人的财产那样呈多样化特点，而现金会随着通货膨胀率的变化而变化，因此通货膨胀对穷人比对高收入阶层所带来的伤害要大得多。

三、代价与影响

在上述因素的作用下，贫困如影随形般始终伴随着拉美国家的现代化进程，使拉美国家在从传统社会向现代社会转型的过程中付出了高昂的代价。

拉美国家为贫困和社会不公正付出了高昂的代价，并且还有可能继续付出较高的代价。在过去的一个世纪，特别是 1930—1980 年拉美工业化时期，由于拉美国家单纯从经济视角出发，把工业化等同于现代化，忽略了人的现代化，这种发展观即使是在短期内实现了经济增长，取得了较高的经济增长率，但从长远来看却由于贫困、不公正和排斥等社会问题的持续恶化

[①] 参见 Albert Berry ed., *Poverty, Economic Reform, and Income Distribution in Latin America*, Colorado: Lynne Riener Publishers, 1998。

[②] IDB Document, *op. cit.*, p. 13.

阻碍了经济发展,使拉美国家出现了有增长没发展的严重后果。尽管到本世纪初期拉美国家开始朝着"千年目标"迈出前进的脚步,但是在减少赤贫问题上却不进反退。按照"千年目标",拉美国家应在2015年实现把赤贫人口从1990年的9300万减少一半的目标,2000年,拉丁美洲本来已经将赤贫人口下降到8800万,但是,转年的经济危机使拉美国家遭受了严重的冲击,不仅削弱了进一步好转的势头,而且促使拉美贫困人口和赤贫人口的迅速上升,2001年贫困人口达到2.14亿,赤贫人口又回升到1990年的水平,为9200万,此后,2002—2004年贫困人口一直维持在2.21—2.24亿,占拉美人口总数的43.2%。赤贫人口也将突破1个亿,约占18.9%。[1] 上述数字表明,拉丁美洲还远没有实现"千年目标"。2000年,只有智利率先实现了赤贫人口减少一半的目标;巴西、厄瓜多尔、墨西哥、巴拿马和乌拉圭虽然远未实现"千年目标";但是同阿根廷、巴拉圭和委内瑞拉相比情况要稍好一些;阿根廷、巴拉圭和委内瑞拉的情况更糟,其贫困率却比90年代还高。如果拉美国家要在2015年实现这一目标,那么各国只有通过提高经济增长率实现赤贫人口减半的目标,即按照拉美经委会预估,"在未来11年里,人均GDP要保持在3.1%的水平,而不是以往的2.6%的水平增长",[2]这意味着拉美国家在未来的十几年里必须要保持高速的经济增长,用长期的经济增长的收益作为社会成本的投入,来解决社会底层的贫困问题。

但是,上述预估是在收入分配不发生重大变化的前提下才能实现。联合国和拉美经委会经研究认为拉美只有2个国家有能力通过将人均GDP提高到3%来实现"千年目标",而绝大多数的拉美国家不存在这一可能性,研究还发现收入分配的改善不仅有利于经济增长,而且还可以放大经济增长所产生的效力,以利于贫困的减少。据拉美经委会估算,如果基尼系数每下降1个百分点,那么所需的增长率就可下降大约0.2个百分点。但是,事

---

[1] ECLAC, *op. cit.*, p.7.
[2] *Op. cit.*, p.9.

实上,拉美国家的收入分配状况仍在持续恶化,①不公正削弱了经济增长对减轻贫困带来的积极影响。因此受这一因素影响,就拉美整体而言,至少每年需要以 4% 的人均收入增长速度(要比 90 年代的平均水平高出 2 倍)才能实现"千年目标"。至于存在较高贫困率的国家,则需要更高的人均 GDP 增长率。以中美洲为例,需要付出比其他拉美国家 3 倍的努力才能实现这一目标。可见,这对于拉美国家,特别是贫困问题较严重的国家来说,无疑是十分严峻的挑战。正如西班牙前总统费利佩·冈萨雷斯所说,"拉美国家发展的最大挑战是消灭贫困"。②

现代化进程的贫困问题所带来的负面影响不仅使拉美国家付出了高昂的经济成本,也阻碍了拉美国家的发展潜力,使拉美国家为此付出社会和政治进步的代价。在拉美国家,贫困、不公正和社会排斥一直以来与社会动荡密切相关,屡见不鲜的社会问题,如犯罪和暴力等都与贫困、不公正和社会排斥有着十分密切的关系,这些不仅对公共安全造成威胁,而且给拉美政府带来极大的政治风险,民主政治的大厦岌岌可危,随时可能受到损害,国家发展随之受到影响。因此,贫困问题的加剧、不公正和社会排斥及经济低水平徘徊与社会政治动荡之间相互关联,形成了一种恶性循环的关系。阿根廷在这方面已经为世人提供了惨痛的教训,③同时也警示人们,若缺乏对贫困、不公平和社会排斥现象的关注就会引发社会和政治的不稳定以及经济停滞或低速增长。

尽管近几年来拉美国家的发展观开始从以经济增长为中心的片面、畸形的角度转向经济增长与社会变革相结合的新发展观,但由于腐败和受其他因素的影响使其成效受到制约。目前拉美国家在优先进行宏观经济改革的同时,增加了社会开支,并通过教育和健康体系对人力资本进行了投资,

---

① 有关拉美各国 1990—2002 年的基尼系数,详见 ECLAC: *Social Panorama of Latin America in 2004*, p.12。

② Jose Gpe. Vargas Hernandez: "The Dilemma of Governance in Latin America", in http://www.unpan1.un.org/intradoc/groups/public/documents/Europa/UNPAN143727.pdf, p.3.

③ 关于阿根廷危机,参见王萍:"发展中国家的难题:开放与发展——以阿根廷为例",《南开大学学报》2005 年第 4 期。

也试图通过反贫困计划解决拉美严重的贫困问题，但上述措施只不过是为人们提供了一种暂时的解决之道，或只是针对某些贫困群体采取的权宜之计，毕竟这些措施只针对贫困的结果而不是贫困的根源。因此，受制于历史根源和制度因素影响的拉美贫困问题的解决，常常会效果不大。拉美国家的经验表明：要解决贫困问题必须要从源头上着手，而这将是一项长期的工程，绝非一朝一夕可以实现。

韩国的两大党制发展趋势
——政治现代化中的"技术因素"与"社会因素"
The Tendency towards Two-party System in Korea
—The relationship between "technical factor" and "social factor" in political development

尹 保 云(北京大学社会发展研究所)

摘要：本文对韩国政治发展的不同阶段所经历的国会议员选举作一回顾。作者把现代民主制度看作一个整体性的技术系统，探讨它在韩国政治现代化进程中与本土社会因素的互动关系。不少学者认为，现代化进程是现代性适应具体的社会环境的过程，而本文的研究却得出相反的结论：在现代化进程中本土社会因素是不断变化的，而现代性却是相对稳定的。韩国自1948年以来经历了17次国会议员选举，尽管其中多次出现了多党制和一党独大制，但其呈现的自然发展趋势却是两党制。这是由于受到民主制度的价值目标和技术规则的作用。在民主制作为一个整体系统的约束之下，韩国本土的各种社会文化因素不断地发生性质上的或角色上的改变以适应民主制度的要求，甚至朝野斗争、宗派主义、地域主义等被认为是不利民主制度的传统政治文化因素也最终转变为有利因素。

关键词：韩国； 政治发展； 国会选举； 传统文化

Abstract: This article has a review of the national assembly elections in different stages in the political development process of Korea. Considering modern democracy as an integrated technical system, the author explores its interactions with the native social factors in the political development of

Korea. Contrary to many scholars who think that modernization is a kind of process of modernity adjusting itself to the social environment of individual countries, the article points out that the social factors are fluctuant while the modernity is relatively steady. Korea has experienced 17 terms national assembly elections since 1948, although many of them belong to one-big-party system or multi-party system, there exists clearly the natural tendency towards two-party system. The value and technical rules of democracy play decisive roles in the political development, and under the function of democracy as a whole system, the Korean native social-cultural factors have to adjust themselves to the demands of democracy continuously, even many bad traditional factors, such as the struggle between the court and the commonality, the sectarianism, the regionalism and so on, turn their favorable profiles to democracy finally.

Keywords：Korea；Political Development；National Assembly Election；Traditional Culture

一、"技术因素"与"社会因素"的关系

现代民主制度是人为设计的管理技术系统。它的目的是保障自由、扩大民众参与、通过权力相互制约与监督来约束统治者的行为。在现代民主政治的技术系统中，政党竞争机制是一个核心因素，它影响着政治体系的权力结构变化以及对不同的社会要求、意见、不满等的输入、容纳及消解等。良好的政党竞争机制不仅是民主政治成熟的重要标志，也是一个社会获得现代和谐与稳定的标志。

有以下四种政党制度被看作是属于民主制度的范围：一党独大制，两党制，两大党制（两个大党和一些小党），多党制。[①] 1955 年到 1993 年的日本

---

① 迈克尔·罗斯金等著：《政治科学》，林震等译，华夏出版社 2001 年版，第 228—229 页。

是自民党一党独大制;英国和美国是两党制的代表;瑞士被看作是多党制的代表。政治学家一般认为,在这四种民主政体的结构中,两党制和两大党制是比较理想的结构,因为它的政治竞争比一党独大制激烈,而又不会像多党制那样容易导致政治混乱和极端主义的上升。两党制和两大党制之间也有一些区别。一般说来,两党制容易带来结构稳定,但趋向于使体系保守,缺乏创新力;两大党制比两党制具有更广泛的代表性,更适合利益多元化的社会条件。但也有学者把两党制和两大党制看作一个类型,不严格加以区分。

一些政治学家倾向于把政党结构的形成看作纯粹是技术因素的结果。达沃格尔(M. Duverger)的研究影响很大。他认为两党制是多数代表制(1区1人制或小选举区制)的必然结果,多数代表制容易带来两党制结构,而比例代表制及相关选举法则容易带来多党制。多数代表制带来两党制的原因首先是因为其技术因素有利于大党而不利于小党,其次是选民的心理容易偏向大党而对小党持谨慎态度,沿着这个趋势逐渐发展,小党将会被消灭而形成两党制。① 达沃格尔的特点是把政党结构的形成,归为具体的选举法的结果,强调了技术因素的作用。亨廷顿则认为一个国家的政党制度不是由民主制度的性质所决定的,而是受到社会因素或文化因素的影响,发展中国家的社会势力的众多和性质的歧异会创造出多党制而不是两党制,社会自然运动的结果是多党制。② 亨廷顿显然走到了轻视技术因素作用的一端。他忽视了一个重要的思考:民主制度是人为设计的一个技术系统,一旦推行,人们的行动就会去适应这个系统的技术要求。没有任何一个国家的政党制度纯粹是由社会的自然运动所塑造的,任何国家的选举都是在特定的选举制度(多数代表制,比例代表制等)下进行的,而选举制度则是由人们设计的。

韩国学者温万金认为,韩国的经验并没有完全证明达沃格尔的观点,除了技术性的选举制度因素外,选举的结果还受到地域主义因素的影响。温

---

① Maurice Duverger, *Political Partics, Their Origin and Activity in the Modern State*, Translated by Barbara & Robert North, New York: John Wiley, 1954, pp. 215—216.
② 亨廷顿:《变化社会中的政治秩序》,王冠华等译,三联书店1989年版,第400页。

万金把技术因素与社会因素结合起来,提出了地域主义与选举法的互动关系的分析模型,指出:在地域主义弱情况下,多数代表制能够导致两党制,而在地域主义强的情况下则会导致多党制。[1]他的研究受到了韩国20世纪90年代的现实情况的影响。此时,地域主义问题十分突出,学者们的研究也集中于对它的批评。温万金所用的数据只截止到2000年第16届国会选举。然而,2004年第17届国会选举的结果却发生了新的变化。在这次选举中,大国家党的领导人朴槿惠利用了地域主义而挽救了大国家党,从而避免了一党独大局面的出现,巩固了两大党制的结构。这个事实否定了温万金的理论模型中对技术因素与社会因素的解释。

研究政党制度的发展,对一个国家的特殊社会因素的考察当然十分重要。冈瑟(R. Gunther)在对西班牙的研究中指出,对于选举结果,除了选举制度的长期持续的作用之外,还有政党领袖对政治状况的认识、把握、计算、战略以及媒介等社会因素的作用。[2]影响一个国家政党结构形成的社会因素很多,有历史的、文化的、领导人行为方式的、民众习惯的等,还有各种偶然发生的不确定因素。另一方面,单纯地分析这些社会因素,并不能使我们认识政党结构的发展规律。因为,政治现代化是一个有目标的建构过程,人们朝着建构民主政治技术系统的目标而努力。在这个努力过程中,民主政治的技术系统是相对稳定的,而各种社会因素则是不断变化的与不断地被整合的。换句话说,历史的、文化的等各种特殊的社会因素,都被调动来服务于现代民主政治的技术系统的建构过程。

不过,达沃格尔对决定政党结构的技术因素的理解很狭窄。他只涉及选举法的具体规则。我们很难仅从这个层面来理解政党结构在韩国的变化过程。有的学者认为,韩国从1948年选择多数代表制(1区1人)直到目

---

[1] 温万金(온만금):"韩国政党体制的形成与变化的相关理论(1948—2000)",《韩国社会学》韩文版第37集第3号(2003),第135—157页。

[2] Richard Gunther. 1989, "Electoral Laws, Party System and Elites: The Case of Spain", American Political Science Review 83(3), pp. 835—858.

前,基本框架没有很大的变化。[①] 也有人认为,韩国选举制度的最大特征之一是其变动性,自从1948年确立选举以来,没有哪种选举制度维持了10年以上。[②] 总的看来,韩国从1948年以来的总共十七届国会选举,多数代表制(1区1人)加上一部分议席根据政党得票来分配(称为"比例议员"或"全国区代表"),是基本的选举法框架。但其中威权主义时期的四届国会选举变化不小。这四届采取的都是总选区制(1区2人),并且在朴正熙时期,1/3的议席由总统批准,在全斗焕时期1/3的议席按照特殊的规则分配。在其他时候,分配议席占总议席数的比例与分配方法也有不同的变化。并且,还有许多其他的临时规定,比如50年代禁止亲日派参选,70年代禁止以无党派身份参选等。

在这种情况下,我们需要把对技术因素的思考扩展到更高的层面,即把民主政治看作一个整体性技术系统。民主政治系统作为一个整体而影响政党制度变化的方向,而不仅是选举办法等细节性技术。民主政治提供民众的参与性、公平性、透明性、效率性等一些价值目标。要实现这些价值目标,它必须对政党制度或结构有内在的要求,并不是任何政党制度或结构都能保证这些价值目标的实现。如果政党制度不符合民主制度的整体技术的要求,就会出现各种问题。比如,一党独大制容易带来保守封闭和腐败,多党制的分裂状况对总统候选人会产生不利,而国会里的多党结构必然带来立法困难等。这样的各种问题,实际上是民主制度的目标要求对各种不合理的结构所提出的技术性惩罚或警告。这些惩罚和警告不仅引起政治家们的反思,也通过影响社会舆论和民众观念、心理而对以后的选举发生作用。在韩国,突出的例子如1997年金大中和金泳三的两党分裂导致他们在竞选中失败,许多小党的总统候选人的失败,以及多届国会中的磋商与妥协机制丧失等。

---

① 文用植(문용직):"韩国的选举制度与政党制:小选举区与两党制",《韩国政治学会报》韩文版第29集第1号,1995年,第243—264页。

② 金容浩:"选举制度对政党的政治影响",《思想与政策》韩文版1990夏季号,第123—135页。

总之,我们应当看到民主政治有两个层面的技术因素:一是达沃格尔所说的选举法(规则)层面的,一个是民主政治的整个技术系统。前者是具体细节,后者是整体要求;前者是可以变动和选择的,而后者则是相对稳定的;前者决定了各个民主制度之间的差异性,而后者却决定了它们之间的一致性。后者作为更高层面的技术要求,只是一种理论上的要求,是一般的纯形式。当一个国家的民主制度比较接近这个纯形式时,它就会得到它所提供的各种价值目标,而当一个国家远远偏离这个纯形式时,就会受到各种惩罚和警告,迫使这些国家采取改革措施来接近它。由此看来,在政治现代化研究中,我们也不能因为一个国家没有实现民主政治就忽视了民主政治的技术系统的神奇作用的存在。一个国家可以不搞民主制,但它却逃脱不了民主政治系统的技术纯形式的惩罚。因为,经济社会的发展必定使这个国家面临各种难以解决的危机。

影响政党制度发展的特殊社会因素,也可以称为"非技术因素"。这类因素包括一个民族的独特历史、文化习惯、社会结构、价值取向、政治领导人的行为特点、新闻媒体的作用等。在现代化研究中,人们很容易错误地把社会因素看作是不容易改变的,从而论证现代性的多样性。这不仅包括那些反对一般现代性而主张历史相对主义的学者,也包括有的承认一般现代性的学者。比如,安德鲁·芬伯格的《可选择的现代性》一书,目的是要从"技术"与"社会"的结合的角度来说明现代性,从而克服现代性普适论和文化相对主义。他把"技术"因素看作是可选择的,而把"社会"因素看作是固定不变的。[①] 这只是把"普适性"和"相对主义"生硬地拼凑在一起而已。现代性是一般的、普遍的。就政治领域而言,技术因素可以选择,但却有一定的幅度限制。自从民主制度创立以来,虽然具体细节层面的技术因素在各国有自己的选择,但更高层面的技术系统的要求(言论出版自由、大众参与、政党竞争、分权制约、公民投票等基本原则)并没有什么变化,它作为一般纯形式

---

① 安德鲁·芬伯格:《可选择的现代性》,陆俊、严耕等译,中国社会科学出版社2003年版,第9页。

而保持稳定性。相反,倒是被视作不变的各种社会因素却在不断地发生变化。西方国家是如此,非西方国家也是同样。

韩国自从1948年引进民主制以后至今所经历的17届国会选举,有许多具体技术的变动,既包括前面提到的对多数代表制的弥补措施,也包括禁止"亲日派"参选(50年代)、禁止以无党派身份参选(70年代)、1/3议员由总统批准等非常措施,这些具体的技术措施变化过程,也是韩国的社会因素适应民主政治的整体技术系统要求的过程。在这个过程中,被历史相对主义者所强调的各种社会因素(历史的、文化的、社会的等)在不断地发生着自身性质、角色或作用方向的改变。以下对韩国17届国会选举的历史回顾,可以使我们清楚地看到这个线索。

二、李承晚时期两大党制的发展趋势

战后韩国的民主政治是突然引进的。从1948年到1960年春的李承晚统治时期,是韩国政治发展的早期阶段,也是韩国历史上的一个混乱的时期。以往的研究,多数对李承晚时期的"民主政治"持否定的态度,认为它是不适合韩国国情的"假民主"或"民主外壳"。最近有的学者开始重新认识这段历史,把这种外壳民主看作一个难免的阶段,并肯定韩国在50年代自由与民主观念的传播以及民众参与能力的提高。[①] 民主政治在任何国家都需要一个实践过程,需要社会经济结构的相应变化,以及人们的价值观、思考方式和行为方式的逐渐的适应性变化。

韩国社会经历了李朝(1392—1910)历史悠久的集权官僚政治统治和日本36年的殖民统治,形成了中央集权的权力结构、一盘散沙的社会结构、家长主义的统治风格、官本位的社会价值观等因素,这些社会因素显然是民主政治发展的障碍。1945年9月8日登陆的美国占领军,几乎在上岸后就号召韩国人组党。仅仅三天之后,三八线以南地区已经有了33个"政党",一

---

① 董向荣:《韩国起飞的外部动力》,社会科学文献出版社2005年版,第160—162页。

年后,这个当时只有1700万左右人口规模的地区竟然有了300多个"政党"。① 韩国的民主政治就是在这样落后的社会文化土壤上突然移植的:先有一个基本模式(或纯形式)然后推行。这个模式基本的价值目标与言论出版自由、政党竞争、三权分立、公民投票等基本技术因素代表民主制度的一般性特征,属于一般现代性,但是,在具体细节的安排上则有韩国政治精英们的创新。李承晚提出采取美国那样的总统制但国会只设一院,而民主党则提出设总理职位来限制总统的权力等。有的研究者认为韩国的民主政治是美国的影响和本土政治精英的愿望相互作用的产物。②

1948年5月在联合国的监督下,韩国举行了制宪国会选举。这次选举确定了多数代表制(1区1人的小选区制度)形式。参选的政党共有48个,得到席位的政党有16个,共有198名议员,其中排在前面的4个政党如表1所示:大韩独立国民促进会55席,韩国民主党29席,大韩青年团12席,民族青年团6席。仅从前4个党的名额呈逐次减少的数字分布看,典型是多党制结构,甚至比多党制还混乱,因为无党派所占的比例很大,共得到85席,几乎占总席位的43%。这个选举结果充分反映了韩国社会的一盘散沙性质。

表1 第一届到第四届国会的议席分布③

时间和届次	第一党	第二党	第三党	第四党	无党派	总议席数
1948年第一届	55	29	12	6	85	198
1950年第二届	24	23	14	10	127	210
1954年第三届	114*	15	3	3	68	203
1958年第四届	126*	79	1	0	27	233

有*号为执政党。

---

① Gregory Henderson, *Korea: The Politics of the Vortex*, Cambridge, Massachusetts: Harvard University Press, 1968, p. 131.

② Ahn Byong, Kil Soong-hoom, Kin Kwang-woong, *Elections in Korea*, Seoul: Seoul Computer Press, 1988, pp. 4—6.

③ 本文表格中从第1届到第16届国会议员的统计数字均来自韩国中央选举管理委员会网站公布的资料。见:http://www.nec.go.kr/sinfo/index.html。

1950年5月30日举行的第二届国会选举又一次说明了韩国社会一盘散沙特点,并且,多数代表制不仅没有起到有利于大党而不利于小党的效果,反而好像是帮助了无党派的当选。在总共210个议席中,无党派就占了127席,占总议席的比例为60.5％,比第一届还多了约17％;相反,前两个大党的席位都减少了。

不过,这种情况只是一时的。它不仅与韩国的一盘散沙的社会土壤有关,也与李承晚的行为有直接的关系。统治韩国10多年的李承晚总统,是一个充满矛盾的历史人物。他虽然在美国获得博士学位,具有自由民主的价值取向,但他的思考方式和行为方式却是儒教集权主义的。韩国人民把李承晚尊为"爱国英雄",对他寄托很大希望,但是,李承晚并不认真推行民主政治,不按照民主政治的技术原则来行事。在独立后党派林立的局面下,他迟迟不组建自己的政党,而是要做凌驾于各党之上的政治领袖。1945年10月25日他成立了大韩独立促进国民会,但它并不是一个政党,而是具有非政党取向的联盟。1948年7月李承晚当选为第一届总统后,他同样采取老办法来巩固自己的权力。所以,在1950年的第二届国会选举时,李承晚总统仍然是无党派。鉴于他在民众中的政治威望,这种不遵守民主政治一般原则的行为等于是在鼓励多党制和无党派的结构。

李承晚的行为与民主政治的价值目标难免发生尖锐的冲突。在国会中党派林立的局面下,他不仅无法以无党派总统的身份建立起自己的最高权力,甚至连基本的总统权力也很难行使。1948年7月当选为总统之后,他马上陷入派性纷争的泥潭。国会由于党派争论而很难决策,在制定土地改革法案和出卖归属财产等提案上争吵不休,而他作为总统的意见也没有什么权威性。这样,不管是出于个人权力愿望还是出于克服国会的混乱,李承晚开始认识到政党的重要性。于是,他于1951年成立了自由党,并利用他的权力和威望不断地拉拢其他政党和无党派人士。他的办法马上奏效。1954年的第3届国会选举,自由党获得了203个议席的114席,占56.1％,而反对党民主国民党15席,国民会3席,大韩国民党3席,无党派68席。多党林立的一盘散沙局面突然被改变了。包括自由党在内只有4个政党获得席位,而且无党派的比例大大降低。

从席位分布上看,这次选举出现了一党独大制的结果。对于具有集权主义思想的李承晚来说,自由党的一党独大正是他的目的。他一直批评韩国社会的"一盘散沙"而强调集中权力的必要。按照一些学者的见解,一党独大制有利于"集中"或形成统一意志,并且与儒教传统的集权制有某些连续性,更加适合儒教文化圈的国家。这是很幼稚的认识。它显然是颠倒了我们前面所说的民主政治整体技术系统与本土社会因素之间的关系。重要的现实是,自美军占领后,韩国的政治文化开始发生变化。学校教育以及各种媒体迅速地传播着自由民主的价值观,受到这些教育的年轻人对政治有新的评判标准。朝鲜战争结束后,李承晚不重视经济而高喊南北统一口号,国民经济恢复缓慢,始终不能摆脱严重依赖美援的困境;加之,自由党政府由于掌握着分配美援资金、物品的权力而日益腐败等,这些都时刻在培育不满的社会力量。1956年的总统选举使李承晚感觉到自己的权力日益受到挑战,于是他加强了对反对力量的打击,包括利用"反共"借口。1958年初,李承晚制造了进步党事件,以通共产主义为名查抄了进步党党部,并逮捕该党曹奉岩等7名领导。在言论出版有一定自由的环境下,这样的政治迫害行为很难掩人耳目,必然引起更大社会不满。

李承晚和自由党的权力垄断和独裁行为,不仅使反对力量从四面八方成长,而且也促使它们团结起来。专制主义在造就民主的力量,在"朝"力量在造就在"野"力量。李承晚自由党政权的专制与腐败,使得民主党联合其他政党和无党派人士加入阵营而迅速崛起。这就导致1958年第四届国会选举第一次出现了两大党制的结构。李承晚的自由党得到233个席位中的126席,反对党民主党79席,由上一届仅占7.4%猛增到33.9%,构成很大的制约力量。而且反对党中,除了民主党之外,只有统一党得到了1个议席,其他参选的反对党均没有得到议席。

两大党制在1958年第一次出现说明,尽管李承晚时期的民主政治被看作"混乱"、"独裁专制"或"假民主",但是其中却呈现了朝着"有序"发展的趋势。推动这一变化的力量是两方面的:一方面来自于民主政治的技术要求的约束;另一方面,非技术性的社会因素也在发生变化。从技术因素分析,三次国会选举都采取的是多数代表制(1区1人),对于消灭小党而促成大党并没有起到决定性作用,倒是民主政治作为一个整体性技术系统的基本要求起了重要的作用。其历史的逻辑大致是这样的:国会中党派林立局面导致政治混乱;包括李承晚在内的政治家以及全社会都希望改变这个局面;李承晚的自由党实现了一党独裁;一党独裁和腐败引起社会不满日益上升;社会不满的目标集中于执政党而促进了反对力量的联合;两大党制结构形成。

在这样一个进化过程中,包括社会特征、文化价值观、领导人行为等在内的社会因素的角色和作用,可以说是相当复杂。有的发生了性质的变化,比如年轻人民主价值观的增强等;有的发生了角色变化,比如韩国历史上的"朝"、"野"对立的政治传统;有的发生了作用方向的变化或结果的变化,比如,李承晚和自由党的独裁行为反而促进了两党制结构的出现。在这个转换过程中,还有更多的社会因素被调动来服务于两大党制的趋势,比如自由党和民主党在拉选票中对包括血缘、学缘及地缘等"关系"资源的利用等。正是这些社会因素的性质的、角色的、作用后果的变化,使两党制结构得以形成。

三、一党独大制的失败

1960年春天的总统选举中的舞弊行为激起"4·19学生运动",导致李承晚和自由党下台。50年代一直受打压的民主党一夜之间成了韩国的政治核心。在与李承晚和自由党的长期斗争中,民主党逐步树立了形象并壮大了自己的队伍,被民众视为"正义"和"民主"的化身。但是,现实却是另一回事。在同一社会土壤上生长起的两个政党,难免有同样的素质局限,只有"朝"和"野"的区别而已。迟发现代化国家的一个普遍教训是,一个政党,在野是一副面孔,好像是正义的化身,而掌权后就会很快变色,甚至比以前的执政党更加腐败无能。现代民主政治依赖的是其整个系统的结构,而不是某个政党的纯洁或正义的品质,这些品质是不可靠的。

民主党在李承晚和自由党垮台后满怀雄心壮志,希望建立一个真正自由、民主的国家。它重新修改了宪法,把总统制改为内阁制,总统为名誉职务,总理掌握实权,国会改为两院制(分参议院和民议院),进一步扩大地方自治权和言论出版自由。1960年7月29日举行的第5届国会选举,民主党获得了参议院58个议席中的31席,社会大众党4席,自由党2席,韩国社会党1席,其他1席,无党派20。民议院选出议员共233席,其中民主党175席(占75.1%),自由党和另外4个政党加在一起也只有9席,无党派49席(占21.0%)。韩国历史上又一次出现了一党独大制。

这次一党独大的选举结果,也不说明民主政治框架下的某种自然趋势,而是李承晚和自由党突然垮台后出现的民众倾向大偏斜的产物。从1960年7月第5届国会选举到次年5月16日朴正熙军事政变,被视为"短暂的民主",是韩国历史上的一个最混乱的时期。混乱是由各种原因造成的,比如,民众对李承晚倒台后经济发展与政治变化的期望过高而得不到满足,政

表2 第五届到第十二届国会的议席分布

时间和届次	第一党	第二党	第三党	第四党	无党派	总议席数
张勉民主时期:						
1960年第五届	175*	4	2	1	49	233
朴正熙民主时期:						
1963年第六届	110*	41	13	9	0	175
1967年第七届	129*	45	1	0	0	175
1971年第八届	113*	89	1	1	0	204
威权主义时期(朴正熙):						
1973年第九届	73*	73*	52	2	19	219
1978年第十届	77*	68*	61	3	22	231
威权主义时期(全斗焕):						
1981年第十一届	151*	81	25	2	11	276
1985年第十二届	148*	67	35	20	4	276

有*号为执政党。

府的继续腐败,地方自治带来的一时混乱,新闻出版单位由于放松了准入条件而突然暴增所带来的混乱,大学生中激进力量的迅速发展等。但是,关键的问题还在民主党内部。

民主党并没有严格的党内纪律与统一意志的支撑。它仅是由许多党派组成的联合体,是反对李承晚及自由党的目标把它们联合起来的,而一旦实现了这个目标,团结的黏合剂也就不存在了。假若自由党在第五届国会选举中还能保持较大力量而与民主党抗衡,那么,民主党内部的派性斗争就会受到来自外部的压力的抑制。然而,自由党在民议院233席中仅得2席,与其他小党加在一起也不到总议席的4%,力量实在微不足道。这样,50年代存在的执政党与在野党之间的激烈斗争,就不可避免地转移到民主党之内。民主党内本来就有以总理张勉等为代表的"新派"和以总统尹浦善为核心的"老派"两大派别,其他的小派别或者围绕这两派,或者摇摆不定。一党独大的外表,里面却有两个大派系和许多的小派系,实质上是两大党的结构。在民主党的所得民议院议席中,新老两派几乎是各占一半。两派的分裂并无明确的意识形态分歧为基础,而仅是权力斗争的旧习惯。无意义的争论与不合作,使民主党难以采取措施稳定住混乱的社会局势,国会中连通过一项简单的法案都会引起激烈的争吵,甚至不得不利用行贿等腐败手段。到了9月,总统尹浦善把85个旧派议员从民主党拉出去而成立了"新民党"。两大党制的结构再一次形成。

民主党的分裂说明,尽管韩国具有历史悠久的集权主义传统,但却不适合推行一党独大制度。因为,派性或者庇护—被庇护的个人忠诚关系网络是这种集权体制的突出特点。在李朝时期,国王、王室以及朝廷重臣每时每刻都处在权力斗争的旋涡之中。"集权"只是表面上的,是依靠国王分配官职和薪俸的权力来维持的,即便如此,连国王本人在这种旋涡中也常缺乏基本的政策决断力。儒教国家历史上"集权"的效果主要表现为压抑社会创新,而不表现为国家管理的任何效率。外表集权而实际为权力斗争的关系网络所充斥的政治文化传统,决定了韩国不适合搞一党独大制,也不可能搞成。

1961年5月16日政变上台的朴正熙政权把经济增长作为国家的最高目标。朴正熙具有明显的"非政治化"倾向,本质上讨厌政治家以及政党活动,军政府对政府机构的腐败分子进行了大清洗。另一方面,朴正熙不断地批评韩国的集权专制传统,强调"民主"的价值和目标。他保留了民主政治的基本框架,只是在这个框架内加强权力集中,废除了民主党搞的不成功的内阁制而回到总统制,取消了地方自治。

经历两年多的军政府时期,军事集团1963年10月"还政于民",朴正熙脱下军装参加竞选并当选为总统。11月26日进行了第六届国会选举。这次选举沿袭以往的多数代表制(1区1人),只是鉴于无党派"乱立候选人"而禁止以无党派身份参选。朴正熙的民主共和党获得了总共175个议席中的110席,将近63%,而第二大党民正党只有41席,占23.4%。这个结构有些偏向于一党独大制。1967年的第7届国会选举,结果是民主共和党的席位进一步上升,在总共175个席位中获得了129席,占73.7%。这是典型的一党独大的结构。

这样,包括以前的自由党、民主党在内,韩国国会选举历史上四次出现了执政党一党独大制。如果说第三届国会中的一党独大是因为李承晚总统充分利用了行政权力、个人威望等传统资源的结果,第五届国会的一党独大是李承晚和自由党崩溃而导致民心大倾斜的结果,那么,第六、七届国会的一党独大则是在很大程度上受到经济发展成就的支持。韩国经济于1962年起飞,60年代是一个高增长时期,与50年代的经济迟缓形成鲜明的对比;其次,朴正熙政府对各级官员监督比较严,腐败现象比以往大大减少,行政管理效率显著提高;另外,政府的非政治化取向把人们的注意力转移到经济建设中,政治家的活动受到"经济发展第一"的社会氛围的限制。这样一些原因使得民主共和党得到了广泛的社会支持。当然,这里面也有议席分配的因素:国会议员中有一部分议席(占选区议席总数的1/3)按照各政党的得票率来分配,其中第一大党必须分到1/2以上2/3以下。这种分配方式显然有利于执政党。

然而,这样的各种优越条件,并不能支持一党独大制在韩国长期存在。

现代化是一个创造成就的过程,同时也是一个创造各种新的危机和矛盾的过程。到 60 年代末 70 年代初,一些新问题凸现出来:近十年的迅速增长拉大了城乡差距和贫富差距而造成社会不满;官员腐败随着经济活动面的扩大而有新的发展;朴正熙总统通过修改宪法而不断连任刺激了政治反对力量;美国尼克松总统的与中国大陆建交为标志的亚洲策略的改变引起人们对国家定位和安全问题的再思考等。这些新的问题,又激活了被"经济发展第一"所暂时抑制的派性纷争传统,破坏了一党独大制的基础。1971 年 5 月 25 日举行的第八届国会选举,选举方法、议席分配规定与前两届一样,但结果却发生了很大变化:在选出的 204 个国会议员中,民主共和党 113 席,占 54.4％;新民党 89 席,占 43.6％,另外,国民党 1 席,民众党 1 席。这样,朴正熙和民主共和党所喜欢的一党独大制经历两届国会便解体了。

从 50 年代来的几次一党独大制的失败看,这种结构在韩国很难长期存在。60 年民主党一党独大失败于内部分裂,是宗派斗争的传统政治文化因素作用的结果。而 50 年代李承晚的自由党和 60 年代朴正熙的民主共和党有重要的不同,前者是一个低效的、腐败的、无成就的政党,而后者却是一个效率较高的、相对廉洁的、成就显著的政党。但是,二者在一党独大制的失败方面却很相似。它们都是通过执政党力量强大的格局而造成了反对力量的集结,形成了"朝"与"野"对立的两极化格局。

1971 年 12 月通过《国家保卫法》后,韩国转向威权主义体制,一直延续到直到 1987 年。对于朴正熙转向威权主义,韩国学者多持否定态度,甚至有人把它看作韩国政治发展历史上的"耻辱",是朴正熙"个人权力欲"的产物,是朴政府"随着民众支持的减退而出现合法性危机"的对应措施。[①] 朴正熙转向威权主义体制原因是多方面的,其中最突出的是,由内外环境变化所带来的各种矛盾,使一个大反对党在国会中突然崛起,并坚决要否定掉朴正熙所喜欢的现行经济模式。这迫使朴正熙采取新的"民主"。1972 年 10

---

① 袁浩植(원호식):"韩国第三、四共和国的议会政治:政治经济学的视角",《现代社会》韩文版第 10 卷第 2 号(1990 年秋季—冬季号)。

月通过了《维新宪法》，在新的模式下重新进行国会选举。1973年的第九届和1978年的十届的国会选举，采取的是"总选举区制"(1区2人)。只有2/3的议席由选民投票产生，另外1/3的议席要有"统一主体国民会议"选举，然后由总统批准。这1/3的议席叫"维政会"，是一个特殊的执政党。"维政会"在第九届73席，和民主共和党一样；第十届77席，而民主共和党下降为68席。80年代全斗焕时期废除了"维政会"，第十一届、十二届两届国会选举所采取的办法是，2/3的议席由选区选出，1/3的议席分配，原则是2/3分给第一大党，剩下的1/3由其他政党按照得票率分配。比如1985年第十二届，他的民主正义党的148个席位中就有61个是分配来的。

在70年代初转入威权主义之前，尽管朴正熙喜欢一党独大制，但支持两党制则一直是舆论主流。但进入威权主义体制后，对多党制的赞赏则成为舆论主流。从表2我们看到，尽管有这种舆论导向，如果把70年代第九、十届国会中"维政会"的名额去掉，就成了典型的两大党制结构。到了80年代，情况有所变化。全斗焕一边采取分配1/3名额的方法，一边积极鼓励多党制。他在1980年10月16日的对新闻界的发言中说：两党制使政治"两极化"，"政治和立法功能严重缺位"，"政治领导人脱离民众"，而多党制则能克服这些缺陷。[①] 1981年的选举，他还采取了一些措施来鼓励、扶植小党。由于舆论影响和具体措施的作用，1981和1985年的两届国会，如果把1/3的分配议席去掉，就是典型的多党制结构。反对党被"多党制"措施所碎片化，而执政党又被1/3议席的分配所加强，自然就维持了一党独大局面。

威权主义时期的情况说明，尽管韩国有历史悠久的集权主义和强调民众对政府忠诚的政治文化传统，但这些特殊的社会因素并不能为一党独大制的长期存在提供牢固的基础，而经济、政治与社会的新变化却推动着两大党制趋势。鉴于处在经济高增长而贫富分化加剧的阶段，威权主义政府希望维持一党独大，因为这更容易形成意见集中和意志统一，控制政治分歧。在很难通过正常选举途径来维持一党独大的情况下，威权主义政体采取了

---

① 《东亚日报》1980年10月16日。

控制 1/3 席位的特殊办法。这种对选举制度的扭曲是否是必要、有多大合理性是另一个问题,在此重要的是,上面的分析已经使我们看到:在民主制的基本框架之下,具有儒教文化传统的韩国要发展出稳固的一党独大体制的确是十分困难的。

四、地域主义的角色变化

全斗焕时期形成的多党制结构在民主化后得到延续。表 3 说明,1988 年第 13 届国会选举出现了多党制。当然,不能说这全是威权主义时期鼓励多党制所留下的后果。它在一定程度上折射了 80 年代韩国的一些经济社会变化:1979 年底朴正熙总统被暗杀后不久,全斗焕政变上台。他采取了一些严厉措施控制住社会秩序,并进行了稳定经济的多项重要改革。尽管一直笼罩着"光州事件"[①]的阴影,但全斗焕任总统时期(1981—1987)的政治空气要比 70 年代宽松许多。全斗焕是一个典型的职业军人,不喜欢政治,甚至不愿意公开露面和树立形象。有的研究指出,全斗焕总统时期是比较自由的,各种政治力量在此时孕育,各种意识形态在此时传播,包括以前被严格禁止的马克思主义也由知识分子传播到工厂。[②] 80 年代是韩国工业化成熟的时期,人们的生活质量和生活方式发生迅速的变化。新的经济社会土壤促生各种政治力量,从而形成新的党派分裂局面。80 年代一个新的趋势是反对力量的不统一。

当然,宗派主义分裂始终是影响韩国政党发展的一个重要因素。李承晚时期和张勉时期,无论是执政党和在野党,内部的派性斗争都十分激烈。朴正熙 60 年代的民主时期,由于人们的注意力被有效地转移到经济增长

---

① 1980 年 5 月,全罗南道的首府光州市市民因为不满全罗地区的经济落后而游行反抗,发展到夺取枪支弹药,17 日遭到特种部队的镇压。政府从未确认死亡人数,而民众认为被打死的人大约 2000 左右。

② Hagen Koo(ed.), *The End of Organized Capitalism*, Cambridge: Polity Press, 1993, p. 153.

上,政治领域派性斗争不是十分突出。但随着经济增长,新的社会矛盾与社会龟裂也反映到政治体系中。70 年代中后期,执政党内部的派性斗争变得日益突出,甚至最终导致朴正熙总统在 1979 年被暗杀。80 年代全斗焕鼓励多党制,在诸多大大小小的政党中,派性斗争照样存在。

1987 年 6 月 29 日卢泰愚发表"6·29 宣言"后,韩国开始了"民主化"进程。1988 年的国会选举抛弃了威权主义时期各种扭曲的做法,恢复了多数代表制(1 区 1 人),并把"全国区代表"(按政党得票率分配的议席)由占总议席的 1/3 减少到约 1/5。① 选举的结果却是多党制:执政的民主正义党获得总共 276 个议席中的 125 席,占 41.8%,金大中的和平民主党 70 席,占 23.4%,金泳三的统一民主党 59 席,占 19.7%,金钟泌的新民主共和党 35 席,占 11.7%,无党派 9 席。执政党没有获得多数,而其他政党的议席数依次排列,这是十分典型的多党结构。1992 年与 1996 年的第十四、十五两届国会的选举结果,与这一次十分类似:执政党没有获得多数(第十四届为 46.5%,第十五届为 48.7%),而反对党获得的议席数呈逐渐递减。从表 3 可以看出,在民主化之后,多党制的结构一直延续了三届国会。这三届的选举都是多数代表制(1 区 1 人),只是全国区代表的分配措施有些微弱变动,第十五届取消无党派参选。

表 3　第十三届到第十七届五国会的议席分布

时间和届次	第一党	第二党	第三党	第四党	无党派	总议席数
1988 年第十三届	125*	70	59	35	9	299
1992 年第十四届	148*	98	31	1	21	299
1996 年第十五届	139*	79	50	15	16	299
2000 年第十六届	133	115*	17	2	5	273
2006 年第十七届	152*	121	10	9	0	295

有 * 号为执政党。

---

① 在多数代表之与全国区代表结合的情况下,一个选民投两张票:一张票投给本选区的一个候选人;另一张票投给一个政党,各政党在全国范围所得到的选票数决定它在这 1/5 的议席数中分到的多少。

1987年民主化后的多党结构,与威权主义后期的多党趋势不同,不是由一般的派性分裂所支撑,而主要是由地域主义所支撑。这些政党都有著名的政治家,而他们又有各自地域的背景。在整个90年代,三个著名政治家控制着韩国政治舞台:金钟泌、金泳三和金大中,被称为"三金政治"。他们都是在威权主义时期成名。金大中和金泳三是那时的民主运动的领袖,金钟泌是朴正熙时期的总理。这三个政治家各有自己的政党,各有自己的票仓:金大中的支持者是湖南地区的全罗南北两道,金泳三的基础在岭南地区的庆尚南北两道,而金钟泌的后盾则是忠清南北两道。

　　对地域主义影响中央政治权力结构的历史背景,韩国学者有不同的见解。有的学者认为地域主义兴起于1972年后的维新时期;[1]也有的认为,1961年朴正熙政权上台以后,强力促进国家主导的产业化,随着产业化带来的都市化是影响60年代和70年代选举的变数。而1987年以后,第13届议员选举开始,都市化的变数作用减小,而地域主义成了决定性的因素;[2]也有的学者强调地域主义是由政治家煽动起来的,尤其是金钟泌在1987年的总统竞选中提出了所谓的"忠清乡巴佬",通过"忠清人不是傻瓜"的口号来建立自己的政治权力基础;[3]而历史学家则习惯于把韩国岭南地区与湖南地区的矛盾追溯到朝鲜半岛的三国时代。

　　地域主义是社会自然"分裂"的一种形式。它在不同国家都会不同程度和不同形式地存在。有的学者认为,韩国这种"在没有语言、人种、宗教差异的条件下,政治排外感引起的地域对立之深,为世界前所未有"。[4] 其实,结合是社会的本性,分裂也是社会的本性,没有这样的地域矛盾,就必然有别样的地域矛盾。人类社会发展离不了矛盾,关键是如何解决它。1987年

---

[1]　温万金(온만금):前引文,第145页。徐仁锡:"政党政治发展与地域矛盾克服",《思想与政策》韩文版1990夏季号,第107页。

[2]　崔庄集(최장집):《韩国民主主义的理论》,大路社韩文版1993年版,第441页。

[3]　Kim Wang-Bae, "Regionalism: Its Origins and Substance with Competition and Exclusion", *Korea Journal*, Vol. 43. No. 2. Summer, 2003. pp. 5–31.

[4]　崔庄集(최장집):《韩国民主主义的理论》,第441页。

民主化后,地域主义在韩国的确更加突出了。地域感情左右选民的投票,是1988年到1996年之间的三届国会选举的突出特征。但另一方面,地域主义的凸显并不意味着倒退,而意味着民主政治系统正在对它进行整合。

作为派性分裂的一种,地域主义像其他社会因素一样要发生适应民主政治的变化,重新给自己定位。1987年的总统选举是在"民主化"后进行的。卢泰愚的"6·29宣言"是民主化开始的标志。这个宣言对反对派政治家们和反对党意义重大,他们得到了同执政党一样的自由平等的机会参与政治竞争。以政治罪名被关押的民运领袖金大中获得释放。民主化使长期积蓄的形成巨大阵营的民主力量得到解放,但是民主力量并没有团结起来。两个著名民运领袖金大中和金泳三,都把自己看作人民心中的真正英雄。实际上,他们也是各有自己不同的地域基础。10月22日,金大中与金泳三分裂,成立了自己的和平民主党。二金的分裂使12月16日举行的总统选举产生了戏剧性的结果。执政党候选人卢泰愚获得了36.6%的选票,金泳三获得28.0%的选票,而金大中获得了27.0%。如果"民主"的力量不发生分裂,必定赢得总统选举。他们的分裂却帮助了本来并不占优势的执政党的候选人卢泰愚。不能简单地把二金的分裂看作个人权力欲望的结果。金泳三和金大中在意识形态取向上有所不同。金泳三代表中间温和立场,反映了岭南地区经济比较发达而中产阶级居多的背景,金大中则是代表底层大众立场,反映了湖南地区相对经济落后而低收入人口较多的背景。这就是说,地域主义随着地区经济差别的出现而多少具有"阶级"的属性。

无论怎样,由于分裂而导致的总统选举失败,使政治家和民众不得不认真思考民主制度的游戏规则。1988年的国会选举的多党结构带来的混乱也立刻受到社会舆论的批评。到了90年代,尽管地域感情的资源继续被政治家和政党所利用,但对地域主义的谴责成了强大的社会舆论潮流。学术论文、报刊和电台的舆论,都异口同声地批评地域主义;在总统和议会选举中,"地区一体化"和"铲除地域主义"是必须标榜的立场。从1988年第13届到1996年第15届国会选举之间的时间,可以看作是韩国民主化的转型期。其间,1992年开始地方议会的选举,1995年开始地方行政长官的选举。

在这个转型期,韩国的政治文化处于激烈的变动之中。各种力量和各种观念在互相碰撞,不同的政治党派、市民社会组织、宗教团体、新闻媒体以及大学生群体等,一时存在着多种活跃的政治力量,在这种多元力量并存的政治生态环境中,地域主义成了其中的一元,不断地受到其他力量的冲击而发生改变。1997年12月18日的总统选举金大中获胜。前面提到,金大中出身于湖南地区,而湖南的全罗南北道的人口规模远小于岭南地区的庆尚南北道。金大中战胜了以岭南地区为基础的大国家党候选人李会昌,证明地域主义发生了变化。

2002年12月的总统选举被看作是"统治了韩国15年的寡头政治的终结"。① 具有岭南地区的强大后盾的大国家党候选人李会昌再次失败,而宣布继承金大中"阳光政策"的卢武铉却获得胜利。这次总统选举的结果大大出乎人们的意料,因为在竞选中李会昌一直处于优势位置。一些新的因素影响了这次选举:在即将投票的前夕发生了美军坦克轧死了两个女中学生的偶然事件,激起了年青人的反美情绪,大大有利于具有反美形象的卢武铉而不利于具有亲美形象的李会昌;卢武铉的选举班子充分利用了新的信息手段(短信、电子邮件等)宣传而李会昌还利用的是传统的手段;民众(尤其是年轻人)由于对"三金"政治的厌恶而渴望平民形象的领导人等。无论怎样,卢武铉的当选再次说明,地域主义不再是决定性的因素,它与其他各种社会因素一样,被整合进民主制度的技术系统之中。

20世纪90年代末,韩国的政治结构和政治文化发生了新的变化,政治家和民众对民主的认识与实践的水平都有很大提高,政党的纲领也逐渐明确化。在90年代初中期,人们还习惯于用"专制"和"民主"来区分政治派别,而到90年代末,民主化已经巩固,"保守"和"进步"成为区分政党的标准。"保守"是指更具有强调经济增长、强调与美国的战略关系、对朝鲜保持

---

① Kim Yong-Ho,"Political Significance of the 2002 Presidential Election Outcome and Political Prospects for the Roh Administration", *Korea Journal*, Summer, 2003. pp. 230—256.

冷静态度等政策倾向,而"进步"则指倾向于强调收入分配、改变过于亲美的国际战略、积极与朝鲜对话和合作等。两种意识形态立场,既有重要不同,又不是不可调和的对立,这是政党之间的磋商与妥协能够存在的基础,标志着民主政治发展的一个新阶段。在这个新阶段,地域主义也必然地改变了面貌。表3指明:2000年的第16届国会选举,在总共273个席位中,大国家党占133席,占48.7%,新千年民主党115席,占42.1%。这次选举共有8个政党参加,还有无党派。形成了如此典型的两大党制结构,显然与地域主义的弱化有直接关系。在这次选举中,金钟泌的忠清南北道老乡对他的自民联的支持大大下降,导致他所占席位由上一届的50席下降到17席。

出现的一个新问题是总统金大中的新千年民主党没有获得多数,而倾向于"保守"的大国家党却获得了133个议席。金大中一向主张"大众经济"的意识形态,1997年金融危机的爆发帮助了他当选总统,但是,迅速摆脱危机的国家使命却使他成为"新自由主义"推行者,执行国际货币基金组织提出的新自由主义改革措施,成了历史的工具。而他自己的以"阳光政策"为口号的改革则没有充分推行。他的志向和政策的继承者卢武铉在2003年2月25日提出"参与的政府"的口号。但是,卢武铉执政仅3个月时间,民众对他的支持率就下降了30%,并有人开始发动"卢政权下台运动"。卢武铉力求获得民众支持,树立民主形象:总统与民众直接讨论、直接对话、网络咨询等,一个接一个地进行。2003年6月5日,卢武铉把全国的市长、郡守、局厅长等召集到青瓦台作"直接特殊讲座",11日又对政府内3级以上公务员1123名作"直接网上照会"。[①] 但是,这些形象工程无助卢武铉摆脱信任危机,反而,随着他与国会在经济改革、对朝鲜政策、韩美关系等问题上的发生分歧,危机进一步加剧,2003年底新千年民主党发生分裂,卢武铉宣布退出新千年民主党,2004年春他被大国家党和民主党联合弹劾。

---

① 《朝鲜日报》2003年6月12日。

民主政治是一个技术系统,一个民族包含着许多的阶级阶层、无数的观点意见,要熟练地掌握这个技术系统需要相当长的时间。第三波民主化浪潮中转型的有些国家出现了政治秩序混乱、腐败等问题,在一时是难免的。尽管民主化在韩国90年代后期已经得到巩固,但韩国的民主政治还远没有成熟。这不仅表现在政治领导与政党组织的行为上,也表现在普通民众身上。卢武铉被弹劾是由于他在国会选举前的几次公开的诱导投票的讲话,暗示选民支持他的刚分裂出的开放民主党在国会中获得多数,以便推行他的改革政策。这类讲话虽然够不上严重"违宪"的罪名,却也不能说没有问题。但是,大国家党和民主党也缺乏政治经验,没有很好地利用这个机会,而是采取了弹劾的过激做法,这反而激起许多人转向同情卢武铉。由于社会上对卢武铉的同情日益上升,出现了有可能使大国家党在即将举行的第17届国会选举中全军覆没的可能。

在这个时候,又发生了两个戏剧性的事件。第一件是开放民主党的竞选班子的领导人在公开讲话中说"希望年龄超过60岁的人在投票时最好待在家里"。这句话一石激起千层浪,引起一片讨伐之声。尽管年轻人多数支持卢武铉,但在素有尊敬老人的传统的韩国社会,这句话难免引起年轻人的反感。另一件事更为关键,即朴正熙的大女儿朴槿惠在危急时刻接任大国家党主席职务。朴槿惠利用她父亲的政治威望团结了因弹劾危机而濒临分裂的大国家党,并到故乡岭南地区四处作竞选宣传,号召岭南选民站起来帮助大国家党摆脱危机,以避免国会被卢武铉的开放民主党一党所垄断。她的竞选宣传不仅唤起了岭南地区选民对大国家党的一边倒的支持,也在整个国家产生了巨大影响。第17届国会选举的结果,开放民主党取得全部295个席位的152席,大国家党获得121席,劳动民主党10席,民主党9席,自民联3席。已经昏昏欲睡的岭南地域主义突然大放光芒,挽救了大国家党,从而使两大党制的结构得到了延续。但另一方面,地域主义并不是全面重新抬头。比如,金钟泌的自民联在这次选举中被他忠清南北道的老乡彻底抛弃,仅仅获得3席。金钟泌这个当了两届总理和九届国会议员的"专制时代的最后遗物"①也从此离开政治舞台。

五、概括与结论

本文通过对韩国半个多世纪的国会选举的回顾说明,在民主制的框架下,韩国政党结构的自然发展趋势是两大党制而不是多党制;整个发展过程表现为各种社会因素(或文化因素)不断地变化并适应民主政治技术系统的价值目标,而不是相反。

在李承晚时期,突然引进的民主政治这个"技术系统"确与韩国的本土社会因素发生尖锐的冲突,尤其是历史悠久的集权官僚政治传统所留下的一盘散沙性、宗派主义、分裂主义、政治领导人的家长制作风等。但另一方面,这些因素虽然在第一、二届国会选举中导致了混乱,但很快就发生了变化,并且在1958年第四届国会选举中出现了两大党制的结构。

那些经常被看作是不适合民主政治的诸多本土社会因素,发生了适应民主政治框架的各种变化。现代民主政治建立在多元竞争的基础之上,没有政党之间的竞争就不会有民主,并且"只有与另外至少一个竞争集团共存,才能使一个政党是真的"。② 而政党竞争是建立在各种社会"分裂"(cleavage)的基础之上。按照一些学者的看法,阶级的、宗派的、宗教的、地区的、种族的、政权的等分裂,都是民主政治框架下竞争的动力。③ 从一方面看,儒教国家中所活跃的权力争夺、分散主义、宗派主义、地域主义等分裂主义的因素,容易导致政党不团结、不稳定、党员流动性大等问题;而从另一方面看,它们却促进了政治竞争的激烈化,使得很难长期维持一党独大的结构。韩国的经验说明,尽管专制独裁的李承晚及自由党希望达到这个目的,

---

① *The Korea Times*, April 26, 2004, p.6.
② Sigmund Neumann, ed., *Modern Political Parties: Approaches to Comparative Politics*. Chicago: University of Chicago Press, 1956. p.395.
③ Hans Saalder, "Parties, Elites, and Political Developments in Western Europe", in Joseph Lapalombara and Myron Weiner, eds., *Political Parties and Political Development*, Princeton University Press, 1966, pp.67—68.

然而,当执政党一党独大后,历史上"朝"—"野"对立的传统就发生作用。它通过促进反对党的团结而使两大党制出现。这种情况也同样出现在朴正熙60年代的民主时期。为了获得政治稳定而专注于发展经济,朴正熙也努力建立一党独大体制,但是,经济增长所创造的各种新问题、新矛盾却刺激了在"野"力量的兴起和团结,并在1971年国会选举中出现了两大党制的结构。为了继续维持一党独大的结构,威权主义时期的四届国会选举,以控制1/3议员名额的手段,实现了总统与政府对国会的控制,但如果去掉这部分席位,国会里的结构都还是两大党制。1987年民主化以后,地域主义是影响韩国政治的最突出的社会因素,但是,地域主义也是在不断变化中的,像其他社会因素一样,它逐渐被整合进民主政治的系统之中,由不利因素而变为有益因素。

本文不否认达沃格尔等人所说的多数代表制(1区1人)对形成两党制的作用的存在,但我们也很难把韩国的政党发展趋势与多数代表制简单地联系在一起。韩国经历的17届国会选举,采取的选举办法不尽相同,很难论证多数代表制所发挥的作用。韩国政治现代化的历史进程所表明的是:制约政党结构朝向两大党制方向发展的技术因素,更重要的不是选举法规定的细节性因素,而是民主政治的整个技术系统及价值目标。由于权力斗争、一盘散沙、宗派主义、地方主义等分裂因素的作用,两党制或者两大党制并不是儒教文化国家的自然发展趋势。如果任其自然发展,多党制是其趋势。但是,儒教文化还有另一方面,即对国家权力集中和对政府效率的要求。这种政治文化传统,使得韩国的政党发展更多地与民主政治整个框架的建构直接联系起来。其发展过程也更多地受到民主政治的整个技术系统的价值和目标的制约。这是持久的作用力。随着对民主理解的深入,韩国的政治家和民众逐渐认识到一党独大制容易导致独裁专制,而多党制容易导致混乱,都是不适合韩国国情的政党制度。在这种理解上建构民主政治,必然是朝着两党制方向发展的。政治体制归根结底是人们的设计和努力的结果。由于依附于美国的特殊背景,韩国自从1948年以来的民主政治发展一直是以美国为榜样的。即使在威权主义舆论大力鼓吹多党制优越性的

80年代初期,当时的一个调查显示49.7%的人赞成两党制而只有43.5%赞成多党制。[①] 但另一方面,韩国并不是机械地照搬美国的两党制,而是根据自己的国情,尤其根据社会矛盾头绪较多的特点而选择了两大党制的结构。民主化以后的历届选举,有一小部分"全国区代表"(历年不同,在总席位数的1/5和1/7之间,按照政党的得票率来分配)。在第17届国会选举中,代表大中型企业工人利益的民主劳动党共得到10席,其中只有2席是选区选举的,8席是靠政党得票率分配到的。这种把多数代表制和全国区代表结合起来的办法,既有利于政治结构的稳定,又使小党能够生存从而使国会具有更广泛的代表性。

总之,现代民主制度是一个包含着价值目标的技术系统。它超越文化和社会,可以被不同文化、不同历史的国家所使用。现代社会不可缺少这个技术系统,因为它符合多元化社会结构的管理要求。当然,民主政治的技术系统和任何技术系统一样,它首先是一种理论上的存在,只有通过人们的实践才表现为客观的形态。这就是说,在任何国家的政治现代化进程中,民主政治的技术系统都需要与本土的社会因素相结合。在这个结合过程中,实践可以在民主制基本框架下对某些具体技术做出选择,而本土社会因素则要发生适应性变化。

---

① Ahn Byong-man, Kil Soong-hoom, Kim Kwang-woong, *op. cit.*, p. 127.

关于中东现代化进程中若干问题的思考
Some Thoughts on the Process of Modernization of the Middle East

哈 全 安(南开大学历史学院)

摘要:自 15 世纪始,西方基督教世界迅速崛起,而中东伊斯兰世界的历史进程则处于停滞状态。时至 19 世纪,中东伊斯兰诸国竞相效法西方,实行新政。随着商品经济的发展,中东伊斯兰国家传统农业逐渐衰落,工业化进程随之开启。中东伊斯兰世界的传统政治制度的突出特征在于君主权力的至高无上,政治层面之现代化进程的核心内容是政治民主化程度的提高。世俗化亦存在于中东伊斯兰世界的现代化进程,其实质在于极权政治自世俗领域向宗教领域的延伸。现代伊斯兰主义运动的实质在于借助宗教的形式否定传统政治模式进而扩大民众的政治参与。

关键词:中东; 现代化; 伊斯兰教

Abstract: The Christian world sprang up from the 15th century, while the historical process of Islamic world was at a standstill. Up to 19th century, the Islamic countries began to learn from the westerners and make new departures. As the development of commodity economy, the traditional agriculture declined slowly and the course of industrialization started. The monarchs holding supremacy is the prominent feature of traditional political system. The crucial content of political dimension of Modernization is that people can enjoy more democracy. Secularization exists in the process of modernization of the Middle East, and the essence of secularization is that totalitarianism expanded from the secular field to the religious field. The substance of the movement Modern Islamism possesses is to deny the traditional political models and make people have more chance to participate politics by means of religion.

Keywords: the Middle East; Modernization; Islam

一、现代化进程的启动

自 15 世纪开始，传统的农本社会在西方基督教世界逐渐衰落。伴随着统一民族国家的形成、重商主义的实践和工业革命的完成，西方基督教世界迅速崛起，实力剧增。相比之下，中东伊斯兰世界的历史进程处于停滞的状态，农本社会长期延续。西方基督教世界的崛起，无疑标志着现代文明的诞生。中东伊斯兰世界的停滞状态，其特定内涵在于传统秩序的根深蒂固。文明的落差导致西方冲击的历史浪潮，现代化进程随之自西方基督教世界向中东伊斯兰世界逐渐延伸。

进入 19 世纪，中东伊斯兰世界的统治者开始竞相效法西方文明，推行自上而下的新政举措。中东伊斯兰世界的统治者推行新政的初衷，无疑是强化君主制度和维护传统秩序，进而应对西方基督教世界的崛起和由此形成的外部威胁。新政举措所涉及的范围，亦大都局限于上层建筑的层面。然而，推行新政的主观目的与客观后果不尽吻合，两者之间存在明显的悖论倾向。所谓新政的核心内容是组建新军；组建新军的直接原因是战争的需要，而组建新军的前提条件则是筹措巨额的军费。新政期间，中东伊斯兰世界的统治者极力寻求扩大财源的途径，旨在增加岁入，保证军饷的支付和军事装备的购置。传统社会与新政期间的统治者皆具有聚敛财富和增加岁入的强烈需求，而两者聚敛财富和增加岁入的方式迥然不同。在传统社会，自给自足的自然经济占主导地位，农业构成基本的经济部门，占有土地则是聚敛财富和增加岁入的首要来源。新政期间，中东伊斯兰世界的统治者纷纷兴办现代工业，推行重商主义的经济政策，获取货币取代占有土地成为时尚，传统社会的冰山开始出现融化的迹象。

19世纪以前，中东伊斯兰世界与西方基督教世界之间并非处于隔绝的状态，而是存在一定程度的相互交往。诸多伊斯兰世界与西方基督教世界之间的交往，通常表现为战争的形式，亦表现为有限的商业贸易。进入19世纪以后，中东伊斯兰世界与西方基督教世界之间的贸易交往呈明显上升的趋势。西方列强往往通过战争的手段，强迫奥斯曼帝国及伊朗恺加王朝签署一系列的不平等条约，进而向中东伊斯兰世界倾销廉价工业品。西方工业品的倾销导致中东伊斯兰世界经济领域的深刻变化，农作物结构的调整、农产品出口的急剧增长和农业生产市场化程度的明显提高构成中东伊斯兰世界经济生活的突出现象，中东伊斯兰世界的传统手工业则由于西方廉价工业品的竞争而趋于衰落。自19世纪中叶开始，中东伊斯兰世界与西方基督教世界之间的交往逐渐由贸易领域扩展至投资领域，西方列强在中东诸地直接投资，筑路建厂。与此同时，西方列强通过提供高息贷款的方式，控制中东伊斯兰世界的经济命脉，西方货币充斥于中东伊斯兰世界的流通领域。至19世纪后期，中东伊斯兰世界逐渐沦为西方工业国的农产品供应地和工业品市场，传统经济秩序濒临崩溃，自给自足的封闭状态亦不复存在。

自20世纪30年代开始，西方石油公司在波斯湾沿岸发现石油，由此掀开沙特阿拉伯历史的崭新一页。如同古代的阿拉伯人伴随着伊斯兰教的产生而经历了从野蛮向文明过渡的深刻历史变革，石油的发现促使沙特阿拉伯告别传统社会，进而步入现代化的历史阶段。石油时代的到来，缘起于西方经济对于能源供应的严重依赖。石油的开采以及石油经济的迅速发展，构成联结沙特阿拉伯与现代文明的纽带和桥梁。

二、乡村与农业的变迁

国家土地所有制起源于先知穆罕默德时代的阿拉伯半岛，从古典伊斯兰时代直至奥斯曼帝国和萨法维王朝统治时期长期延续，构成中东伊斯兰世界传统文明的重要特征。国有土地的赐封导致社会成员之间的深刻对立,国家土地所有制与小农个体生产的结合集中体现中东伊斯兰世界封建性质的经济关系。国家土地所有权与私人支配土地的经济现实两者之间的矛盾运动,贯穿中东封建社会的历史进程。

进入19世纪,随着商品经济的发展和货币关系的扩大,中东伊斯兰世界的地权形态出现明显的变化,国家土地所有制逐渐衰落。19世纪30年代,奥斯曼帝国废除封邑制,全面实行包税制;包税制的推广排斥着国家对于土地的支配和控制,进而构成国有土地转化为民间地产的中间环节。1858年,奥斯曼帝国颁布《农业法》,农民租种国有土地的经营自主权明显扩大,直至获得租种国有土地的交易权,地权的非国有化程度进一步提高。在尼罗河流域,穆罕默德·阿里王朝的统治者赛义德废除国家垄断农业生产和农产品专卖的规定,赋予租种国有土地的农民享有自主经营直至抵押和继承的广泛权利,允许民间购置国有土地,推广货币税。在恺加王朝统治下的伊朗,王室土地和贵族封邑自19世纪中叶开始逐渐减少,私人支配的民间地产不断增加,封邑的领有者开始演变为地产的所有者。

地权形态与乡村农业具有密切的内在联系。国家土地所有制的统治地位通常与自给自足的自然经济以及超经济强制的剥削手段密切相关,其明显特征在于地权分布状态的相对稳定,进而构成遏制土地兼并的重要手段。商品经济发展和农业生产市场化进程的逻辑结果则是地权的剧烈运动。土地作为商品进入流通领域,瓦解着国家土地所有制赖以存在的基础。地权的非国有化运动无疑是经济市场化的重要内容,其直接后果在于土地兼并的加剧和私人大地产的膨胀。失去土地进而被迫出卖劳动力的农民人数呈明显上升的趋势,乡村社会的贫富差距明显扩大,农民与地主之间的矛盾对抗日趋尖锐。

在20世纪的中东伊斯兰世界,土地改革构成诸多国家现代化进程中普遍经历的现象,埃及和伊朗的土地改革堪称中东现代化进程中土地改革的范例。纳赛尔时代,埃及政府于1952年、1961年和1969年三次颁布土地改革法令。伊朗国王巴列维长期致力于所谓的白色革命,而土地改革构成白色革命的核心内容。纳赛尔时代埃及的土地改革及相关举措,与伊朗巴列维时代的白色革命如出一辙,只是程度和影响不及后者。埃及和伊朗的土地改革不同于传统社会之国家随意没收或无偿征用私人地产的模式,强调保护私人财产的基本原则,根据乡村地权的分布状况,限制私人地产的占有规模,超过规定限额的土地由政府统一收购,向缺少土地的农民出售。土耳其政府在凯末尔时代推行的土地改革,主要是有偿分配国有土地和移民过程中出现的无主土地,涉及范围相对有限。土耳其议会在40年代和50年代颁布的土地改革法案,亦流于形式。

土地改革的经济根源,在于地权非国有化运动的条件下土地兼并的加剧、小农经济的衰落和私人大地产的膨胀。高度发达的极权政治,则是土地改革得以实践的前提条件。纳赛尔政权和巴列维国王推行的土地改革,旨在通过地权的改变,削弱在外地主的传统势力,缓解乡村社会的贫富对立,强化国家对于乡村和农业的直接控制。合作社的广泛建立,标志着乡村官僚化程度的明显提高和国家权力在乡村社会的广泛延伸。相比之下,土耳其乡村社会的地权形态相对稳定,小所有制广泛存在,土地兼并和贫富分化程度明显低于埃及和伊朗,加之缺乏高度发达的极权政治,土地改革的相关政策和历史进程独具特色。

尽管如此,土地改革无疑构成中东诸国现代化进程的重要环节。经济的市场化无疑是现代化的基础层面,封闭的乡村社会与自给自足的农业生产则是制约经济市场化进程的障碍。大规模的土地改革导致乡村地权分布状况的明显变化,采用封建生产方式经营地产的在外地主阶层由于地权的转移和地产的丧失而呈普遍衰落的趋势,人身依附关系日趋松弛,传统社会结构濒临崩溃。随着地权的趋于分散,相当数量的农民获得必要的生产资料,小农经济广泛发展,农民的自主经营权进一步扩大,农业投入明显增加。小农经济本身并不体现资本主义的生产关系,而是存在于诸多社会形态。然而,在从传统社会向现代社会过渡的历史条件下,小农经济的发展无疑意味着对封建生产关系的排斥,进而成为资本主义生产关系滋生和成长的沃土。土地改革期间小农经济的上升趋势,作为乡村社会和农业领域实现深刻变革的逻辑起点,既是削弱封建地主阶级和封建主义生产方式的重要杠杆,亦是资本主义生产关系在乡村社会和农业领域得以确立的前提条件。土地改革期间,政府通过广泛建立农业合作社,向农民直接发放农业贷款,干预农业生产,实行农产品的征购代销,国家与农民之间初步形成资本主义的经济关系,进而促使国家资本主义在乡村社会和农业领域逐渐延伸。另一方面,由于资本主义性质的农场和农业公司以及机耕土地不在土地改革的范围之内,越来越多的在外地主放弃传统的分成租佃制,采用现代经营方式,推广使用农业机械,扩大雇用关系,农产品的市场化程度逐渐提高。与此同时,政府通过减免税收的相关政策,吸引在外地主改变资金投向,促使在外地主从投资土地转向投资企业,进而转化为资产阶级,工业化进程随之加快。土地改革期间乡村社会结构的变革、新旧势力的消长、农民的解放和农业的发展,标志着中东现代化的长足进步。

政治民主化进程亦是影响乡村社会和农业生产的重要因素。极权主义时代的突出现象,是推行工业优先的经济政策和高比例的工业投资,现代化进程主要表现为城市的剧变。相比之下,农业投资严重不足,乡村和农民处于现代化的边缘地带,城乡发展水平明显失调。随着政党政治和选举政治的日臻成熟,增加农业投入、提高农产品价格、维护农民利益和改善乡村的生活境况成为诸多政党扩大政治影响和争夺选票的重要手段,农业与工业的发展以及城市与乡村的社会进步逐渐出现和谐的趋势。

三、工业化的演进趋势

中东伊斯兰世界工业化进程的源头,可以追溯到新政期间创办的官营企业。新军的组建和战争的需要无疑是创办官营企业的直接诱因,军火制造业和造船业则是新政期间最重要的官营企业。继官营军事工业创办之后,民间投资兴办现代工业者不断增多,其经营领域往往局限于纺织业和食品加工业以及其他日用消费品制造业。与此同时,传统手工业呈衰落的趋势,手工工匠逐渐丧失独立的经济地位,转化为新兴现代企业的雇用劳动力。殖民主义时代,中东伊斯兰世界长期处于从属西方列强的经济地位,农产品的输出和西方工业品的倾销构成中东伊斯兰世界与欧洲基督教世界经济交往的核心内容。殖民主义的实质在于宗主国对于殖民地财富的掠夺,而殖民侵略和殖民统治的直接后果是中东伊斯兰世界的畸形经济发展。由于殖民主义时代的特定历史环境,中东伊斯兰世界的民族工业处境艰难,发展速度缓慢。

进入20世纪,中东伊斯兰世界的民族解放运动日趋高涨,诸多主权国家相继诞生。伴随着殖民主义时代的结束,中东伊斯兰世界的民族工业获得长足的发展。凯末尔时代的土耳其、纳赛尔时代的埃及、礼萨汗和巴列维两代国王统治下的伊朗以及费萨尔时代的沙特阿拉伯,皆曾奉行国家主义的经济原则,强调进口替代的工业化模式,极力扶持基础薄弱的民族工业。民族主义的胜利,可谓国家主义的逻辑起点。政府广泛的经济干预、国内市场的保护和工业优先的原则,构成推动中东诸国工业化进程的历史杠杆。国家主义时代,政府投资取代西方投资和国内民间投资,成为中东诸国工业投资的首要形式。政府投资的领域主要是基础设施建设、重工业和技术资金密集型企业,国有化进程则是政府广泛干预和政府投资扩大的逻辑结果。工业投资的增长、工业基础的扩大、工业结构的日趋完善、工业总量的明显增长以及传统工业与现代工业的此消彼长,集中体现中东诸国工业化的长足进步。

在中东特定的历史条件下,国家主义与极权主义的政治模式具有密切的内在联系,体现极权主义的政治模式在经济领域延伸。国家主义的强化服务于极权主义的政治需要,国家主义的广泛实践构成极权主义的重要物质基础,而极权主义的削弱与国家主义的衰落往往表现为明显的因果关系。20世纪后期,非国有化运动成为中东诸国经济领域的突出现象,私人投资明显增长,私人经济呈逐渐上升的趋势,市场经济日趋成熟。然而,国有经济在中东诸国并未销声匿迹。私人经济尽管经营方式灵活,却因资金匮乏,技术落后,其在工业领域的投资存在诸多局限。相比之下,国有经济资金雄厚,技术先进,虽然体制方面存在种种弊端,却在推动工业化的进程中具有不可替代的作用,进而与私人经济长期并存。与此同时,中东诸国政府相继设立经济特区和自由贸易区,吸引国外投资,寻求扩大国际市场,外向型的出口开放逐渐取代内向型的进口替代而成为中东诸国工业化的普遍趋势。进口替代的经济模式尽管构成中东诸多主权国家推动工业化进程的重要阶段,毕竟包含着相对封闭的明显倾向。从进口替代的内向型模式转变为出口开放的外向型模式,标志着中东诸国工业化开始步入新的发展阶段,经济市场化的程度随之进一步提高。

中东伊斯兰世界的城市发展普遍经历马鞍型的曲折过程。在农本社会,中东伊斯兰世界分布着数量众多的城市,城市的传统工商业处于经济舞台的边缘地带,构成乡村农业的延伸和补充。自19世纪开始,伴随着工业化进程的启动,中东伊斯兰世界的城市内涵出现明显的变化,传统城市逐渐演变为现代城市,城市经济随之成为经济生活的中心舞台,城市与乡村的交往迅速扩大。农业的长足进步无疑是城市化进程的深层物质基础,人口的持续增长和人口流向的改变则是推动城市化进程的直接原因。在现代化的历史阶段,中东伊斯兰世界的人口数量明显攀升,而耕地面积的增长速度相对缓慢,由此形成日趋严重的社会矛盾,工业化则成为缓解人口压力和社会矛盾的有效途径。随着人身依附关系的日渐松弛,越来越多的乡村人口离开土地,移入城市,导致城市人口的急剧膨胀,劳动力市场不断扩大,进而提供了工业化进程中的充足人力资源。然而,中东诸国的工业化进程往往滞后于城市化进程,城市人口的失业率长期居高不下,城市社会的贫富差距不断扩大。城市下层民众由于缺乏必要的生活保障而普遍处于无助的状态,激进情绪和极端倾向蔓延,构成中东诸国政府面临的潜在政治隐患。工业化与城市化的同步发展,将是降低城市人口失业率和缓解城市社会矛盾的根本出路。

四、政治变革与民主化进程

中东伊斯兰世界的传统政治制度,建立在传统经济秩序和社会结构的基础之上,其突出特征在于君主的至高无上和臣属的绝对顺从,国家与民众之间表现为明显的对立状态。自19世纪开始,随着传统经济秩序的解体和新旧社会势力的消长,中东伊斯兰世界的传统政治制度丧失赖以存在的物质基础,摇摇欲坠。与此同时,西方现代政治思想逐渐传入中东伊斯兰世界,智力的觉醒和西方宪政制度的移植集中体现中东伊斯兰世界政治领域的深刻历史变革。

客观物质环境的变化导致意识形态的相应变化。伴随着传统社会的衰落、西方文化的传播和现代世俗教育的发展,新兴知识分子在中东伊斯兰世界渐露端倪。新兴知识分子尽管来源各异,却分享共同或相近的政治理念,崇尚西方现代政治文化,强调主权在民和宪法至上的政治原则,积极倡导司法独立和权力制约,主张实行选举基础上的议会制度,实现公民平等和保障公民权益,进而初步阐述了宪政制度的理论框架。

智力的觉醒与政治秩序的变动之间具有密切的内在联系,西方现代政治思想的广泛传播构成中东伊斯兰世界宪政运动缘起的前提条件。19世纪末20世纪初,奥斯曼帝国、伊朗恺加王朝和埃及穆罕默德·阿里王朝的统治者相继颁布宪法,召开议会,标志着中东伊斯兰世界逐渐进入宪政时代。然而,西方的宪政制度根源于西方特定的历史进程即资本主义的发展和资产阶级的政治崛起,是西方经济社会深刻变革的逻辑结果,与资产阶级之登上历史舞台和问鼎政坛表现为同步的状态,通常表现为自下而上的过程。相比之下,在19世纪末20世纪初的中东伊斯兰世界处于现代化进程的早期阶段,传统农业依然占据主导地位,封建土地所有制广泛存在,工业化进程步履维艰,新兴资产阶级羽翼未丰,尚不足以与传统势力角逐政坛和分庭抗礼,包括立宪制、代议制、普选制和政党政治在内的所谓西方宪政制度的移植表现为自上而下的过程,具有明显的历史缺陷,民众的权利源于统治者的恩赐,所谓的民主政治缺乏必要的经济社会基础,尚属无源之水,徒具形式。尽管如此,宪政时代颁布的宪法毕竟包含着诸如自由平等和权力制约的现代政治要素,君主政治与议会政治的二元状态构成宪政时代中东诸国政治生活的明显特征,议会选举则为新兴社会势力问鼎政坛和角逐国家权力提供了有限的政治空间。

西方的冲击导致中东伊斯兰世界的西化倾向,西方宪政制度的移植堪称中东伊斯兰世界西化实践的政治典范。所谓西化的实质在于西方殖民主义的逻辑延伸,而西方列强的殖民侵略和殖民统治无疑是中东伊斯兰世界真正实现自由和民主的历史障碍。殖民主义时代,中东伊斯兰世界在政治上从属于西方,在经济上依附于西方,进而形成与西方列强的尖锐对立状态。民族矛盾的加剧导致民族解放运动的高涨,民族主义的胜利和诸多主权国家的诞生标志着中东伊斯兰世界的现代化进程步入崭新的发展阶段。

中东伊斯兰世界现代化进程的突出现象,在于民族主义与民主主义的错综交织和此消彼长。民族主义运动与民主主义运动皆属政治层面的历史运动,两者的共同之处在于权力的角逐,不同之处在于前者表现为民族之间的尖锐对抗,而后者表现为民族国家内部诸多阶层和群体之间的激烈冲突。世界历史的进程贯穿着人类不断走向解放的主题;民族主义胜利的结局是民族的解放,民主主义运动的目标则是实现民众的解放。民族主义与民主主义具有内在的逻辑联系,民族主义的胜利是真正实现经济进步和财富增长进而使民众获得权利、自由和尊严的前提条件。从民族主义的胜利到民主化运动的高涨构成中东伊斯兰世界的现代化进程在政治层面的历史轨迹,绝对主义的实践抑或所谓"发展的独裁模式"则是联结民族解放运动与民主化进程的中间环节。

绝对主义的现代化模式根源于现代化进程中新旧经济秩序和社会势力的深刻对立,极权政治的强化和政府广泛的经济干预构成绝对主义之现代化模式的普遍现象,凯末尔时代的土耳其、纳赛尔时代的埃及、巴列维时代的伊朗以及沙特家族统治下的沙特阿拉伯可谓绝对主义现代化模式的典范。绝对主义时代,宪法规定的政治制度与现实的政治生活大相径庭,总统和国王凌驾于宪法和议会之上,主权在民、自由平等和保障公民权利的相关条款只是欺骗民众的美丽谎言,形同虚设的议会和政府操纵的选举则是独裁专制的点缀和遮羞布。绝对主义的现代化模式致力于塑造相对平静的政治氛围,极权政治的强化与相对平静的政治氛围具有内在的逻辑联系。然而,绝对主义不同于传统社会的君主专制,亦区别于现代社会的民主政治,具有明显的悖论倾向。绝对主义时代自上而下的改革举措,其主观目的在于强化极权政治,而客观后果却与主观目的大相径庭。随着传统经济秩序的瓦解、工业化的长足发展、交换关系的扩大和市场化程度的提高,新旧社会势力此消彼长,民主化运动的客观物质基础日渐成熟。绝对主义时代之政治氛围的相对平静无疑是政治风暴的前奏,变动的经济社会秩序与明显滞后的政治制度之间的深刻矛盾则是政治风暴的源头所在。独裁的铁幕只能掩盖社会矛盾和政治对抗,却不能消除社会矛盾和政治对抗。在独裁的铁幕掩盖下,社会矛盾和政治对抗不断加剧。民众力量的增强导致民众的政治崛起,民众的政治崛起挑战着绝对主义的极权统治,进而形成民主与专制激烈抗争的动荡局面。

政治层面之现代化进程的核心内容在于民众政治参与的扩大和政治民主化程度的提高,而政党政治的演变则是中东诸国政治现代化进程的重要内容。绝对主义时代,中东诸国大都采取一党制的政党制度,奉行自上而下的政治原则,政党政治与政府政治浑然一体。包括土耳其的共和人民党、埃及的阿拉伯社会主义联盟、伊朗的新伊朗党和复兴党在内的诸多政党,皆非广泛体现民众意志的政治组织,只是独裁者控制社会和排斥民众政治参与的御用工具,民众长期徘徊于政治舞台的边缘地带。相比之下,多党制的政治实践标志着民众政治参与的扩大,争取民众的支持构成政党政治的基本准则。政治民主化进程的实质,在于民众通过广泛政治参与而走向政治的解放。民众政治参与的程度,决定着相应的政治制度。在多党制的条件下,民众成为政治舞台的重要角色,议会选举则是实现民众广泛政治参与的外在形式;不同政党通过议会选举角逐国家权力,政党政治与政府政治日渐分离,国家、政党与社会的关系随之改变,民众的选择成为权力合法性的唯一来源,国家意志与民众意志趋于吻合。

五、世俗主义与伊斯兰主义

世俗化一词源于欧洲基督教世界,特指宗教的非公众化抑或私人化,引申含义为宗教的非政治化，强调宗教与政治分离的原则。世俗化并非孤立存在的社会现象，而是与特定的历史环境密切相关。在中世纪的欧洲基督教世界，教会与国家长期并立，宗教权力与世俗权力处于二元状态，罗马教廷和天主教会则是传统社会中最具影响的政治力量与传统秩序的集中体现。由于特定的历史背景，旨在否定教会权威和摆脱教廷控制的宗教改革构成欧洲基督教世界现代化进程的重要内容；世俗化集中体现世俗与宗教之间的权力争夺，包含民族解放和民众解放的明显倾向，与现代化呈同步发展的趋势。

所谓的世俗化并非欧洲基督教世界的特有现象，亦曾存在于中东伊斯兰世界的现代化进程。中东伊斯兰世界的世俗化，缘起于西方冲击的历史时代，具有明显的西化倾向，其主要举措包括引进西方的世俗法律，兴办西方模式的世俗教育，关闭宗教法庭，取缔宗教学校，剥夺宗教地产，实现教界的官僚化和宗教学说的官方化。自上而下的世俗化改革，贯穿宪政时代和绝对主义时代中东诸国的现代化进程。与欧洲基督教世界的世俗化相比，中东伊斯兰世界的世俗化并非严格遵循宗教与政治分离的原则，而是强调政府对于教界的绝对控制，表现为宗教机构的官僚化和宗教思想的官方化。所谓的世俗化往往与极权政治的膨胀表现为同步的状态，其实质在于极权政治自世俗领域向宗教领域的延伸。官僚化的教界处于政府的控制之下，并未脱离政治领域和丧失政治功能，而是成为极权政治的御用工具。官方化的宗教学说极力维护现存政治秩序的合法地位，无异于麻痹人们的精神鸦片。

通常认为，宗教改革是基督教世界的特有现象，基督教通过宗教改革而由传统的意识形态转变为适应现代社会的意识形态；至于伊斯兰教则未曾经历过宗教改革，系传统范畴的意识形态，是制约伊斯兰世界社会进步的负面因素，而所谓"宗教对抗国家"则是伊斯兰世界现代化进程中的难题。实际情况并非如此。众所周知，社会存在决定社会意识，社会存在的变化必然导致社会意识的相应变化。穆罕默德时代的伊斯兰教，无疑是革命的意识形态和改造阿拉伯社会的重要武器。在中世纪的漫长历史时期，伊斯兰教作为官方的学说趋于保守和僵化,逐渐演变为具有浓厚传统色彩的宗教理论。然而,伊斯兰教绝非一成不变的意识形态,亦非处于浑然一体的状态。现代化进程中客观物质环境的剧烈变化,不可避免地导致伊斯兰教作为意识形态的相应变化。随着新旧经济秩序的更替和新旧社会势力的此消彼长,伊斯兰教经历了深刻的裂变过程,进而形成现代伊斯兰主义与传统教界理论的明显对立。

自19世纪开始,伊斯兰世界逐渐步入从传统社会向现代社会过渡的历史阶段,温麦作为教俗合一的国家形式不复存在,世俗民族国家相继建立,世俗化风行一时,极权政治作为"发展的独裁模式"无疑是伊斯兰世界诸多新兴世俗民族国家现代化进程中的普遍现象,而排斥民众的政治参与构成世俗民族国家之极权政治的明显特征。在世俗民族国家之极权政治的历史条件下,政府长期操纵议会选举,排斥世俗政党的政治参与,直至取缔民间的世俗政党,禁止民众的自由结社,世俗反对派政治势力往往缺乏必要的立足之处,宗教几乎是民众反抗的仅存空间,宗教的狂热则是民众发泄不满和寄托希望的首要形式,清真寺随之取代议会而成为反抗世俗极权政治的主要据点。

现代伊斯兰主义抑或所谓的现代伊斯兰原教旨主义自20世纪初悄然崛起,哈桑·班纳、赛义德·库特布、阿里·沙里亚蒂和霍梅尼相继阐述了现代伊斯兰主义的宗教政治思想。现代伊斯兰主义的宗教政治思想不同于教界传统的政治理论。传统教界构成伊斯兰世界传统社会势力的重要组成部分,是传统社会秩序的既得利益者,其与世俗政权之间尽管不无矛盾,却大都局限于传统秩序的框架,无意倡导民主政治。传统教界的政治理论集中体现传统社会的客观物质环境,强调传统秩序的合法地位,维护传统社会秩序的舆论工具,亦是世俗极权政治的延伸和补充。相比之下,现代伊斯兰主义强调《古兰经》和"圣训"的基本原则以及早期伊斯兰教的历史实践,崇尚穆罕默德时代和麦地那哈里发国家的社会秩序,强调真正的伊斯兰教并非远离政治的个人信仰和僵化的神学理论,而是革命的意识形态和民众利益的体现,其核心内容在于借助回归传统的宗教形式而倡导平等和民主的政治原则，进而构成扩大民众政治参与和挑战世俗极权政治的意识形态。现代伊斯兰主义貌似复古，实为借助于回归传统的宗教形式，强调公众参与和公民权利，抨击世俗色彩的极权政治，其基本思想已与教界传统的政治理论相去甚远，无疑属于现代宗教政治理论的范畴，颇具革命的倾向。现代伊斯兰主义的兴起，根源于中东伊斯兰世界现代化进程中社会的裂变和诸多因素的矛盾运动，集中体现世俗极权政治的条件下民主与专制的激烈抗争。现代伊斯兰主义的宗教理论，可谓被压迫生灵的叹息与被剥夺权利之下层民众的政治宣言。现代伊斯兰主义的滥觞，标志着崭新的政治文化借助于宗教的神圣外衣在伊斯兰世界初露端倪。现代伊斯兰主义蕴涵着民众政治动员的巨大潜力，现代伊斯兰主义运动的实质在于借助宗教的形式否定传统政治模式进而扩大民众的政治参与和和实现民众的权力分享。所谓宗教与世俗的对抗，在中东诸国并非"现代化的难题"，亦非体现传统与现代之间的矛盾冲突，而是包含民主政治与极权政治激烈抗争的明显倾向。

统治模式决定民众的反抗模式，特定的政治环境塑造着相应的政治理论和政治实践。中东诸国的政治制度与政治环境不尽相同，政治民主化进程参差不齐，现代伊斯兰主义的宗教政治实践亦表现各异。在巴列维时代的伊朗，极权政治的膨胀和绝对主义的高压政策导致现代伊斯兰主义之极端和激烈的政治倾向。阿里·沙里亚蒂和霍梅尼阐述的现代伊斯兰主义宗教政治思想，可谓巴列维时代的伊朗之极权政治和高压政策的逻辑结果。伊斯兰革命的胜利和所谓的"头巾取代王冠"，埋葬了伊朗君主独裁的政治制度。埃及的现代伊斯兰主义运动主要表现为穆斯林兄弟会的宗教政治实践，而穆斯林兄弟会的社会基础在于徘徊于政治舞台边缘地带的下层民众。穆斯林兄弟会的著名思想家赛义德·库特布之颇具革命性的现代伊斯兰主义理论，无疑是纳赛尔时代埃及奉行极权政治和高压政策的产物。后纳赛尔时代的埃及，极权政治出现衰落的征兆，穆斯林兄弟会的政治立场随之日渐温和，议会竞选的积极参与成为穆斯林兄弟会之主流势力角逐政坛的基本方式。自80年代开始，伊斯兰复兴运动在土耳其趋于高涨，现代伊斯兰主义的政治影响不断扩大。然而，土耳其长期实行多党制的政治体制，政治环境相对宽松,宗教政治与世俗政治的权力角逐在土耳其并未表现为尖锐的对抗和激烈的冲突,尤其是没有形成否定现存政治秩序和重建伊斯兰政体的政治纲领。政党政治的活跃、议会政治的完善和选举政治的成熟,决定了土耳其现代伊斯兰主义的温和色彩。宗教政党在土耳其的合法政治活动,以及宗教政党与世俗政党的广泛合作,构成土耳其政治生活的明显特征。20世纪90年代,沙特阿拉伯国内的反对派政治势力呈明显上升的趋势。由于世俗反对派缺乏广泛的社会基础,现代伊斯兰主义成为民众政治崛起进而挑战沙特家族政治和官方宗教政治的主要形式。沙特政府的高压政策,导致宗教政治反对派日趋明显的极端色彩和暴力化倾向。

土耳其第一共和国时期的
政党政治(1923—1960)

The Party Politics in Turkey's First Republic (1923—1960)

李　婧(国家图书馆参考部)

摘要：土耳其第一共和国时期，政党政治经历了一党政治向多党政治的过渡。土耳其一党政治的本质是极权政治，执政党集党政大权于一身，控制政府、议会和选举。多党政治否定一党政治，扩大了民众的政治参与，是政治民主化的外在表现形式。同时，多党政治以一党独大为核心，在一定程度上是对一党政治内涵的延续。土耳其政党政治的多元化发展，以经济关系的变革和新旧社会势力的消长为基础，与国际、国内因素的影响紧密相连。

关键词：土耳其第一共和国；　政党政治；　共和人民党；　民主党

Abstract: In the First Republic of Turkey, there is a transition from the single-party politics to the multi-party politics. The essence of the single-party politics is totalitarianism, the ruling party controls government, parliament and election. The establishment of the multi-party politics denied the single-party politics and enlarged the scope of political participation in the public. It was the showing of political democratization. What's more, the core of the multi-party politics was the domination of one powerful party, which was, to some degree, the continuation of single-party politics in the connotation. Multiplicity of party politics that based on the variation of the economic relationship and the change of social powers related to the international and domestic factor.

Keywords: the First Republic of Turkey; Party Politics; Republic People Party; Democracy Party

政党政治起源于英国。关于政党政治的定义,国内学术界颇有争议。①《中国大百科全书》对政党政治的定义是"一个国家通过政党行使国家政权的形式"。② 笔者认为,政党政治是指政党构成了国家政权的核心,政党的活动和政党间的相互关系及其所反映的社会集团和阶级利益构成了国家政治的基础。政党政治的主体是政党,核心内容是领导和掌握国家政权。③

政党政治是现代政治与传统政治的重要区别。政党政治是社会政治经济发展到一定历史阶段的产物,其产生的动因是人们对民主政治的诉求。严格地说,政党政治是现代社会的产物。政党是公民参与政治、参与公共生活的愿望与要求的表现形式,与民主政治密切相关。在发展中国家,从一党政治向多党政治的演变是政党政治由极权政治向民主政治发展的外在表现形式之一。多党政治在形式上对一党政治的否定以及内容上对一党政治的延续是民主政治发展的必要环节,为民主政治的进一步发展奠定必要的基础。

一

共和人民党的一党专制是土耳其共和国前期政党政治发展的主要特征。1923—1946 年的一党政治时期,以凯末尔为核心的共和人民党拥有至高无上的权力。它操纵议会、控制选举、打压反对党、制造傀儡政党。在这

---

① 有的学者认为,政党政治指政党制度。参见李爱华主编:《现代政治学》,北京师范大学出版社 2001 年版,第 203 页。有的学者对此做出批判,认为政党政治和政党制度是两个不同范畴的概念。参见施学华主编:《政治科学原理》,中山大学出版社 2001 年版,第 318—319 页。

② 中国大百科全书委员会编:《中国大百科全书·政治学》,中国大百科全书出版社 1992 年版,第 477 页。

③ 林尚立:《政党政治与现代化——日本的历史与现实》,上海人民出版社 1998 年版,第 7 页。

一时期,共和人民党与民族、国家合而为一,以具有无上权威的组织形象出现。根据宪法建立的土耳其政府在形式上是民主的,但实际上在那个时候以及之后的二十年,它是一个由凯末尔和他的亲密的政治同僚所控制的一党政府。①

(一) 执政党与反对党

土耳其第一共和国前期共出现了三个政党,即一个执政党——共和人民党和两个"反对党"——进步共和党与自由党。这一时期的政党政治最终以执政党的强化和"反对党"的解散而告终。

共和人民党是土耳其第一共和国前期的执政党,它的执政地位是在民族解放斗争中逐渐确立的。它是凯末尔领导土耳其民族解放运动的政治组织,也是凯末尔领导土耳其人民建设新国家的权力核心。

共和人民党的最初纲领是"九项原则",制定于共和国建立之前,体现了民族主义时期土耳其及其人民的主要矛盾和主要任务。1931年共和人民党推出"六个箭头",分别是共和主义、民族主义、平民主义、国家主义、世俗主义和改革主义。这六个主义亦统称"凯末尔主义",是指导和治理共和国的基本准则,也是构成共和政体的基础。1937年"凯末尔主义"被写入宪法。

共和人民党党员囊括了所有支持凯末尔的人士,它的建立是为了支持凯末尔集团的极权企图,排斥凯末尔的政敌,是极权的工具和载体。

打压进步共和党是共和人民党迈向一党极权的关键一步。1923年建立的土耳其第一共和国是凯末尔依靠他的"新人"建立的政权。凯末尔在争夺政权的过程中,主要依靠下级官员和那些职位低、社会地位低的年轻军官,而不是1918—1919年加入民族解放运动的高级军官。② 但那些高级军官拥有很大的势力,凯末尔无法将他们排斥在大国民议会之外。进步共和

---

① 西·内·费希尔:《中东史》,姚梓良译,商务印书馆1980年版,第504页。
② Erik Jan Zürcher, *Political Opposition in the Early Turkish Republic: the Progressive Republican Party, 1924—1925*, Leiden: E. J. Brill, 1991, p. 32.

党是高级军官与共和人民党争夺权力的政治工具。进步共和党认为国民议会集中了所有权力却没有反对党予以牵制,容易导致极权主义。因此他们的目标是维护个人自由,"反对少数人的专制倾向和他们的寡头政治"。他们把矛头直接指向凯末尔和他的支持者。1925年4月11日库尔德人叛乱,共和人民党借口与进步共和党有关,于1925年6月5日将其解散。至此共和人民党清除了大国民议会中的异己力量,取得了议会斗争的胜利,迈出了建立一党专制的决定性一步。

1930年土耳其又出现了一个反对党——自由党。事实上自由党是世界经济危机背景下的政治产物。1929年世界经济危机爆发,严峻的国际形势使建国不久的土耳其雪上加霜,国内开始出现一些对政府的不满言论。为了给不满情绪找一个发泄口,1930年8月12日凯末尔授命费特希建立自由党。[①] 自由党的纲领包括更多的自由、减低赋税、更好的政府和更少的政府干预等一些自由倾向的概括性原则,总体来讲它的主要政策包括了反对共和党和批评它在经济领域的失败等内容。出乎执政党意料的是反对党的纲领立刻吸引了一大批狂热的追随者。他们勇敢地否定执政党,费特希成为议员后也开始在议会中批评政府。短暂的三个月后,自由党被宣布解散。共和党解散自由党的理由是宗教保守者利用它作为掩饰来实现其政治目的,并引自由党解散6周后发生的一次小叛乱作为证据。与其说自由党是反对党,不如说自由党是共和人民党的御用工具来得贴切。自由党不过是共和人民党为了缓解经济危机给土耳其社会带来的巨大压力而提供的宣泄人们怒气与不满的排泄口。两党之间没有竞争性,后者是前者人为制造的,从属于前者。一旦这个傀儡打算自立时,它就要被消灭。两者的关系反映了共和人民党极权政治的本质,它拥有随意建立政党并解散它的权力。土耳其共和国的一党政治得以确立并得到强化。

---

① Kemal H. Karpat, *Turkey's Politics: The Transition to a Multi-party System*, Princeton: Princeton University Press, 1959, p. 393.

（二） 执政党与议会

大国民议会是国家的最高权力机关。1925年进步共和党被解散之后，大国民议会被共和人民党所垄断。大国民议会每四年选举一次（妇女从1937年起有投票权）。共和国总统由议会从议员中选任，任期为四年。总统任命内阁总理，内阁总理在议员中挑选阁员，但需要经总统的批准和议会的同意。各选区所提出的大国民议会议员候选人也是由共和人民党提名的，交给投票人的只是一张候选人名单。党的核心小组决定谁担任哪个职位和从哪个省产生。① 从形式上看总统受议会约束，但实际上议会的所有候选人都是总统选定的。总统还拥有在10天内要求议会重审已通过的各种法律、法令（除预算法和修宪法法令外）等权力。在行政权方面，总统可以任命总理、批准各部部长的人选、主持部长会议以及指挥武装部队。总统还通过他领导的共和人民党实施对国家所有要害部门的领导。国家和地方政府的所有重要官员都由该党党员担任。国家的大政方针由党的核心小组（由党主席、副主席和总书记组成）制定。②

大国民议会的辩论大都是草率的，最后由凯末尔做出决定。凯末尔作为共和人民党的主席，经常召开党的核心小组会议来讨论和制定政策，党内会议的讨论往往比议员在大国民议会的辩论更加自由。国家的重要决策常常在通宵举行的会议上做出实际决定。往往当一个问题还没有在国民议会公开提出以前，首先在党的秘密会议上举行自由的投票。③ 由此可见，国家的立法权与决策权被牢牢地控制在共和人民党手中。大国民议会的最高权力被兼任国家总统的党主席凯末尔和他的党核心小组架空了。共和人民党才是土耳其共和国真正的最高权力机构。

---

① 魏立本："试论土耳其政体的演变及其特点"，《西亚非洲》1983年第6期，第19页。
② 同上，第19页。
③ 西·内·费希尔：《中东史》，第503页。

(三) 执政党与政府

1931年土耳其开始建立党政合一的政治体制。1931年5月10日共和人民党召开了第三次代表大会，在大会上通过了党纲和党章。党章中规定党和国家机构是一致的，党的现任主席就是共和国总统，他的副主席就是总理，土耳其初步建立党政合一的体制。

1935年5月共和人民党召开第四次代表大会后，党和国家机关基本上合而为一，成为"一个彼此互相补充的统一整体"。[①] 在这次党代会上，总书记明确宣布：党的总书记兼任内阁内政部长，各省的党主席兼任省长。在整个凯末尔执政时期，总统兼任党主席，总理兼任党的副主席，议会和政府都由执政党领导，实际上是实行党政合一体制，总统集党、政、军大权于一身。政党和政府合二为一，一党专制正式确立。

共和人民党建立于整个国家民众的支持之上，作为政府的工具和"凯末尔革命"的代理机构，具有接管地方势力的权力。政府、国家、政党三者如此一致，不可能把土耳其的成就与政党或政党的批评相分开。政党所采取的这种完全统一的形式正反映了著名的口号"一个政党，一个国家，一个领袖"。[②]

凯末尔身兼党主席和国家总统两个职位，在一党制的国家里，这意味着：凯末尔控制了党和议会，他作为总统的权力是无限的。[③] 在1945年以前，政府机构差不多完全掌握在共和人民党手里。因此把凯末尔称为独裁者并不为过。

1938年11月10日凯末尔逝世，土耳其大国民议会选出伊斯迈特·伊诺努继任总统，在执政党共和人民党中他又被推选为党主席。伊诺努继承了同样的大权，1938年的党代会上还修改党章条文，规定伊诺努为终身主

---

① 杨兆钧：《土耳其现代史》，云南大学出版社1990年版，第128页。
② Kemal H. Karpat, *op. cit.*, pp. 394—395.
③ 戴维森：《从瓦解到新生——土耳其的现代化历程》，张增健、刘同舜译，学林出版社1996年版，第151页。

席,除非他去世、患病不能履行职务或自动辞职方能更换。不仅如此,在一个时期之内,即在第二次世界大战的困难和危险中,共和人民党的一党专政得到进一步强化。二战爆发后,大国民议会在1940年4月通过大国民议会公布修改"出版法"的某些条文,以限制新闻自由,设立出版总管理局以加强对出版活动的控制。接着又在几个重要城市宣布戒严。二战结束时,土耳其的一党专制发展到顶峰,议会听从执政党的命令,选举只是一个形式,不允许其他政党存在,整个国家处于共和人民党的掌控之下。"满嘴的宪法、议会、政党和选举并不能掩盖这样一个基本的事实,那就是共和国是由一位率领着一支胜利军的职业军人建立起来的,并且至少在最初阶段,是依靠个人力量和军事力量来维持自己的地位的"。①

二

1946—1960年是土耳其政党政治发展的重要时期。这一时期从政治发展的内容上可以分为两个阶段。第一阶段从1946—1950年,被称作政治自由化运动时期。土耳其政党政治在形式上由一党政治向多党政治过渡。第二阶段从1950—1960年,通过选举方式和平掌权的土耳其执政党——民主党,在多党政治格局下的仍然实行一党极权的统治政策。

(一) 一党政治下的民主

伊诺努总统执政后不久,一党政治存在的政治基础——党政合一结构开始松散。1939年5月,共和人民党召开第五次代表大会,大会决定党政分开,其任命不再相互结合,并决定在议会内成立一个与党团平行(由共和人民党议员组成)的"独立集团",起着反对党的作用,受委托批评议会和政府,以显示国家制度的民主性。②

---

① 刘易斯:《现代土耳其的兴起》,范中廉译,商务印书馆1982年版,第390页。
② 魏立本:前引文,第19页。

伊诺努总统所代表的政府开始承认反对党的合法性。1945年11月伊诺努在新一届国民议会开幕典礼上发表的演说中提出一系列的重要改革，其中一项是：法律必须加以修改，以便使得那些同执政党政见不同的人无须从事集团或派别活动，而是能够作为一个政党来公开地表示他们的信念和发表他们的纲领。①

正式打破共和人民党22年一党政治格局的是民族复兴党的建立。1945年7月18日建立的民族复兴党是第二次世界大战之后土耳其建立的第一个反对党。该党的创建人及主席是企业家努里·德米拉格。他说民族复兴党的目的在于"清除由于实行国家主义给人民带来的成千上万的各种各样的苦难、不幸和滥用职权"。② 民族复兴党的建立标志着土耳其共和国1930年以来一党政治的结束，土耳其的民主化进程进入到多党政治时期。

共和人民党解除党禁之后，反对党如雨后春笋般发展起来。据不完全统计，仅1945—1950年间就有27个形形色色的大小党派成立，工会组织多达88个。③ 1946年3月建立了自由主义民主党；4月建立农场主和摩纳哥刁民党；6月中旬建立了祖国党、工农党、发展和保护宗教党；7月成立了保卫伊斯兰政党；8月成立了爱国主义党；1947年7月，成立了土耳其保守党；1948年7月，成立了提高土耳其党；1948年8月，成立了极端民主党、自由民主党等。④

民主党是对执政党威胁最大的反对党，也是反对执政党的政治核心。从1946年开始，以民主党为首的反对党通过建立新选举法、争取言论自由、领导民众游行等各种方式与共和人民党作斗争。

民主党的努力在1946年的选举中初见成效。1946年7月21日选举提前拉开序幕。在这次选举中参选率达到85%，民主党在城市中占优势，但城镇和乡村的人们大都支持共和人民党。随着民主党进入议会，由共和

---

① 刘易斯：《现代土耳其的兴起》，第119页。
② Kemal H. Karpat, op. cit., p.145.
③ 魏立本：前引文，第19页。
④ 杨兆钧：《土耳其现代史》，第213页。

人民党一党垄断议会的局面遂告结束。但共和人民党仍能以绝对优势控制着议会,并竭力阻止反对党入阁,在议会的460个议席中,共和人民党获得390席,民主党获得了65席,无党派人士5席。[1] 在参与选举的250个候选人中,包括52个律师、45个地主、40名医生、39位商人和15位退休官员、14个工程师、13位教师和一些其他职业者。[2] 虽然民主党没有在1946年的选举中取得胜利,但仅仅建立几个月的政党能够在选举中取得这样的成绩已经说明问题。1946年选出的国民议会中,民主党代表从3人增加到65人,约占总数的15%,为下一次选举奠定了基础。[3]

1950年2月15日,土耳其历史上第一个根据民主准则制定的选举法被颁布。新选举法做出了若干改变,其中包括秘密投票和公开唱票,尤其重要的是选举的监督权和管理权,不论是中央的或是地方的,一概由行政部门移交给了司法部门,由法官组成最高选举委员会确保整个选举过程的合法性。司法机关独立于行政机关成为选举的最高监督机构。[4] 新选举法使公民在行使投票权时避免了干涉,如秘密投票、公开按等级投票原则、直接选举制、公正地维持投票安全等,使投票秩序良好而稳定。[5]

1950年民主党在选举中取得了轰动全国的胜利。1950年5月14日选举在新选举法下平静地进行。在8905576位合格选民中,有7953055位参加投票,占全国人口的89.3%。民主党共获4242831票,在大国民议会的487个席位中获得408席,而共和人民党只得69席,民族党1席,无党派人士9席。[6]

至此民主党获胜,共和人民党结束了长期的执政地位。积累多年的对共和党人民的不满是民主党获胜的主要原因之一。作为一党政治的标志,共和党如果再次获胜,人们在心理上会认为一党政治仍然存在。对于普通

---

[1] 西·内·费希尔:《中东史》,第637页。
[2] Kemal H. Karpat, *op. cit.*, p.163.
[3] *Op. cit.*, p.168.
[4] 杨兆钧:《土耳其现代史》,第218页。
[5] 同上,第218页。
[6] 西·内·费希尔:《中东史》,第638页。

民众,把选票投给民主党仅意味着投共和人民党反对票。"民主党人民未赢这次选举,共和人民党输了这次选举"。政权在和平的气氛中转移到民主党手中。共和人民党一党政治的时代宣告结束,多党政治确立。

(二) 多党政治下的极权

多党政治的建立从形式上否定一党政治,同时它以一党独大为核心,在一定程度上是对一党政治内涵的延续。民主党的上台标志着共和人民党一党统治的结束,土耳其多党政治发展进入一个新时期。民主党原是最大的反对党,但是当它执政后,并没有实现其"民主"的口号,反而在多党政治体制下继续实行限制、打击反对党的专制统治,体现出一系列专制统治的特征。

1950年民主党以压倒之势取得胜利以后,开始建立自己的绝对政权。尽管民主党在这次选举中战胜了共和人民党,但仍心存畏惧。为了防止军事政变的发生,民主党领导人于1950年6月6日对军队进行改组,进行了一次出人意料的调整。军队的最高长官,其中包括军委主席、副主席、四位武装部队的司令员以及军队的司令员都被忠于民主党的官员替换。①

民主党在议会中拥有足够的多数,可以压倒一切反对党。1953年中期社会舆论抨击民主党时,它采取了镇压手段,不仅针对大学,而且还针对新闻界、共和人民党和其他反对党。1953年7月12日,土耳其政府将退休的费沃兹·查克·马克元首建立的国民党取缔了,理由是该党企图利用宗教颠覆共和国,国民党某些分部领导人被控而遭监禁。1953年12月14日,民主党又在议会中通过了一项新法律,旨在严厉打击反对党——共和人民党。该法指出:共和人民党所占有的动产、货币、所有权凭证、所有权及其他贵重物品应收归国库所有,只保留该党组织专用的建筑物及其中的动产。② 表面上,这次行动的目的是收回被共和人民党滥用了的公共财产,但同时却

---

① Bent Hansen, *Egypt and Turkey*, Bethesda: Congressional Information Service, Inc., 1992, p.107.

② 杨兆钧:《土耳其现代史》,第219页。

勒令共和人民党的机关报——《乌鲁斯》(民族报)停刊,并且查封了"人民之家"。

1954年选举后,民主党开始与民主政治背道而驰。1954年5月2日的大选中,知识分子日益沉默,反对党被压制,人们被不断的庆祝典礼所迷惑。因此民主党在这次选举中比四年前获得更大的胜利。民主党获503席,占56%;共和人民党获310席,占35%。[1]

1954年大选后,民主党的专制行为不断升级,主要表现在:1.修改1950年选举法。2.为反对党的发展制造重重障碍:不允许反对党长期使用国家电台,在大选期间国家电台只供执政党使用;禁止议员跨党,不允许反对党在大选中组织联合阵线。3.强制辞退工作满25年的最高法院、国家委员会和财政部的官员以及大学的教授。新法规还赋予政府新的权力,在6个月的等待阶段可解雇任何公务员。而且不给任何司法或其他申诉机会。4.对反对党的记者采取更严厉的镇压:一些著名的报人入狱,还有许多报人被罚重金。共和人民党会议被禁止或被解散。总之,对民主党的任何反对都陷入危险境地。

民主党在执政期间实行的专制措施,不仅遭到反对党的反对,同时也引起本党内部成员的不满。1955年10月,许多民主党的党员由于拒绝服从民主党的纪律而被开除,另一些则由于与党的领导人意见不合而退党,另组自由党。

民主党不断升级的高压措施使反对党走向联合。1957年8月各反对党的代表开始召开会议。与此同时,1957年9月6日民主党四位创始人之一的卡普鲁脱离民主党加入反对党。

民主党鉴于反对党日益增多,还有联合一致共同反对民主党的可能,于是通过一项新的选举法。该法规定参加选举的政党必须提供一份本党在各地区的完备的名单。从一党脱离的人员在六个月内不允许加入另一党成为候选人。该法不仅禁止各政党联合,防止它们结成反执政党的联合阵线,而

---

[1] Bent Hansen, *op. cit.*, p.111.

且也使民主党即使不能获得多数选票也可以在各个选区取得相对多数的议席。

民主党的专制行为引起社会各界的不满,民主党的统治基础开始动摇。民主党将竞争带进了行政机关,造成行政上的重大损失;司法机关失去独立性,不能公正地执行职责;议会内更是一党独大,不容许反对党的正当活动等等。尽管反对党作了很大努力,民主党仍然在大选中得到 48% 的选票而成为最强大的政党。共和人民党得到 41% 的选票,剩余的 2/3 属于共和民族党,1/3 属于自由党。在土耳其国家议会的 610 席位中,民主党 424 席,共和人民党 178 席,自由党 4 席。① 在民主党领导者眼中,是高压政策给了他们再次胜利的机会。他们对反对党在议会中的自由限制得更加严格。

1958 年军队中的骚乱已经很明显,主要媒体和大学也都仇视民主党。民众和军队对生活条件不满,工业主抱怨经济的不平等。② 1959 年 4 月 19 日伊诺努与一些党员、记者共 46 人发动了所谓的"议会进攻"。1960 年 4 月 12 日,民主党决定对共和人民党和其他反对党进行议会调查,行政机关人员开始在路上逮捕反对党党员。1960 年 4 月 27 日,民主党的专制统治建立。宪法被抛到一边,大规模学生示威游行在伊斯坦布尔和安卡拉举行,直到军队占领议会。

民主党的专制行为最终使自己被民主力量所吞噬。1960 年 5 月 27 日晨,军校生发起政变,接管了政权。拜亚尔总统、曼德列斯总理、全体内阁阁员和国民议会的大多数民主党议员都被逮捕,政府机关被占领,在四小时之内,一场不流血的革命完成了。

一党政治时期的反对党作为一党独裁的御用工具,没有自己独立的纲领和基础,也没有力量与执政党相抗衡。多党政治时期政党政治发生了显著变化,主要表现在执政党与反对党关系上。虽然民主党利用执政党的地

---

① Irvin C. Schick, *Turkey in Transition: New Perspectives*, New York: Oxford University Press, 1987, p.115.

② Irvin C. Schick, *op. cit.*, p.117.

位,通过不平等的法律和议会中的权力限制和排斥反对党,但此时的反对党不再唯民主党马首是瞻,它们有自己的纲领,通过政党联合等形式与民主党进行坚决的斗争。与此同时,土耳其民主政治的发展还表现在民主党内部的民主人士不满民主党的专制政策,主动脱离民主党,另立新党。民主党虽然解散了一些反对党,但被解散的政党会在短时间内重新建党,以合法政党的形式与民主党进行斗争。

三

经济的发展水平决定政治的发展程度;政治的演变是经济发展在一个层面的集中体现。土耳其第一共和国时期政党政治发生重要变化,由一党政治向多党政治过渡。政治发展的动力源于社会环境的变化,诸如经济模式的转变、社会结构的变化以及国内外诸多因素的影响。

(一) 经济模式的转变

建国初期,土耳其共和国采用了"国家主义"作为经济发展的指导思想,建立适应一党政治的经济模式,为政权的巩固提供了一定的经济基础。从此土耳其开始从农业国向工业国转变,社会结构在此基础上也发生了变化。

1929年世界经济危机爆发,脆弱的土耳其经济面临前所未有的挑战。随着经济危机的爆发,农产品出口量急剧下滑,进口大于出口。农业的不景气促使土耳其领导人意识到民族工业的重要性,经济危机中工业产品的大量进口显示了发展基础工业的急迫性,私人企业经济力量薄弱,无力投资国内目前急需的工业原料和商品,这些客观条件使国家干预经济,扶持经济发展成为解决当前国内困难的合理方案。

1931年土耳其共和人民党党代会上首次颁布了"六个箭头",既六项原则,"国家主义"是其中的一项原则。凯末尔在一次演讲中对"国家主义"做了官方解释:"为了不耽误片刻时间实现民族的繁荣与幸福,国家在任何情况下只要面临涉及民族利益的问题,就会干涉到与之相关的领域,为有利于民族发展的事业提供优先权。"①"国家主义"主要是通过五年计划实现的。1933年政府为发展土耳其工业,制订了第一个五年计划。1938年第二个五年计划启动。

"国家主义"在经济方面的措施促进了国民经济的增长。1934的五年计划建立起的国有企业覆盖了消费工业的大部分领域。这个以自足为目的的政策首先刺激着上层农民中企业阶层的快速发展。对原材料要求的不断提高,以及从兑换农作物中获得的高额回报促使他们着重农作物的面积扩大,并采用机械化。例如,制糖业用的甜菜的耕地面积由1935年的22667亩扩大到1941年的44213亩。20世纪30年代制造工业的增长率非常高,由1927—1929年占GDP的8.4%到1937年的13.4%。② 1927—1938年,工业劳动力每年增加2.9%,稍高于2.1%的人口增长,这表明生产力得到很大发展。这一时期属于私人所有的小型非机器操作的传统手工业占60%,受"工业鼓励法"支持的大型私人企业,产量在1932—1939年上升了2.4%。直到1939年,私人企业在棉花和木材生产上占40%,毛织品占38%,水泥占45%。只有在人造丝、纸、铁等领域国有企业占垄断地位。1932—1939年调查统计表明,私人建立的企业数量由1473家下降到1144家。1941年私人所有的企业数进一步下降到1052家。但这些企业的生产总值和工人的人数却翻了3倍。③ 1933—1936年国民收入由13300亿增长到1942年的63700亿。④

(二) 社会结构的变化

"国家主义"的推行使土耳其的社会结构发生了巨大变化。开始于

---

① Jacob M. Landau, *Atatürk and the Modernization of Turkey*, Leiden: E. J. Brill, 1984, p. 164.

② Tevfik F. Nas, *Economics and Politics of Turkish Liberalization*, Bethlehem: Lehigh University Press, 1992, p. 330.

③ Keyder, *State and Class in Turkey: A Study in Capitalist Development*, New York: Verso, 1987, p. 156.

④ Kemal H. Karpat, *op. cit.*, p. 91.

1931 年的工业化,是一个有支配力的技术经济力量,它逐渐改造了社会结构,给土耳其的发展带来数量和质量上的变化。

土耳其共和国初期的统治集团大部分是从奥斯曼帝国继承而来的官员、军官、知识分子等。这些帝国时期的官僚政治精英在共和国时期组成了新的政权。1931 年以前共和国政治结构的显著特征是农业乡村贵族支持下的官僚政治精英的领导。知识分子和军队在这一阶段是主要的社会群体,扮演主要政治角色。早期的有产群体(其中包括地主和为数不多的商人)虽然对政府提供经济支持,并从与官僚知识分子的联盟中受益,但就政治力量而言,他们仍站在后台。在一党政治时期,官员在国家政府机关占统治地位。由于凯末尔进行激烈的改革,有大量的新任务要由政府承担,其中包括"国家主义"政策下大量的经济发展项目,因此官僚由 30 年代的 104000 人增长到 1946 年的 25 万人。①

"国家主义"推行后,政府通过国家管理企业而开展工业化,使工人的人数提高,并推动了城市化的进程。国有企业的管理必然创造了一个新的经济阶层和新的知识分子阶层。他们精通国民计划并拥有高收入和高社会地位。在中产阶级中形成新的领导核心,他们在农民和城市下层民众中具有广泛的支持,号召高水平的政治参与。实际上,一个新型社会群体已经在城镇和城市群体中发展起来。这种结构变化的第一个政治表现就是 1945—1950 年的多党政治的采用。

政党中党员构成的转变出现在向多党政治的过渡阶段。1946 年官员占全体党员的比重由 47% 下降到 36%,在 1950 年的选举中又下降到 22%。经济群体是民主党的主要支持者,由 1943 年的 16% 增长到 1946 年 24%,再到 1950 年的 29%。② 1945 年以后出现了一批主张在财富基础上确定地位和通过在地方党组织中做工作从而获得政权的新的领导人。1945—1950 年的反对党领导人多数来自原来的统治集团,其政治风格仍受

---

① Walter F. Weiker, *The Modernization of Turkey: From Ataturk to the Present Day*, New York: Holmes and Meier Publishers, 1981, p. 30.

② *Op. cit.*, p. 29.

到原来的政治传统的影响。而1950年以后,一批新的社会精英发展起来,他们打破了裙带关系的界限,来自社会的各个阶层,代表政治发展的新方向。一党政治和"国家主义"时期政府的行政人员中官僚知识分子的比率非常高。1945年以后,专业人员、技术人员和受雇于商业、工业和服务行业的人数迅速提高。其中专业人士和技术工人、制造业和手工业以及服务业都增长了几百个百分点。1945—1965年之间农业工人人数增加58%左右,主要在1945—1950年之间得到发展。[①] 新兴经济群体的兴起打破了官僚精英的权力结构,要求建立新的政治格局。现代经济力量的增长和新的社会制度的建立摧毁了官僚政治精英的经济地位。经济逐渐由制造商、商人和与工业相关的企业家控制,他们的政治活动反映了他们的经济利益。各新兴经济群体开始提出符合自己经济利益的政治诉求,多党政治取代一党政治成为当务之急。

(三) 国内外环境的影响

第二次世界大战中,以美国为首的民主国家打败了专制极权的法西斯联盟,民主成为当时国际社会的主旋律。土耳其不愿再忍受苏联的威胁,因而投靠美国一方。美国许诺为土耳其的发展提供支援,但前提是土耳其必须走民主政治的发展道路。

到了1945年,由于土耳其对德国宣战而加入联合国,同英、美的关系进一步加强。于是"西方的民主"对土耳其政府产生了重大的影响。同时,土耳其议会内部也存在着要求"民主"的情绪。美国作为第二次世界大战的最大赢家之一,在法西斯国家相继战败后开始在世界范围内建立自己的霸权,并借用推广民主的名义干涉各国内政。而苏联作为另外一个世界霸主也开始了其扩张活动。

1945年6月苏联要求土耳其交出东北部边疆库尔德,在海峡建立土耳

[①] Kemal H. Karpat, *op. cit.*, p.63.

其—苏联防御军事基地,从而控制海峡的出口,支持苏联。① 土耳其对这些要求给予强硬的拒绝。得到土耳其的拒绝后,斯大林在1946年立刻收回了他的这些要求,但他的外交攻击却把土耳其推到了冷战冲突中的西方阵营。② 作为加入西方阵营的条件,美国要求土耳其必须在政治民主化进程上向前发展。1945年4月24日土耳其接受了联合国宣言。为了接受联合国宪章,土耳其保证使政权自由与宪章中的民主原则保持一致。土耳其的代表在圣弗朗西斯科的会议上说:"土耳其政府作为一个政治机构,正在坚持不懈地在政治现代化的道路上前进。我们的宪法勇于与最先进国家的宪法比较,甚至比他们的还要好……"③这之后不久,伊诺努总理在1945年5月19日说:"在国家的政治和文化生活中,民主原则将取得更大的地位。"在杜鲁门条约下,美国于1947—1948年期间对土耳其进行军事和经济援助,1952年土耳其被正式纳为西方阵营的一员。二战后意大利和德国一党政治的垮台、对联合国宣言的履行、与西方的良好关系都削弱了土耳其国内一党政治的基础。国内外的压力使土耳其必须找一个安全的出气口。国际环境对土耳其政党政治的演变起到了推波助澜的作用。

1945年6月11日由大国民议会通过的土地法是多党政治建立的导火索。土耳其最大的社会阶层是农民阶层。1945年农业人口占全国人口的83%,居住在全国各地的超过4万个村庄中。虽然土耳其的耕地面积非常大,但人均耕地面积很小,因为其中相当大部分是高山、荒漠或牧场。超过1250公亩的大土地所有者共有418个,占有土地在125—1250公亩之间的中等土地所有者有5764个,125公亩以下的小土地所有者有2493000个。这三类在国家总土地所有者中分别占0.01%、0.23%和99.75%。小土地所有者占全国人口的绝大多数,但还有一部分农民没有

---

① 戴维森:《从瓦解到新生——土耳其的现代化历程》,第168页。
② 刘易斯:《现代土耳其的兴起》,第329页。
③ Kemal H. Karpat, *op. cit.*, p.141.

土地。[1]

土地改革的目的是为以后的连续耕作更合理地分配土地和设备。分配的土地从国有土地、宗教地产、占地超过1250公亩的大地主手中征用。如果不够,将继续从超过125公亩的地主手中征用。甚至一些占地50公亩或少于50公亩的小地主也有被征用土地的可能。50公亩以上的农场构成土耳其土地所有者的主体。拥有125—1250公亩土地的地主多在人多地少的地区,这一法案削弱了中型农场和地主阶层在乡村的实力。[2] 大中地产所有者强烈反对土改法,并把这种反对以支持反对党的方式表现出来。土地改革深刻影响了1945年以后的政治发展。

有关土地改革法的讨论从一开始就在议会中分成两个派别:一个派别由知识分子和政府官员组成,支持法案的开展;另一个主要由与土地利益相关的人组成,主张维持现存的农业结构,建议通过改善耕作方法而非分割土地的方法发展农业。两者之间的争议使大国民议会中出现分歧,为反对党的出现提供了利益基础。双方的争论由于1945年5月19日伊诺努的自由化承诺后自由化氛围的加强而逐渐扩大。议会中的反对派在对土地法的讨论过程中逐渐形成,伊诺努的讲话和联合国宪章的签订都鼓舞了反对党的产生。从此,土耳其政党政治的发展掀起一个新的高潮。

结　　语

土耳其第一共和国时期是土耳其民主政治发展的重要阶段。这一时期政党政治经历了一党政治向多党政治的过渡。

1923年土耳其共和国建立后,土耳其的政治、经济、社会等方面经历了一场深刻的变革。随着土耳其工业化的发展、社会新旧势力的消长,一党政治赖以存在的经济基础发生动摇。重新整合后的新兴社会群体提出了有利

---

[1] William M. Hale, *The Political and Economic Development of Modern Turkey*, London: Croom Helm, 1981, p. 59.

[2] Kemal H. Karpat, *op. cit.*, p. 118.

于本群体利益的政治诉求。经济的发展、社会结构的变化以及国际国内因素共同推动一党政治向多党政治过渡。

多党政治在形式上对一党政治的否定以及内容上对一党政治的延续是民主政治发展的必要环节。土耳其第一共和国时期多党政治的发展虽然仍不成熟,但却是民主政治发展的过渡阶段,是由极权政治向民主政治发展的必要环节。总体来说土耳其第一共和国时期政党政治的发展取得了巨大的进步,为土耳其民主政治的进一步发展奠定了基础。

当代埃及经济发展模式的形成与转型
The Formation and Transformation of Economic Development Mode in Contemporary Egypt

王　泰（内蒙古民族大学）

摘要：从经济发展战略演变的角度来考察，20世纪五六十年代埃及形成了在"阿拉伯社会主义"原则指导下，以"国有化"为基础和特色的经济发展模式；20世纪七八十年代逐渐调整为扩大私有化、缩小公有化为特征的"混合型"经济发展模式；20世纪90年代以来，面对全球化挑战，埃及经济发展模式开始全面向私有化、市场化、自由化转型。埃及经济发展模式的演变始终与其经济发展战略形成互动，具有鲜明的时代特征，在其形成和转型过程中对外受到来自美国以及世界银行、国际货币基金组织等国际信贷机构的深刻影响，对内则与埃及政治体制的变革密切相关。

关键词：埃及； 经济发展战略； 发展模式

Abstract: Observed from the perspective of economic development strategy evolution, Egypt had formed the economic development model with the characteristic of nationalization for the basis under the guidance of Arab socialism principle in the 1950s and 1960s; During the 1970s and 1980s, Egypt had gradually adjusted for the expansion of privatization, reducing the public into the mixture model of economic development; Since the 1990s, in the face of the challenges of globalization, the Egyptian economic development model had started to transform entirely to the privatization, market and liberalization in transition. The evolution of Egypt's economic development model has formed the interaction with the economic development strategy, with the distinctive feature of the times, its formation and the process of transformation have been profoundly impacted from the American and the World Bank, the International Monetary Fund Organization and other international credit lending institutions, and closely related internally with the Egyptian political system changes and reforms.

Keywords: Egypt; Economic Development Strategy; Development Model

1952年七月革命是现代埃及发展具有历史意义的里程碑,自此埃及人民完成了从19世纪以来争取民族独立和社会解放的历史任务,开始以独立、共和、世俗、发展的姿态建设现代民族国家,从穆罕默德·阿里开始的埃及现代化的历史进程终于演变成国家发展的主流趋势。在学界对于埃及现代化的研究中,由于埃及在阿拉伯世界、中东乃至第三世界的独特地位和作用,使得埃及经济发展的"模式"[①]问题显得尤为重要,本文拟在埃及经济发展战略50多年演变的基础上对埃及经济发展模式的形成、调整、转型作宏观的考察和分析[②]。

[①] 按照学术界普遍的看法,发展(或曰现代化)模式就其启动而言可划分为内源型和外源型;按经济运行方式可分为自由市场经济或政府主导下的市场经济和计划经济;政治运行体制是议会民主政治或者威权主义政治体制或混合体制;文化主体是基督教文明、儒家文明、伊斯兰文明或印度教文明等。本文所谓的埃及的经济发展模式,主要是从经济运行方式的角度对埃及推进经济增长和社会发展过程中形成的指导思想、路径依赖、遵循原则、经验教训等经济发展一系列基本问题的概括,而非从总体上对埃及现代化模式的探讨,特此说明。

[②] 从1952年以来埃及发展的历程来看,埃及现代化发展经历了三位总统、三个不同历史时期的演变和调整。学界一般按照三位总统对应的时期进行历史划分,本文则按照埃及经济发展战略的演变来划分,主要包括以下三个阶段:纳赛尔总统使埃及"社会主义国有化"的现代化模式基本定型化;萨达特总统实行"开放"政策,对"国有化"进行部分修正以及穆巴拉克总统前期(迄20世纪90年代初)延续了萨达特的调整;从1991年以来,面对全球化挑战,穆巴拉克的经济改革进一步深化,埃及经济全面走向市场化和自由化。

"社会主义"发展战略与国有化模式的形成(1952—1970)

第二次世界大战之后一直到1956年纳赛尔全面执掌埃及政权的一段时期内,除了政府严格控制的水利灌溉业和少数需要保护的出口工业(例如纺织业)之外,埃及国家经济体特征仍然是财产私有制和自由企业经济相结合,延续了战前埃及的资本主义市场经济。50年代初,虽然棉花价格在一定程度上受到朝鲜战争的影响,但埃及经济仍然保持了稳定的增长、较低的通货膨胀率以及对私有企业的自由投资。这一方面得益于二战期间埃及工业的增长;另一方面得益于一系列政策的实施,包括关闭亚历山大棉花交易所,提高对非基本消费品征收的直接税和进口税等等。[1]

从1956年开始,埃及进入全面的经济调整时期,一直到纳赛尔总统在1970年去世,埃及社会经济的发展受当时国际上两种意识竞争的影响,选择了具有浓厚"社会主义"色彩的发展模式,主要表现在如下几个方面的特征。

首先,以纳赛尔社会主义为指导方针。[2] 1955年3月纳赛尔在接见印度记者时首次提出在埃及建立社会主义的主张。12月5日,纳赛尔在埃及合作社第三次代表大会上正式宣布在全国建立一个"民主、合作的社会主义"社会。1962年由纳赛尔主持制定的《民族宪章》(又称《全国行动宪章》)中确认埃及信奉社会主义,走社会主义道路。1964年临时宪法又明文规定埃及的经济制度是"社会主义制度"。

按照纳赛尔的相关论述,纳赛尔社会主义对埃及经济现代化的指导性主要表现在以下三个方面:第一,社会主义是发展国家的唯一出路。纳赛尔

---

[1] M. Riad El-Ghonemy eds., *Egypt in the Twenty-First Century: Challenges for development*, London and New York: Taylor & Francis Group, 2003, p.75.

[2] 关于纳赛尔的阿拉伯社会主义的理论与实践,参见唐大盾、张士智等著《非洲社会主义:历史·理论·实践》,世界知识出版社1988年版,第96—119页。

明确指出,社会主义是"导致经济和社会进步的唯一出路"、[①]"导致社会解放的道路"、"解决埃及问题唯一革命的决策"[②]。纳赛尔认为不发达国家消除落后的唯一方法就是实现社会主义。第二,社会主义是一个富足和正义的社会。纳赛尔指出:"社会主义是建立在正义和满足需要的基本上的。"[③]他认为,各种社会主义思潮均可简称为"富足"和"正义"四个字,即"建立一个富足和正义的社会,一个劳动和社会均等的社会,一个生产的社会和福利的社会"。按照纳赛尔的看法,"富足"指生产和发展;"正义"乃社会公正和分配公正。二者的关系相辅相成。没有富裕的正义意味着分配贫困,没有正义的富足意味着增加财富的集中。[④] 第三,关于剥削所有制和非剥削所有制的区分问题。纳赛尔主张由人民控制一切生产资料,但不必废除私人所有制。纳赛尔说:"扩大民族财富的工作不能由私人资本家领导,更不能由剥削成性的垄断资本家肆意控制","应由人民掌握所有生产资料,根据预定计划决定利润的处理"。但他又指出:"所谓由人民控制一切生产资料,并不是指生产资料都要实行国有化,取消私有制,也不是侵犯私有制合法的继承权。"[⑤]。但也应指出,纳赛尔并非拥护剥削阶级所有制,他激烈地反对"剥削阶级所有制",说他只允许不剥削他人的私营部门存在,为发展总计划作出贡献。

其次,实行社会主义的土地改革。按照上述纳赛尔社会主义的主要思想,为减少贫困和机会不平等,埃及新政权所采取的主要措施就是打击腐败、扩大对低收入者的安置以及从1952年9月起开始进行土地改革,以后在1961年又进行了第二次土地改革。通过土地改革,重新分配了全部农业用地的13%给那些占全国土地所有者不到10%的平均每个家庭占地不到2费丹的农户。此外,政府没收了王室土地,并且降低土地租金,价位是

---

① 纳赛尔:"独立的翌日",转引自上海科学社会主义学会、上海社会科学院情报所合编:《当代亚非拉社会主义思潮资料选辑》,上海社会科学出版社1982年版,第141页。
② 纳赛尔:"独立的翌日",第138、139页。
③ 同上,第138页。
④ 参见杨灏城、江淳:《纳赛尔和萨达特时代的埃及》,商务印书馆1987年版,第91—92页。
⑤ 纳赛尔:"独立的翌日",第140、141页。

1947年土地税价格的7倍。这样就在埃及历史上第一次实现了对地主拥有最多土地的限制,1952年第一次土改时为200—300费丹不等,到1961年降为100费丹。尽管这只是相当缓和的土地分配,它还是导致了埃及社会政治结构向着某种更为平等的方向的根本改变,因为它显然是有利于农民和无地工人的利益。但是,从性质上来说,对于城乡而言,财产所有制的私有性质以及社会经济以私有为主导并没有改变。[①]

再次,全面推行国有化政策、实行计划经济,推行进口替代的工业化发展战略。土地改革特别是苏伊士运河国有化的成功,在苏伊士运河战争胜利后,极大地鼓舞了纳赛尔总统扩大对全国经济的战略控制。其主要特征就是严格投资的计划性、大规模国有化、行政主导价格和固定工资,同时严格控制对外贸易和农业资源利用。对外贸和生产扩张的主要推动就是实施替代进口战略,为此安排的资金占1956—1965年期间总投资的1/3。这样埃及的发展模式逐步由市场经济向严格的计划经济转变,其目的不仅是要实现国内生产总值(GDP)年均7%的增长率,还要实现建立在稳定基础(财富在社会各阶级之间的公平分配,以保护工人和穷人的利益)之上的埃及人的全面发展。

对社会福利的战略考虑建立在社会公正的思想基础之上,这一战略对埃及经济和发展道路也产生了深远的影响。在第一个五年计划(1959—1964)、第二个五年计划(1965—1970)和1962年5月通过的国民宪章中都体现了这一思想。政府要给予所有公民以免费教育和医疗服务,给工人提供廉价住房,通过建立大量国有部门、实施固定工资比率和消费品价格来减少剥削。政府还保护农村和城市的承租人免于从土地上被驱逐,确保他们通过减低租金的数额获得稳定的收入。

在国有化方面,到1963年,国有部门占据国民生产总值在工业和电力部门达到60%,交通部门达到75%,不过它在农业部门只占到6%。国家已经控制了82家私有公司将近一半的资产。政府就业快速扩大,到70年代初期,在公有部门工作享受工资的工作人员占到全部享受工资工作人员

[①] M. Riad El-Ghonemy, *op. cit.*, pp.75—76.

的一半。通过劳工立法,从事非农产业的工人也得到了很多好处,包括提高每日最低工资标准、降低每周工作时间、享受带薪假日、义务社会保险和免于非法解雇等等。其他权益还有工人代表公司董事会议、监督企业把利润的四分之一分配给职工等。这样,到60年代这种具有浓厚社会主义色彩的战略导致了社会全面就业。它证明了在埃及这样的发展中国家,同时采取多项措施集中投资并通过多渠道分配,可以产生大量的工作岗位。1964年,政府开始实行确保毕业生充分就业的政策,再加上1965年到1970年军队征兵的扩大。这样,埃及从近代以来第一次实现了只要愿意工作就能找到职业的理想。随着免费的公共服务部门范围的逐步扩大,埃及基本建立了福利国家的基础。

  总的来讲,缩小贫富差距、推行立足于计划经济基础上的进口替代工业化战略,并且没有出现官僚腐败被认为是纳赛尔时期埃及经济发展的重要成就和特点。[①] 与上述成就相伴随的则是冗员过多、效率低下、持久的隐性失业以及经济管理机构的中央集权化,使少数管理者管理着大型国有企业,他们构成了经济官僚机构的精英,处于中央经济控制的核心地位。另外,就是由于1961年埃及棉花生产锐减;支持也门战争(1962—1967)及参加1967年中东战争,把原准备投资于商品生产的资金用于购买武器装备;美国停止援助以及苏伊士运河和旅游业收入减少等致使纳赛尔所计划埃及年均国内生产总值(GDP)增长7%的目标没有达到,在第一个经济计划时期(1959—1964),年均增长率达到6%,到70年代时就已经降为3.5%。[②]

开放经济战略与向"混合型"经济模式的过渡(1970—1991)

  早在1968年埃及就开始进行有关经济改革的准备工作。当年7月1

[①] Fouad and Barbara Ibrahim, *Egypt: An Economic Geography*, London and New York: I. B. Tauris, 2003, p. 94.

[②] M. Riad El-Ghonemy, *op. cit.*, p. 78.

日在官方的《金字塔经济学家》专刊上发表了纳赛尔总统制定的有关经济改革的重要文件和报告,在政府部门、国营、私营企业和合作企业开始进行经济与财政改革。①

十月战争之后,萨达特总统决定开始实行新的发展战略,就是执行改革开放政策,到70年代中期,该政策基本形成,主要内容体现在官方发表的1974年的"十月文件"。该计划得到国际货币基金组织的支持,并连续在1974年、1976年、1978年和1980年双方签署一系列合作协议。这一政策的目的是引进阿拉伯及其他国家的资金和技术,利用外资和外援来发展国民经济。同时动员本国资金投入,发挥私人资本在国民经济中的重要作用,以活跃经济,增强国力。采取的主要措施是建立合营企业,引进外资并实行优惠政策,实行进口自由化,改革对外贸易体制,从双边贸易向多边贸易发展,建立自由区,形成了一套开放经济的政策体系。

具体而言,在坚持中央计划和国有部门占领导作用的前提下,放松对于进口和国内贸易的限制,贯彻仅仅国有部门无法满足发展所带来的增长需求的原则。其结果是进口,特别是消费品的进口从1960—1970年时年均增长率不到1%上升到1970—1975年度的15%,而进口汽车在同期就增长了30倍。因此,萨达特总统这一时期的开放又被称作是"消费型开放"。"开放政策"伴随着1973—1979年石油价格的飙升,一方面虽然增加了通货膨胀,但同时也在石油出口(几乎是1966年的10倍)和侨汇收入(是1961—1970年平均水平的近8倍)方面增加了收入。这一时期,政府仍旧是主要的雇主、制造业和电力部门的资源分配者、社会服务和粮食的主要提供者。

1981年10月6日萨达特总统遇刺,穆罕默德·胡斯尼·穆巴拉克当选总统。穆巴拉克总统执政后,在海湾战争之前,把发展国民经济作为中心任务,对埃及发展战略做了部分调整并采取了一系列的必要措施,这一时期(1991年之前)最大的变化表现为:确定了把"消费型开放"变为"生产型开放"的总政策方针,鼓励和引导外国资本和本国私人资本向生产项目投资,

---

① 王宝孚:"埃及经济改革开放的成就、难题和前景",《现代国际关系》1996年5期,第35页。

以加速本国工农业的发展。同时改进国营企业经营管理,继续放宽对私营部门的限制;调整外贸政策,鼓励出口,限制进口;较重视发展农业,继续改造沙漠为农田;紧缩开支,抑制消费;加强外汇管理,增加外汇收入;改变过分依靠美援的做法,开展"全方位、多层次"的经济技术合作,并积极配合经济政策的贯彻开展"全方位"的外交活动。这些政策已取得一些成效。首先,在吸引外资用于生产性投资方面有较大的进展,到1988年仅阿拉伯国家对埃及70多个项目的投资就达35亿美元。其次,从国外获取了大量赠款、贷款和先进技术。再次,社会消费有所压缩。至1985—1986年度,社会消费占国内生产总值的比重,比70年代中期减少了3%—5%。

在整个七八十年代埃及的石油繁荣时期,埃及发展战略有两个重要的特征引人注目,其一就是鼓励熟练工人和非熟练工人移居海外;其二就是实施1974年通过的第43号法令——外国投资法,开始给投资者提供真正的激励机制,包括在新建自由开发区(也有的地方称出口加工区)提供廉价的土地分配等。在塞得港和纳什尔此类出口商品加工与储藏基地,政府给投资者提供更多的激励措施。该措施取得极大成效,1967—1973年年均投资总额占GDP的12.5%,到1975—1983年,该数值升至26%。但是不足之处在于大量的仍然是公共投资,国内私人投资只占4.6%,外国私人投资仅为3.4%,主要集中在石油公司。1977年在国际货币基金组织的压力下,政府决定通过削减粮食补贴以降低占GDP高达19%的高额财政赤字,但由于人们的街头抗议而受阻,在经济自由化的道路上埃及可以说蹒跚而行。到1980年,政府用于教育、卫生的支出占其支出总量与1960年相比分别削减了1/2和1/3,但是粮食补贴也达到了最高点,分别占政府支出的17%、GDP总量的10%。

总的来讲,从70年代后半期到80年代,埃及经济是一个虽不很明确但各种经济相对交织的时期。埃及经济在70年代有了迅速发展,经济增长的主要指标都高于一般发展中国家。1970—1979年埃及国内生产总值平均增长率达7.6%,工业年平均增长率为7.8%,制造业为8.2%,人均收入的年增长率达6.7%。1980年国内生产总值达221亿美元,人均国内生产总值523美元。随着西奈半岛油田的回归以及油价的迅速攀升,埃及在这一时期成为一个纯粹的石油出口国,70年代的后五年经济增长达到9.6%。石油占到埃及全部出口商品的75%,传统的主要出口商品棉花从45%降低到7%。[1] 此外政府还可以从石油公司那里得到大量的租金。随着阿拉伯石油出口国家对外国劳工的大量需求,埃及在外工人的侨汇也开始引人注目地迅速上升。1980年石油、侨汇、苏伊士运河与旅游业的收入分别为30亿美元、27亿美元、10亿美元和6亿美元。1973—1980年国内公共投资约增长26%,私人投资增长78%。新的外国私人投资(非石油部门)也从1977年的1亿美元,增至1980年的4亿美元。[2]

为了解决实际工资增加和农村劳动力的短缺,从1975到1988年政府大力鼓励发展机械化。由于得到世界银行和一些国家的财政支持,一种较低水平吸收劳动力的趋势自此以后得以继续。富裕阿拉伯国家的石油繁荣不仅加大了埃及工人的海外移民,也明显加大了官方援助。

但是,石油经济的繁荣并不长久,埃及经济很快就面临着不景气,到1990—1991年度出现衰退。从1982年到1990年的经济成效是很有限的,这一时期后来被称为"不稳定的发展"(erratic development)。高达20%的通货膨胀率(1987—1991),直接导致市民实际生活消费的增加和收入的降低,同期大约降低25%。相应地,由于政府严格控制稀缺资源的再分配以及对于消费品的补贴,再加上与经济开放政策相关的一些法律漏洞,使腐败开始在政府机构和国有部门迅速扩张。

1987年5月,在与国际货币基金组织长时期的谈判之后,埃及政府决定采取包括从1987—1991年五年计划在内的一揽子稳定政策。埃镑贬值几乎达100%;从1987年1美元兑换1.36埃镑降至1989—1990年度的2.60埃镑。政府还采取措施降低占GDP总量达16%的预算赤字(1987—1990),这些措施包括取消电、油、交通等非食物补贴,削减食物补贴,使之从

---

[1] M. Riad El-Ghonemy, op. cit., p.79.
[2] 王宝孚:"埃及经济改革开放的成就、难题和前景",第35页。

占1981年国民收入的10%降到1990年的2.5%。

总而言之,从1983年到1990年的埃及经济的确陷入某种困境,进入衰退阶段。据世界银行统计,从1965年到1980年埃及GDP年均增长为7.3%,1980年到1990年降为5.4%。[①] 主要表现在实际人均收入下降20%,从1986年的750美元降至1989年的640美元,1990年进一步降至600美元。制造业产出和贸易平衡也出现严重的倒退,外债增加了一倍半,积累到140亿美元。[②] 这些令人沮丧的统计数字表明局部或者部分的开放措施根本无助于扭转经济的低迷。

改革调整战略与经济发展模式的全球化转型(1991—2005)

由于积极参加1991年的海湾战争,战争结束之后,埃及得到了西方国家(美国和巴黎俱乐部成员)以及阿拉伯国家庞大的经济援助和债务减免,出于同美国联系的紧密并且受到美国政府的某种压力,埃及同意进行全面的经济调整计划。这次经济战略改变即官方所称的"经济改革和结构调整计划"(ERSAP)。从埃及经济发展模式的角度而言,埃及试图通过全面走向市场化、私有化、自由化来应付日益临近的全球化的挑战。

经济改革和结构调整计划的执行显示它并不是为埃及提供可供选择的其他经济发展模式,世界银行、国际货币基金组织(以及政府的债权人,主要是巴黎俱乐部)成为埃及经济政策的主要制定者和美国式资本主义模式的提倡者。[③] 作为世界银行和国际货币基金组织一个标准的调整计划,ERSAP针对政府和公有部门从80年代以来的失败提出一整套的改革措施,主要分为两类,短期内稳定计划和长期结构调整。前者主要由国际货币基

[①] *The Middle East and North Africa 2004*, 50th edition, England: Europa Publication, 2003, p.322.

[②] M. Riad El-Ghonemy, *op. cit.*, p.80.

[③] M. Riad El-Ghonemy, *op. cit.*, p.80.

金组织负责,进行财政和货币政策的改革(削减政府支出、货币贬值、无须考虑收入分配、提高税收、降低实际工资和利率自由化等等)。其目的是降低公共和私人消费(即降低需求政策),由此产生的高储蓄直接用于投资,主要是私人企业的投资。结构调整主要由世界银行来负责,主要是大规模的私有化政策,提高资源分配的长期效率(特别是商品生产部门的内部供应)。两项计划是彼此促进、在某些方面互相交叉。

ERSAP按阶段有步骤推进,从1991年7月到1993年9月是以财政金融改革为主的第一阶段经济改革,从1993年10月到1996年10月是以巩固宏观经济、初步开始结构调整为主的第二阶段经济改革,1996年10月到1998年9月是以巩固已经取得的宏观经济稳定、扩大和深化结构改革为主的第三阶段经济改革。

ERSAP在宏观经济领域所取得成就主要有:第一,使埃及GDP增长率得以恢复,在1998—1999年度达到6.0%,但是按照1996年价格计算在2000年又回落到4.9%。第二,通货膨胀率、预算、财政支出和全部外债的急剧削减,但包括政府和国有企业所欠的全部内债仍然很高,在2000年仍达到1740亿埃镑。第三,外汇储备(包括黄金)急剧增加,从1991年的38亿美元增加到1998年的195亿美元,但在2000年降为145亿美元。第四,随着国有部门私有化进程的推进,外国直接投资由1991年的1.4亿美元猛增到1994年的12亿美元,到2000年增加到16亿美元。但从总体来讲,该数值仍然很低,只占埃及全部私人投资的4.5%、国内生产总值的0.5%—1%的规模。[1]

为了使经济全面走向市场化和应对全球化挑战,埃及90年代以来加大了国有企业私有化的力度,埃及的私有化主要包括两个方面,国有企业的私有化和鼓励私营企业投资于传统上由国有企业控制和操纵的基础设施行业。埃及1991年颁布的203号新"国营企业法"标志着埃及国营企业私有化的开端。根据此法令,国有企业的投资和信贷不再纳入政府财政预算,置

---

[1] *Op. cit.*, p.81.

国有企业和私营企业于同等地位，允许国有企业清算资产。1996年的詹祖里新内阁把通过私有化加大吸收外资的力度作为政府的头等大事，私有化的步伐明显加快。到1999年底，已经出售股份的公司达到129家，私有化收益累计124亿埃镑，占国内生产总值的35%。此外，埃及政府将私有化方案的范围扩展到基础设施建设，把国内私人投资作为新建港口、港口服务、电信、发电站等大型项目的主要投资来源。正如埃及总统穆巴拉克在1998年评论埃及的私有化所说："私有部门在发展项目中的份额已经由不足20%增加到65%，同时，私营部门在国内生产总值中份额已经提高到73%，此点已证实私营部门有能力担负起发展的重任。"

在当今世界经济全球化大趋势下，采取出口导向的发展战略，力求融入全球经济是埃及90年代以来的既定目标，因此埃及的市场改革和发展战略的另一个重要部分就是建立一个更开放的、外向型的贸易体系，实现埃及的贸易自由化。埃及进行的降低关税、减少非关税限制、增加贸易透明性的改革，取得了明显的效果。关税削减幅度最大的达到50%，1989—1996年间平均法定关税降低了20到28个百分点。1996—1998年间多次下调税率，逐渐减少进口附加费。此外，埃及还在1998年1月取消了对纺织品进口的禁令，2001年1月取消对服装进口的禁令。同时，埃及还承诺逐步取消对农产品进口的数额限制。

当然，ERSAP并没有为埃及带来当初想象的改革成果，也存在很大的不足之处，例如实行出口导向的经济增长战略仍然受到体制性的瓶颈制约，特别是基础设施建设滞后；贸易自由化政策过多地集中于进口而不是出口，使埃及的制造业在全球竞争中明显处于不利地位；内外债尽管大量削减，但对于经济来讲仍然是沉重的负担；私有化过程依旧缓慢，从1993年启动总共314个国有企业的私有化过程以来，直到2001年初，只是完成了不到一半的企业私有化的目标。

另外，特别需要一提的就是经济发展与调整计划增加了埃及的失业率，更为严重的是伤害了埃及低收入者的利益，在城市中产生了新一批的贫困者阶层。根据2002年2月官方公布数字，埃及失业人口在进入新世纪后进一步增大,由 2000 年的 8% 上升到 2002 年 9.1%,失业人口相应地从 150 万上升到 180 万。专家指出,如果只是依靠货币政策(利率、汇率、控制通货膨胀)而不是增加资本支出来吸纳新增的劳动力,埃及将面临严重的社会问题。加强对人力资源的培训,加大对一些新兴行业和地区的开发力度,以提供更多的就业机会显得十分重要。

进入 21 世纪以来,面对几年来埃及经济的持续低迷(经济增长率基本维持在 3% 左右的较低水平)不能令人满意的现实,埃及政府接连在 2004 年 7 月和 2005 年 12 月两次重组内阁,改革派经济学家纳齐夫出任总理,肩负起振兴埃及经济的重任,显露出埃及进一步加大经济改革的力度和决心。埃及由此进入"第三代经济改革",它将"依据一种全新的思想展开,也就是要紧跟全球经济的步伐,增强国家与公民之间的合作和相互信任,为私营企业提供机会,使私营企业从需要支持与指导的小型经济伙伴转变为具有吸引投资、促进就业、创收以及制定并执行政策的全面能力的经济伙伴"。[①] 具体内容包括一系列关于税收、海关和金融领域的改革措施与深化。按照国际货币基金组织 2005 年 9 月发布的半年度报告,2005 年埃及经济增长率约为 4.8%,2006 年约为 5.2%。埃及的私有化进程实现了稳定和发展的双重目标。[②]

结语:埃及经济发展战略与模式转型的思考

通过对埃及经济发展战略 50 多年演变的考察,可以看出,埃及从最早的资本主义自由市场经济过渡到纳赛尔时期完成高度的"社会主义"的国有化,20 世纪 70 年代开始,萨达特和穆巴拉克逐步放弃"国有化"直到 90 年代以来又全面走向私有化和市场化,埃及经济发展模式经历了螺旋上升式的发展和变化。在这一长期探索的过程中,以下三个特点值得关注,也引发

[①] 埃及驻华使馆新闻处:《阿拉伯埃及共和国年鉴 2005》,第 69 页。
[②] 详见埃及新闻总署编:《埃及》杂志,2006 年冬季第 40 期,第 8—9 页。

我们对埃及现代化模式转型的思考。

首先,埃及经济发展模式的演变与其经济发展战略的调整彼此之间形成良性互动,具有鲜明的时代特色。经济发展模式始终与其经济发展战略相适应,经济发展战略的改变导致经济发展模式的改变;反过来,发展模式也影响到战略的调整。五六十年代,埃及发展战略的主要目标就是巩固七月革命的胜利成果,最大限度实现社会公平和正义,改善人民生活水平。正是这样的战略要求导致埃及走上了"社会主义"的国有化模式和道路,尽管它被赋予了浓厚的阿拉伯特色,但依然是当时解决国家发展资金、大规模集中和动员社会力量行之有效的方式。到七八十年代,埃及发展战略转向实施"开放政策",解决纳赛尔时期的一系列弊端,埃及发展模式相应地出现了公有制和私有制的"混合型"。90年代以来,为应对经济全球化所带来的种种挑战,埃及发展战略做出重大调整和变化,加快了向市场化和私有化转换的步伐,这个过程没有结束,仍然处于艰难的转型时期。

其次,埃及经济发展模式的演变是一个内部自我探索和外部施压互动的历史过程,很大程度上受到外部因素的影响和制约。由于长期以来处于冷战两大军事集团争夺的主要目标的战略地位并且和以色列的冲突与矛盾,致使埃及的发展受到外部因素的干扰很大。纳赛尔时期依靠苏联援助,萨达特总统转而投靠美国,穆巴拉克总统在后冷战时代进一步加强与美国的战略关系。埃及七八十年代以来的改革长期一直受到外国政府(特别是美国)的压力,并且由国际借贷机构(世界银行和国际货币基金组织)所支配,就是明显的例证。埃及现在仍然是美国继以色列之后的第二大援助国,西方和阿拉伯国家对埃及的债务减免数量可观,这在减轻埃及经济压力的同时,也使得探索符合埃及国情的发展模式困难重重,导致问题很多。

最后,埃及经济发展模式的转型能否成功也将取决于政治体制改革的效能。一方面,自由市场经济、减少国家干预、国有企业的私有化、削减补贴、增加税收是十几年来埃及走上西方式模式正在进行的改革手段,这些措施受到了国际社会的关注和欢迎。世界银行在其2005年下半年发布的一份有关各国投资环境的评估报告中认为,埃及是2004年全球实施经济改革力度最大的 6 个国家之一。[①] 但另一方面,由于历史原因,埃及经济发展一直面临许多体制性难题,例如埃及严格的政治控制和威权主义对经济的影响依然强大,由此导致私有化进程缓慢、官僚体制效率低下、部分政府官员贪污腐化严重等等。政治改革步伐缓慢,不能有效刺激经济发展等体制性的问题从根本上束缚着埃及经济自由化发展模式的形成。因此埃及能否最终形成具有地区特色的某种伊斯兰发展模式[②],乃至埃及能否真正走上可持续发展的振兴之路,还需要进一步深化和完善各项改革措施。

---

① 明金维、辛俭强:"埃及经济改革初见成效",新华社开罗 2005 年 12 月 31 日电,http://www.jmnews.com.cn/c/2005/12/31/20/c_5122845.shtml。

② 详见霍华德·威亚尔达主编:《非西方发展理论——地区模式与全球趋势》,董正华等译,北京大学出版社 2006 年第 1 版,第 96—113 页。

1905—1911年伊朗宪政运动与伊朗政治现代化进程的开启

The Iranian constitutional revolution, 1905—1911 and Iran's political modernization outset

王　莹（南开大学历史学院）

摘要：政治稳定与政治动荡的错综交织是20世纪伊朗历史的突出特征，它带动了伊朗社会从传统社会向现代社会过渡。1905—1911年宪政运动的爆发，根源于恺加时代传统社会的深刻危机与社会结构的激烈变革。在西方世界的冲击下，伊朗传统经济秩序的日趋解体造成社会结构的裂变与社会新旧势力的此消彼长，随之而来的政治整合最终导致宪政运动的爆发。宪政运动作为带有宗教色彩的现代政治革命，动摇了恺加王朝的专制统治，宪政主义者通过自下而上的改革运动对王权和专制加以否定。宪政运动是民主与专制的初次较量，尽管历经挫折，但是无疑开启了伊朗政治现代化的进程，成为20世纪伊朗现代化运动的重要里程碑。

关键词：伊朗宪政运动；　民主；　专制；　政治现代化

Abstract: It is the outstanding characteristic of Iranian history of the 20th century that political steady and turbulent interweaving intricately with each other, it has driven the Iranian society to carry out the transition from traditional society to the modern society. The outburst of the constitutional revolution of 1905—1911 was the result of deep crisis of traditional society and fierce change of social structure in Qajar dynasty. Under impact of the Western countries, Iranian traditional economic order gradually disintegrated which led to social structure and new or old social force disappear or appear. Following political integration causes the outburst of the constitutional revolution finally. The constitutional revolution is regarded as the modern political revolution with religious color. The base of Qajar's autocratic rule was wavered, the constitutionalist through the reform denied autocracy from bottom to top. It is the first time that democracy and autocracy fought against each other. Although it met many setbacks, it undoubtedly opened the process of Iranian political modernization. Also it became the important milestone of Iranian modernization of the 20th century.

Keywords: Iranian Constitutional Revolution; Democracy; Autocracy; Political Modernization

一

19世纪末叶的伊朗社会仍具有明显的农业性与非整合性，与同期的西欧国家相比是落后的、闭关自守的国家。伴随着资本主义世界体系的扩张和西方殖民势力的冲击，伊朗启动了现代化的车轮。因而，恺加时代末期的伊朗社会在经济、政治、意识形态各方面必然经历着史无前例的深刻变革。伊朗的政治依附和经济依附状态日趋明显，逐渐卷入资本主义的世界体系，进而瓦解着伊朗传统秩序赖以维持的物质基础，使之成为西方列强的原料供应地和工业品市场，伊朗社会随之从自给自足的封闭状态走向开放。

西方世界对伊朗社会的冲击始于19世纪初叶。俄国、英国列强先后对伊朗进行了军事侵略，签订了1813年的《古里斯坦条约》、1828年的《土库曼查伊条约》和1857年的《巴黎条约》等一系列不平等条约。根据上述条约，伊朗不仅割地赔款还被迫出卖一些特许经营权，并允许俄国政府和英国政府在伊朗境内随意设立领事机构和商务机构，承认俄国商人和英国商人在伊朗境内享有贸易特权和司法豁免权。不平等条约的签订，敲开了西方商品涌入伊朗的大门,伊朗开始成为半殖民地半封建社会,这不仅意味着恺加王朝开始丧失主权独立的地位,也标志着列强对伊朗的掠夺由军事入侵转变为经济渗透,伊朗迅速成为英俄两国角逐利益的战场。

"军事入侵导致外交让步,外交让步导致经济妥协,经济妥协导致经济渗透,而经济渗透又决定了传统社会必然遭到破坏",①伴随着大量廉价西方工业品的输入,伊朗经济发生了巨大的转变,逐渐由手工业制品的出口国演变为原料的输出国。"1857年,各种棉织品、毛织品和丝织品约占伊朗出口货物的27%,而水稻、各类干果和鸦片仅占伊朗出口货物的4%;到20世纪初,各种纺织品已不足伊朗出口货物的1%,棉花、羊毛和生丝的出口量却急剧上升,占伊朗出口货物的26%,水稻、各类干果和鸦片在伊朗出口货物中所占比例则升至32%,波斯地毯几乎是伊朗唯一大量出口的手工制品。而进口货物中,1850年间工业纺织品占进口货物的63%,19世纪末下降到30%—40%;茶、糖的进口量由11%上升至30%;金属制品、纺织品、玻璃制品的进口量则保持平稳"。② 西方列强利用商品倾销、投资建厂和贸易特权使伊朗经济遭受了严重的损失,腐败的恺加王朝已没有能力保护本国经济不受西方资本的冲击,而使外国势力逐渐控制了伊朗的市场。19世纪初,伊朗尚且处于闭关自守的状态;到19世纪末,伊朗经济的依附性逐渐将其卷入了资本主义世界经济体系,由此带来的客观后果是传统手工业的萎缩和农业的市场化,进而使伊朗的传统自然经济秩序开始瓦解。

19世纪末叶,伊朗在对外贸易中出现了进口工业品逐渐代替了伊朗的国内手工业品制造生产的现象,进而造成了伊朗传统手工业的普遍衰落。"1850—1880年间,伊朗纺织品的出口量急剧下降,由原来的61%急剧下降到19%。而同期的纺织品进口量则始终保持在63%—66%的水平"。③设

---

① Ervand Abrahamian, *Iran Between Two Revolutions*, Princeton: Princeton University Press, 1982, p.52.

② John Foran, *Fragile Resistance: Social Transformation in Iran from 1500 to the Revolution*, Boulder: Westview Press, 1993, p.115.

③ Homa Katouzian, *The Political Economy of Modern Iran: Despotism and fseudo-Modernism, 1926—1979*, London: The Macmillan Press, 1981, p.40.

拉子是伊朗南部重要的手工业中心,1800年时约有纺织作坊500家,1857年时只剩10家。喀山曾以其丝织品和棉织品的精美工艺闻名遐迩,1840年时萧条不堪。伊斯法罕的丝织品作坊,19世纪20年代多达1250家,19世纪70年代仅存12家。① 传统手工业生产技术的落后,也是造成传统手工业制品无力与廉价的西方工业品竞争的一个重要原因。传统手工业衰落的直接后果,使大量手工工匠丧失独立的经济地位,沦为手工工厂雇佣工人,客观上推动了伊朗的社会分工进程。农业作为伊朗传统经济的基础,受到西方的影响也最为剧烈。主要是农作物结构的变化,由对农产品的种植转变为对经济作物的依赖。换言之,恺加时代伊朗农业的演进趋势,是从自给型农业向市场型农业的过渡。"1858年,谷物占伊朗农产品出口量的第二位",②至1900年,由于国际市场的冲击,伊朗国内的谷物生产逐渐衰落,谷物播种面积减少,进而形成对进口谷物的依赖。生丝是伊朗重要的传统农业产品和出口商品,"1850年时约占伊朗出口商品的1/3,1864年生丝产量高达140万英镑。此后,由于蚕丝病菌自欧洲传入伊朗,加之国际市场生丝价格下跌400%,伊朗生丝产量急剧下降,到1902年时仅为25.6万英镑"。③ 由于市场竞争激烈,在生丝产量下降的同时,鸦片的产量大幅度上升,19世纪80年代占伊朗出口商品总额的1/3,出口鸦片总值超过60万英镑。鸦片出口的增长刺激了农村的货币关系,由此出现了货币交易。由于欧洲对棉花、大米、干果的需求增加,刺激了伊朗农民对经济作物种植的热情,因而其他经济作物如棉花、大米、烟草和干果出口量也相应增长。农产品出口的不断增长,否定了伊朗乡村的传统经济模式,加速了伊朗农业生产的市场化进程,进而瓦解了伊朗传统秩序赖以维持的物质基础。农作物结构的改变,不断排斥伊朗传统农业的自给性和乡村社会的封闭性,进而形成农业生产市场化和农民经营自主化的客观趋势,自然经济的基础逐渐崩溃瓦解,商品经济和货币关系随之扩大,客观上有利于伊朗商品经济的发展。

---

① John Foran, *op. cit.*, p.125.
② John Foran, *op. cit.*, p.118.
③ *Op. cit.*, p.118.

与传统经济秩序崩溃相并行的是伊朗的社会结构也发生了剧烈的裂变。伊朗社会的裂变也源于西方的冲击，它导致了新旧经济成分的消长，进而导致新旧社会势力的消长，而外部矛盾的激化又促使伊朗社会内部的聚合成为可能。伊朗的传统社会阶层诸如地主、农民、工匠、商人、贵族依然构成伊朗人口的主体部分，知识分子、资产阶级和产业工人作为新兴的社会群体开始登上历史舞台。

　　商人是伊朗经济的中坚力量，也是恺加时代伊朗城市中最具势力的社会阶层，他们不仅经营货物贩运，而且在金融信贷领域占有举足轻重的地位，更有许多商人购置地产，投资工业。西方的冲击对于伊朗的城市社会产生了深刻的影响，加剧了商人内部的贫富分化。中间商人兴起，少数大商人与西方资本广泛合作，进而在流通领域独占鳌头，家产万贯。至于中小商人，无力与西方商人竞争，在流通领域的地位每况愈下。"许多商人投资乡村，购置田产，进而成为新兴地主阶层的重要来源"。① 新兴的地主阶层不仅占据大量地产，而且在乡村拥有广泛的权力，是恺加王朝后期伊朗社会中最具影响的政治群体。巴扎是传统伊朗社会的商业中心、贸易中枢和宗教纽带，是传统工商业和城市阶层的载体，在伊朗经济生活中具有举足轻重的作用。伊朗的商人、手工业者、工匠、贸易商人等通过巴扎进行经济活动。传统中产阶级通过它来实现经济利益，并与教界关系紧密。"传统中产阶级作为经济实体而存在，还不是全国范围内的政治力量"。② 在伊朗卷入世界经济体系后，伊朗的手工业者和商人的物质利益受到严重的损害，国家对外国竞争的不设防，使他们的财产安全得不到必要的保护。国内的高额关税、外资银行以及外商特权的存在，使其权力得不到保障，引起了商人阶层普遍的不满，巴扎逐渐呈现出由分裂到整合的趋势。"1800 年，传统中产阶级分裂成地区范围内的小群体。1900 年时，巴扎就转变成为一个全国范围的政治力量"。③

---

① John Foran, *op. cit.*, p. 120.
② Ervand Abrahamian, *op. cit.*, p. 58.
③ *Op. cit.*, p. 58.

工匠的衰落与产业工人的新生是同时进行的。西方工业品的进口导致传统手工业作坊大规模的倒闭,工匠逐渐沦为手工工厂的雇佣工人。由于受到西方资本的剧烈的震荡,所以工匠要求"政府鼓励国内产业,保护他们不受俄国工业产品的竞争的影响"[1],促使纺织业行会成为日后的宪政运动中"最具革命性的社会团体"。[2] 西方资本家利用所取得的筑路权、铺设电话线路权、里海捕鱼权等特权,在伊朗投资设立工厂,促进了早期工人阶级的诞生。伊朗工人处境十分恶劣,工作日长达15、16个小时,工资相当于欧洲工人平均工资的1/10到1/15。20世纪初,每年有达15万到20万人的北部破产的农民和手工业者离乡背井,到俄国巴库、第比利斯等地做工。他们在布尔什维克领导下参加当地俄国工人的斗争,回国后传播革命思想,参加革命斗争,成为宪政运动的重要力量。但因其力量薄弱,政治上不成熟,而无法成为政治运动的主导力量。

欧拉玛是恺加时代伊朗城市中另一重要的社会群体,同社会各阶层的联系紧密。其上层包括颇具权势的穆智台希德,下层则由人数众多的毛拉组成。"穆智台希德作为神圣的教法的解释者和捍卫者,他们影响着伊朗人民的判断,指挥大众以反对敌对的政治派别。"[3]尽管上层欧拉玛已融入国家政治,但王权的核心地位,使教界的依附倾向明显。信仰的差异与西方的冲击,激发了教界的传统民族主义情绪,欧拉玛被革命浪潮推到领导者的地位上,愤起抵制帝国主义和国王,在反对出让烟草专卖权运动运动中扮演了重要的角色。而国王的专制和王权对教界经济利益的侵犯助长了教界对宪政主义的认同,使其加入宪政运动的队伍。

19世纪末,西方的冲击不仅影响到伊朗的经济与政治,也波及伊朗的意识形态领域。思想理论是新旧制度更替的中间环节,是政治革命的先导。

---

[1] Janet Afary, *The Iranian Constitutional Revolution, 1906—1911: Grassroots Democracy, Social Democracy, and the Origins of Feminism*, New York: Columbia University Press, 1996, p. 35.

[2] John Foran, *op. cit.*, p. 179.

[3] Mangol Bayat, *Iran's First Revolution: Shi'sm and the Constitutional Revolution of 1905—1909*, New York: Oxford University Press, 1991, p. 31.

西方思想的传入,正是源于变动的伊朗社会的客观需要。思想理论的产生与传播,指导革命者在政治革命中建立新的社会制度。现代教育为伊朗新兴的知识分子学习西方文化提供了条件,并将民主平等、自由主义等先进思想带入脆弱不堪的伊朗。新兴的知识分子不同于早先的王室贵族知识分子,他们脱胎于伊朗的传统社会,大都出自官僚、地主、商人、工匠和教界家庭,尽管来源各异,却无疑分享着共同或相近的思想倾向。他们青睐近代西方文化,尤其崇尚法国启蒙运动的政治理念。他们认为,历史既非神意的体现,亦非周而复始的王朝更替,而是人类进步的持续过程。人类历史的进步存在着三大障碍——君主独裁排斥着自由、平等和博爱的原则,宗教戒律束缚着理性和科学的思想,外族奴役桎梏着经济和社会的发展。所以伊朗的知识分子认为宪政主义、世俗主义、民族主义是建立现代的、强大的、发展的伊朗的三个至关重要的手段。[①] 伊朗只有摧毁君主独裁专制政体,消灭教界的保守影响,根除帝国主义的触角,才能彻底脱胎换骨。

与此同时,新兴知识分子的现代政治组织在各地逐渐萌生。在大不里士,12个激进的青年商人和知识分子组成"秘密中心",旨在宣传西方文化。在巴库,"社会民主党"积极争取结社和罢工的权利、八小时工作日、养老年金、土地改革、改善住房、免费教育、言论自由和出版自由。德黑兰的"人性协会"崇尚圣西门和孔德的政治哲学,强调自由、平等和进步的思想。德黑兰的"革命委员会"是当时最激进的政治组织,主张推翻独裁统治和实现法制,广泛宣传宪政思想。"秘密协会"不同于"秘密中心"、"社会民主党"、"人性协会"和"革命委员会",其成员大都来自传统手工业者和巴扎商人,与教界保持密切联系,思想纲领颇具温和倾向。宪政运动前夕,新兴知识分子为宪政运动提供了思想理论基础,并为政治革命做好了充分的准备。在巴扎商人有力的经济支持与教界的加入,各阶级走上了联合对抗国家的道路。而此时国家内部的社会矛盾因反烟草专卖运动和国王的改革而激化,加速了恺加王朝灭亡的脚步。

---

① Ervand Abrahamian, *op. cit.*, pp. 61—62.

1890年,纳绥尔丁国王将伊朗烟草的垄断经营权出让给英国人塔尔伯特的"波斯帝国烟草公司",为期50年。塔尔伯特向纳绥尔丁国王个人支付2.5万英镑,并以每年可获得1.5万英镑和公司25%的利润作为条件,换取伊朗全国烟草的买卖、生产和出口特权的出让。① 根据相关资料,1890年伊朗国内消费的烟草高达400万公斤,出口烟草540万公斤,1891年伊朗烟草总产量约为34万英镑。② "当时伊朗从事烟草业的人数超过20万人,且全国约有250多万的烟草消费人口",③"烟草专卖权的出让,使英国商人可以从种植者手中低价收购烟草,在高价卖出谋取高额利润,而丰厚的利润全部归英国所有。波斯商人没有出口烟草的权利,而迫使其破产"。④ 这一专卖权的出让严重损害了伊朗烟草商人和烟农的利益,也引起了伊朗社会大众的强烈不满。1891年4月,主要的烟草市场设拉子的商人关闭巴扎,举行抗议活动,反对出让烟草专卖权。设拉子商人的抗议活动很快波及伊朗全国,德黑兰、大不里士、伊斯法罕、马什哈德、加兹温、叶兹德和克尔曼沙赫纷纷响应。教界发布法特瓦,禁止穆斯林消费烟草,并迅速发展成全国性的抵制烟草消费运动。纳绥尔丁迫于各界的强大压力,于1892年向不列颠银行借款50万英镑赔偿塔尔伯特,收回烟草专卖权的出让。

1890—1892年的反对出让烟草专卖权运动,是第一次针对国王和帝国主义的全国性民众运动,具有明显的民族主义倾向和浓厚的伊斯兰教色彩。此次民众运动发生于伊朗各地的诸多城市,巴扎商人和手工工匠以及新兴知识分子的广泛介入,体现了伊朗历史上规模空前的政治联合。什叶派欧拉玛无疑是此次民众运动的领导者和中坚力量,清真寺提供了民众聚集和抗议的主要场所,宗教宣传则是鼓动民众的有力形式,而抵制异教势力和保卫穆斯林家园构成此次民众运动的核心内容。当然,反对出让烟草专卖权

---

① Mehran Kamrava, *The Political History of Modern Iran: From Tribalism to Theocracy*, Westport: Praeger Publishers, 1992, p.26.
② John Foran, *op. cit.*, p.163.
③ Mohsen M. Milani, *The Making of Iran's Islamic Revolution: From Monarchy to Islamic Republic*, Boulder: Westview Press, 1994, p.27.
④ Ervand Abrahamian, *op. cit.*, p.73.

的民众运动作为伊朗历史上最初的现代政治运动,远未达到成熟的水平。"反烟草专卖运动充分表明国王的决策是可以被颠覆的。但这只是针对一个专卖权的胜利,它丝毫未降低英俄的日益扩大的影响,也未动摇国王的专制统治基础"。[1] 教俗各界民众的广泛联合缺乏必要的稳定性,具有明显的脆弱倾向,直至最终分道扬镳。

1896年穆扎法尔丁国王即位后,提高对本国的商人的税收,取消包税制,取而代之的是高额土地税;削减宫廷年金和教界开支,并加强对瓦克夫的控制;对外国企业开放,同时向西方国家大举借贷,并继续出卖各种专卖权。在此之前,伊朗已是国力衰弱,财政危机重重,国内货币贬值、通货膨胀,人民生活困苦。国王的改革无疑是加剧了矛盾,进一步激化了教俗与王权的矛盾,革命的气息笼罩在伊朗的上空。民族主义和民主主义的共同目标,促使伊朗诸多的社会群体开始打破传统的狭隘界限,初步形成广泛的政治联合,预示着伊朗作为现代民族国家的整合与新生,社会革命始露端倪。

二

20世纪初,伊朗经济处于崩溃边缘,财政赤字和外债加重了伊朗经济负担。为了增加岁入,穆扎法尔丁国王任用纳乌斯为海关总监,实行提高进出口税加强对瓦克夫的控制的改革,引起了商人和教界的不满,造成了城市的动荡不安。由于农业连续歉收,全国群众性反抗浪潮愈来愈高涨。1903—1904年在德黑兰、大不里士等全国主要城市都发生了"饥饿暴动",暴动的群众捣毁米店、肉铺和仓库,反对提高食品税和出卖民族利益的关税协定。1905年俄国革命爆发,伊朗素与俄国有大量的贸易往来,造成伊朗经济的进一步恶化和严重的通货膨胀,基本生活必需品如糖价上涨33%,粮价上涨90%,引发了伊朗新的经济危机。伊朗国内日益加剧的社会矛盾,使民众反抗成为不可遏制的政治潮流。

---

[1] Mohsen M. Milani, *op. cit.*, p. 27.

1905—1906年间共发生3次大规模的罢工和抗议活动。1905年4月，200多名德黑兰的商人关闭店铺，向政府请愿，要求偿还借贷，罢免海关总监纳乌斯。他们聚集在阿卜杜勒·阿兹姆清真寺进行抗议。商人们认为，"政府必须改变现行的政策，不再帮助俄国人而牺牲伊朗人的利益。政府必须保护我们的利益，尽管我们的产品或许不及外国的产品。现行的政策如果继续下去，将给我们的整个经济带来毁灭性的后果"。① 最后，穆扎法尔丁国王允诺了请愿者的要求，但并未付诸实施。1905年12月，因日俄战争致使资源紧缺，政府强行降低糖价，遭到德黑兰商人们的拒绝。两名糖业商人因此而遭到迫害，导致巴扎关闭，社会经济活动陷于停顿。商人被迫害事件成为宪政运动的导火索，2000多名欧拉玛、学生、商人再次聚集在阿卜杜勒·阿兹姆清真寺以示抗议。他们要求罢免德黑兰市长、解雇纳乌斯、实行沙里亚法、建立公正的会议。此次请愿得到了教界人士的广泛支持，教界上层塔巴塔巴仪和贝赫贝哈尼及其追随者组织了商人、小店主、商业行会和欧拉玛进行抗议。穆扎法尔丁国王仍然对此未做出任何回应。1906年夏，政府试图迫害一名著名的反政府教界人士的事件，激化了所有的矛盾，宪政运动达到高潮。民众提出了建立议会和制定宪法的政治要求。面对政府的暴行，塔巴塔巴仪和贝赫贝哈尼率领1000多名欧拉玛聚集在圣城库姆，商人与工匠、部分欧拉玛、学生占领了德黑兰的英国使馆，再次提出了制定宪法、建立议会的政治要求，并提出了立宪敕令："我们要建立一个由恺加王公、欧拉玛、贵族、名人、地主、行会人员组成的议会，它将负责审议和调查关系国家和民众利益的所有重要事件。"② 穆扎法尔丁国王慑于人民的声势，于1906年8月5日同意成立立宪会议，负责制定伊朗宪法。

　　虽然宪政运动取得了初步的胜利，但是宪法的斗争仍在继续。1906年10月，第一届立宪会议召开。根据选举法规定，"议会候选人由恺加王公、欧拉玛和神学院的学生、贵族和名人、商人、地主、行会成员六大阶层

---

　　① Ervand Abrahamian, *op. cit.*, p. 81.
　　② Said Amir Arjomand, *The Turban for the Crown: The Islamic Revolution in Iran*, New York: Oxford University Press, 1988, p. 37.

组成。共有 156 个议员席位,德黑兰拥有 60 个席位,其他外省拥有 96 个席位。即使阿塞拜疆人口众多,但也只拥有 12 个席位。在德黑兰的 60 个席位中,恺加王公占 4 个席位,教职人员占 4 个,地主占 10 个席位,大商人占 10 个席位,贵族和行会成员占 32 个"。① 另外,选举法还对议员候选人的年龄、性别、语言、财产都做出了明确的规定。选举人应是年龄不低于 25 岁的伊朗男性公民,要有一定的读写波斯语的能力。在财产数量方面,地主和土地小所有者至少要拥有 1000 土曼的财产;商人要有实业;行会成员要隶属于一个被认可的行会并且拥有一家每年缴纳一定的租金的店铺。② 这些规定的目的就是将选民进行阶层划分,有效地将妇女、农民和下层民众排斥在立宪会议之外。选区是在空间上的对议员的控制,部落势力没有被纳入立宪会议之中。而语言则是歧视其他民族的表现,更是落后的。据资料显示,"议会中 26% 的代表为资深行会人员,20% 为教界人员,15% 为商人",③但这些数据还不足以说明议会成员的意识形态的向背。立宪会议成员分为保皇派、温和派与自由派。保皇派是国民议会中的少数派,主要来自王公贵族和地主阶层。温和派是国民议会中的多数派,大商人穆罕默德·阿里·沙尔福鲁什和爱敏·扎尔布是温和派的领袖人物;教界上层塔巴塔巴仪和贝赫贝哈尼尽管并未加入国民议会,却是温和派的有力支持者。

立宪会议起草的《基本法》规定,国民议会拥有广泛的政治权力,是"全体人民的代表",是颁布法律、通过预算和批准外交条约的最高机构。国民议会每两年召开一次,其成员未经国民议会批准不得被他人拘捕。国民议会分为上下两院,其中上院成员的半数由国王任命,下院有权否定上院的决议。基本法经国民议会讨论通过,于 1906 年 12 月 30 日由穆扎法尔丁签署生效。基本法的签署意味着伊朗在由君主专制国家向立宪君主制过渡,这是民主势力和专制势力相互妥协的产物,预示着王权与宪政主义对立的开

---

① Ervand Abrahamian, op. cit., pp. 86—87.
② Janet Afary, op. cit., p. 64.
③ Ervand Abrahamian, op. cit., p. 87.

始。1907年10月,国民议会以比利时宪法作为蓝本,通过《基本法》"补充条款",旨在扩大国民议会的立法权限和限制恺加王朝的君主权限,强调主权在民的原则,规定全体公民在法律面前享有平等的权利,保护公民的生命和财产权利,赋予公民言论自由和结社自由,实行立法权与行政权的分离,首相和内阁成员由国民议会任免,军费和宫廷支出由国民议会批准,王室成员不得出任内阁职务,内阁成员只对国民议会负责。与比利时宪法相比,《基本法》"补充条款"具有浓厚的宗教色彩,包括承认宗教的地位和教界的作用,采用世俗与宗教二元并立的法律体系,什叶派的十二伊玛目学说依然是伊朗官方的宗教信仰,只有穆斯林才能出任内阁职务,由至少5名穆智台希德组成的"最高委员会"负责审查提交国民议会的各项法案是否符合沙里亚的原则。"补充条款"的颁布是世俗宪政主义者与教界相互妥协和政治联合的结果。教界监护权的行使增加了教界的政治砝码,从而将教界势力吸收到立宪政府中来。

毫无疑问地,《基本法》限制了王权与教界的权力,而立宪政府实行的经济改革损害了教界的利益,最终导致了教俗势力由联合逐渐走向分裂。教俗宪政主义者都是怀着不同的目的而参加宪政运动,世俗宪政主义者追求的是利益的保障和财产的安全,以及废除专制统治势力;而教界则是要求提高政治权力和地位。但是《基本法》中引进新的世俗法律和司法法典无疑削弱了教界的权力。教界人士的"最初设想是将世俗法律与宗教法律(沙里亚)的传统分歧继续存在于新秩序中。他们希望议会规范社会的经济和政治,而私人和宗教法律仍控制在宗教权威手中。但在现代社会要求下,新的公民权利必然要削弱国王、大臣和欧拉玛的权威。要求土地改革、妇女教育权、法律平等权使得世俗法律与宗教法律的分歧不可能继续存在"。[1] 宪政运动胜利后,国民议会和立宪政府致力于诸多领域的改革,主要涉及财政改革、军事改革和司法改革。在国民议会中占主导地位的自由派主张实行颇具激进倾向的改革举措,其改革主要集中在经济方面,极大地触动了教界的

———

[1] Janet Afary, *op. cit.*, p.70.

物质利益。自由派主张削减王室开支,降低王室年俸;废除了包税制和封邑制。选举改革方面,要求降低财产规定,重新分配行省的议会席位,并为宗教少数派代表提供席位。欧拉玛不能插手政治,实行政教分离。① 自由派的极端改革倾向最终导致了政治力量的重新组合。废除了包税制后,教界的经济利益受到冲击,更加深了教俗宪政主义者之间的矛盾。世俗宪政派在议会中达到了最初的目标,实现了保护财产安全等基本公民权,要求结束政府的对外借贷的权力得到议会的批准,同时也削弱了地方政府官员的权力。② 虽然在"补充条款"中对教界的权利有所扩大,但是世俗宪政主义者的政治与经济地位都处于上升状态,与之形成鲜明对比,一些教界人士开始远离宪政主义政府。

教界内部也出现了分裂的趋势,出现了以阿亚图拉法兹拉赫·努里为代表的反对宪政主义的教界保守派。努里认为宪法和议会是对"对传统习俗的抛弃,非法篡改沙里亚法。教法是 1300 多年前的遗产,现在却被认为是不适应现代的发展,这是对穆斯林的嘲笑和对欧拉玛的无礼;民众与宗教人士的平等权利、堕落的思想的广泛传播以及出版业的自由发展是对'我们的教法的对抗'。议会制成为传统伊斯兰主义的威胁"。③ 努里的教法高于宪法的政治倾向表露无遗,他的理论引起了教界的广泛关注,也深得阿里国王的赏识。而阿里国王的反议会行径正是将政治的反动与努里的传统宗教理论相结合的证明。

国王与立宪会议的对立开始于 1907 年 1 月 19 日穆罕默德·阿里国王的即位,此时恺加王朝的专制统治达到顶点。阿里国王为了保证其独裁王权,开始勾结俄国以及社会上各种势力,极力抵制宪法,还利用了教界的分裂与教俗宪政派的分裂,打着保护传统伊斯兰主义的旗号,背叛了宪政运动。在阿里国王两年的执政期间,发动了两次大规模的镇压议会政变。此后,尽管阿里国王被废黜,但他仍妄图以武力再次夺取王权。1907 年 12

---

① Ervand Abrahamian, *op. cit.*, pp. 92—93.
② Janet Afary, *op. cit.*, pp. 71—72.
③ Said Amir Arjomand, *op. cit.*, p. 51.

月,国王凭借沙俄支持,调集哥萨克旅捣毁议会,旋即被全国强大的护宪运动所击败,被迫再次宣誓信守宪法。

阿里国王第二次反动政变发生于1908年6月23日,这次王权取得了暂时胜利,也是国王"最后的专制"。政变之前,阿里国王躲避在德黑兰市郊的英国使馆内,并颁布了《军事法》,该法案在哥萨克旅的高压下施行。6月23日,国王出尔反尔,命令哥萨克旅攻占议会大厦,致使一批民族主义者和议会成员牺牲,并将一些宪政主义者囚禁、杀戮,余下的宪政主义者被迫向大不里士疏散,阿里国王进而禁止自由集会,钳制新闻、言论自由等。政变结束后,阿里国王解散议会,在德黑兰实行军事管制,直至1909年7月穆罕默德·阿里国王被废黜。尽管宪政运动遭受到挫折,但国民议会的支持者在诸多省区举兵反叛恺加王朝,大不里士、拉什特、伊斯法罕、布什尔、班达尔·阿拔斯、马什哈德成为宪政运动的重要中心。1909年7月13日,国民议会的支持者占领德黑兰,穆罕默德·阿里逃入俄国使馆避难。来自各个阶层的500名代表在德黑兰召开大议会,宣布废黜穆罕默德·阿里,其子艾哈麦德即位,新的内阁由宪政运动的支持者组成,来自拉什特的地主萨帕赫达尔出任首相。大议会通过新的选举法,规定选民的财产资格由1000土曼改为250土曼,废除阶级和行业代表制,德黑兰代表在国民议会中的席位由60个下降为15个,外省代表的席位由96个增至101个,犹太人和琐罗亚斯德教徒在国民议会中各有1个席位,基督徒在国民议会中占有2个席位。1909年8月5日,第二届国民议会召开,新的宪法最终获得通过。

此后,第二届国民议会成为伊朗政坛的主要力量,但由于国民议会内部的分裂与国内外反对势力的镇压,致使其政治生命极为短暂。护宪运动胜利后,国民议会宣布取缔群众政治组织,封闭进步报刊。尤其严重的是幻想依靠美国抵制英俄,聘请美国的摩根·舒斯特为财政总监。1910年底,伊朗政府向美国聘请财政顾问,改组伊朗财政制度,美国于次年1月派出摩根·舒斯特等5人作为顾问到达伊朗。伊朗拱手奉送了财政大权。1910年开始,国民议会迅速分裂成两个对立的党派,即民主党、温和党,现代政党政治也随之产生。民主党由27名改革者成立,温和党则由53名保守党人组成。民主党是现代知识分子的代言人,而温和党人则是代表贵族阶层和传统中产阶级。两党在议会中针锋相对,形成了尖锐的矛盾。民主党的政治纲领具有激进的改革倾向,"欧洲已经完成了从封建主义向资本主义的过渡,并且现在威胁到亚洲国家的政治的独立和陈旧的社会结构。'20 世纪的东方相当于 17 世纪的西方——由封建主义向资本主义的过渡的阶段'。正在衰落的伊朗封建主义,已无力再捍卫国家的独立地位和推动社会改革。民主党是先进的社会力量,必须通过抵抗外国资本主义和地方封建主义来领导国家'进入到人类进步的行列中'。主张将选举权扩大到所有男性成年公民。采取自由和直接选举。强调所有公民的平等,不论宗教和出身。政治与宗教分离。国家控制公用的宗教基金。全民自由教育,特别是妇女。所有男性公民实行两年义务兵役制。废除不平等条约。工业化。直接和进步的税收。限制每天 10 小时工作制。取缔童工。分配土地给耕种者"。[①] 温和党极力反对民主党的改革,其政治纲领具有明显的神权倾向。"加强立宪君主制;召开上议院;保卫宗教——'抵抗压迫和不公正的最好屏障';保护家庭生命、私有财产和基础权利;通过宗教教育在大众中灌输'合作态度';为中产阶级提供经济帮助;执行沙里亚法;保卫社会不受无政府主义者的'恐怖主义'和民主党的'无神论',以及马克思主义者的'唯物主义'的袭击"。[②] 两党的斗争焦点集中在世俗化改革和首相人选问题上。民主党与温和党之间的对立逐渐从国民议会延伸到德黑兰的街头巷尾,立宪政府处于瘫痪状态。在德黑兰以外的诸多省区,地方势力各自为政,尤其是部落之间相互攻杀,生灵涂炭。国民议会的建立和立宪政府的统治,不仅未能改善日趋恶化的社会形势,而且明显加剧了政治动荡,使伊朗民众陷于饱受战乱的境地。

穆罕默德·阿里不甘心在宪政运动中失去权力,依靠沙皇俄国的帮助于 1911 年 7 月攻占德黑兰,但被革命部队和政府军击溃。此时,英国和俄

[①] Ervand Abrahamian, op. cit., p. 103.

[②] Op. cit., p. 106.

国又分别派军队侵入伊朗南部和北部,镇压革命力量。伊朗反动派借此机会在德黑兰发动政变,利用革命队伍内部的分裂,于1911年12月派兵占领议会大厦,解散议会,恢复了君主专制统治,最终残酷地镇压了宪政运动。

三

民主与专制的较量,构成了20世纪伊朗政治现代化进程中政治领域的核心内容。1905—1911年的宪政运动揭开了民主势力反抗专制统治的序幕,实现了伊朗社会的政治对抗由传统模式向现代模式的转变,标志着伊朗政治现代化进程的启动。在西方世界的影响下,延续了两千多年的伊朗封建君主专制制度已日薄西山。传统经济秩序濒临崩溃瓦解与新旧社会势力的消长,为政治对抗奠定了物质基础。西方思想的传入,使新兴知识分子阶层将西方的立宪君主制视为一条拯救之路,为1905—1911年的宪政运动埋下了革命的种子。宪政运动作为现代模式的政治运动,其爆发的深层原因无疑是现代化进程中社会的裂变和新旧秩序的尖锐对立。其核心内容在于争取民族的尊严和国家的独立,强调限制君主权力和扩大民众的政治参与,进而改造伊朗传统的社会秩序,具有明显的革命倾向。

宪政运动中,巴扎与教界的联合构成了宪政运动的社会基础。商人和工匠、教职人员和知识分子、穆斯林和非穆斯林、波斯人和非波斯人、逊尼派和什叶派、德黑兰人和外省民众纷纷加入宪政运动的行列;巴扎商人显然是宪政运动的发起者,手工工匠和城市贫民无疑构成宪政运动的基本力量,教界上层和新兴知识界在宪政运动中具有举足轻重的政治影响。由于传统农业依然占据伊朗经济的主导地位,封建土地所有制广泛存在,工业化进程步履维艰,新兴资产阶级羽翼未丰,尚不足以与传统势力角逐政坛和分庭抗礼,而使其无法成为宪政运动的领导力量。巴扎、行会和清真寺是宪政运动的重要据点。恺加王朝的独裁专制无疑是宪政运动期间伊朗诸多社会群体的众矢之的,反对恺加王朝独裁专制的共同目标则是伊朗诸多社会群体实现广泛政治联合的沃土。宪政运动主要表现为城市范围的政治运动,尚未波及乡村社会。由于农民受控于地主，仍受封建生产关系制约，所以乡村民众尚未介入宪政运动，处于国家政治的边缘领域。部落势力仍依附于王权，所以其表现出反动的倾向。农民与部落势力未介入宪政运动充分说明了民众尚未觉醒。

宪政运动将议会和宪法首次引入伊朗政治舞台，1906年宪法的求真务实为其打上了深刻的时代烙印。教俗宪政主义者通过建立议会、制定宪法实现了政治权力的分享与利益的分配。宪法赋予民众以选举的权利，对于国王的权力加以相应的限制，规定了自由和平等的政治原则，进而揭开了伊朗政治现代化的序幕。但世俗宪政主义者盲目地照搬西方宪政制度，而未考虑到民主是民众自身的觉醒，实现真正的民主，民主就要深深植根于人民内心。另外，西方宪政制度源于资产阶级的崛起和资本主义的发展，伊朗社会的情况与之不同，加之此时的民主政治缺乏必要的经济社会基础，尚属无源之水，徒具形式。另一方面，宪政运动具有什叶派伊斯兰教的浓厚色彩，体现了伊朗历史传统的延续和教界广泛的政治影响。宪法赋予沙里亚以神圣的地位，议会的立法权局限于世俗的范围。宪法的制定和国民议会的席位分配，集中体现了宪政运动的多元社会构成及其相互之间的妥协倾向。由于时代的局限，1906年宪法存在问题也是必然的。宪法未赋予无产者及妇女以政治权利，未涉及封建土地制度问题。但它毕竟触动了伊朗几千年来极端专制的封建制度，争取了国家的主权和人民的民主权利，限制和约束了国王的权力，对王权的传统权威造成巨大的冲击，对封建政治制度进行了初步改革。因而，具有开创新时代的进步意义。然而，立宪政府的改革举措是导致内部的分裂与诸多政治群体的重新组合的重要原因。教俗宪政主义者与教界保守势力、传统专制势力的矛盾激化，造成立宪政府的政治统治基础不牢固，使立宪政府的统治十分困难，阻碍了伊朗的政治现代进程。在革命条件不成熟的情况下，立宪政府的改革意识超前与当时的社会情况不符，使其无法结束国内的动荡不安，但其在财政、司法、法制方面的改革还是具有一定的积极意义。最后，传统势力的抵抗和外国的干涉挑战着立宪政府的统治地位，传统势力的根深蒂固和新旧力量的悬殊对比，从根本上决定了立宪政府的历史结局。然而,宪政运动毕竟开辟了伊朗现代政治革命的先河,预示了伊朗历史发展的崭新方向,是伊朗现代化进程中的重要里程碑。

宪政运动作为现代政治革命早期阶段最初的尝试,绘制了伊朗现代化的蓝图。但是,宪政运动并没有使伊朗成为强大的现代国家;相反,伊朗在宪政运动以后出现政局动荡的局面,国内诸多政治势力激烈角逐,部落叛乱、外敌入侵。礼萨·汗的出现结束了这种混乱状态,通过铁腕政策实现了个人的独裁统治,而其实行的现代化改革则是在经济层面对宪政运动的延续。尽管他抛弃了民主的政治形式取而代之的是独裁专制,但是它达到了对政治整合、国家整合的目的。因而,恺加王朝被巴列维王朝取代是历史的进步。

* * *

综上所述,进入 20 世纪,伊朗开始了在殖民主义影响下的现代化进程,1905—1911 年的宪政运动是伊朗在现代化进程中所面临的第一次重要抉择。19 世纪末 20 世纪初,伊朗政治制度的不合理与经济的落后已不再适应社会的发展要求,从而导致社会裂变的发生。伊朗传统经济的萎缩,使宪政运动不与传统经济相连,因此具有现代政治模式色彩,伊朗的政治现代化进程由此启动。剧烈的社会裂变导致社会结构的裂变和秩序的混乱,经济的变动是社会结构变动的基础,社会的动荡则是新旧势力的较量。而政治革命是联结社会裂变与社会整合的中间环节。政治现代化的核心内容是主权在民与宪法至上。1906 年伊朗宪法体现了民主势力与专制势力的并存、互动与对抗。由于实现民族独立和民众广泛政治参与的客观条件尚不成熟,此次革命未能从根本上触动封建主义的经济基础和传统的社会秩序,议会和宪法并没有带来民主政治的新时代。宪政运动虽然被镇压了,但它却唤醒了民众,打击了封建统治集团,撼动了封建专制的统治,无疑开创了伊朗政治现代化的先河。

沙特王国现代化进程中的民间政治反对派
Nongovernmental Political Oppositions in the Modernization of the Kingdom of Saudi Arabia

吴　彦（南开大学历史学院）

摘要：石油时代沙特王国经济社会现代化的发展以及沙特政权的传统政治统治模式，导致民间政治反对派成为推动王国政治民主化发展的重要力量。沙特王国民间政治反对派经历了从民族主义到现代伊斯兰主义的发展趋势。民族主义运动由于其人口构成和世俗主义的历史局限性，反映了特定时代特定社会群体的政治诉求。伊斯兰原教旨主义的出现，特别是现代伊斯兰主义的深入发展，标志着沙特王国民间政治反对派成为政治现代化的中坚力量。由沙特家族领导的自上而下的经济社会现代化改革和由民间政治反对派发动的自下而上的政治民主化运动的结合，是沙特王国现代化发展的历史模式。

关键词：沙特王国； 现代化； 民间政治反对派； 现代伊斯兰主义

Abstract: The modernization of economy and society of the Kingdom of Saudi Arabia in the Oil Era, and traditional political dominant mode of its regime, made the nongovernmental political oppositions an important force in the development of political democratization of the Kingdom. The nongovernmental political oppositions in the Kingdom of Saudi Arabia passed the stages from nationalism to modern Islamism. Due to its historical limitation in membership and secularization, the movement of nationalism reflected the political demands of certain social groups in certain time.

The emergence of Islam fundamentalism, especially the deep development of modern Islamism, demonstrated that the nongovernmental political oppositions in the Kingdom of Saudi Arabia had become the nucleus power in the political modernization. The combination of economic and social reforms led by Saud House with the movement of political democratization launched by the nongovernmental political oppositions is the historical mode of modernization of the Kingdom of Saudi Arabia.

Keywords: The Kingdom of Saudi Arabia; Modernization; Nongovernmental Political Opposition; Modern Islamism

伴随着石油的发现和商业性开采,二战以后沙特阿拉伯王国开始从传统社会向现代社会过渡。石油经济为沙特王国现代化的发展提供了必要的物质条件,沙特王国的民间政治反对派也在王国的现代化进程中逐步发展壮大。如何看待民间政治反对派与沙特王国现代化的关系,如何评价沙特王国民间政治反对派及其活动,目前尚无令人满意的结论。许多研究者认为,沙特王国现代化进程中的民间政治反对派,特别是民间宗教政治反对派都是阻碍现代化发展的极端的、保守的组织。本文试图结合二战以来沙特王国现代化发展的宏观背景,分析沙特王国民间政治反对派的发展趋势,探讨民间政治反对派与经济社会现代化之间的内在联系,并对现代伊斯兰主义的社会性质提出一些不成熟的看法。

一

战后沙特王国的石油工业迅速发展,石油产量急剧攀升,财政收入稳步增长。石油收入为沙特王国经济和社会的现代化提供了基本的物质保障,石油经济导致的自然经济的衰退和市场经济的发端标志着沙特王国现代化进程的启动。沙特王国源源不断的石油收入和现代工业经济的发展导致沙特社会出现了明显的两极分化。一方面,沙特王室对王国财政收入的垄断,使沙特家族及其同盟谢赫家族将巨额的石油收入据为己有,迅速成为沙特社会最富有的阶层;另一方面,石油经济的繁荣给统治阶层带来巨额财富的同时,包括阿美石油公司雇佣的什叶派石油工人和外籍劳工在内的社会下层民众却依然在贫困线上挣扎。同时,不具有王族和贵族背景的沙特中产阶级随着国家的现代化发展也开始处于萌芽状态。战后沙特王国经济结构和社会结构开始发生的巨大变革导致工人阶级和中产阶级两个社会阶层的产生。不同社会阶层之间的利益激烈碰撞,国内社会矛盾日益尖锐。沙特王国现代化进程初期有5个群体成为民间政治反对派的社会基础,它们分别是什叶派和阿美石油公司劳工、希贾兹城市中的中等阶层、纳季德北部和东方省的某些部落民和定居民、阿西尔的一些部落,以及沙特军队中接受过国外训练的同埃及或其他阿拉伯国家军人联系密切的军官。

处于沙特社会最底层的是阿美石油公司雇佣的石油工人,他们与美国管理和技术人员生存环境的巨大悬殊使他们产生了强烈的不满情绪。阿美石油公司的裁员行动,以及不断上涨的生活花费,给东方省的石油工人带来了巨大的痛苦。1953年6月末,沙特王国有史以来第一个工人组织"工人委员会"向阿美石油公司管理部门和沙特政府递交了一份请愿书,要求增加石油工人的薪水,改善工人的工作条件和设备,以及批准工人成立工会的权利。[1] 1953年10月,王储沙特在东方省考察时,约13000名什叶派石油工人举行示威运动,抗议他们的贫困待遇,进而导致阿美公司石油工人的第一次总罢工。[2] 第一次石油工人总罢工的主要目的是争取改善石油工人的工作和生活条件,同时也蕴涵着仇视和反对美国石油垄断资本主义殖民剥削的民族主义倾向。"工人委员会"的诞生标志着石油工人登上沙特王国的政治舞台,成为政府不可忽视的民众政治力量。沙特继任国王之后,为了缓解国内矛盾,巩固他的权力和统治,立即颁布一项王室法令,承诺给阿美石油

---

[1] Mordechai Abir, *Saudi Arabia: Government, Society, and the Gulf Crisis*, London, New York: Routledge, 1993, p. 33.

[2] Joseph A. Kechichian, *Succession in Saudi Arabia*, New York: Palgrave, 2001, p. 98.

公司工人增加20%的工资,并且答应了石油工人的部分经济性要求。[1] 然而沙特王室致力于维护其自身的根本利益和维持与美国的特殊关系,与阿美石油公司联手严密防范工人罢工。阿美石油公司联合沙特政府迫害对他们有威胁的石油工人,二者的联合导致1955年希贾兹和东方省骚乱的扩大,而且民间政治反对派在反对美国和西方的同时也将反对的目标朝向了沙特政权。1956年国王沙特访问达兰美国空军基地时,"民族主义者和共产主义者"组织了一次示威运动,要求不再延续6月到期的美国使用达兰空军基地的协定以及将阿美石油公司收归沙特民族所有。沙特政府断然否决了示威运动的正义要求,并大肆搜捕和迫害示威运动参与者。在这种形势下,阿美公司石油工人于7月17日发动第二次总罢工。这是一次政治性的罢工,其反对的目标是西方殖民主义和沙特政权。它要求颁布宪法,允许政党和民众团体的合法存在和活动,承认工人成立工会的合法权利,取消禁止罢工和示威运动的王室法令,收回达兰空军基地,制止阿美石油公司干预国家内政,释放被捕工人等。这次罢工运动被沙特军警迅速镇压,沙特政权颁布新的王室法令,严格禁止各种形式的罢工和示威运动,石油工人的政治性要求完全被沙特政权否决。[2] 50年代的两次声势浩大的石油工人总罢工揭开了沙特王国现代化进程中反政府活动的序幕。接下来的20年中,阿美石油公司在一定程度上成为沙特王国民间反对派从事反政府和反美活动的中心之一。

50年代沙特王国民间政治反对派的另一种活动形式是组建秘密的反政府组织。希贾兹的自治地位被取消后,希贾兹的知识分子希望改变纳季德支配政权的现状,或者至少是分享国家的政治权力。50年代希贾兹地区中等阶层知识分子控制了许多具有民族主义倾向的报纸和杂志,还成立了许多秘密的民族主义组织,其中最重要的是"自由沙特人"。希贾兹中等阶层领导的反对派要求建立一个宪政主义的议会制政权和加速王国现代化的

---

[1] Mordechai Abir, *Saudi Arabia in the Oil Era: Regime and Elites: Conflict and Collaboration*, London: Croom Helm, 1988, p.73.

[2] Mordechai Abir, *Saudi Arabia: Government, Society, and the Gulf Crisis*, p.37.

步伐。然而,尽管希贾兹反对派拥有许多支持者,但其成员仅限于为数不多的希贾兹城市中等阶层知识分子,它们对王国的影响十分有限。50年代王国其他地区也陆续建立了许多民间政治反政府派别和组织。1953年底,一个激进的反政府组织"民族改革阵线"成立,它的创始人是第一次石油工人总罢工的领导人和一小部分纳季德知识分子,其成员还包括一些受过教育的沙特军人和希贾兹人。"民族改革阵线"具有社会主义和世俗主义的倾向,它要求进行社会和政治的改革,要求废除沙特王国官方宗教机构"公共道德委员会"。1954年和1955年,"民族改革阵线"加强了在阿美石油公司劳工中和军队中的活动,随后沙特政府宣布取缔"民族改革阵线",其领导人陆续被捕入狱,一些领导人被迫逃往国外。尽管深受沙特当局的迫害,"民族改革阵线"仍在沙特国内外秘密地开展活动,并于1957年更名为"民族解放阵线"。它植根于沙特王国的石油工人、武装部队和纳季德人之中,其激进倾向对沙特政权威胁很大,是沙特安全部门的主要攻击目标。[1] 60年代沙特"民族解放阵线"的"左倾"色彩更加强烈,在意识形态方面与马克思主义的"南也门民族解放阵线"和"巴勒斯坦解放阵线"相近。沙特"民族解放阵线"的主流是阿拉伯民族主义者和左翼分子,它经历了无数次的分裂和重组,70年代分裂成"沙特共产党"和其他一些较小的左翼组织。另一个非常重要的民间政治反对派是"阿拉伯半岛之子联盟",它是一个泛阿拉伯主义组织,由"工人委员会"的成员纳斯尔·赛义德于1958年在大马士革建立。后来赛义德移居开罗,通过无线电广播和宣传手册号召沙特民众推翻沙特家族的政权。1961年之后"阿拉伯半岛之子联盟"改称"阿拉伯半岛人民联盟",60年代它宣称对多起破坏活动负责。"阿拉伯半岛人民联盟"的支持者仅限于阿美石油公司劳工和杰贝勒·沙马尔人,但它对居住在沙特王国的也门人和其他外籍阿拉伯人有非常重要的影响。1958年"复兴党沙特支部"成立,其为数不多的支持者主要来自希贾兹和阿西尔的城市人口以及在

---

[1] Mordechai Abir, *Saudi Arabia in the Oil Era: Regime and Elites: Conflict and Collaboration*, p. 73.

国外留学的沙特学生。60年代还出现了"阿拉伯民族主义者"的分支"人民民主阵线"和"民族革命组织",它们在沙特王国的支持者很少,主要在沙特王国的外籍劳工中发展。① 后来,沙特的纳赛尔主义者和左翼组织还与叛逃到开罗的"自由亲王"共同组建了"阿拉伯民族解放阵线",以它的名义在埃及、叙利亚和也门的无线电广播中号召沙特人民推翻他们"腐败的"和"反动的"政权。1961年1月,国王沙特在视察东方省时,民族主义者又组织了一次示威运动。同年春天,王国的经济危机和不断增长的失业率激化了国内矛盾,民族主义者的骚乱遍及全国。1964年,左翼组织除了策划爆炸事件和在各省分发反政府的传单,还在哈萨及其石油工人中煽动叛乱,石油和矿产学院建立之后很快就成为另一个民间政治反对派活动的中心。1969年和1970年,在邻近国家民族主义反对派的影响下,沙特王国出现了新一轮的反政府活动。受到国外民族主义派别支持的沙特反对派组织策划了多起爆炸事件和推翻沙特政府的政变。这一时期其他的民间政治反对派还有规模较小的"自由纳季德人"、"劳工社会党"、"阿拉伯民族主义党"和"沙特民主党"。

　　战后中东阿拉伯国家普遍存在不满现状的民族主义军官发动对国家政权的严重挑战。50年代沙特王国的武装力量还处于萌芽状态,国家正规军缺乏威望,并且受到部落军队国民卫队的牵制和抗衡。希贾兹知识分子尽管受到怀疑和歧视,仍然在国家正规军中担任了重要职位。沙特国王邀请协助训练王国新军的埃及军官促进了纳赛尔主义在沙特军队中的传播,加之沙特"民族改革阵线"秘密地在军队中开展宣传和活动,1954年沙特王国的军队中出现了名为"自由军官运动"的政治反对派。据说"自由军官运动"曾策划暗杀费萨尔王储和多名内阁成员,并且试图逼迫沙特国王退位。1955年春,该组织的成员被捕,其领导人被沙特政府以阴谋颠覆政权的罪名处死。然而"自由军官运动"的成员仍然存在于沙特王国军队中,并在随后的几年中开展了反对国王的活动。1957年,沙特王国空军中的数名"自

---

① Mordechai Abir, *Saudi Arabia: Government, Society, and the Gulf Crisis*, p. 36.

由军官运动"成员驾驶飞机逃往埃及。在 1957、1958 和 1959 年间,政府时常以颠覆政权和军事叛变的名义逮捕和处决军队成员。直到 1969 年纳赛尔和沙特王国修好之后,军队中还出现了有高级军官和将军参与的多起以推翻沙特政权为目的的活动,数百名军官参与其中。①

沙特国王统治的失误和王族内部的权力斗争给沙特王国民间政治反对派及其活动创造了发展的良机。各种反对沙特家族专制统治的思潮和运动遍布全国各个地区和不同的社会群体。希贾兹地区主要流行的是泛阿拉伯主义的民族主义思潮;纳季德北部、阿西尔和哈萨地区主要流行的是社会主义甚至马克思主义倾向的反对派别;军队中则存在着纳赛尔主义的军官反对组织。沙特国王采取严厉镇压民族主义者和激进政治反对派的措施,于 1954 年初颁布王室法令禁止罢工和示威运动,还建立了一个"广播、新闻和出版最高委员会"加紧对王国媒体的控制。② 1961 年沙特国王颁布了一个严厉的《国家安全法》,规定任何针对王族或国家政权的敌对行为,包括叛国、颠覆政权、在军队中煽动不满情绪的行为,都将处以死刑或是判处 25 年的监禁,该法令还规定禁止信仰伊斯兰教以外的其他任何意识形态,禁止建立政党。③ 沙特国王还调遣精锐的突击队和国民卫队联合驻扎在东方省防范罢工和暴乱。王国安全机构大肆搜捕哈萨和希贾兹的"共产主义者"和激进民族主义者。由于沙特王室内部的派系斗争和对抗以及王国安全机构的弱小,沙特国王镇压民间政治反对派的措施成效不大。费萨尔继任国王之后,对反对派采取分化瓦解和打击镇压的双重政策。温和的政治反对派成员主要是希贾兹地区的中等阶层人士,他们普遍接受过良好教育,试图加快国家现代化的步伐,进行政治民主化的变革。费萨尔国王对他们采取安抚性的措施,将他们安排到政府各级部门中任职,既发挥了他们的专长和才

---

① Mordechai Abir, *Saudi Arabia in the Oil Era: Regime and Elites: Conflict and Collaboration*, p.77.

② Mordechai Abir, *Saudi Arabia: Government, Society, and the Gulf Crisis*, p.36.

③ Mordechai Abir, *Saudi Arabia in the Oil Era: Regime and Elites: Conflict and Collaboration*, p.86.

干,又化解了他们对沙特政府的不满情绪。另外,费萨尔国王还采取了一些安抚中下层民众的政策,并于1969年颁布了更有益于工人劳工条例,以减少石油工人对国家政权的不满。激进的政治反对派成员则主要来自纳季德和哈萨地区历史上就一直与沙特家族为敌的家族和社会下层民众,他们主张彻底推翻沙特家族的政权。费萨尔国王对激进的反对派采取绝不姑息的高压政策,沙特政府在阿西尔地区和东方省的知识分子、外籍劳工和石油工人中进行广泛的搜捕,反对派别一经发现立即取缔,其成员遭到长期的监禁和折磨。在1969年和1970年的反政府浪潮中,沙特当局镇压了4个很大程度上互不相干的反对派组织,数千人被政府拘留和审讯,其中大约有2000人被监禁。① 费萨尔的铁腕统治使沙特王国民间政治反对派遭遇了极大的打击,在随后数年中,民间政治反对派只能以规模很小的"左倾"或马克思主义组织诸如"沙特共产党"、"阿拉伯半岛社会主义工人党"、"民主青年联盟"和"社会复兴党"秘密地存在于东方省、希贾兹和阿西尔地区,它们再也无力发动对沙特政权有威胁的反对活动。

　　50年代至70年代初是沙特王国现代化进程中民间政治反对派蓬勃兴起的重要阶段。这一阶段沙特王国民间政治反对派的兴起与同一时期沙特王国外部特定的政治环境密切相关。石油经济的发展打破了阿拉伯半岛数百年来相对闭塞的状态,沙特国家与中东其他国家的交往日渐增多。战后初期正是中东地区民族主义运动高涨、纳赛尔主义大获全胜的时期,民族主义、纳赛尔主义成为中东诸国的主流意识形态。这一时期参与民间政治反对派的主要社会群体是沙特王国石油工业中的外籍劳工和沙特王国石油工人的主体什叶派穆斯林。在中东反帝反殖民主义运动的影响以及外籍劳工在沙特王国石油工人中的宣传和领导下,沙特王国民间反抗运动的形式从最初要求改善工作和生活条件的工人罢工运动发展到具有世俗主义倾向的政治反对派别,这些民间政治反对派的纲领和要求已经具有民族主义、宪政主义和社会主义的要素,它们的蓬勃兴起标志着沙特王国现代政治思潮和

---

① Mordechai Abir, *Saudi Arabia: Government, Society, and the Gulf Crisis*, p. 56.

运动的发端。

二

20世纪60和70年代是沙特王国现代化发展的繁荣时期,以石油工业为主的国营经济迅速发展,国家资本主义占主导地位的资本主义经济基础逐步建立。石油开采和石油经济的迅速发展促使沙特王国经历了从封闭性的传统农牧社会向开放性的现代工业社会过渡的深刻历史变革。石油出口获得的巨额资金以及沙特王国进入世界市场体系给沙特王国的经济和社会带来了翻天覆地的影响。费萨尔国王加大对农业的投入,兴建各种基础设施,并以各种补贴和贷款等财政手段促进国家农业转入资本主义经济发展轨道,政府以雄厚的国家财政收入为后台,鼓励和促进国家发展所需的农业商品生产的发展。现代石油工业经济和农业经济市场化的发展导致沙特王国传统游牧经济的衰落,游牧人口的定居化趋势成为沙特王国现代化进程的突出现象。石油工业的兴起对沙特社会的游牧人口产生了极大影响,贝都因人充当石油公司的汽车司机和非熟练工人,开始逐渐定居在油田附近的营地。战后国内市场对农牧产品需求的急剧扩大,打破了贝都因人封闭的经济活动和生活方式,促使贝都因人卷入商品经济的潮流。自50年代起,羊的市场需求不断扩大,许多贝都因人放弃牧养骆驼而饲养羊群,转入半游牧的畜牧业。牧养羊群的贝都因人走向定居世界的边缘地带,游牧部落社会发生裂变。50年代末60年代初,严重的干旱导致牧场萎缩,牲畜数量锐减,游牧经济遭受重创,贝都因人的数量明显下降。费萨尔国王采取一系列措施促进游牧民的定居化。1968年颁布的土地改革法令规定贝都因人耕种土地三年之后即可获得该土地的所有权,政府还向贝都因人提供补助金和工作。70年代,由于沙特王国物价的提高以及骆驼和其他家畜商业价值的降低,许多贝都因人放弃了传统的游牧业。石油经济的繁荣和城市化的发展促使许多贝都因男子到城市中工作,他们主要充当军人、警察、政府雇员和卡车司机。① 城市中相对良好的物质环境和丰厚收入,吸引贝都因人放弃游牧经济活动而定居城市,游牧群体的定居化进程进一步加快。80年代中期,贝都因人仅占全部人口的5%,定居者和半定居者占全部人口的95%,超过50%的人口居住在王国的主要城市。② 城市化进程无疑是现代化发展的重要组成部分。沙特王国的城市化进程根源于工业化的长足发展和传统经济社会秩序的瓦解。石油工业的兴起以及中小工业企业发展使沙特王国的传统社会经济结构发生了根本性变革。③ 石油工业的发展促进了大批城市的建立,传统农牧经济的崩溃使大批劳动力从乡村移入城市。城市化的迅猛发展使城市贫民的人数不断增加,他们绝大多数都是伴随着沙特石油工业的发展和城市建设工程发展而新近流入城市的农牧民,他们成为沙特王国下层民众的重要组成部分。

沙特王国是一个以逊尼派穆斯林为主体的国家,瓦哈比派伊斯兰教是官方宗教意识形态。由于什叶派宗教信仰与瓦哈比派伊斯兰教的巨大差异,什叶派穆斯林处于沙特社会的最底层,其社会地位甚至不及基督徒和犹太人。沙特王国的什叶派主要聚居在盛产石油的东方省,约占该省总人口的33%。④ 东方省的什叶派穆斯林集中居住在油田所在地哈萨、卡提夫和加瓦尔周围,他们多数成为石油工人或者从事与石油工业相关的工作。什叶派穆斯林约占阿美石油公司劳动力的一半以上,⑤ 在沙特石油工业中占有相当的分量。什叶派人口为沙特王国巨额财富的来源石油工业的崛起做出了巨大贡献,但是沙特王国石油财富的增加并没有给什叶派群体带来更好的经济、教育和发展机会,什叶派群体对自身经济状况和社会地位的不满

---

① Alexander Natasha, *Saudi Arabia*: *Country Study Guide*, Washington, D. C.: International Business Publications, 1999, p. 77.

② Mordechai Abir, *Saudi Arabia in the Oil Era*: *Regime and Elites*; *Conflict and Collaboration*, p. xviii.

③ Ragaei EL Mallakh, *Saudi Arabia*: *Energy, Developmental Planning, and Industrialization*, *Lexington*, Mass.: Lexington Books, 1982, p. 98.

④ Alexander Natasha, *op. cit.*, p. 157.

⑤ Mordechai Abir, *Saudi Arabia in the Oil Era*: *Regime and Elites*; *Conflict and Collaboration*, p. 153.

使他们成为沙特王国民间宗教政治运动最初的力量源泉。60年代末70年代初,什叶派举行了要求人权和经济权力的示威运动,国民卫队拘捕了成千的什叶派。① 伊朗伊斯兰革命后,哈立德国王监禁了数百名什叶派和伊斯兰原教旨主义者。② 沙特家族和官方宗教政治对什叶派的宗教政治压迫最终导致沙特王国什叶派与沙特政权公开对抗。1979年11月28日,卡提夫和邻近的什叶派村庄无视政府的禁令公开举行"阿舒拉"节日的宗教仪式。当警察在卡提夫驱散参与活动的群众时,什叶派发起政治动乱。他们袭击英国—沙特银行、焚烧公共汽车、砸碎商店橱窗。动乱扩展到赛哈特和该地区其他的什叶派定居点,拉斯塔努拉和达兰附近的石油设施遭到破坏。骚乱持续了三天,什叶派手捧阿亚图拉·霍梅尼的画像,高举抨击沙特家族和美帝国主义的布告游行示威。他们高呼反美的口号,要求沙特王国停止向美国供应石油并支持伊朗伊斯兰革命,还有一些人要求在哈萨建立一个伊斯兰共和国。得到增援的国民卫队多次向示威群众开火,共有17人死亡,多人受伤,数百人被捕。1980年,什叶派在卡提夫组织了一系列的罢工和更大规模的示威活动来庆祝霍梅尼返回伊朗的周年纪念日,他们高呼反对沙特政权和美国的口号,石油矿业大学学生烧毁了公共汽车和私人轿车,沙特银行成为这次示威行动的主要攻击目标。骚乱的浪潮持续多日,国民卫队驱散示威人群,共有4人死亡,许多人被捕。③ 在这两次大规模的示威活动中,什叶派抨击沙特家族与西方国家的亲密关系及对西方国家的依赖、沙特家族的腐败和严重偏离沙里亚。一些什叶派还提出改变逊尼派和什叶派间经济悬殊的状况,要求沙特政府停止对美供应石油,以及重新分配石油财富,给予什叶派人口一个更公平的占有份额。④ 接下来的几年,哈萨的城镇和乡村不断发生颠覆政府的活动,政府以铁腕将其镇压。什叶派的反抗活

---

① Joseph A. Kechichian, *op. cit.*, p. 98.
② K. Aburish, *The Rise, Corruption, and Coming Fall of the House of Saudi*, New York: St. Martin's Griffin, 1996, p. 52.
③ Mordechai Abir, *Saudi Arabia in the Oil Era: Regime and Elites: Conflict and Collaboration*, pp. 155—156.
④ Natasha Alexander, *op. cit.*, p. 158.

动还包括成立反政府组织"伊斯兰革命组织",它于 70 年代晚期建立,其成员仅限于沙特王国的什叶派。"伊斯兰革命组织"有明确的政治主张:要求沙特政权立即结束在卡提夫和哈萨的拘捕浪潮并释放所有政治犯;结束沙特家族的专政,引进一部伊斯兰宪法来保护民主政治和人民的政治权利;阿拉伯半岛的穆斯林不论任何教派都是一个民族,谴责沙特政权煽动逊尼派反对什叶派的宗派主义政策;要求减缓石油生产的速度;要求社会公正,结束广大民众的贫穷;要求废除所有与美国签订的条约。"伊斯兰革命组织"甚至要求推翻沙特政权,建立一个"真正的伊斯兰共和国"。① "伊斯兰革命组织"得到伊朗的财力支持,它代表着沙特王国什叶派的宗教政治利益,其追随者十分有限,活动尚处于初级阶段。什叶派的宗教示威运动和公开反抗迫使沙特家族对什叶派采用"胡萝卜加大棒"的政策。政府做出一些有利于什叶派经济政治境况的让步,沙特家族主要领导访问什叶派定居点,政府投入更多资金用于东方省的通信和基础设施建设,什叶派的生活状况有所改善,个别什叶派人士还进入政府担任公职。然而,什叶派作为一个整体仍被排除在沙特王国经济和行政机构的中上层之外,没有加入安全机构和军队的资格。什叶派社团受到沙特当局的严密监视和骚扰。1982—1984 年间,东方省数千名被怀疑是反对组织成员和支持者的什叶派受到审讯,数百人被监禁。② 1983 年以来,700 多名政治犯未经指控和审判就被拘留,其中大部分是什叶派。③

70 年代中期的石油繁荣给沙特王国带来了巨大的财富,然而国家现代化进程中衍生的社会弊端,诸如贫富悬殊和不公平等社会现象加剧了沙特社会的矛盾冲突。石油经济的繁荣给统治阶层带来巨额财富的同时,以石油工人为主体的工人阶级与农牧民、城市贫民等社会下层人民却过着相对贫困的生

---

① Ayman Al-Yassini, *Religion and State in the Kingdom of Saudi Arabia*, Boulder: Westview Press, 1985, p. 123.

② Mordechai Abir, *Saudi Arabia in the Oil Era: Regime and Elites; Conflict and Collaboration*, p. 112.

③ Alexander Natasha, *op. cit.*, p. 158.

活。新近城市化的贝都因人和传统的绿洲居民组成了这一社会阶层的主体，他们依靠出卖劳动力为生，有时也靠政府的补贴艰难度日。他们亲眼目睹沙特王族的奢侈和放纵，对自身所处的恶劣环境充满了愤怒和仇恨。最先向沙特政权发难的是以社会下层民众为基础的"新伊赫万运动"，其主要成员是沙马尔、哈尔卜和乌太巴部落的民众、沙特王国国民卫队成员、希贾兹的穆斯林兄弟会支持者、城镇失业人员和店员，以及麦地那伊斯兰大学学生，其组织者、军事领导人和理论家是原国民卫队成员和麦加伊斯兰大学毕业生朱海曼·伊本·穆罕默德·乌塔比。[1] 乌塔比著有7本手册阐释他的神学和政治观点，其神学政治主张是人民不必服从不遵循《古兰经》和逊奈、强迫人民接受其意愿的沙特家族统治者，即使他们是以伊斯兰教的名义进行统治；王国的宗教学者已经对王族的腐败加以警告，但官方宗教政治领导人阿卜杜勒·阿齐兹·伊本·巴兹被沙特家族收买而认可沙特家族的行为，他和其他许多著名的官方乌莱玛都是腐败政权的傀儡。[2] 乌塔比和近100名新伊赫万运动成员于1978年6月在利雅德被捕，但6个星期后获释。"新伊赫万运动"在伊斯兰历15世纪的第一天，即1979年11月20日发起占领麦加圣寺的反政府行动。朱海曼·穆罕默德·乌塔比领导400余名武装分子占领圣寺长达两周，并宣布这场运动的精神领袖是穆罕默德·伊本·阿卜杜拉·卡塔尼，他是人们期待已久的马赫迪，马赫迪将带来正义统治并达到社会复兴。乌塔比公开发表演说斥责沙特政权是"异教徒的权力"，指责沙特家族的腐败和沙特家族与西方异教徒的亲密关系，抗议沙特社会宗教和道德的松弛和堕落，否定沙特政权掌控的宗教，谴责官方乌莱玛对沙特家族的屈从并强烈呼吁他们重新考虑对沙特家族的支持。[3] "新伊赫万运动"采用强烈的伊斯兰言辞，具有浓厚的宗教色彩，它质疑了沙特家族的宗教政治合法性，威胁了沙特政权赖以

---

[1] Ayman Al-Yassini, *op. cit.*, p. 124.
[2] James Buchan, "Secular and Religious Opposition in Saudi Arabia", *State, Society and Economy in Saudi Arabia*, London: Croom Helm, 1982, p. 122.
[3] Madawi Al-Rasheed, *A History of Saudi Arabia*, New York: Cambridge University Press, 2002, p. 144.

生存的基础。起义军的宗教运动具有明确的政治目标，即通过追求重建7世纪阿拉伯半岛伊斯兰社会的宗教理想来号召废除沙特家族的君主制度，建立伊斯兰共和国。起义发生后，哈立德国王立即要求科学研究、教法宣传和指导委员会主席阿卜杜勒·阿齐兹·本·巴兹颁布费特瓦支持沙特家族并授权军队进入圣寺平叛。随后沙特军队在外国军队的帮助下镇压了"新伊赫万运动"。乌塔比和卡塔尼以及227人被杀死，400多人受伤，63名叛军未经审判即被带往王国各地公开处决，以儆效尤。[1]

70年代末和80年代初的什叶派骚乱和新伊赫万运动是沙特社会教派歧视和两极分化等社会矛盾的直接结果，同时也是伊朗伊斯兰革命和霍梅尼主义输出革命的产物。这一时期沙特王国民间政治反对派的群众基础主要是东方省的什叶派和具有希贾兹背景的部落民众。由于沙特政府依靠巨额的石油收入实行福利性的社会政策，发展免费医疗和免费教育，发放住房补贴和生活必需品的价格补贴，沙特王国大部分国民的生活条件得到很大改善，因此民间政治反对派并未得到多数国民的支持。这一阶段沙特王国民间政治反对派的特点是民间宗教政治的兴起和伊斯兰原教旨主义的出现。民间宗教政治挑战了沙特家族控制下的官方宗教政治的领导权力，伊斯兰原教旨主义从宗教教义和神学原理的角度，质疑了沙特家族政权的宗教政治合法性，成为民众反抗沙特家族统治和官方宗教政治的主要形式。民间宗教政治的发展引起沙特家族的高度重视，沙特家族以强化官方宗教政治作为遏制民间宗教政治的重要手段。沙特政府加强王国政治统治的伊斯兰色彩，国王法赫德采用了"两圣寺的仆人"的称号，官方乌莱玛在教育和其他相关领域的权力得到一定的加强。

三

石油时代沙特王国经济发展的总体战略是以石油工业带动整个国民经

---

[1] K. Aburish, *op. cit.*, p. 108.

济的发展,逐步实现国民经济多样化,促进王国社会经济的持续增长。现代石油工业的兴起为沙特王国民族资本主义的发展提供了机会和条件。阿美石油公司为了集中力量攫取高额利润,把利润相对较少的附属工业交给沙特本地企业主。[1] 自50年代开始,一批由沙特承包商经营的工业企业兴起于东部的哈萨油田区,它们主要为石油工业提供工程建筑、运输、维修、建材、食品等劳务和产品。费萨尔国王制定了国家经济发展战略,即政府承担有关民生的最基本的工业发展,并大力支持私营企业参与工业或其他与经济多样化有关的投资。[2] 非石油工业和制造业的发展给沙特王国民间资本提供了广阔的空间,在政府保护和支持私营经济的政策下,沙特王国出现了一批具有一定经济实力的中产阶级。他们主要是富有的汉志、内志商人和贵族的后代,从西方留学归国或从国内大学毕业之后,成为军政部门的中高级官员、工商企业的经理人、工程技术人员、教师、医生和律师等等。中产阶级在为王国经济发展贡献巨大力量的同时,却未能真正分享王国的政治权力,中产阶级成员在政府各部门并不掌握实权,他们在分享王国经济权力的同时渴望分享王国的政治权力。石油繁荣时代沙特王国社会发展的一个重要特点是教育的发展和人口素质的提高。各级各种学校广泛建立,王国的高等教育也得到很大的发展。教育的发展改变了传统的价值观念,为沙特王国提供了一批熟练和半熟练的劳动力,同时也促进了民众政治参与意识的觉醒。沙特民众开始关心国家的政治走向,对沙特家族的权力垄断产生了强烈的不满,要求促进王国政治民主化的发展。

进入80年代之后,石油产量的下降和石油出口的减少导致沙特王国经历了长期的经济萧条。高中和大学毕业生大批失业,王国主要城市和农村的普通民众生活日益艰难,这种现象在纳季德和阿西尔地区尤为突出。沙特家族垄断国家的权力和财富,建立起庞大的家族资本和垄断资本。沙特社会贫富分化不断加剧,不满情绪在诸多社会群体中蔓延,政治形势日趋严

---

[1] M. Moliver Donald, *The Economy of Saudi Arabia*, New York: Praeger, 1980, p. 60.
[2] E. Looney Robert, *Saudi Arabia's Development Potential: Application of an Growth Model*, Lexington, Mass.: Lexington Books, 1982, pp. 163—164.

峻。石油产量萎缩带来的经济危机是诸多反对派势力崛起于沙特王国政治舞台的深层背景。80 年代中期以后,民间政治反对派的领导力量主要是具有现代伊斯兰主义思想的神学家,包括法官、大学教授、学者和学生。[1] 他们主要利用大学和清真寺的讲台来传达他们的思想和主张,并绕过王国的官方宗教组织,建立起他们自己的宗教政治团体。现代伊斯兰主义神学家质疑沙特家族的行为政策和沙特政权的真实合法性。80 年代晚期,广大宗教学者、教师、学生、商人、行政人员、阿美石油公司雇工,还有部落民都参与到这场民间宗教政治运动中。[2] 真主党、穆斯林兄弟会、新伊赫万运动、伊斯兰革命党等民间宗教政治反对派在沙特王国陆续建立。这些宗教政治组织都要求回归伊斯兰教并且排斥沙特家族的统治,尽管他们大都秘密活动,但他们对政府的反对越来越受到民众的普遍欢迎,形成了一种近似公开的抗议。民间宗教政治反对派的发展引起沙特家族的恐慌,1988 年末,沙特政权进行了一次广泛搜捕反对派组织成员的行动,甚至连对政府官员的口头攻击,或是"散步谣传"都被定为应受监禁的罪行。[3] 海湾战争时期沙特政府允许外国军队进入沙特王国的决定破坏了伊斯兰教的传统。战时政府对言论控制和检查制度的暂时放松,给予沙特王国现代伊斯兰主义运动蓬勃发展的空间。现代伊斯兰主义运动采用伊斯兰盒式录音带和广泛散发的宗教小册子作为新的活动方式和传播手段,挑战沙特家族垄断宗教的权力和沙特王国的官方宗教政治权威。海湾战争中现代伊斯兰主义者攻击的焦点是沙特政权与西方国家的密切关系,其抨击对象包括沙特家族、官方宗教高级领导和社会名流。这一时期现代伊斯兰主义运动的领导人是麦加乌姆・库拉大学伊斯兰学院院长萨法尔・海瓦里和利雅德伊玛目穆罕默德・伊本・沙特大学教师赛勒曼・阿瓦达,他们直接或间接地批评沙特家族偏离了瓦哈比派伊斯兰教的原则,并且攻击政府的内外政策,包括石油价格、

---

[1] Peter W. Wilson and Douglas F. Graham, *Saudi Arabia: The Coming Storm*, Armonk, N. Y.: M. E. Sharpe, 1994, p. 67.
[2] Mordechai Abir, *Saudi Arabia: Government, Society, and the Gulf Crisis*, p. 159.
[3] Mordechai Abir, *Saudi Arabia: Government, Society, and the Gulf Crisis*, p. 158.

银行和财政法律、新闻管制政策、政府从国外的借款、海湾危机中和之后王国政府与美国的合作,以及利雅德参与和以色列的和谈。他们还公开批评官方乌莱玛对沙特家族的妥协,斥责他们机械地给沙特家族的任何行为提供合法性保障并从沙特家族的慷慨赏赐中获益。[1]

沙特王国不断发展壮大的中产阶级知识分子群体中存在一批具有自由主义倾向的技术官僚,他们以其自身的知识才干和专业技术成为沙特政府的官僚成员,有些特别突出的技术官僚甚至还进入了内阁,成为沙特王国的"平民大臣"。自由主义技术官僚在王国中的政治权力和政治地位很不稳固,技术官僚一旦与沙特亲王产生意见分歧,就会被逐出政治舞台。沙特家族只需要利用技术官僚的技术和才能,并不愿意真正让技术官僚参与王国的政策制定和决策过程。曾经是王国政府的栋梁的希贾兹背景的技术官僚在80年代中后期陆续被开除和贬谪,对沙特家族更为忠诚的纳季德人和王族亲信取代了他们的职位。"平民部长"伽齐·古赛比因在报纸上发表自己与苏尔坦亲王国防预算的不同意见就被开除出内阁。沙特技术官僚核心人物扎吉·也麦尼也因反对苏尔坦亲王的石油政策而被解雇。90年代初,中产阶级知识分子在人数和力量上比以前更为强大,他们不满足于分享沙特王国现代化的物质成果,还希望在一定程度上参与国家政权。1991年2月,43名温和的自由主义商人和知识分子向法赫德国王递交了一份《公开信》,同时在国内分发并出版在开罗和约旦的反对派报纸上。这些自由主义者分别来自希贾兹、纳季德、阿西尔和东方省,他们号召国王建立全国的、省级的和地方的协商会议,颁布政府的基本规则,约束道德警察穆陶威的活动,放松对媒体的严格检查制度。自由主义者无意挑战沙特家族的统治,他们在《公开信》中向君主致以最高的敬意,并发誓要支持现存的政治体制以及作为沙特王国宪法的伊斯兰教法"沙里亚"。[2] 自由主义者的主张得到了一些年轻亲王和大多数中产阶级的支持。

---

[1] Mamoun Fandy, *Saudi Arabia and the Politics of Dissent*, London: Macmillan Press, 1999, pp. 61—63.

[2] Mordechai Abir, *Saudi Arabia: Government, Society, and the Gulf Crisis*, p. 188.

民间宗教政治反对派在海湾战争之后进入联合协作、有组织地反对沙特政府的阶段。沙特王国的现代伊斯兰主义者为了避免政府的干涉,就通过宗教社团"伊斯兰复兴组织"协调他们的活动。"伊斯兰复兴组织"的影响逐步扩大,许多乌莱玛、伊玛目、穆陶威、大学教授和律师都加入其中,而失业的沙特年轻人则是该组织主要的社会基础。在宗教学者的带领下,现代伊斯兰主义者试图通过合法途径影响沙特王国的政治走向。1991 年 5 月中旬,400 名乌莱玛、法官、大学教授和其他著名学者联合签署一份《请愿书》,并以"伊斯兰教领导"的名义呈送给国王法赫德,其首页上的 52 名签署人中有许多是官方乌莱玛领导人物。[①]《请愿书》要求沙特政府在伊斯兰教的框架中进行经济、政治、宗教等方面的改革。1992 年 9 月,现代伊斯兰主义者再次向政府递交了一份由 100 多名乌莱玛、大学教授和显要人物签署的、长达 45 页的《建议备忘录》。《建议备忘录》以 1991 年的请愿书为基础,详细阐述了《请愿书》的各项主张并提出一系列更激进的要求,号召变革王国的经济、社会和政治结构。《请愿书》是沙特王国现代伊斯兰主义运动的第一份重要文件,《建议备忘录》是沙特王国现代伊斯兰主义运动最系统、最全面的行动纲领。这两份文件全面论述了沙特王国现代伊斯兰主义者的改革要求:1. 选举产生完全独立的具有决定沙特王国内外政策实权的协商会议。2. 组建沙里亚委员会重新审查所有的法律法规以确保其符合沙里亚。3. 建立统一的司法机构,确保其完全而真实的独立地位。4. 社会所有成员一律平等,捍卫人民的意愿和权利。5. 清除腐败和奢侈现象,无一例外地解职腐败或无能的官员。6. 在社会所有阶层和集团中公平地分配国家财富,废除违法的垄断权,没收通过非正当途径获得的财富。7. 建立一支强大的军队来保卫国家及其神圣价值。8. 重建媒体以符合王国服务于伊斯兰教的政策,捍卫媒体通过报道真实事件和建设性批判观点达到教育公众和传播信息的自由。9. 对外政策应捍卫民族的利益,国家应当支持穆斯林的事业,

---

① Mordechai Abir, *Saudi Arabia: Government, Society, and the Gulf Crisis*, pp. 189—190.

取消不合法的联盟。① 这两份文件的出现将 80 年代后期发展起来的现代伊斯兰主义运动推向高潮,它们在沙特王国引起了轩然大波,沙特政府立即采取强制性措施,没收了签名者的护照,许多签名者受到警察的审讯、骚扰和侮辱,一些人被禁止在清真寺或大学做报告。最激进的那些人受到了秘密警察的特别追踪。政府对现代伊斯兰主义宗教学者的严厉打击导致内志和阿西尔的一些城镇爆发了反政府的示威运动。②

沙特政府的遏制政策未能阻止现代伊斯兰主义者的政治追求,继公开地向国王递交《请愿书》和《建议备忘录》之后,他们开始组建更为成熟的政治团体来实现其政治目标。1993 年 5 月 3 日,6 名沙特著名宗教人士宣布建立"保卫合法权利委员会",将沙特王国现代伊斯兰运动与世界人权运动挂钩以实现其政治目标。该组织的使命是"消除不公正现象、恢复人民的合法权利、保证人民自由表达自己观点的权利和在平等公正的环境中有尊严地生活的权利"。③ 它的主要领导人是物理学家穆罕默德·马萨里和律师赛义德·法基,其创建者除一人外,都曾在《建议备忘录》上签名。尽管这个组织最初的活动采用温和的基调,但沙特政府仍在该组织成立两周后勒令其解散,同时解除了 6 名创建者在政府部门的职务,并将其逮捕并严加审讯。其主要领导人穆罕默德·马萨里 11 月获释后秘密逃往伦敦。1994 年 4 月,穆罕默德·马萨里又在伦敦建立了一个沙特人权组织,伦敦成为沙特现代伊斯兰主义者开展反政府活动、公开抨击和挑战沙特家族政权的海外基地。90 年代晚期,保卫合法权利委员会分裂为两个政治组织,赛义德·法基于 1996 年在阿拉伯半岛建立的伊斯兰改革运动组织成为沙特王国最具影响力的反政府力量。

尽管民间反对派深受沙特政府的压制,其力量却逐步壮大并且更具组织性。许多秘密团体和组织涌现出来,它们较之以前的政治反对派更为激

---

① Joseph A. Kechichian, *op. cit.*, pp. 199—201.
② Mordechai Abir, *Saudi Arabia: Government, Society, and the Gulf Crisis*, p. 192.
③ "'Communiqué Number 3', *CDLR Yearbook '94—'95*, pp. 9—10", quote from Joseph A. Kechichian, *op. cit.*, p. 109.

进,通常采取暴力的活动手段。激进的民间宗教政治反对派的典型代表是乌萨玛·本·拉登,他以作为沙特承包商赚取的大量钱财支持中东国家的现代伊斯兰主义组织。乌萨玛·本·拉登在喀土穆建立了"保卫伊斯兰合法权利协商组织",公开支持穆罕默德·马萨里以伦敦为基地的沙特人权组织,后来又在伦敦建立"建议和改革委员会"。由于乌萨玛·本·拉登的雄厚财力和广泛影响,"建议和改革委员会"成为 80 年代以来在沙特王国活动的许多激进反对组织的保护伞。[1] 乌萨玛·本·拉登公开抨击沙特家族,号召以暴力推翻沙特政权。他策划了多次爆炸行动,使沙特政权陷入了严峻的安全危机。激进的民间政治反对派在国内外秘密地建立政治组织并积极开展活动,民间宗教势力成为沙特政权无法掌握和控制的政治力量。沙特家族对民间宗教政治的发展感到恐慌,对反对派实施了严厉打击的政策。同时沙特王国的官方乌莱玛领导联合发表声明,宣布现代伊斯兰主义派别的活动是非法的,以支持政府的镇压行动。为了切断现代伊斯兰主义派别获得资金的渠道,沙特政府取消了现代伊斯兰主义反对派最重要的成员之一乌萨玛·本·拉登的沙特王国公民资格。[2] 沙特政府还逮捕了现代伊斯兰主义运动最重要的骨干萨法尔·海瓦里和赛勒曼·阿瓦达等人。1995年,一些"保卫合法权利委员会"的支持者在利雅德被判处死刑。1995 年 11 月利雅德发生了针对美国军事顾问的汽车爆炸事件,7 人死亡。1996 年 6 月达兰附近的空军基地再次发生爆炸,19 名美国军人死亡,64 人受重伤。[3] 诸如此类的爆炸事件经常发生,沙特王国激进的民间政治反对派以秘密的暴力活动,开始了与沙特政府的长期斗争。

80 年代后期以来的民间政治反对派以新兴的中产阶级知识分子为中坚力量,广泛发动各地区民众积极参与,形成了全国范围内对沙特家族权力的严重挑战。当代沙特王国民间政治反对派以现代伊斯兰主义为主要表现

---

[1] Mamoun Fandy, *op. cit.*, p. 179.
[2] Madawi Al-Rasheed, *op. cit.*, p. 175.
[3] Tom Pierre Najem and Martin Hetherington, *Good Governance in the Middle East Oil Monarchies*, London: Routledge Curzon, 2003, p. 39.

形式,表达了发展选举政治、议会政治和政党政治的民主要求,是推动沙特王国政治现代化发展的重要力量。现代伊斯兰主义运动的蓬勃发展标志着沙特王国民间政治反对派成为与沙特家族和官方宗教势力抗衡的重要社会政治力量。在现代伊斯兰势力发展壮大的同时,民间宗教政治对沙特家族政权的挑战使沙特社会陷入合法性和安全危机。同时,现代伊斯兰主义运动的奋斗目标也从最初的经济政治改革演变为以推翻沙特家族为目标的政治革命。

　　沙特王国民间政治反对派的发展根源于王国经济社会发展的历史进程,具有从边缘到核心、从世俗到宗教、从经济到政治以及从温和到激进的演进趋势。最初的工人罢工和民族主义反对组织主要由外籍劳工和什叶派石油工人领导和参与,倡导世俗主义倾向的变革,具有人口构成和意识形态的边缘性。70年代末民间政治反对派的群众基础仍然限于沙特王国的穆斯林少数派和非核心地区的逊尼派穆斯林,其教派运动和原教旨主义运动的斗争形式主要局限在宗教领域的反抗,具有捍卫信仰的强烈倾向。现代伊斯兰主义广泛发展之后,民间政治反对派拥有了最广阔的社会基础,它包括沙特王国各个地区的各个阶层,并且以王国中心地区纳季德的宗教学者为领袖,进入王国政治活动的核心舞台。民间政治反对派的斗争目标从最初争取改善石油工人生活和工作条件的经济目标,逐步发展到挑战沙特家族政治和官方宗教政治的宗教政治运动,最终成为一场深刻的民主主义运动。现代伊斯兰主义具有经济、社会、政治和文化等诸多历史层面,但"政治伊斯兰"无疑构成其核心的理想和追求。沙特王国民间政治反对派从温和倾向发展到激进倾向则是沙特王国政治统治模式的逻辑结果。政治请愿和政治暴力都是民众政治参与的主要表现形式,民众的政治请愿受到极权政治的压迫时即转为政治暴力活动。政治暴力是在特殊的政治环境中扩大政治动员的重要方式,其目标是以暴力的手段表达民众意志和实现民众的政治参与。沙特王国民间政治反对派从温和走向激进是民众政治参与扩大的特殊表现形式。

　　石油时代沙特家族自上而下的经济运动促进了沙特经济社会现代化的

长足进步,民间政治反对派自下而上的政治运动则是政治现代化发展的主要形式。沙特家族政治和官方宗教政治的统治模式日益暴露出传统和保守的色彩,民间政治反对派则成为推进政治民主化进程的重要力量。世俗主义的改革要求是中东民族主义发展黄金时代的"舶来品",不符合沙特王国特殊的地理和宗教传统,因此只能是昙花一现的政治运动。现代伊斯兰主义运动则是沙特王国特定社会和政治环境的产物,深厚的宗教历史传统和宗教政治传统决定了沙特王国政治反对派最终以宗教反对派的面目出现和发展。沙特王国的现代伊斯兰主义貌似复古,旨在攻击官方宗教政治的传统理论及其所维护的传统社会秩序和政治制度,实则赋予伊斯兰教传统以现代的内涵。现代伊斯兰主义的实质在于倡导伊斯兰教原旨教义的民主思想,并将伊斯兰教作为理论武器来反对独裁政治和实现政治民主化,其最终的目标是在王国建立现代民主政治制度。沙特王国现代伊斯兰主义为民众的政治参与提供了重要途径,现代伊斯兰主义的理论和实践构成沙特王国政治民主化的重要内容。

中国早期现代化进程中工商社团的社会整合作用

The Social Integration Function of the Industry and Business Association in Modernization of China

陈 争 平(清华大学人文学院)

摘要:在早期现代化进程中中国工商社团进行了近代转型。它们(新型工商社团)在整合城市工商阶层的共同利益、调解商事纠纷、制定和维护行业规范、充当政府与工商业者的"桥梁"、参加社会公益活动、兴办实业教育等方面发挥了重要的社会整合作用,成为支撑市场经济运行、推动现代化事业发展必不可少的社会组织。

关键词:社会整合; 工商社团; 现代化; 近代

Abstract: The industry and business association of China had preceded modern transformation in earlier period modernization of China. They (new industry and business association) had integrated the common benefits of industry and business, intermediated between company matter disputes, established the professional norm, coupled government with business operator, added the public-spirited activity, and established the industry education. They had played the important function of integration. They had propped up the operation of the market economy, and pushed the development of the modern business.

Keywords: The integration of society; Industry and business association; Modernization; Modern

各国现代化的长期进程,从某种意义上都可以说是国家体制与市民社会相互关系不断调整的过程。在早期现代化进程中,传统国家体制与新兴市民社会相互关系的调整往往伴随着激烈的冲突,伴随着社会分裂和动荡,这时候新型工商社团的社会整合[①]作用显得十分重要。在中国早期现代化进程中,从沿海口岸到内地城镇出现了工商社团的近代转型,它们与当时中国政权的相互关系也在不断演变,在这一背景下工商社团发挥了特有的社会整合作用,作出了一定的历史贡献。在当代中国现代化进程中政府与社会的相互关系仍然需要不断调整,近代工商社团的转型及其社会整合作用可以为我们提供有益的历史借鉴。

一、工商社团的近代转型及其与政府关系的演变

随着明清时期商品经济的发展,由旅居异地的同乡人为联络乡谊,结成团体,兼营善举,集资兴建的"会馆"增多。其中商人会馆在各地的兴建,与明清长途贩运商业的发展,与以"地缘"为纽带的社群——商帮的兴起密切相关。在长期发展中商人会馆以一定的章程和约定俗成的条规约束会众的性质逐渐增强,逐渐成为一种以地缘为纽带的商人自我管理及互助济困的行会组织。[②] 至清代,随着商品经济的进一步发展,以"公所"为名的同业组织也在很多城镇出现,也有的同业组织以"堂"、"会"、"宫"、"庙"、"殿"等为名。明清会馆、公所等工商行会组织主要以一定的章程和约定俗成的法规约束会众,执行经济上行业协调职能、扶贫济困的福利功能、祭祖拜神等聚心功能。清后期这些行会组织继续发展,为20世纪初期商会组织及工商同业公会组织的发展打下了基础。

明清时期官府需要工商行会组织承应科差,并协助官府维护地方市场

[①] 社会整合有广义与狭义之分,狭义的社会整合主要指在地方社区层次、行业领域中协调各社会成员利益,使各社会成员具有共同的价值观念,遵守相同的行为规范,建立起和谐的合作关系;广义的整合还包括国家体制内的政治整合等。本文主要用的是狭义,也涉及广义。

[②] 详见彭泽益主编:《中国工商行会史料集》,中华书局1995年版,第6、9、11—14页。

秩序。各地工商行会组织也往往要靠官府保护其"合法"性,帮助压制本地同业中其他行会的产生,维护行规的权威性;当面临其他社会恶势力侵扰勒索时,需要官府的庇护以保护行业正当利益。①

原有会馆公所等行会组织往往受地域、行业等限制,相互之间较少联络,内部运作机制易受旧式行帮陋规影响,难以更好地适应对外"商战"和对内"振商"的时代需要。因此,在1902—1903年间,在上海等工商业比较发达的城市和江苏、湖南、直隶、山东、河南、山西、福建等省份先后设立新型组织——商业会议公所。《辛丑条约》签订后,全国各省要摊派数额巨大的赔款,人民对清政府的不满和反抗日益发展,清政府需要采取对策。另一方面,清政府也企图以变法取得列强对它的支持,在这种情况下开始了被史家称为"清末新政"的变法。清末新政中正式设立商部,并颁布《商会简明章程》26条。章程基本上按民办、民主原则规定了商会组织及办事程序。关于商会的职责,章程规定,商会总理、协理应为无法申诉各事的商人于地方衙门代为申诉,直至禀告商部核办;总理应按年列表汇报各地商务及进出口情况;会董与总理每周会议一次,接洽各商近情;总理应招集有关人员商讨关系大局事件;定期招集会董公断商事纠纷,酌行剖断华洋商人间的交涉;商会还应稽查、制止商人的不正当行为,直至移送地方官惩治,等等。

清政府正式在全国劝办商会,上海商业会议公所正式改组为上海商务总会,这是中国的第一个正式商会,其势力和影响也为全国商会之最。此后,商会这一新型民间工商团体依法在各地相继成立,到1912年商会已普及到除蒙古和西藏之外的全国各省区,大小商会总数近1000家。商会是一地各业全体商人的共同组织,克服了以地区帮派和行业划分商人的狭隘性,其活动是以振兴、保护商业为出发点、中心和归宿的,其内部治理结构更具现代性。原有的行会加入商会是完全自愿的,任何行会只要缴纳一定数额会费,即可推举行董入商会做会董或是会员。这样一来,以这些行董为代表的行会其实等于宣布加入了商会。

---

① 详见彭南生:《行会制度的近代命运》,人民出版社2003年版,第60—62页。

清末还出现了以"公会"、"商会"等命名的新型工商组织,例如在上海1905 年出现了"书业商会",1908 年出现了专事为机器面粉厂采购小麦的办麦公会,1910 年以后还有保险公会、教育用品公会、中华布厂公会、皮货商业公会、北市花业工会、棉业公会、木器商会等 30 多个。①

辛亥革命后,旧帝国已垮台,新秩序却难产,这时各种社会团体应运而生。据不完全统计,仅民国元年宣告成立的实业团体即达 40 余个,再加上其后不久成立者共有 100 多个团体,它们共同的宗旨是振兴实业、强国富民。这些实业团体中持续时间较长并且影响较大的有:中华民国工业建设会、拓殖协会、中国实业会、中华实业团、中国实业共济会、民生团、华侨同仁民生实业会、经济协会、西北实业会、安徽实业会、黑龙江省实业总会、苏州实业协会、镇江实业会等。这些团体召集同道,齐心合力为新经济政策和制度的建立而努力。据统计,民国初年全国各地成立的 100 多个实业团体,就业别构成而言,有工业、矿业、商业、交通、农业、渔业、手工业、土产业等,其中工业团体 48 个,约占总数的 46%;商业性团体 41 个,约占总数的 39%。就地区构成而言,民初工商团体普及到全国各主要城市,其中 70% 以上在上海、南京、北京和天津。② 这些工商社团的广泛活动,为商会及同业公会等工商社团主体的新发展营造了良好的社会氛围。

1914 年,北洋政府颁布了民国成立后的首部《商会法》,后又于 1915 年12 月及 1916 年 2 月先后公布了经修正后的《商会法》以及《修正商会法施行细则》,完全承认了自晚清以来的各地总商会的合法性。北洋政府还于1918 年 4 月颁布了《工商同业公会规则》及《工商同业公会规则实施办法》,饬令各地筹建同业公会,明确给予工商同业组织以合法地位,并开始对工商同业团体进行制度规范。1929 年 8 月国民党政府颁布《商会法》,规定商会的设立必须有 5 家以上的工商同业公会发起;若无工商同业公会,则必须有50 家以上的商业法人或商家发起。国民党政府又先后公布了《工商同业公

---

① 《上海工商社团志》编撰委员会编:《上海工商社团志》,上海社科院出版社 2001 年版,第 5 页。

② 虞和平主编:《中国现代化历程》第 2 卷,江苏人民出版社 2002 年版,第 403、404 页。

会法》及《工商同业公会法施行细则》，规定"工商同业公会以维持增进同业之公共利益及矫正营业之弊害为宗旨"，要求一地同业行号在 7 家以上时均要依法组建同业公会。该法规定原有工商各业团体不论其公所、行会、会馆或其他名称，凡其宗旨合于《工商同业公会法》规定者，"均视为依本法而设立之同业公会"，在法律上强调以同业公会作为行业组织的统一名称，明令在一年之内必须完成改组。

民国年间颁布的上述法规，明确了新型商会、同业公会的法人地位及相关责权利，使其组织和运作更加规范，在社会上的法律地位进一步提高，加强了工商社团的权威性和组织力量，有助于这类组织在更广大地区城镇的推广。商会、同业公会经费主要来自会员缴纳的会费和捐赠，开支一般都有明确的财务制度管理，也体现了一种民主化、规范化的精神。与旧式公所、会馆等相比，同业公会等在活动机制上更注重规范化和制度化建设，办事讲究公开性、效率性。1929 年《工商同业公会法》又规定："本法施行前原有工商各业同业团体不问其所用公所、行会、会馆或其他名称，其宗旨合于本法第二条所规定者，均视为依本法而设立之同业公会，并应于本法施行后一年内，依照本法改组。"这样一来，迫使那些在《工商同业公会法》公布之前尚大量存在的同业会馆公所，必须在一年内依法改组为同业公会。大致在 1933 年前后，绝大多数商家被集结到同业公会下，新型同业公会基本取代了旧式行会组织，从行会组织向新型工商社团的转型基本完成。[1]

到 1933 年止，全国同业公会数已达 6000 家。其中，以工商经济较为发达的江苏、浙江两省为最多。其后，随着南方各省工商业的发展，到 1938 年全国工商同业公会数已超过 1.3 万家。[2]

国民党政府在通过立法规范新型工商社团权利与义务的同时，也加强了对工商社团的管理。相比旧式官府与行会关系，国民党政府与新型工商

---

[1] 详见彭南生："近代工商同业公会制度的现代性刍论"，《当代史学评论》（香港）第 4 卷第 4 期；樊卫国："近代上海经济社会功能群体与社会控制"，《上海经济研究》2001 年第 10 期。

[2] 黄汉民："近代上海行业管理组织在企业发展与城市进步中的作用"，张仲礼主编：《中国近代城市企业·社会·空间》，上海社会科学院出版社 1998 年版，第 178 页。

社团的关系可以说已建立在一定的法制基础上,具有较为开明而又严明的特征。有学者列举了四种国家与社会关系模式:(1)强社会—弱国家;(2)弱社会—强国家;(3)弱社会—弱国家;(4)强国家—强社会。① 从中国不同时期国家与工商社团关系来看,大致可以说:明清时期属于第 2 种模式,北洋政府时期属于第 3 种,国民党政府时期属于第 4 种。不过,国民党政府时期的这种"双强"只是相对于以往而言,北洋政府时期的"弱社会"又强于明清时期的"弱社会",体现了历史演变的一种大趋势。

二、近代新型工商社团主要社会整合作用

近代中国新型工商社团社会整合作用主要有以下几方面:

1. 执行商事仲裁,调解各类经济纠纷

随着商品经济的发展,工商业者队伍壮大,各类商事纠纷亦同步增加,这是东西方共有的现象。在欧洲中世纪时就开始从商人们中间选出处理商事纠纷的仲裁人组成的"法庭",当时英国人将其称之为"灰脚法庭",这种特别法庭很快"就成为公众权威所认可的固定的法庭"。② 而中国直到 19 世纪时,商事纠纷仍然主要由地方官府衙门审理,大小官吏们都视商事纠纷为钱债细故,常敷衍延宕,有时则不懂装懂,胡断乱判,或勒索受贿,贪赃枉法,使纠纷不仅得不到合理解决,反使商人涉讼破费,身受摧残,乃至倾家荡产。随着近代市场经济的发展,商事纠纷增多,矛盾更加尖锐。清政府终于在 1904 年颁行《商会简明章程》,谕令在全国普遍设立商会,同时规定商会有权调处商事纠纷。

各地商会成立时,均把受理商事纠纷、保护商人利益写进章程,并设立

---

① 景跃进:"'市民社会与中国现代化'学术讨论会述要",《中国社会科学季刊》1993 年第 4 卷。

② 〔比〕亨利·皮朗:《中世纪欧洲社会经济史》,乐文译,上海人民出版社 1964 年版,第 47—48 页。

理案处、评议处、商事裁判所、商事公断处等机构,以处理各类经济纠纷。由商会受理的经济纠纷最多的是钱债纠纷案,即欠债、卷逃等,其次是行业争执、劳资纠纷、假冒牌号、房地产继承等等。

商会理案的最大特点是,破除了匍匐公堂、刑讯逼供的衙门积习,以理服人,秉公断案,主要采取倾听原、被告双方申辩,以及深入调查研究、弄清事实真相,剖明道理的办法予以调解息讼。商会在调解商事纠纷方面所作的努力及显著成效,不仅广受工商业者的欢迎和赞誉,而且也获得官方的首肯。例如,清末商部在颁发给苏州商会的一份札文中曾提及:商会已卓有成效地理结了大量钱债讼案,"其中时有曾经纠讼于地方衙门经年未结之案,乃一至该地评论之间,两造皆输情而遵理结者,功效所在,进步日臻"。① 北洋政府时期,司法、农商两部会定《商事公断处章程》,后又颁布《商事公断处办事细则》,各地商会的商事仲裁功能继续得到政府的肯定,一些地方商会原来无商事公断处的纷纷创设公断处,一些商会原有的理案处、评议处也改组为公断处。商会的商事仲裁保护了商事主体的合法权益、增强了商会的凝聚力,还有助于消弭了当事人之间的冲突,成为当时社会治安的重要手段,对维持正常的社会经济秩序和促进社会经济的顺利发展均有着重要意义。② 国民党政府时期,地方商会商事公断处仍然发挥重要作用。例如,成都市商会公断处于1947年1—4月处理纠纷案件71件,包括账目、借款、买房、汇款、无理要挟出会、遗失支票备查、违反诚信、追缴会费等等,这些案件大多数通过市商会公断处调解,和平了结,部分不能处理的则记录全案转呈市政府处理。商会在调处各业公会纠纷时,无论是对地方政府而言,还是对各业公会而言,均是不可或缺的重要组织。③

各地商会在实行商事仲裁功能的过程中往往需要工商同业组织的帮

---

① 马敏:"商事裁判与商会——论晚清苏州商事纠纷的调处",《历史研究》1996年第1期。
② 详见郑成林:《清末民初商事仲裁制度研究》,提交纪念辛亥革命90周年国际学术讨论会论文。
③ 李柏槐:"民国商会与同业公会关系探析",《四川师范大学学报》(社会科学版)第32卷第2期。

助。首先，商事公断处在理案中要借重公所等同业组织的力量，如清算账目、调查市价等，因为同业组织对于本行业经营中的许多细节问题往往比较了解，公断处必须倚重同业组织成员的专业知识；其次，商事公断处解决商事纠纷中，往往也需要同业组织进行调解或协助执行有关裁决。各地同业组织在商事仲裁方面"一直扮演公断证人、调查员、仲裁者的重要角色"[①]。

2. 制订和维护行规，对价格欺诈、虚假广告和冒牌假货 等行为进行有效抑制

近代工商同业组织向来通过制订和维护行规业规，调整行业经济秩序，也以此增强行业组织本身的权威。例如苏州铁机丝织业公会的职能包括，"一、研究铁机所制丝织办法，藉供同业各厂参考；二、受同业各厂委托，调查机械上之事项；三、关于同业兴利除弊诸举，经众议决，随时施行；四、因赛会得征集同业各厂之出品，以资比较；五、同业各厂艺徒学成后，由本会发给盖印凭证，由各该厂自行填报，由本公会备查"。[②] 这些职能都直接关系企业经营制度，并且同旧行会制度下技术封锁、因循守旧、排斥竞争的宗旨形成鲜明对比，对生产技术的提高具有积极意义。其他同业公会等也对业内企业从开业、营业等规则，一直具体到度量衡器的使用等都作了规范。"行规为公会之命脉，在矫正营业，增进公共利益，如偷工减料、劣货影响、扰乱市价，种种不良习惯，均由行规之约束，为之消除，而商业上道德信用，亦可相互增进"。[③]

国民党政府初期曾认为各业行规"往往含有垄断性质"，否认行规的法律地位。30年代初经全国各地商会及同业公会的一致吁请，国民党政府转而通过训令承认行规在规约同业上的效力，同时也加强了对行规的审核，同业公会不得私自执行处罚，必先报主管官署同意方可执行。此后各地方政

---

① 付海晏、匡小烨："从商事公断处看民初苏州的社会变迁"，2004年3月《华中师大学报（人文社会科学版）》第43卷第2期。
② 彭南生："近代工商同业公会制度的现代性刍论"，《当代史学评论》（香港）第4卷第4期。
③ 《申报》1930年10月31日，第9版。

府及商会、同业公会掀起了一场大规模的"重整行规运动"。近代工商同业公会在制订行规时往往注重制订具体的生产和质量标准,以维护行业信誉。例如上海市制药业同业公会制定制药信条8条,前7条对生产规范及标准进行了规定,"制药厂应有政府许可执照或注册证书;制药厂应有相当设备,不可有名无实;制药厂应有专任负责之药师,制品要精,不可粗制滥造;药物含量应准确,须适合中华药典或规定之标准;原料应纯净,非药用原料,绝不可搀用作伪;工场保持清洁,消毒更宜慎重。"同业公会会员必须宣誓遵守制药信条,"如有违背政府法令、公会章程及制药信条,愿受国家及公会严厉制裁及惩罚"。对于违反质量标准,销售虚假伪劣者,同业公会予以打击。①

近代工商同业组织经常与价格欺诈、哄抬物价、虚假广告和冒牌假货等经营行为进行斗争。例如,上海的国产机制呢帽问世以来,深受消费者喜爱,市场上就出现了许多冒牌商品,上海草呢帽业同业公会先后在报上公布有关商标名称,采取协同监督等方式以防止冒牌假货事件的再现,从而有效地保护了正当经营的会员商户。苏州商务总会也宣告,凡履行缴纳会费义务加入商会的成员都可享受以下的权利:商号受到地痞流氓、贪官污吏的讹诈欺凌、滋扰,商会应代为申诉;出现假冒牌号混淆市场的伪劣商品,使正当商号受到损失,商会应立即查处。在反对假冒伪劣方面,商会与同业组织作为内行,往往能击中假冒商品的要害,有效地保护了正当经营的会员商户和消费者的利益,收到很好的效果。

3. 促进同业公益,促进会员企业发展

近代同业组织以促进同业公益为宗旨,将服务会员企业,促进企业发展作为自己的重要职责。工商同业公会往往重视为同业会员进行市场交易提供便利,以集团力量努力开拓国内市场和国际市场。为降低同业的交易成本,利于业务及信息交流,培育行业市场,不少同业公会不惜花费巨额资金设立交易所或建立公共市场。例如上海机器面粉公司公会在1916年就设

---

① 详见魏文享:《民国时期的工商同业公会研究》(2004年博士论文)第四、五章。

立了面粉贸易所,"凡同业之买卖交易,每日均在该所营业"。该所采取期货交易形式,凡面粉、麸皮交易均由贸易所制成期票,由厂商与买客直接订明交货付价期限,由买卖双方签印成立。此后由于同业交易增多,于是又在原贸易所基础上扩建成立中国机制面粉上海交易所。[①] 又如上海银行公会为推动国际汇兑业务联合上海钱业公会、外商银行公会设立中外银钱业联合会等。1932年"淞沪抗战"爆发后,上海银根紧缺,金融动荡。上海银行同业公会为应付恐慌,成立了上海银行业联合准备委员会,由会员银行各自缴存一定的财产,发给公单、公库证和抵押证等信用工具,以此来灵活同业间的资金融通。联合准备委员会的成立,起到了集中准备、调剂盈虚,实现同业互助以安定金融的作用。1933年1月上海银行公会又成立了票据交换所,使得银行的各种票据清算减掉了原来通过汇划钱庄的环节,节约了人力,缩短了时间,减少了大量票据清算费用的支出。联合准备委员会和票据交换所这两个机构的成立,标志着中国民族资本银行业向近代化方向迈出了重要的步伐。

4．参与解决近代一些跨行业或全局性的经济问题

近代商会及同业组织还参与解决近代一些跨行业或全局性的经济问题,以缓解经济危机。如1916年北洋政府下令中国、交通两行停兑现银,上海中行分行抵制这一倒行逆施政令,上海总商会支持这一抵制活动,发布公告要求各商号对中国银行发行之钞票一律照办,维持市面;每当遇到经济波动,或因政治或社会危机对经济生活造成重大影响时,商会、会馆、公所、同业公会等往往成为缓解危机不可替代的重要角色。南开大学丁长清教授指出,对于近代市场而言,第一调控系统是国家政权,第二调控系统就是商会、会馆、公所、同业公会等,这些工商组织规范着近代市场日常的交易规则、贸

[①] 上海社会科学院经济研究所主编:《中国近代面粉工业史》,中华书局1987年版,第211—212页。

易行为,在缓解经济危机方面作用更加明显。①

5．充当近代工商业者与各级政府间的"桥梁"

近代商会及同业组织往往发挥"中介"作用,充当工商业者与当时各级政府间的"桥梁"。同业公会处于政府与企业之间,要从两个方面来处理与政府之关系,一方面要协助政府实施行业管理,推行财经政令;另一方面则要在与政府交涉中维护工商业者利益,为企业发展创造良好的制度环境,促进行业发展。同业公会直接与企业与市场相联系,对于本行业的经营状况、经营习惯、市场环境等了如指掌,能够为政府决策提供参考信息,使政府政策更能切合实际。在晚清政府制订商律的过程中,政府就要求商会及各地会馆、公所进行商业习惯调查,以为立法依据。民国年间,政府制订相关政策时,需要商会及同业公会进行商情调查或参考决策的事宜很多。例如,1933年国民党政府实业部以"米麦为民食要品,其收获之丰歉,运销之畅滞,关系国计民生至为重大。本部职责所在,夙谋促进生产,以足民食,便利运销,以裕民用。现为实话起见,对各省米麦之产量、运销及所课之田赋、征缴之税捐,特印制表式,分发各县,普遍调查。借观产销之现状及利弊之所在,以谋改进之方法。"天津市商会将此调查任务转交天津市米业同业公会负担,米业公会依要求进行调查。除产米地面积和产麦地面积不知外,对亩产、批发价格、运销区域、运费、计量单位等事均一一报告。②从《天津商会档案汇编》、《苏州商会档案丛编》及其他有关近代中国工商社团历史资料中,有大量关于各地商会、会馆、公所、同业公会等代表工商业者围绕有关裁厘减税等事,或对有关法规条文有异议,或提出某项政策建议,为其他有关经济利益事项与当时各级政府部门交涉的事例,当时政府亦通过这些社团

---

① 详见丁长清:《近代商会——市场第二调控系统》,首届"商会与近代中国"国际学术讨论会提交论文;亦可参见胡光明等:"首届商会与近代中国国际学术讨论会综述",《历史研究》1998年第6期。

② 天津市档案馆等编:《天津商会档案汇编 1928—1937》(下),天津人民出版社 1996年版,第1689页。

传达对工商界的种种要求。

6. 参与政治活动及社会公益活动

各地工商社团还在不同程度上参与政治活动和社会公益活动。例如，在清末新政、地方自治运动、上海光复、二次革命、袁世凯称帝、张勋复辟、五四运动、齐卢战争、北伐战争抵制日货等历次重大历史事件中，上海总商会以中上层绅商和资产阶级立场为出发点，或通电、条陈意见书，或组织集会活动，或出示资助，或决议号令商民等方式介入社会政治变革，表示态度背向。在上海历次的抵货运动、国货运动中上海总商会发挥了重要的作用，如1905年的抵美运动中，上海商务总会议董曾铸在集会上，发表演说，慷慨激昂，领衔通电清廷要求拒签新约，发挥了积极的推进作用。7月上海总商会再次召开会议，当场许多商董签允不定美货，并决定向全国35个商埠发电，宣布抵美行动正式开始，成为抵美运动的发动者。1917年总商会针对会审公廨如遇讼案，不问商人体面、信用将商人立刻拘押捕房之状况，致函公共租界会审公廨，要求凡被控华商系总商会会员，即应视为体面商人，一律改提为传，顾全华商名誉信用，使得租界当局复告自应妥筹办法，交通办理。20年代初的国民运动，上海总商会是重要的倡导者和组织者；"废督裁兵"之说由上海总商会首倡。1923年反对曹锟贿选的民治运动中，上海总商会成立"民治委员会"，发布政治宣言，公陈政治主张，俨然为民间社会的代表和领袖。① 1931年"九·一八事变"后，上海工商社团曾一再发表对日要电等，主张抗日，反对对日妥协。1932年1月21日，日本暴徒纵火焚毁三友实业社工厂，上海商总联会立即与上海市民联合会共同发表宣言指出："此种蛮横行为，系反现代国家之暴日预定之整个计划，非三友实业社之个别问题，更非北四川路老靶子路一带商店之利害问题，尤非工部局之治安维持能力问题，实为全上海全中国之对日问题"，要求"即行对日断绝国交"，并实行

---

① 樊卫国:《近代上海经济社会功能群体与社会控制》,《上海经济研究》2001年第10期。

进一步办法。① 在以后的"一·二八"淞沪抗战中上海工商社团也纷纷通过募捐等方式，支持十九路军抗战，并曾参加组织市民义勇军直接参加对日作战。

7．兴商学、开商智，开展实业教育

近代工商社团都十分重视兴商学、开商智。在参加近代世界激烈的"商战"中，华商屡遭失败或常处于被动地位，他们在总结失败原因的过程中痛感掌握新式工商业知识对发展工商实业的重要性，认识到中国工商业者学习任务很重。因而，上海商务总会成立时拟定的试办章程中，将调查商情、研究商学列为该会的一项宗旨。从 1904 年到 1912 年短短几年间，经上海商务总会倡导而由所属各行业创办的实业学堂就有 10 多所。苏州商务总会成立之初也制定了详细的实业教育规划，其试办章程规定要先筹设商业学堂和商学研究讲习所"以开商智"。② 其他社团也往往将有关开商智等内容列为社团应办的大事。上海商务总会在 1907 年倡议调查商事习惯或习俗一事，得到全国 80 多个地区商会的积极响应，苏州商务总会还专门制定了《研究商事习惯问题简章》以推动商事习俗调查活动的开展。一些上海银行界有识之士意识到组建银行学术团体的必要。他们通过对英国银行业的发展进行了逐步考察，指出英国"自十九世纪以来，金融界领袖辈出，类皆学识渊博经验宏富，为各国所推许也。即一般银行职员之学识效能亦日见增高，非他国所能及。论者每归功于一八七九年创设之银行学会。盖以其设座讲学、考试给评、奖励研究、发行刊物等工作，于养成银行业人才与训练行员之技能有莫大之贡献焉"③。上海银行公会在筹备时期，就充分意识到传播近代金融知识、研究银行实务对于促进中国银行业发展的重要性，所以创办了《银行周报》。各地经济社团还通过创办商品陈列所、劝工会、劝业会，

---

① 《申报》1932 年 1 月 22 日。
② 章开沅等编：《苏州商会档案丛编》第 1 辑，华中师范大学出版社 1991 年版，第 30 页。
③ 银行学会："银行学会成立经过及其现状"，《银行周报》第 18 卷第 1 号(1934 年 1 月 16 日)。

成立商业研究会和研究所之类组织,创办有关工商业的专业报刊和创办商业图书馆等一系列活动,增强工商各业之间的相互联系和市场竞争意识,以促进工商实业发展。

三、历史的启示

在近代中国动荡复杂的社会转型过程中,以商会、同业公会为主体的工商社团在整合城市工商阶层的共同利益、调解商事纠纷、制定和维护行业规范、充当政府与工商业者的"桥梁"、参加社会公益活动、兴办实业教育等方面发挥了重要的社会整合作用,是推进近代中国城市经济社会发展不可替代的重要社会角色。

西方当代以"NGO"、"NPO"为对象的"第三部门"(Third Sector)理论研究打破了沿袭已久的"政府—市场"两分法模式,提出了政府与市场都失灵的问题,并提供了解决这一"双失灵"问题的新思路,将促进西方人所谓"结社革命"的发展,将促使21世纪成为多元化发展的"公民世纪"。近代中国社会经济发展过程中也存在政府与市场"双失灵"的问题,在解决这类问题方面,近代工商社团所起到的积极作用十分明显。当代中国市场经济发展过程中也存在政府与市场"双失灵"的问题,诸如债务纠纷、假冒伪劣等社会经济"顽症"治理中就存在"双失灵"问题。商会、同业公会等工商社团能很好地适应市场经济发展要求,是现代化社会自组织的重要形式。它们既能容纳各个工商企业独立、自由地发展;另一方面又在社会的文化整合、规范整合和功能整合等方面发挥独特作用,以公认的制度性程序解决和调节各经济个体之间已发生的利益冲突,以特有的制度安排避免或减少个体之间发生的冲突。借鉴近代工商社团在这些方面所起的积极作用,积极发展当代中国的工商社团,可以为当代中国解决"双失灵"问题提供有益的路径。

近代工商社团还通过各种渠道向当时政府传递信息、反映工商界要求、沟通工商界与其他各界联系,在广义的社会整合中发挥积极作用。当代中国的工商社团也同样可以通过多种形式和途径有效监督和约束公共权力运行,同样能在广义的社会整合中发挥积极作用。

近代中国工商社团在一定的法制基础上实现自身的改革和转型,从而得以有效地发挥社会整合作用。当代中国的工商社团也可以吸取这方面的历史经验,通过自身的改革和建设,更好地发挥社会整合作用,成为支撑市场经济运行、推动现代化事业发展必不可少的社会组织。

正太铁路与榆次城市化进程:1907—1937[①]

The Zhengding-Taiyuan Railway and the Course of the Urbanization of Yuci:1907—1937

李 丽 娜(广东工业大学文法学院)

江 沛(南开大学历史学院)

摘要:近代以来,随着华北铁路网络的形成与铁路运输业的发展,山西开始逐渐摆脱腹地交通对区域城市化的桎梏,1907年,山西境内的第一条铁路——正太线建成运营,铁路对内陆城市榆次转运业的繁荣、工商业的发展以及城市结构的变动产生了至关重要的作用。以榆次为晋中、晋南货物集散中心,以正太铁路为出入路径,以东南沿海商埠为指向的晋中、晋南区域现代化进程明显加快。山西城市格局也呈现出沿铁路线分布的特点,城镇等级体系更趋完善。

关键词:正太铁路; 榆次; 城市化; 转运业; 工商业; 城市结构

Abstract:Since the modern times, Shanxi was gradually beginning to cast off the yoke of the hinterland traffic on the regional urbanization, along with the formation of the railway network and the development of the railway transport service in North China. In 1907, the first railway within the boundaries of Shanxi, the Zhengding-Taiyuan Railway, was completely built and put into operation. As a consequence, the course of the urbani-

---

① 本文是教育部"新世纪优秀人才计划(2006年度)项目'铁路与近代华北区域社会变迁:1881—1949'(项目编号:NCET—06—0233)和教育部创新基地南开大学"中国思想与社会"子项目"铁路与华北区域城市化进程及观念变革研究"中期成果之一。

zation of Yuci in modern times was carried out, since the railway played the most important role in the prosperity of the transfer service, the development of the industry and commerce and the changes of the urban structure of Yuci, a hinterland city. Moreover, the modernization was obviously speed up in the middle and south regions of Shanxi, Yuci being regarded as the distributing centre of goods, the Zhengding-Taiyuan Railway as the route of coming in and going out, and commercial ports in the South-east of coastal areas as the direction. The urban patterns of Shanxi also presented the characteristic of being distributed along railway lines, and the grade system of cities and towns was being more perfected.

Keywords：the Zhengding-Taiyuan Railway；Yuci；Urbanization；Transfer Service；Industry and Commerce；Urban Structure

榆次县境西北接省会阳曲，西邻太原、徐沟两县，南毗太谷，东接寿阳，东南与和顺接壤，境内的"什贴、王胡、永康三镇为由北京达川陕云贵通衢，鸣谦镇为京省官员往来孔道"，①其地理位置极为重要，早在汉代便置榆次县，宋太平兴国四年徙并州于此，更名榆次为并州，七年复徙并州于阳曲县，而榆次复为县。凭借其地理优势，榆次不仅政治、军事功能突出，商业、手工业也较发达。1907年，正太铁路竣工，以石家庄为起点，经娘子关、阳泉、寿阳、榆次至太原止。正太铁路线上的榆次站，东距石家庄217公里，西距省城26公里，境内计长26公里，每日上行下行各开快车、慢车、混合车一次。新型交通路径和相对完整的铁路运输系统，②很快取代传统的运输路径和运输网络，自此后，"山西中部各县与外间之交通自此正太路为主脑，但正太路上最重要之转运站并非阳曲，而为榆次，因其地位与晋南、晋西反较阳曲

---

① 《榆次县志》卷4，交通考，民国三十一年铅印本。
② 在此前后，京奉、京张、京汉、津浦、正太、道清、陇海等铁路相继建成通车。京汉铁路交北宁、京绥二路于北京，交正太铁路于石家庄，交道清铁路于新乡，交陇海铁路于郑州。津浦铁路又交北宁路于天津，交陇海路于徐州。由此使华北地区出现了一个相对完整的铁路运输系统。

为接近地"。① 由此,榆次成为省外工业品输入与省内农业原料输出的货物集散地,一跃而为山西最大的货物转运市场,以此为契机,榆次加快了由传统向近代的转型步伐,与此相类似,在铁路运输业这一强大经济推动力的作用下,正太路沿线的其他城市近代化进程也大大加快,尤其引人注意的是阳泉的崛起。这一变化,显现了山西城市群体分布鲜明的近代特色。因此,考察铁路与榆次城市近代化的关系对于认识山西城市化、区域现代化的进程,具有极其重要的意义。

研究时间段的界定,所以选在1907—1937年间,是因为1907年正太铁路开始运营,在其后的30年间(20年代中后期曾因战争而导致运输的不正常,但相对和平的时期较长),正太铁路对榆次城市化进程影响明显,1937年中日战争的全面爆发则打断了这一进程。虽然1933年同蒲铁路也在榆次设站,榆次成为铁路货运的中转站和丁字口,但不久后爆发的中日战争使其影响发生变异,因而不列入本文的考察范围。

一、铁路与榆次转运市场的繁荣

山西的水运不发达,只有黄河和汾河的部分河段可通航,在铁路未修之前,主要依靠驿路与外界交流,交通工具为驼、马、驴车等。当时山西最大的转运市场是太谷和平遥,凭借其庞大的金融势力,太谷成为山西最大的粮食、布匹集散地,每年由天津、汉口运来的洋布均在太谷集散,再由谷商运销至晋中及晋南各地,晋南的粮食也多由谷商收购运往平津市场。平遥则是面向南部地区的棉花中心市场,该地商人有平遥班的称号,山西省的棉花运往天津,当初几乎全部由他们垄断。

正太铁路修建后,首先便利了机制工业品和洋货向内地市场集中销售,"输入品种、数量成倍增长",②天津的货物一般集中到石家庄后上正太线输

---

① "大潼铁路沿线经济概况",《铁路杂志》第1卷第4期(1935年9月)。
② 山西史志研究院:《山西通志·商业志》,中华书局1999年版,第10页。

入山西,"凡商货运销南路者,均至榆次下车转发",[1]1907年后,榆次从石家庄进货日益增多,据商会中人估计,1936年前榆次每年的进货量大致为:来自天津的各种杂货34600件,总值865000元;来自高阳的爱国布103200匹,总值495360元;来自石家庄的白小布229600匹,总值220320元;来自天津的糖2600包,总值65000元,煤油14200箱,总值56700元,等等,[2]输入榆次的货物再由平遥太谷商人运至晋南各地销售。

清季以来,天津、烟台、青岛相继开埠,近海各埠纱厂的纷纷设立,美日商人竞相向内陆省份采购,需求的旺盛刺激了山西棉花的大规模种植,"五十年前……统计吾解之地,种棉者不过百分之一二……今则三分之一种棉矣,而花价腾贵,布几如绸,其故何也?良以风气大开,铁路轮船交通便易,远商云集,购运各省,故货愈多而价愈昂,不比从前闭关时代也。人民趋利若鹜,专精此业"。[3]浮山县"近自谷贱以来,县中种棉日渐增多,二三两区几以普遍"。[4]翼城,过去棉花"种者极少",20年代之后,则"到处皆种,成为出产大宗"。[5]经过几十年的发展,除雁门关以北因水利、气候因素棉花种植较少外,晋中及晋南皆为棉花主产区。大量棉花的输出,仅凭传统的运输工具已难以完成,"载货工具为大车,为之以三匹或四匹之骡马,可以载重800至1200公斤,骡一匹可负重150公斤,骆驼则可负重300公斤",[6]而火车的每个车皮就可装运约20吨的货物,铁路便成为棉商理想的运输方式。

铁路不仅载货量大,还具有速度快、费用低、不受季节影响等优点。

各种运输方法运费之比较 单位:分

运输方法	运费(吨/公里)	运输方式	运费(吨/公里)
肩挑	34.0	轻便铁路	2.4

---

[1] "晋省榆次县新设电灯公司",《中外经济周刊》第118号(1925年6月27日)。
[2] 榆次市地方志编撰办公室编:《榆次市志》初稿之五,第7页。
[3] (民国)《解县志》卷2,物产略,台北:成文出版社1968年影印版。
[4] (民国)《浮山县志》卷12,实业,台北:成文出版社1976年影印版。
[5] (民国)《翼城县志》卷6,礼俗,台北:成文出版社1976年影印版。
[6] "大潼铁路沿线经济概况",《铁路杂志》第1卷第4期(1935年9月)。

续表

公路汽车	30.0	铁路	2.0
独轮车	19.2	内河民船	1.2
驴车	18.0		

资料来源：汪胡桢：《民船之运输成本》，《交通杂志》第 3 卷第 3 期(1935 年 1 月)。

由上表可知，各种运输方式相比较，内河水运费用最低，铁路次之，其他几种运输方式过于昂贵，不具有与铁路竞争的能力。铁路运费虽不如河运低，但其安全、不受季节影响的特点又是河运所不具备的，棉花运输旺盛季节一般集中于农历八月至十二月间，此时的华北地区，多处于枯水季节。[①] 1924 年陇海铁路先后延至会兴镇、陕州，晋南各县的棉商也可选择过黄河，在会兴镇或陕州中转上陇海路运至郑州，再由平汉路运至天津或汉口。然而黄河水运"因下流三门之险，每年总有三四次覆舟之害"[②]，再加之"陇海路因战事受害，在中国为最甚，车站亦有破坏者，有时通车，而车辆不足"[③]，且山西棉在郑州市场又遇灵宝棉的激烈竞争，所以，尽管"按地理位置上之关系，西南地方之棉花，由黄河水运与陇海路之便，输出郑州"，但实际上，"除荣河地方之四到五成，新绛、曲沃、解县、蒲州之二到三成、芮城、平陆全部由郑州吸收之外，倘无特别事故发生者，运至天津者，将来总不下二十万担之谱"。[④] 由此可知，大部分的晋南棉花还是经由正太路运至天津，晋南各县棉花运津的路线，一般先是由平遥商人从原产地收购，用"马车装至正太路之榆次车站，再装火车运至石家庄，继由平汉路运至丰台，改装北宁路车运津"[⑤]，如此一来，榆次成为山西最大的棉花集散市场，平遥的商业地位则逐渐下降，"平遥……近来情况为之一变，棉花的通过贸易，转到榆次进

[①] "石家庄之经济状况"，《中外经济周刊》第 181 期(1926 年 9 月 15 日)。
[②] 王振勋译：《天津棉花》，《天津棉鉴》第 1 卷第 4 期(1930 年 9 月)。
[③] 王振勋译：《天津棉花》，《天津棉鉴》第 1 卷第 1 期(1930 年 6 月)。
[④] 同上。
[⑤] 《山西棉产概况》，《天津棉鉴》第 4 卷第 1—6 期合刊(1933 年 9 月—1934 年 2 月)。

行,从而,这里作为棉花市场,已经不如过去重要"。① 据统计,1907 年至 1936 年由榆次输出天津的棉花每年大约有 2920846 斤,价值 876250 元。②

粮食也是以榆次为交易中心向外转运的大宗货物。铁路通行后,太谷商人不得不先将晋南的粮食运至榆次后再上火车,榆次取代太谷成为晋省最大的粮食中转地,因此太谷商人急切呼吁:"自正太铁路开,谷商已大减,同蒲线如复不经谷境,为谷计者,尤宜速修榆太支线以通商情。"③事实也是如此,1933 年榆谷支线通车后,粮食可由太谷直接上火车运出,太谷复又为成为山西最大的粮食交易中心。据统计,1907 年至 1936 年由榆次输往石家庄的小米每年大约有 143280 石,价值 429840 元;高粱 117340 石,价值 234640 元;杂粮 25250 石,价值 63125 元;小麦 17130 石,价值 68520 元④。此外由榆次车站输出的还有棉纱、烟叶、皮毛、药材、铁器等货物。

不仅晋南、晋西各县货物多经榆次转运,而且榆次"西南由郝村出境为通陕甘要道",所以"凡平津、陕甘、绥蒙等处往返货物,均经榆次"⑤,因此,榆次的转运市场前所未有的繁荣,堆栈业应时而起,堆栈业也称转运公司,主要业务为代客存放,收取栈租,后扩展为代客购买、运输等业务,初仅两三家,渐增至 10 余家,1927 年前后,"陇海、平绥两路不通,陕甘货物都经榆次转运,实为该业最盛时期"⑥,后因其余各路营业恢复,以及实行铁路联运,货不进栈,此业有所萧条。1936 年,堆栈业仍有吉泰隆、大礼祥、义胜合、同合公、聚义成、义盛通、万丰厚 7 家。

纵观这 30 年的发展,可以说,榆次被时人誉为"晋省商务之枢纽"⑦的确名实相符。相比之下,太原虽为山西省会,但位于正太路之末端,距离物

---

① 〔日〕大岛让次:"山西、直隶棉花情况视察报告"(1927 年),侯振彤译编:《山西历史辑览》,山西地方史志资料丛书之九,第 47 页。
② 实业部国际贸易局编:《中国实业志·山西卷》,第 3 编第 3 章,第 97 页。
③ 张正明:《晋商兴衰史》,山西古籍出版社 1995 年版,第 238 页。
④ 榆次市地方志编撰办公室编:《榆次市志初稿》之五,第 8 页。
⑤ 实业部国际贸易局编:《中国实业志·山西卷》,第 3 编第 2 章,第 94 页。
⑥ 同上,第 101 页。
⑦ "调查本路各大站商务运输情形简要报告",《铁路月刊》正太线,第 1 卷第 2 期(1931 年 5 月)。

产较丰的晋南较榆次为远,商业辐射力较弱,仅太原以北、晋中部分县的商品经由太原转运,转运业远不如榆次发达,仅有元盛、庆泰裕、兴顺利3家,直到1933年同蒲路分段营业后,太原作为南北物资交流的中心,商业辐射能力大为增强,转运业才有了长足的进步。

二、铁路与榆次工商业的发展

民国时期,李毓芳认为铁路在五个方面于商业发展非常有利,即铁路发达有利于各地产业勃兴,进而扩大商业范围;铁路运费低廉,可以扩大各种货物的销售范围;销售范围的扩大可以带来更多的商品需求,促进专门经营;相对而言,铁路运输比较安全,适应变化,危险性小;铁路运输速度快,货物到达迅速,有利于资本周转。[①] 榆次的商业发展也印证了这一观点。作为晋省最大的铁路转运市场,榆次迎来了商业发展的黄金期。商业最盛时期,城关商号发展到近400家,1936年前后,共计205家。[②] 概括之,有四种商业类型,第一种是堆栈业,堆存的大宗货物多是棉花,这部分内容上节已有提到,不再赘述。

第二种是经营洋货及机制工业品的商业,主要有花布业、干菜纸张业、煤油业等。花布业主要经营洋布,有晋通、吉逢、协成裕、义兴长、大盛魁、祥泰隆6家,资本额348000元,全年营业额496028元,"该业在前清时仅由太谷县零星贩卖,以供本县消费",铁路通车后,"市面渐繁,资力较裕,始能直接向外大宗交易",[③] 经营的花布主要来自石家庄和天津、青岛上海等商埠,转而再售与晋中、晋南市场。干菜纸张业主要有晋丰厚、公兴顺、聚兴顺、广云集4家,主要经营海味、糖、纸张、干菜、干果等,每年销值达858400元。经营户最大的是公兴顺和记杂货庄,经营的货物有10大类,有来自苏联、日

---

① 李毓芳:"论铁道与工商业之关系",《民国经世文编》(交通、宗教、道德分册),台北文海出版社1966年影印版,第4974—4979页。
② 榆次市地方志编撰办公室编:《榆次市志初稿》之五,第5、10页。
③ 实业部国际贸易局编:《中国实业志·山西卷》,第3编第3章,第97页。

本、广东、天津所产的糖类,有来自芬兰、瑞典、瑞士、美国、日本等国的机制纸,有来自日本、天津出产的海味副食,也有来自德国、天津生产的颜料,等等。上述货源主要由天津分庄采购供应,由火车输出,榆次为总号,院厅悬有"货聚九州"匾,后发展资金近百万元。① 义聚煤油庄是美孚石油公司在山西的经销商,股东由宋张王3家及其他一些零星股东组成,不久便获利甚丰,每股分红在一万元以上,接着又包销南洋兄弟烟草公司纸烟、榆次晋华纱厂的产品,也大宗包销苍芦海盐、德国仁丹,并出资在北关修建货栈,有火车岔道,火车皮可直达转运站装卸货物。②

第三种是经营农产品等原料的商业,主要有粮店、花行等。花行有义合永、公义顺、福泰栈、吉泰隆、德顺恒等12家,全都备有宽大的仓库,建有铁路专用线,在洪洞、临汾、曲沃等棉花产地设有分号,收购棉花运至榆次后再售与天津商人,交易规则也由最初的现款交易发展到期货交易,通常在货物交接完毕后7日或10日之内,在天津交付。③ 粮店有吉泰公、吉履亨、德丰恒、晋源永、义逢权、义聚兴、聚绵川、晋昌8家,资本额55750元,全年营业额48550元,"该业前因交通不便,米粮未能出境,彼时粮业纯为代客买卖,资本微弱,仅抽佣金,自正太铁路通过后,始有起色,河北各县粮商,不时大宗采购,非自行囤积,难应需求,遂由代客买卖蜕化为自行买卖,颇有蒸蒸日上之势",后因捐税繁重,又遇1930年晋钞贬值,多亏累不支,纷纷歇业,仅存两家,"至上年正太同蒲两路同时南下通车,交通大便,始行增设六家",④ 粮食一部分供给直隶缺粮地区,直隶的正定、保定一带,原本是粮食产量较高的地区,但因"年来盛行植棉",有的地方"其植棉面积约占耕地十之七八,以致粮食不足,恒仰给于山西方面",⑤ 其余的则销往本地或邻省的面粉厂。

第四种为金融业。这期间诞生了新式的银行银号,1920年,山西省银

---

① 周波臣:"忆公兴顺和记杂货庄",《榆次文史资料》第7辑,第10—13页。
② 赵子光整理:"我所知道的义聚煤油庄",《榆次文史资料》第7辑,第25页。
③ 〔日〕大岛让次:"山西、直隶棉花情况视察报告",(1927年10月),山西省地方志编撰委员会办公室:《山西历史辑览(1909—1943)》,第46页。
④ 实业部国际贸易局编:《中国实业志·山西卷》,第3编第3章,第99页。
⑤ 同上。

行在榆次设立分行,发行纸币,营业日渐发达,1934年,晋绥地方铁路银号在榆次设立分号。与此同时,传统的金融业依旧存在,1936年共有钱业10家,典业12家。新式与传统的金融业竞争共存,共同服务于榆次的工商业发展。

据1936年统计,榆次与省外的贸易额居全省首位,"购入484万元,外销564万元",太原阳曲[①]共"购入413万元,外销264万元",[②]相比而言,榆次多为大型批发商户,商品交易额巨大。太原虽有2500余家商户,但以门市售货供本地消费者为多数,主要商业为米粟业、金银首饰业、金融业等。[③]大型批发商少,与省内外贸易不如榆次频繁,商品交易额较小。但可以预想,同蒲铁路的通车运营对于太原商业的发展必定是个巨大的契机,作为同蒲路的中心站,太原成为沟通晋省经济的总枢纽,商业地位无疑会有一个飞跃。

交通的便利、市场的广阔、原料的丰饶、金融机关的健全催生了榆次的近代工业,并进而影响其发展进程、种类和区域分布。1924年,山西最大的纱厂——晋华纱厂募集45万元股款于榆次站南侧设立,当初选址时,创立者便是考虑到榆次"由正太路,东至石家庄,不过数点钟"、棉花"就地采买,价必公平,更无可虞缺乏"[④]等诸多有利条件。纱厂自开工以来,营业颇为顺利,1926年添购纱机800锭,1927年添购纱机20000锭,改用电气发动,1929又增加股本为300万元,1930年添购纱机8144锭,添购织毯机4部,增设织毯厂,1931年添购合股机752锭,增加股本为400万元,营业最好时有工人3000多名。每年计产8支至32支棉纱30900包,总值556200元,20支至32支2股及3股线900包,总值207000元,产品行销区域,除本省各县外,以平汉铁路沿线如河北之石家庄、清苑、获鹿,及河南之郑州、许昌

---

① 太原实属阳曲县,民国元年,废太原府,以阳曲县为山西省会,1920年,阎锡山在阳曲县城新设置了太原市政公所,它的管辖地盘是当时阳曲县城内外。1927年,市制确定,这是太原以市问世之始,辖区面积为150平方公里。
② 实业部国际贸易局编:《中国实业志·山西卷》第3编第2章,第110页。
③ 段克明:"抗日战争前太原经济概况",《太原文史资料》第7辑,第9页。
④ 陈瑞庭:"晋华纺织厂的往昔",《榆次文史资料》第9辑,第59页。

为大宗。① 皆通过正太、平汉路运输。1929年,设在源涡村的晋华发电厂成立,设置1150千瓦的发电机一部,供晋华纺织厂内用电。

位于榆次城北门外的魏榆电气厂则是榆次规模最大的发电厂,它是1924年由宋纯如等集资5万元以股份有限公司的形式成立的,最初仅有发电机一座,1929年又添购一座,1931年续增资本5万元,共计10万元,主要用户有工厂3家、商户467家、住户174家。② 另外一家重要的机器工业是1929年由宋纯如等召集股东100余人创建的魏榆面粉股份公司,1936年左右时有厂基7亩,房屋80幢,工人26名,煤气引擎1部,马力100匹,磨麦机3台,净麦机3台。1930年至1934年销售状况如下:

年份	出产(袋)	销售(袋)	年份	出产(袋)	销售(袋)
1930年	12569	6137	1933年	104808	95240
1931年	83553	39295	1934年	158575	178939
1932年	68726	78143			

资料来源:实业部国际贸易局:《中国实业志·山西卷》第3编第3章,第90页。

从上表可见,魏榆面粉公司营业颇为顺利,沿线新兴城市的兴起、城市人口的增加是面粉销量增加的主要原因,其销路省外以石家庄为最旺,内销太原、阳泉等处③。

其他的机制工业还有利民染织工厂,1913年利民染织工厂在榆次设厂,专染花色布匹,营业日渐发达,1927年又于北门外购地建厂,面积9.77亩,房屋194幢,并置办锅炉、引擎及水力织机等,1930年又添染色机器。到1935年共有水力织机25台,人力机54台,染缸机2对等。该厂每年所需的原料除大部分由晋华纱厂供给外,还需从天津购进32支纱30包,从上海购进42支纱100包。

---

① 实业部国际贸易局编:《中国实业志·山西卷》,第3编第3章,第89页。
② 同上。
③ 同上。

经过多年的发展,榆次的机器工业资本达 412 万元,生产价值高达 586 万多元,而太原的作坊工业居多,机制工业较少,机器工业资本仅有 390 万余元,生产价值 400 万余元,[①]但 1931 年后,阎锡山实施"山西省政十年建设计划",在太原创建西北实业公司,建立了一批军用、民用工业,机制工业猛增至 37 家,太原机器工业这才得以飞速发展,从而全面推动了太原城市的近代化进程。

总之,铁路的运营使榆次的气象焕然一新,新变化令时人欣喜,"然以交通便利之故,新兴工业勃发……或开风气之先,或树商战之略裨益社会良匪浅",并预见"近复完成同蒲铁路,吾榆适为交会之点,倘得工业发达农商亦可随之,而日臻于盛矣"[②]。

三、铁路与榆次城市结构的变动

产业的近代化导致榆次人口流动明显加快,其一是邑绅、地主、旧式商人纷纷投资近代商业和工业,转化为新式的民族工商业者。如晋华纱厂的主要股东贾继英原是钱庄商人,赵鹤年则是大地主,投资创办魏榆电气厂和魏榆面粉厂的宋纯如也是地主士绅,义聚煤油庄的主要创办人宋继宗则是由旧式商人转化为新式的商人的典型例子。其二是农村失业人口流入城市转化为雇佣工人。由于工业品的大量涌入加速了自然经济的解体,农民纷纷破产而涌入城镇,榆次的铁路工人大多招聘的是失业农民,晋华纱厂成立时也从榆次城镇、农村招收学徒 300 余人[③]。

人口流动的频繁进一步促成榆次社会结构发生变动,最明显的变化是商人的大量涌现,1913 年商会成立,1936 年前,商人人数达到 1700 名左右[④],榆次商会作为一种新式的资本主义社团组织,具有"审议工商业改良

---

① "大潼铁路沿线经济概况",《铁路杂志》第 1 卷第 2 期(1935 年 7 月)。
② 《榆次县志》卷 6,生计考,民国三十一年铅印本。
③ 陈瑞庭:"晋华纺织厂的往昔",《榆次文史资料》第 9 辑,第 61 页。
④ 榆次市地方志编撰办公室编:《榆次市志初稿》之五,第 10 页。

及发展事项,工商业之征询及通报事项,关于国际贸易之介绍及指导事项,遇到市面恐慌,有维持及请求地方政府维持之责任"①等 9 项职能,商会的成立表明榆次的商业组织和管理方式都发生了具有近代意义的变化,这些变化同该时期商业市场的扩大和市场结构的变动相呼应,共同构成了商业发展的全景图。其次,由于商业的繁荣和机制工业的兴起,雇佣工人人数激增。各商号的工人人数增长迅猛,有 3667 名之多②。产业工人也迅速崛起,晋华纺织厂初招 600 多名工人,营业最佳时上升到 3000 多名工人,1926 年,纱厂的千余名工人在中国共产党的领导下,组成工会,举行了长达 40 天的罢工,迫使资方做出让步。榆次铁路工人也有一定数量,虽无确切的数字统计,但作为正太线上的头等站,榆次铁路工人人数应不在少数,1933 年同蒲路在榆次县城西门外设站后,铁路工人数量增长更快。民族工商业者及商会的出现、工人及其工会组织的出现是榆次社会结构发生的最突出的变化。

社会结构的改变从榆次城市空间格局的变化中也可窥见一斑。清朝末年,榆次城北门外是一片灰渣荒滩,正太铁路在榆次北门外二里余处设站后,鉴于运输销售之便,晋华纺纱有限公司在车站南侧设厂,利民织染公司在站东设厂,魏榆电气厂与魏榆面粉厂也紧挨铁道南侧修建。另外,由于榆次车站转运货物及往来客商日渐增多,榆次北门外逐渐形成两条商业街,一条是栈房街,栈房街原是乘车旅客从北门到火车站走出的一条小斜道,最初建有一些临时的小客店,1914 年,原在王胡、什贴通京官道的一些客栈迁往榆次城北,开始沿斜道建起裕兴栈、大兴栈、丰州栈、中西饭店、谦义栈,随后又建成永成栈、永义栈、广利栈、天义店、亨达店等客货栈,其后几年,其他栈店业也相继移迁至此,小小的斜道便因栈店业而兴盛,故得名栈房街,也叫西大街。另一条是粮店街,在清末,此街是通往王胡、什贴之京官道,正太铁路通车后,魏榆面粉厂与魏榆电气厂在官道东

---

① 侯尊五:"商会",《榆次文史资料》第 7 辑,第 32 页。
② 榆次市地方志编撰办公室编:《榆次市志初稿》之五,第 10 页。

设厂,那时这条街道叫东大街,1930年,宋继宗在街南口路东开始兴建吉泰公粮店、吉丰厚钱庄、吉豫亨木厂等,随后,谦源升烟店、晋丰源烟店、永记烟店、德丰利粮店、德生利粮店、利晋染布公司、晋兴泰粮店相继建立,1931年后,原在乡镇的一些商号陆续迁来,粮店街路东又先后出现晋吉煤店、万升粮店、复兴厚粮店、吉履亨粮店等店铺。由于此街主要是粮业兴集之地,距火车站又较近,粮业客商不仅起运货物方便,而且居住客栈又近,因此外来客商日渐增多,每日人来车往,络绎不绝,商号门庭若市,久之得名粮店街。①

久之,北门外逐渐形成一片新兴工商业区,从事工商业的人群多聚集于此,从城市的空间格局来看,形成"子母城"城市格局。老城"城堞整齐,周六里,作方形,为门四,高三丈六尺。南关外有外城,作半规形……周六百七十三丈,高三丈,为门三",②老城里有传统的行政机构,依然主要行使政治功能。新城则依铁道而建,呈现不规则形,却呈现出勃勃生机,经济功能突出。榆次的经济重心也随之北移,光绪年间的榆次闹市,主要在南关的商阁以北至南门里,稍后,一些大商户坐落在富户街,1927年后,铺面发展到北大街,1930年,在北门外树林街开辟"中山"市场,为小商贩交易市场。③ 此时的北大街与北门外的东、西大街成为新的工商业中心,原先的商业区逐渐衰落。

榆次的城乡结构也发生近代转变。城乡间不仅人员流动频繁,而且经济联系日益紧密。铁路通行后,机制工业品首先涌入铁路沿线的周边农村,榆次的传统手工业迅速衰落,"自正太铁路敷设,外布输入渐广,向所谓贩之四方旁及西北诸州县之榆次大布遂以绝迹"④。同时,适应城市工业对于原料的大量需求,农产品商品化程度明显提高,正太线通车前,榆次农村的粮食几乎完全自给,品种以小米、高粱为主,小麦仅占1/10,"自铁路通后,麦

---

① 侯尊五:"两条商业名街",《榆次文史资料》第7辑,第39—40页。
② 白眉初:《中华民国省区全志》第2卷《山西省志》,北京师范大学史地系1924年版,第24页。
③ 侯尊五:"榆次商业闹市的变迁",《榆次文史资料》第7辑,第35—37页。
④ 《榆次县志》卷6,生计考。

价日昂,故种麦者比岁增多,几占全县禾田十分之三",①小麦一部分供给榆次城内的面粉厂,余则输往省外。杂粮出产也颇丰,高粱年产16.2万石,主要产于永康、东阳、什贴等村,每年销往石家庄8万余石。黄米主要产于王胡、什贴、峪口等村,年产18万石,每年有5万余石销往石家庄。黑豆年产量7.5万石,每年均有2万余石销往石家庄。②棉花的商业化种植也颇为可观,榆次"向不种棉"③,1932年种植面积仅945亩,到1933年便增至1834亩,产量为55760斤,种植户数1658户,1934年,种植面积一跃至5928亩,产量为181364斤,种植户数有2023户④,棉花多供给晋华纺纱厂。这一时期的市集所呈现出的专业化、规模大、次数多的特征,也可瞥见城乡经济交流的繁盛状况,榆次的市集多在城关举行,"有粮集、年集、果木集之分,粮集以交易米粮为主,分单双日举行"⑤,榆次的城隍庙会最为著名,"万商云集,经月不散","各商终岁所售之品均赖榆会购入"⑥,其余的市集分布在榆次的14个镇上,1936年前后的北田镇逢单日赶集,商店数有28家,赶集人数1600多人,位于榆次东北门户的什贴镇赶庙会时,"太原、寿阳和榆次城的客商云集,远至河北、阳泉、盂县等地的粮食和农副产品均来这里集散,市场甚是繁荣"⑦。城乡之间这种相互制约、相互依存的结构有助于进一步加深认识铁路与区域近代化之间的关系。

结　　语

近代以来,沿海通商口岸的开放,近代工业企业的创办,以铁路为主导的近代化运输诸系统因素的结合推动了华北区域城市的近代化,而对于山

---

① 《榆次县志》卷6,生计考,民国三十一年铅印本。
② 山西省志研究院译编:《山西大观》,山西古籍出版社1997年版,第61页。
③ 《榆次县志》卷6,生计考。
④ 山西省志研究院译编:《山西大观》,山西古籍出版社1997年版,第62页。
⑤ 《榆次县志》卷3,物产考。
⑥ 《榆次县志》卷6,生计考。
⑦ 山西省榆次市志编撰委员会编:《榆次市志》,中华书局1996年版,第518—521页。

西这样一个交通闭塞的内陆省份而言，新式交通在其城市近代化进程中的意义更为重要，不仅如此，铁路通行后所形成的以铁路运输为主，驿路和河运为辅的新的商品流通网络，极大地影响了山西城市的兴衰变动，重构了城市群体的分布格局，密切了城乡关系，对区域近代化的影响殊为明显。

1. 同全国其他省份一样，山西传统意义上只有两类城市，即行政消费型城市和经济型城市。行政消费型城市以行政为主要职能，以乡村供应为经济内容，政治意义远大于经济意义，且随行政体系的变动而呈明显的兴衰变动的规律。明清之际，随着国内贸易的增长和海外贸易的开拓，依托完备的驿路网络，晋商开始兴起，并涌现出"祁太平"为主要代表的以经济功能为主的驿路城市，榆次虽也是晋商的主要据点，但比"祁太平"还略有逊色。铁路交通出现后，其根本意义，在于可以低廉的价格，使大量的商品和人员在短期内进行长距离的交流，大大拓宽了人与物的活动空间，因此，成为铁路枢纽城市的榆次遂取代太谷、平遥成为山西最大的货物中转市场，铁路转运业的兴盛有力地推动了工商业的近代化进程，与此同时，工商业人群大量涌现，代表其利益的近代社会团体也相继形成，顺应工商业的发展，新兴城区突破了传统城墙的限制沿铁路线南北延伸，形成迥然不同于传统城市的空间格局，城市的近代化步伐大为加快，成为山西最具活力的城市，而省城太原的发展态势却颇为尴尬，风头长期为榆次所盖。由此可见，榆次的崛起创造出以铁路为依托、以近代工商业为主要内容的新型城市，是近代山西社会与经济变动中产生的新的城市类型。

2. 铁路在近代山西城市格局形成过程中起着关键作用。铁路修筑以前，山西城市的发展与分布，与驿路密切相关，铁路运输兴起后，由于铁路线多与驿路重合或平行，铁路运输的发展，并未从根本上改变山西城市的分布。但从榆次的地位转变，特别是阳泉由一个小村庄成长为重要的工矿业城镇的过程中，不难看出铁路沿线正逐渐成为工商业城镇的集中之地。同时必须指出，铁路沿线的城市发展也各不相同，铁路与铁路、驿路或公路交接处的城市发展最为迅速，铁路末端的城市发展则相对缓慢，两个车站距离较近，则势必引起货流分流，进而影响到城市的发展。榆次与太原的关系便是证明。另一方面，城镇等级规模的完善是近代城市格局形成的重要指标，铁路修建前，商品流通时间长，流通量小，商品集散地等级规模不甚明显，铁路便利了大量商品在短时期内进行长距离交流，从而使得商品交易市场等级规模更加清晰，如由于棉花改由铁路运输后，榆次成为晋省一级棉花集散市场，平遥次之，洪洞、临汾、曲沃则为初级市场，这直接促成了近代山西城镇等级规模的进一步完善。

3. 铁路的通行进一步密切了城乡关系，从而推动了区域近代化的发展。随着铁路的延伸，铁路大大缩短了山西与华北诸省的地理空间上的距离，华北中心城市天津、北京(北平)的经济辐射能力延伸到山西。正是凭借铁路这一强有力的经济触角，以铁路沿线城市为据点，西方近代工业文明由此畅通无阻地进行着由沿海至内地、由城市至农村的传播，一方面加速了农村自然经济的解体；另一方面又刺激了农村特别是铁路沿线农村农副产品的商品化生产。农村逐渐成为城市工业品的倾销地和城市工业原料、劳动力的提供者，农村居民的职业构成、生活方式以及思想观念都有明显的改变，这些变化以铁路沿线的晋中及晋南农村最为明显，由此可见，以榆次为代表的铁路沿线城市为中心、以铁路为网络、以其腹地农村为域面的区域率先发展，其近代化程度明显高于其他地区。

总之，在铁路运输影响下，榆次城市的近代化进程大大加快，不仅影响了近代山西城市的区域布局，而且推动了山西区域经济社会的近代化。

无锡自开商埠中现代化问题述论
On the Ports Opened Voluntarily by China and the Problem of the Modernization of Wuxi

袁 媛、周 芬 芬(江西师范大学瑶湖校区)
刘 义 杰(南昌工程学院瑶湖校区)

摘要:在中国城市现代化发展史中,无锡拥有得天独厚的现代化发展条件,其发展历程、模式都具有代表性意义。自开商埠活动本应是无锡城市经济发展的迫切所需,但是开埠有首无尾、难以推展,难逃大部分自开商埠无疾而终的命运;未能对无锡城市发展产生深远的作用。本文根据无锡城市发展的史料,具体分析无锡的近代兴起,以及无锡自开商埠存在的问题,从自开商埠的角度分析无锡近代城市化发展。

关键词:无锡; 自开商埠; 城市化

Abstract: In the modern evolution history of Chinese cities, Wuxi possessed of natural economic basis and strong terms of industry and commerce. Its evolutive route and mode was representative. The initial activity of opening market was to meet the needs of the economic development of Wuxi city, but it had no progress, ended with no result. It could not escape the dooms that all the ports opened voluntarily by China endured. Obviously, it also had little effect on the development of Wuxi city. This essay, following the theory of urban development, concretely analyses the rising of Wuxi city in the modern age and the problems occurred in the action of opening market.

Keywords:Wuxi；The Ports Opened Voluntarily by China；Urbanization

近代中国存在两种类型的通商口岸，一类为列强强迫所开称为"条约口岸"或"约开口岸"，一类为中国政府主动开放称为"自开商埠"。自开商埠，即近代中国政府根据国内外形势的需要主动开放的通商口岸，它是中国现代化历程中一种独特的尝试，与约开口岸最大的区别是"权操自我"。在自开商埠地区，行政权、司法权、立法权都归我国政府所有。从现代化角度看，这两类城市走着不同的发展道路。约开口岸主要是被外国资本主义势力推向现代化，而自开商埠是在传统社会经济的基础上，近代先民们靠着自己的努力推动城市走上现代化的。地处太湖流域的江苏无锡即是民初北洋政府时期的自开商埠之一。

一、无锡自开商埠设立的经过

无锡是近代中国工商业发展最早的城市之一，地处江苏南部经济区中心，居上海、南京中间，北临长江，南滨太湖，运河横贯其中。无锡著名实业家荣德生早在1912年《无锡之将来》文首即精辟论述了无锡当时的经济地理概貌，"无锡，为江苏六十县之一，地居沪宁之中心，水陆交通，商贾辐辏，出产有大宗之丝茧，贸易以米市最为盛。今则工厂林立，如纺纱厂、织布厂、面粉厂、缫丝厂、碾米厂，不下数十处。其直接便利商店者，有电灯电话焉。四商业之大较也"，[1]更提到"无锡于十五年内将有大商场发现"。[2]

20世纪20年代，无锡籍京官看到晚清政府和民国政府先后自行开辟的吴淞、济南、南宁、海州、张家口等通商口岸，商业繁荣，经济发达，深感开埠之利，遂有促进无锡开埠之动议。

---

[1] 荣德生：《无锡之将来》，无锡锡成印刷公司刻印本1914年版，第1页。
[2] 程屏："无锡开辟商埠大事记"，江苏政协文史编辑部：《无锡城市建设》，1996年，第66页。

1922年8月,任北京政府农商部司长的无锡人氏李徵回锡,与实业家荣德生深谈开埠一事,征得同意。同年9月,无锡县商会、县农会、县教育会、县四乡公所、市公所、县款产经理处(时称社会六公团)联合呈请无锡县公署转请省政府援照海州、吴淞成案,同意无锡开辟商埠。9月26日江苏省实业厅批复无锡六公团呈文的128号命令,"无锡工商发达,自有开埠之必要,但事关国体,应由阁议"。同年10月24日,北京政府批准无锡成立商埠局,由大总统签发命令,委曾任北洋政府财政部次长的杨味云为商埠督办,商埠局设于广勤路。

商埠局正式成立后,遂筹组了"商埠讨论会"谋划商埠事宜,对商埠进行划界、筹设警署,于1923年1月5日公布了毕业于上海商埠局自治讲习所的储重华编绘的"商埠图"及说明。但是商埠经费的筹集始终问题不断。最初,经各方商定经费由"庚子赔款"减免费中划拨,或"援海州开埠成案,于海关附加税项下酌量支拨"都不切实际。几经周折北京政府同意以国库名义,在省缴款中扣除,拨给无锡商埠局筹办经费;但是落实下来举步维艰,直到后来经费成为商埠维持下去的人人着急关心的最大的问题。"民国十二年(1923年)3月6日商埠局公布:局经费除一月份按数(4000元)实领外,二月份仅领到2000元,只够半月经费(此后经费问题成为商埠局的主要议题)"。[①] 不久之后的两次江浙战争(简称齐卢交战),无锡城厢秩序大乱,商埠局公事俱受影响。"1926年12月杨味云见战事频频,以家事为由回天津,委托杨翰西照料局事。此后息影京津"。[②] "1927年3月27日国民党无锡县政府派农工商委员顾彬生,至商埠局与杨仲滋主任洽谈接收,派公安委员许淡如,至商埠警察署洽谈接收。此后商埠局遂无活动"。[③]

---

① 程屏:"二十年代无锡筹建商埠史略",江苏政协文史编辑部:《无锡城市建设》,第54页。
② 同上,第55页。
③ 同上,第54页。

二、自开商埠:无锡城市现代化的重要标识

"社会现代化理论中对城市社会的现代化大致划分为'早发内生型'和'后发外生型'。前者主要依靠自身力量来推进城市化进程,后者在推进城市化进程中,除了依靠自身力量外,还受到外力的影响。自开商埠是实现城市化的一个重要举措"。[①] 无锡在开放的过程中,必须正确处理"内力"和"外力"的关系,以及经济交往的层次问题。而经济交往是无锡城市发展中所有交往的基础,表现为商业、交通、教育、城市建设等网络的形成,无锡城市的发展水平很大程度上取决于无锡经济交往的层次和程度。作为一个向现代化迈进的城市,没有一个对外开放、吸纳外来经济文化因素的着力点,实为这个城市的不幸,自开商埠很显然填补了无锡的这一空缺。

首先,从无锡传统社会经济来看:19 世纪末至 20 世纪上半期无锡工业迅猛发展,中国近代的 35 个自开商埠中,设有新式工商企业的并不多,其中无锡就有 33 家位居全国第二。早在 1895 年,在无锡东门外的兴隆桥,无锡第一家近代机器工厂——业勤纺织公司开始兴建,它的创办揭开了无锡工业化的序幕,标志着无锡近代化的起步。1900 年,荣宗敬、荣德生兄弟与朱仲甫合伙创办保兴面粉厂,匡仲谋创办亨吉利布厂。1904 年,周舜卿开办裕昌丝厂。以棉纺织业、缫丝业、面粉加工业为三大支柱的近代工业如雨后春笋在无锡兴起。在 1913 年前,无锡近代主体的产业中的纺织、缫丝、面粉三大产业已基本形成,其中纱锭数达到 34092 枚,位居全国第四,约占全国纱锭数的 7.5%。1914 年第一次世界大战爆发后,无锡近代工业更获得较快发展;比较突出表现在:战前的纺织、面粉、缫丝三大产业获得更加稳步的发展;食品业中的碾米业也加快步伐,成为仅次于前三大产业的行业。20 世纪 20 年代无锡的近代工业体系已经基本完备,门类分布较广,六大民族

---

① 唐凌:"自开商埠:透视中国近代经济变迁的一个窗口",《华南理工大学学报(社会科学版)》2001 年第 4 期,第 41 页。

资本系统地位也完全确立(周、杨、荣、薛、唐-蔡、唐-程)。工业的发展,突出城市的贸易功能,无锡开埠刺激资源的开发和财富的创造,而且使城市聚集人才和技术的优势。开埠以后,无锡的知名度提高,产生的磁吸效应,促使众多商人来到无锡寻找商机,无锡与国内外市场的联系大为加强。

其次,无锡作为一个迈进现代化工商业城市,与工业建设相匹配的其他方面的建设也初具规模。就交通运输业来说,无锡在很早以前就获得了"布码头"、"放款码头"之称。一个城市作为货物和人员的集散地,需要有方便的交通,故交通运输的发展与否对于一个城市的兴衰至关重要。没有一个地理封闭、运输条件很差的城市能够在近代发展起来,特别是近代工业兴起以后,能源、燃料、原料和产品的运输量空前增加,人口的流动也加大,这对城市的运输条件提出了更高的要求。一般说来,作为地域的政治、经济中心的城市大都与交通枢纽相共生,而比较重要的城市大都是位于陆上枢纽、水陆枢纽、海陆联运枢纽。"作为太湖南岸水运中心,在《马关条约》签订后,内河轮运对列强开放,无锡成为外商内河航运经营中的泊地之一"。① 另外,"1908 年 12 月沪宁铁路全线通车,设无锡城区和石塘湾两站。在轮运和铁路运输日渐发展的同时,无锡的公路建设加速进行,不仅加强了无锡与外埠的联系、沟通,还有利于城区的改造与开发"。② "上个世纪 20 年代末,无锡已经初步形成以水运、公路、铁路为主的近代交通体系,以及以无锡为中心、向各地辐射的交通运输网络"。③ 无锡交通运输的大体完备不仅有力推动了民族工商业的发展,也大大促进了地区及城乡之间的物资交流;而且更推进了无锡城市化进程的发展。

第三,无锡城市走上现代化道路与吸取西方文化有着密切的关系,新式教育在学习西方的道路上扮演了极为重要的角色。无锡的新式教育事业在当时同等级别的城市中,位居第一。无锡新式教育事业主要有两大特点:第

---

① 虞晓波:《比较与审视——"南通模式"与"无锡模式"研究》,安徽教育出版社 2001 年版,第 124 页。

② 同上,第 125 页。

③ 同上,第 126 页。

一,私人兴教者在无锡居多,民族资本家或者一些著名人士竞相办学,推广普及新式教育;并且涌现了各种形式的社会教育机构,使得无锡跻身于当时全国教育的"三大中心"之一,吸引了各地人民前来参观学习。仅荣氏兄弟创办的公益工商中学、豁然洞读书处、江南大学等各类学校就有10余所。据钱穆所述,"凡属无锡人,在上海设厂,经营获利,必在其乡设立一私立学校,以助地方教育之发展"。① 第二,无锡的工商职业教育比较发达,这也正是无锡城市社会文化和经济发展水平的一个反映,究其原因与无锡工商业较为繁荣密切相关。无锡的职业教育起步早、普及广,并形成公、私并存的职业教育体制。无锡庆丰纱厂管理者唐星海毕业于麻省理工学院管理专业,为了培养人才,开办了无锡庆丰纺织人员养习所,自任所长和教师,还聘请了许多知名专家任教,学员全部通过考试选拔。虽然无锡并未设市,但是它确确实实是一个近代的工商业城市;"小上海"之称便是其发展的最好写照,"实业之发达,工厂之林立,教育普及,亦可谓内地县邑之冠"。②

无锡优越的运输地理位置、自然地理条件和开放的人文条件,以及受到上海、南京等条约城市的带动的无锡民族工商业影响着无锡城市现代化发展。城市初具规模后,无锡需要与外界交往,与其他城市——国内的和国外的城市,以及它能够辐射到的广大乡村腹地,进行物资和劳动力的交流,保持城市的新陈代谢。同时无锡需要不断地吸收发达城市的先进技术、先进设备和各种技术人才,不断地从周围地域输入各种生产原料和生活资料,同时它不断地发挥巨大的辐射作用,从政治、经济、文化、技术、设备、物资、人才、知识等各方面影响着其他城市和周围广大农村的发展。"19世纪中叶以来,中国被纳入到世界资本主义经济圈中,国际的因素对中国城市的发展产生着越来越大的影响,而这些影响在许多方面是通过开埠通商城市来进行的"。③ 近代资本主义交往体系是一种极差别的结构,无锡开埠正是为聚

---

① 钱穆:《八十忆双亲·师友杂记》,岳麓书社1986年版,第231页。
② 严恩祓:"我对于无锡建市的感想和希望",《无锡市政》1929年第3号,第169页。
③ 何一民:"试析近代中国大城市崛起的主要条件",《西南民族学院学报(哲社版)》1999年第3期,第2页。

集周边地区的交换活动,为形成作为承接南京和上海两地的城市经济中心;寻求无锡在近代资本主义交往体系中的位置。

三、无锡自开商埠与城市
现代化的问题分析

"近代资本主义交往体系是一种极差别的结构,越是落后的国家或地区,在这种经济交往体系中所处的位置就越低下……自开商埠的经济交往层面始终是比较低的"。[①] 处于半殖民地半封建社会的近代中国,当局政府为了摆脱主权丧失、经济落后挨打的窘境而开始自开商埠的尝试;仅是尝试,远远解决不了中国社会经济现代化的问题。自开商埠促进了中国经济的现代化发展,丰富了中国近代民族运动的内容;但是在政府更迭频繁、战火纷飞的近代中国,大部分自开商埠都难逃失败的命运。无锡筹划自开通商口岸历时四年之久,从全城参与督办人选、划界、筹备等事宜,到中途因经费无着而勉为支撑,直至齐卢交战后遂偃旗息鼓。这一段虎头蛇尾的对外开放商事,从表面上看无锡开埠为当时历史客观条件所限制,最终泯灭于战火。但是洞悉无锡开埠的表象,无锡城市现代化发展本质上还存在着值得人们深思的问题。

首先,从城市布局角度来看,开埠前无锡城市规模较小、街道狭窄、房屋低矮,以官署和寺庙为城市中心,外有城墙和护城河,使无锡城处于封闭的状态。开埠后,城市外观出现显著变化,新式建筑出现,近代市政工程设施如马路、公园、新式学校等渐渐出现。这改变了当时人们的生活条件和生活方式,但是城市建设缺乏当局的统一指导,各类建筑往往出于自发,各取所需。例如,工业资本家为了盈利,避免工人长途上班而误工,往往就在工厂附近建造工房、商店、服务业。无锡就工业布局和城市结构而言也较为混乱,这种凌乱的布局严重影响了城市的进一步发展。

---

① 唐凌:前引文,第42页。

商埠局设立之初曾提出一个《商埠计划意见书》对无锡城市进行大刀阔斧的规划,大致内容如下:"于运河两岸各做马路一条,中间横贯铁路,岸上各划土地数万里,分为九区,如井字形,两岸共十八区,以左岸九区为行政机关、商店和住宅,右岸九区为工厂、堆栈和船坞用地。沿土地周围筑马路,其井字形划为长街、各宽七八尺。左岸九区中取中区为行政、交通、教育、巡警等公共建筑……新埠马路不仅行驶人力车、马车、汽车,并考虑将来设置电车轨道之可能,所有新辟马路,其中心之宽,宜以五丈为标准,两边人行道之宽,每边各以一丈为标准。"①但是在制定后由于市公所与四乡公所对商埠划界以及商埠权益发生矛盾,甚至有人指责商埠局总核杨翰西希图靠亲缘关系谋私利,引起众人不满,各行各界出现各种意见纷争。尔后江苏公署由于种种原因停发商埠建设费,1925年6月无锡县公署裁撤商埠局,并对所有建设事宜划归市公所办理,以后即无形停办,此规划仅实施一小部分。就当时情况来看,从理论上说,这种分区设想较为合理,改变了城市面貌,城市建设向近代化转型,似可奠定无锡城市未来的发展基础。直至无锡后来在民国十八年设市再至抗日战争及尔后的汪伪政权,从未实际执行过成熟的城市建设规划。

20世纪20年代"荣德生曾经对城市建设和发展所作的规划和设想,但是只有城市功能的分布,而缺乏对城市性质、功能的全面论证,随意性较大,科学性不够,总体水平不高。"②"无锡工厂区与居住区混杂在一起,旧城内建筑拥挤,街道狭窄弯曲,几无城市绿化可言。无锡工厂多而规模较小,经营分散,大量烟尘、废水对居民产生严重污染。至于商业区,随米市由南门移至北门及铁路的开通,商业中心逐渐集中至火车站附近及城北沿运河的街道上。"③这种局面一定程度上限制了无锡在往后的发展,甚至影响到今天无锡的城市整体面貌。"地方上一切建设,都凭个人自由去做,以致东零

---

① 董鉴泓主编:《中国城市建设史》,中国建筑工业出版社出版2004年版,第244页。
② 陈文源、钱江:"荣德生与无锡城市近代化",江苏政协文史编辑部:《无锡城市建设》,第18页。
③ 董鉴泓主编:《中国城市建设史》,第245、246页。

西散,杂乱无章。这种混乱的现象可以说是无锡的病态。"①

其次,从开埠筹办的人员组织性和统一性以及经费使用条件来看,开展商埠建设困难重重。

在北洋政府时期,在城区里无锡的自治机构数量繁多,各行业公所皆以市公所和商会为首。政府统治功能的软弱无力、中央权威的大量流失恰好由社会自治组织来填补,地方精英通过掌管自治组织直接管理市政。开埠前后各公所关于商埠划界、商埠官员定夺等问题纷争不断,特别是关于经费问题矛盾更为尖锐。各种意见以《锡报》和《新无锡》报为阵地展开论争,难以形成统一意见。开埠活动决策更改频繁,人员变动复杂;各派系维护各自利益不肯拿出地方财力以助商埠建设开展。无锡社会建设是企业家、社会活动家和地方政府共同担负的,但是这些建设就像无锡整体的经营一样缺少统筹安排,当涉及切身经济利益的时候,争吵不堪。

张謇曾对比南通社会经济发展说:"南通有统系而不能人自为战,无锡能人自为战而乏系统,得失均也。茫茫大地,安得二者合一区乎!"②他认为,无锡发展成功得益于地方人士"人自为战",无锡发展较快的原因在于"示范得力"。张謇站在历史的角度,精辟地指出无锡城市发展的优势和局限;而无锡城市发展的优势中正包含了局限,局限中又反映出其优势所在。这正是无锡的困顿,是无锡商埠建设以及城市现代化过程中的根本弊端。荣氏曾经也为家乡无锡做过一个城市规划,但是"荣德生对城市规划和设想,往往偏重于自身集团的利益,他的家乡在荣巷,他创办的实业大多在这一区域铺展。无锡开埠和筹备设市两件大事表面上似乎主要是经费困难,实际上是由于包括荣家在内的地方各大资本集团对市中心的设置、市政建设的安排等重大问题未能取得共识。荣德生想把市中心建在无锡西门一带,杨氏集团则要设于东门。他们在自己的势力范围内大兴土木,却不愿为比这更有意义的开埠、设市上投资。无锡名为'小上海',历史上却从未建设

---

① 张謇:"复侯鸿鉴书(1923年12月)",《海门文史资料》(8),1989年12月,第99页。
② 严恩祚:"我对于无锡建市的感想和希望",第169页。

起一个像样的商业中心和一条繁华的商业街,恐怕与此不无关联"。① 无锡近代化发展较之于南通显得更为无序,缺乏系统化。

无锡当时从事各种工商业成为一种风气,在无锡工业化、近代化的过程中充满了资本主义的活力,诸多工商业者各尽所能为各自的经营奔波、努力。但是在近代化建设推行时,无锡没有做到循序渐进、按部就班,而是各工商业者各走各的路,无序纷呈,毫无系统可言。无锡开埠对吸引投资、改善投资环境的作用还未来得及完全实现,就夭折在战火中。

四、结 论

一般说来,社会经济愈发达,城市发展水平就愈高,城市发展水平在很大程度上可反映社会经济状况。无锡社会经济状况是城市化产生与发展的基础,同时城市发展通过吸引和辐射作用,促进其社会经济变迁,给社会经济发展以强烈影响。在近代中国城市发展史上,无锡这样一个拥有良好社会经济基础的城市,拥有诸多丰厚条件的区域经济中心城市,没有一个具有一定规模、划时代历史性意义的商埠,对于无锡的城市化发展实为一种遗憾。究其商埠发展未达到预期目的、其必然制约因素,乃至整个中国自开商埠体系失败的内在原因,很显然取决于开埠当局的指导思想水平及管理水平,也取决于当地经济发展及市场发展水平,还取决于外国资本主义侵略者和中国封建统治者的需要。

开埠实为进一步促进无锡城市近代化的重要因素之一,而无锡自开商埠作为一个社会现象来说是短暂的;但是作为无锡发展史上的一个历史事件,却发挥了较重要的作用。它对无锡城市近代化发展规模和水平的提高有着不可磨灭的历史意义,对地域社会经济变迁的影响也是深远的。它带动了社会各界对无锡及周边地区经济发展讨论,同时也使其在社会中的地位得到重视。无锡城市工业化、近代化的发展轨迹在当时的

---

① 陈文源、钱江:前引文,第18页。

中国城市发展方式方面,具有一定的代表性。随着中国城市化发展,总结无锡自开商埠失败以及无锡城市化的模式对部分随后跟进的城市有很重要的借鉴作用。

首先,无锡自开商埠流于失败的直接原因是由于经费不足和战争侵袭,但是究其深层主要矛盾,作为一个商埠,自身不产生经济效益,再大的投入都最终难成正果。纵观无锡城市的近代化过程,无锡经济主要是依赖民族工业的勃兴,对外贸易、国外投资和国家政府政策投入所起的作用比较有限;无锡自开商埠没有做到较大范围地吸引投资、改善投资环境、及时地产生经济效益,这同样也是无锡自开商埠必然失败的根本原因之一。

其次,当时的中国政府更迭频繁,无锡开埠缺乏政府有力的扶持和持续的政策条件。事实上,早在"民国二年(1913年)就已经经北京政府农商部批准,无锡开设商埠,但是由于'二次革命'局势混乱而搁置",[①]一直到1922年无锡自开商埠议案再提,无锡才得以开展商埠建设。这亦是民族资本主义发展艰难的主要原因之一。

另外,帝国主义不管从贸易竞争还是政治经济侵略角度来看实为我国民族工业、民族独立之大敌。在当时战火纷飞的中国,一个城市的发展所需要的最根本的安定大环境都得不到保证的前提下,求生存求发展异常艰难。无锡自开商埠是在第一次世界大战期间,各帝国主义忙于战争,无锡民族资本主义工商业在这一喘息机会下偷得片刻安宁发展后的一次具有历史性意义的尝试。它丰富了中国近代民族运动的内容,为中国国内民族民主运动提供了一定的动力。

最后,无锡自开商埠是全国商埠自开的一个缩影,无锡城市的发展亦是当时中国城市化的一个典型。从无锡自开商埠的无疾而终可以看出当时中国35个自开商埠发展的诸多弊端和问题,而城市建设中处理两个重要因素——"系统性"和"人自为战"之间的关系,是城市发展史中一直都值得讨

---

① 程屏:"无锡开辟商埠大事记",第66页。

论的问题。拨开历史的烟云,中国的城市化发展、城市经济结构的变化、城市社会的整合(包括城市文化的发展)会在一辈又一辈人共同努力下继续坚持下去。

西方文明的冲击与东方城市现代化的启动
——以开罗和上海为例

The Challenge from Western Civilization and the Commencement of the Eastern City Modernization
—Take Cairo and Shanghai as Example

车 效 梅(山西师范大学历史学院)

摘要：西方文明的传播翻开了东方城市新的一页，它一方面启动和催化了东方城市现代化，导致城市经济结构和功能的演变，改变城市面貌，促使城市现代化发展；另一方面又给东方城市带来了巨大的负面影响，改变城市的性质，加重城市布局的不合理性，使城市成为殖民化的象征等。同时在西方文明撞击下开始的东方城市现代化具有与西方城市现代化不同的特点。

关键词：西方文明； 东方城市； 城市现代化； 开罗； 上海

Abstract: Western civilization propagation plays a great role in eastern city. On the one hand it starts this city's modernization, leads to the evolution of city's economic pattern and function, changes city's appearance and makes great strides forward to the modernization; On the other hand it has made the great negative influence on the city, for example it changed the city's nature, made city's layout unrational and made the city become the symbol of colonialism and so on. The eastern city modernization starts under collision from the western civilization and has different characteristic with the western city modernization.

Keywords: The Western Civilization; Eastern City; City Modernization;

Cairo；Shanghai

列宁指出:"城市是经济、政治和人民精神生活的中心,是前进的主要动力。"[1]作为世界文明古国的中国和埃及,其城市历史源远流长,在相当长的时期内其城市发展水平处于世界领先地位。在弘扬各自民族文化、促进生产力进步、推动经济和社会发展等方面发挥了重要作用。但是随着1798年法国侵入埃及和1840年鸦片战争的爆发,埃及与中国的历史开始由传统的国家向现代的国家过渡,其城市在西方文明的撞击之下开始接受新文明的洗礼。

城市作为人类文明的主要载体,在资产阶级工业革命之后,开始从中世纪传统的城市向城市的现代化转化。从世界范围看,以英国为代表的西方国家的城市现代化起步与资本主义的兴起紧密相连,是资本主义工业化自然延伸的结果。而埃及与中国由于缺乏资本主义独立发展阶段,所以开罗与上海城市的现代化是在西方殖民者入侵以及伴随而至的西方文明撞击之下开始的,这种没有实现资本主义生产方式、自由贸易和自由竞争,缺乏现代化的产业基础的"外发型"的城市现代化进程予开罗和上海带来巨大而深远的影响。

一

第一,西方文明对东方传统城市的冲击启动和催化了这些城市的现代化,推动城市经济结构向现代化转轨,导致城市经济结构和功能的演变。"不断扩大产品销路的需要,驱使资产阶级奔走于全球各地。它必须到处落户、到处创业、到处建立联系",[2]在追求最大化利润的驱使下,西方列强先后打开了埃及与中国的大门,通过一系列不平等条约,不仅攫取了种种特权,而且使其资本势力步步渗入到埃及和中国的传统社会,将它们逐渐变成

---

[1] 《列宁全集》第19卷,人民出版社1954年版,第264页。
[2] 《马克思恩格斯全集》第1卷,人民出版社1972年版,第254页。

半殖民地的过程中,开罗与上海成为殖民者掠夺的桥头堡,其城市性质开始质的转变。

首先,西方文明带来了全新的经济意识和管理体制,使开罗和上海的商业贸易性质发生变化。开罗自 969 年建立后,一直是埃及的政治、经济和文化中心。法蒂玛王朝时期成为世界商业中心,1046—1049 年访问埃及的波斯旅行家纳赛·库斯特说:"我无法估计它的财富,我从来未在任何别的地方看到像这里这样的繁荣。"[①] 阿尤布王朝时期,开罗成为穆斯林世界经济中心和中世纪亚非欧三大洲的大都会。据赵汝适《诸蕃志》记载,开罗"市肆喧哗、金银绫绵之类种种萃聚、工匠技术咸精其能"。[②] 马木鲁克时期,开罗规模"比巴黎大 6 倍",[③]"拥有 35 个主要市场和 2 万个商店"。[④] 摩洛哥旅行家伊本·白图泰形容开罗"地区辽阔、物产丰饶、商旅辐辏、房舍栉比,而且极其富丽"。[⑤] 1517 年奥斯曼土耳其苏丹塞里姆一世征服埃及后,劫走 18000 名技艺高超的工匠,使 56 种行业不复存在,开罗开始衰落,到 18 世纪末,居民为 30 万。[⑥]

上海地踞长江口,是长江的出海咽喉,内连长江腹地,外通四洋五海。早在唐天宝年间就开海贸易。元至元 14 年(1277),在上海设立市舶司,上海已是"蕃商云集","有市舶、有榷场、有酒肆、有军隘、儒孰、佛官、似馆——鳞次栉比"。[⑦] 到明洪武二十四年(1391),全县有 11432 户,532803 人。[⑧] 清嘉庆年间,上海"闽广辽沈之货,鳞萃羽集,远及西洋暹罗之舟岁亦间至,地大物博,号称烦剧,诚江海之通津,东南之都会也"。[⑨]

---

① J. Desmond Clark eds, *Cambridge History of Africa*, Vol. 1, Cambridge University, 1988 年, p.16.
② 沈福伟:《中国与非洲——中非关系二千年》,中华书局 1990 年版,第 250 页。
③ 何芳川主编:《非洲通史·古代卷》,华东师范大学出版社 1995 年版,第 217 页。
④ Malia Ruthen, *Cairo Time—Life Book*, B. V, 1980, p.43.
⑤ 沈福伟:《中国与非洲——中非关系二千年》,第 248 页。
⑥ Malia Ruthen, *op. cit.*, p.104.
⑦ 刘惠吾:《上海近代史》上册,华东师范大学出版社 1985 年版,第 11 页。
⑧ 弘治《上海县志》卷 6。
⑨ 嘉庆《上海县志·序》。

开罗和上海的经济虽然繁荣,但其经济模式(开罗在 1798 年被拿破仑征服之前,上海在 1840 年开埠之前)仍然属于前工业社会,主要经济行业是传统的商业和手工业。市民以职业划分,每种职业集中在同一地段,如开罗有皮匠胡同、木匠胡同、裁缝胡同,上海有豆市街、花衣街、咸瓜街。每种行业有自己的行会,其主要职责是监督内部成员的生产和劳动,解决内部的纠纷,规定产品的价格和劳动报酬等等。随着生产力的发展,开罗有大小商人 9000 人,①"上海资本主义萌芽在棉纺织业和航运业中已逐渐产生,并有了不同程度的发展"。② 但是在整个社会经济结构中,他们力量弱小,发展缓慢。随着埃及和中国被纳入世界资本主义经济体系,外商纷至沓来。在与外商贸易的过程中,一些资本主义的商业经营方式、现代企业的经营手段、会计核算、雇佣制度等等纷纷引进。开罗"从事各行各业的行东,为行事方便,必须领取执照"③,"对所有私人财产进行登记……根据登记的财产调整应缴捐税的数额"。④ 上海的钱庄开始介入了国际资本主义商品、金融业务,到 1895 年前后,"南北二市每日银票往来何止千百万数"。⑤ 不仅如此,上海钱庄还开始介入了有价证券交易及生金、生银、期票等投机买卖。这些措施不仅使开罗和上海原有的自然经济下的地方性的小规模的家庭商店、商行转变为有较大规模的在大范围内运营的现代化的大商行、大公司,拥有了数十万、数百万资本的新式商人集团,而且使这些城市率先出现了若干个新兴的商业类别和商业行业,1849 年开罗第一家西式旅馆——撒费尔德旅馆(Shepheard Hotel)建成并开放,希腊式、德国式的啤酒店的出现……大量面包店、西服店、咖啡屋等在上海租界的运营……这些新兴的商业行业一开始就具有现代化的性质,把开罗和上海纳入现代商业网络之中。

其次,新兴的商业贸易的发展带来了众多先进的生产技术的引进,导致

---

① 杨灏城:《埃及近代史》,中国社会科学出版社 1985 年版,第 13 页。
② 刘惠吾:《上海近代史》,第 241 页。
③ 穆罕默德·艾尼斯:《埃及近代简史》,埃及近代简史翻译小组译,商务印书馆 1980 年版,第 33 页。
④ 艾周昌:《非洲通史》(近代卷),华东师范大学出版社 1995 年版,第 335 页。
⑤ 唐振常:《上海史》,上海人民出版社 1989 年版,第 241 页。

开罗和上海交通运输、保险、通讯、现代工业、城市市政建设等新兴的经济部门的出现。在开罗,从 1856 年亚历山大到开罗第一条铁路竣工,到 1900 年四条有轨电车的开通(即撒丁堡到火车站,从撒丁堡到布拉格区,从火车站到阿巴斯耶,从艾兹拜基耶到金字塔);从 1898 年第一家阿拉伯银行——埃及国家银行(the National Bank of Egypt)成立,到 1920 年埃及民族资本银行——开罗银行的筹建;从 1898 年新开罗区通电到 1909 年排水系统的安装[1];从拿破仑在开罗创办第一批现代工厂到大量合资企业、外资企业的出现,如合资的埃及尼罗河航运公司,法资的埃及磨面公司等,特别是在外资的影响下,埃及民族工商业开始起步和发展;从 1800 年穆罕默德·阿里在开罗建立埃及人现代化兵工厂到一战、二战期间埃及民族资本主义经济的繁荣,到 1948 年民族资本企业多达 34000 家,[2]1952 年民族工业的产值占到国民收入的 10%等等。[3] 在上海,从租界内 300 多条马路的修建,到越洋海运的开辟;从 1843 年第一家洋行的筹建,1897 年华资银行的出现,到上海作为全国金融中心的形成;从 19 世纪 60 年代上海煤气灯的使用(80 年代电灯的使用),到 70 年自来水厂首先在公共租界建成(1902 年法租界也开办);从 1870 年开始使用有线电报,1871 年上海至伦敦、长崎的海底电缆正式接通,到 1932 年电话多达 44605 门;从 19 世纪 60 年代中期民族企业——江南制造局和轮船招商局创办,到 1933 年上海的工业资本总额占全国 40%,产值占全国的 50%,到 1947 年全国有工厂 14076 家,仅上海就有 7738 家,占全国工厂总数的 54.95%;[4]从 1845 年现代城市管理制度,如市政规划、道路要求等的创立,到 1860 年以后一系列行路章程、广告管理等规定的陆续出台。

这些新的经济部门不仅深刻地冲击着开罗和上海传统的城市经济结构

---

[1] Thomas W. Lippman, *Egypt after Nasser: Sadat, Peace and the Mirage of Prosperity*, New York, Paragon House, 1989, p.172.
[2] 高尔东诺夫:《埃及》,宇文今译,三联书店 1956 年版,第 158 页。
[3] 陆庭恩:《非洲通史·现代卷》,华东师范大学出版社 1995 年版,第 253 页。
[4] 《上海地方史资料》(3),上海社会科学出版社 1984 年版,第 18 页。

和与之相呼应的行会等经济制度,促使它们迅速解体,而且也不同程度地影响其他城市和广大的农村,并由此推动着整个埃及和中国向现代化迈进。

最后,新经济部门的出现使开罗和上海作为本国中心市场的作用突出。开罗成为埃及乃至中东地区的商贸中心,城市人口大幅增长,其人口从 18 世纪末的 30 万上升为 1947 年的 200 万。① 上海 1853 年取代广州成为中国对外贸易中心,同世界 100 多个国家和地区的 300 多个港口有经济联系和贸易往来,其直接对外贸易额占中国外贸总值的一半以上,人口从 1880 年的 100 余万上升为 1949 年的 500 万。②

第二,西方风格的城市建筑大量出现,改变了开罗和上海的城市面貌,促进城市建设向现代化发展。西方列强在侵占了开罗和上海之后,为取得立足点,大肆兴建领事馆、银行、交易所、百货公司、旅店、工厂、俱乐部、火车站等等。大批新颖的欧式公共建筑、居住建筑、工业建筑出现在开罗和上海,现代建筑类型和现代建筑技术纷纷引进,不仅对东方城市传统的建筑风格造成极大的冲击,加速其城市建筑的急剧变化,而且这种与资本主义生产方式和现代科学技术发展相联系的建筑工程活动促进了开罗和上海城市功能的现代化。

首先,形成了新的市中心和商业街区。开罗的市容变化最早开始于拿破仑占领时期,拿破仑出于军事上的考虑,"强令加宽街道,拆除把各个市区隔开的胡同大门,拆毁一切有碍的民房和寺院"。③ 开罗新的市中心和商业街区的形成则发生在伊斯梅尔在位期间(1863—1879),他不仅在艾兹拜基耶区和老开罗之间新建了两条林荫大道——克鲁贝特大街和穆罕默德·阿里大街,而且在开罗城的西边兴建了一个与旧开罗风格迥异的城市。新开罗仿效巴黎,按照笔直、布局、景观三原则而建,在新的城市中心建立宏大的广场,市内修建了笔直的大街和环行路。为了加快新城市的发展,伊斯梅尔

---

① Mattei Dogan John D Kasarda, *The Metropolis Era Mega - cities*, Vol. 2, California: Sage, 1998, p. 236.
② 唐振常:《上海史》,前言第 9 页。
③ 穆罕默德:《埃及近代简史》,第 32—33 页。

决定为那些能在18个月内修建一幢价值在3万法郎以上的人免税,这样就奠定了新区为富人区的格调。纵横交错的街道、绿草如茵的广场、鳞次栉比的宅区、富丽堂皇的宫苑等出现在尼罗河东岸。各种各样的商业公司林立在街道两旁。这样用了10年的时间,新开罗形成了一个庞大的欧式建筑群。以艾兹拜耶基耶花园划一条南北线,形成了两个截然不同的城市——西边欧洲的开罗,东边中世纪的开罗。英国驻埃及总督克罗默(1883—1907年在位)对新开罗进一步扩建和欧化,花园城(Garden City)、劳代岛(Roda Island)、伊斯梅利亚—陶非克依区(Ismailiya - Tawfikiyy)、金字塔区等被开发,法式、意大利式的公园和建筑纷纷出现,开罗的占地面积急剧膨胀。

上海开埠之后,工部局和公董局以西方城市的标准在租界内筑路,使街道一改上海城区局促狭窄的格式。到1865年租界内已有通衢大道13条。租界与旧县城的市容形成鲜明的对比,"租界马路四通,城内外道途狭隘;租界异常清洁,车不扬尘居之者几以为乐土,城内虽有清道局,然城河之水,秽气触鼻,僻静之区,坑厕接踵,较之租界,几有天壤之别"。[①] 上海租界的面积1915年比1848年扩大了12倍。在上海租界基础上发展起来的新城市,数十年间成为中国最大的城市,拥有中国建筑质量最好的高层大楼和最繁华的商业大街。外滩一带的欧式建筑群,南京路、四川北路、西藏中路、淮海中路等繁华大街初具规模。这样以"小洋楼"为代表的欧式风格与旧城厢的"秦砖汉瓦"的传统风格形成鲜明的反差。

其次,改变了城市布局。随着以进行资本主义商品经济活动为主要内容的新城市中心在新开罗区和上海租界的形成,改变了中世纪开罗以法蒂玛王宫和爱资哈尔清真寺为中心、旧上海以官府衙门为中心的城市布局。外国商品和资本的大量输入,新型交通工具的引进,不仅进一步淡化了开罗和上海的"城"的功能,增加了"市"的功能,而且市区的面积大幅向外延伸。19世纪末20世纪初的开罗,向西、北、南三方发展,特别是北部坎米堡得区(Cmbodia)的开发成功,新的工业区和居住区在此形成,开罗的市区面积进

---

① 唐振常:《上海史》,第10页。

一步扩大。19 世纪下半叶的上海向西沿着苏州河,向东沿着黄浦江延伸,逐渐形成沪东杨树浦、沪西曹家渡、浦东陆家嘴等工业区。毫无疑问,这些活动的目的是使"欧洲人感觉到像在自己家中,他们在现代地区享有自己的位置",①但是客观上促进了开罗和上海城市传统格局的改变。开罗出现了"一个城市两个开罗"的结构,上海则形成"三家两方"(三家,即华界、公共租界、法租界;两方,即中国一方、外国一方)的格局。新开罗和上海租界成为新环境、新技术、新交通和新社会习惯的发源地,在外国资本的控制下,发展极快,外延不断扩大。与此同时,老开罗和华界却相对衰落,其结果使城市内部差距越来越大。一面是高楼大厦、林荫大道、跑马场、俱乐部,另一面却是低矮破旧的住房、尘土飞扬的胡同。虽然新开罗和上海租界更多地呈现出殖民地色彩,但是它们毕竟为开罗和上海增添了若干新的因素,与封建城市相比,其进步与发展是十分明显的。

第三,西方文明的冲击与示范作用为埃及和中国的资本主义的产生创造了一些客观条件,促使其民族产业崛起、现代产业抬头,而这些因素进一步加速城市的现代化进程。殖民入侵,打破了埃及和中国传统的自给自足的自然经济,在其历史上首次出现了两大新兴阶级——无产阶级和资产阶级;出现了其历史上从未有过的资本主义生产方式,这种生产方式虽然没有在经济中占主导地位,但是它毕竟代表了一种新的社会结构,这种状况在开罗和上海表现得尤为明显。

首先,殖民者把开罗和上海视为他们进出口的总枢纽。一方面将大量廉价工业品潮水般运进埃及和中国,通过开罗和上海等城市分销到其他城市和广大农村,占领当地市场,如上海进口的商品,只有 20% 在上海本地消费,其余的 80% 转销到内地;内地进口、出口货物,通过五大中介城市与上海发生联系,完成交易过程。② 另一方面对埃及和中国的原料进行疯狂掠夺,控制其原料市场,促使其以传统的小农和小手工业为主的自给自足的经

---

① Maqali Morsy, *North Africa 1800—1900*, Longman, 1984, p. 168.
② 戴安钢:《港口城市腹地——上海与长江流域经济关系的历史考察》,复旦大学出版社 1998 年版,第 152 页。

济逐步解体,把越来越多的农产品和手工业品推向商品化,如1832年长维棉的种植,使19世纪中期埃及的出口产品在很大程度上依赖25万亩棉地。① 结果乡村经济对城市经济依附也愈加严重,破产农民不断增加,他们开始大量流入城市,城市人口急剧增加,开罗和上海人口分别在1947年和1949年突破200万和500万大关。这样就造成了资本主义生产关系的一级——除自己劳动力以外一无所有的劳动者。与此同时,城市经济结构发生变化,以手工业劳动为基础的家庭作坊在资本主义商品的冲击下衰落,"这几年值得注意的一个现象是开罗市场上充斥着欧洲商品,过去我们在街头经常看到的埃及本国货已经绝迹"。② 这样的情况同样也发生在上海,据记载,"松、太利在棉花梭布,较稻田倍蓰;虽(捐税)横暴,尚可支持。近日洋布大行,价才当梭布三分之一。吾村专以纺织为业,近闻已无纱可纺,松太布市,削减大半"。③ 这些都为开罗和上海的资本主义生产方式的产生与发展提供了商品市场、劳动力市场等有利条件,促使其现代化起步。

其次,西方文明对埃及和中国城市现代化的启动起了一定的示范作用。外国资本在渗入开罗和上海并导致其城市的经济结构和运作方式发生变化的同时,也向开罗人和上海人展示了现代的科学文明、工业文明、教育文明和西方城市文明。特别是"新开罗"和上海租界成为殖民者移植在异国的一块家园,是西方城市文明的缩影和发展现代化的模式,这在客观上使开罗和上海得西方城市文明风气之先,使埃及人和中国人大开眼界,一些有改革思想的仁人志士在西方文明模式的启发下,由羡慕西方文明进而主张向西方学习;从学习西方的"船坚炮利"的科技(如开罗兵工厂和上海江南制造局的建立)到学习西方的政治、经济制度(埃及的柴鲁尔改革,中国的戊戌变法运动)。西方的现代科技、思想观念、伦理道德在开罗和上海的知识分子中广为传播,而西方文明对东方城市冲击的最大之处,莫过于知识分子认识到改革的意义。埃及1924—1937年的护宪运动,上海19世纪60年代的维新思

---

① Malise Rathen, *op. cit.*, p. 107.
② 穆罕默德·艾尼斯:《埃及近现代简史》,第76页。
③ 刘惠吾:《上海近代史》(上),第85页。

潮(其标志是冯桂芬的《校邠庐抗议》)等等,他们提出种种救国方案,对发展现代化倾注了极大的热情。

总之,在西方文明作用下,开罗和上海分别成为埃及与中国最先走向现代化的城市。它们所产生的聚集效应(国际上许多研究城市机构的统计资料证明,城市经济的聚集效应是以大规模发展为特征的——50万人以上的城市人均国民生产总值比2万—5万人的城市效益高出40%以上[①])使现代工商业、金融业、交通运输业等经济部门急剧增长,使城市的规模日益扩大,人口增加。开罗的人口相当于埃及其他的城市人口的总和,上海成为中国人口最多的城市。大量移民的到来,给这些城市带来丰富而廉价劳动力的同时,也带来了各行各业发展所需要的不同层次的人才,造就了开罗和上海人衰我兴的发展契机。

二

西方文明的传播虽然对东方城市向现代化迈进起到了启动和催化作用,但是由于这种传播是伴随着血与火强行而至的,是西方文明对东方文明单向度的冲击。所以对东方城市而言,它不是有选择地对西方文明加以吸收,而是被动地接受,这样西方文明带来的负面影响也是巨大的。

第一,改变了开罗和上海的城市性质,使其成为殖民地的象征。

首先,从城市布局上看,开罗分为"新开罗"和"中世纪开罗",上海分为"租界"和"华界"。"新开罗"与"租界"一派欧洲城市风格(上海闻名于世的"十里洋场")。从行政隶属关系上看,外国人控制着开罗、上海的政治、经济等大权,如他们在这些城市享有相对独立的行政权、司法权、开发权、征税权等等,埃及政府和中国政府在许多有关城市发展的重大问题上无权过问,只履行形式上职权。同时,本国工人和外国工人从事同样工种的劳动,但得到

---

① 张鸿雁:"论中国21世纪初城市化与城市现代化优先战略选择",《南京社会科学》2000年第10期,第58页。

的报酬却低得多。

其次,阻碍了埃及、中国民族资本主义的发展,使城市现代化受阻。由于列强通过战争和不平等条约等手段把开罗、上海纳入资本主义体系之中,使其从一开始就处于边缘与依附地位,所以当开罗和上海的民族资本主义现代企业产生之后,除了面对国内传统势力的压制外,还要遭遇外国资本这个劲敌,不仅享受不到低税率等优惠条件,反而承担各种负担,其结果使民族企业生产成本高,产品销路不畅,无力与外国商品竞争,从而使埃及和中国本身的现代工商业发展十分艰难。如开罗现代企业大都规模小、资金少、技术力量薄弱且多集中在棉花加工、轧糖等部门。据统计,1945年埃及共有企业12902千家,其中无雇佣劳动者的企业占51.2%。[1] 上海众多的民族企业也发展困难,就造船业而言,1868年中英修约谈判时,允许英商船厂所需的一切机器、物料进口时可以免税;1881年,又与德国签订了德商船厂修船免税新章,从此各国"一切未能预言而实用修船各物"进口关税一律免除。[2] 其结果一大批华商造船厂纷纷破产。就发昌、均昌造船厂来说,它们曾辉煌一时,但由于得不到清政府保护,1900年发昌被迫以4万元廉价地转让给耶松船厂,成为后者的一个车间。[3] 均昌机器厂为了维持奄奄一息的命运被迫转产,改为经营小量纺织机件修配业务,才得以苟存。[4] 可见开罗和上海在现代化过程中无法形成完整的工业体系。这样,"无论在经济、文化还是在政治方面,殖民地的大城市根本没有竞争力"。[5]

第二,加重了开罗、上海城市空间的不合理分布。20世纪初,在英国政府的鼓励下对开罗的开发达到顶点,外国公司纷纷到开罗寻找其开发的空间,城市出现了自流发展的印记,克罗默虽然制定了一套《总计划书》,但从未对土地开发利用实施过控制,结果供水、排水、电力系统等缺乏统一规划,

---

[1] 高尔东诺夫:《埃及》,第154页。
[2] 王铁崖编:《中外旧约章汇编》第1册,三联书店1957年版,第310、394页。
[3] 《申报》1899年7月11日。
[4] 上海市社会局编:《上海之机制工业》,中华书局1933年版,第34页。
[5] 安德鲁·韦伯斯:《发展经济学》,陈一筠译,华夏出版社1984年版,第74页。

拆建缺乏宏观控制，往往一个小小的疏漏，造成全区的瘫痪。上海公共租界、法租界和华界在市政建设上各自为政，虽然在各自的辖区内对道路宽窄、桥梁的建造等有一定的规划，但将三区作为一个整体来看，则表现为局部有序与全局无序，就三区自来水、供电网而言，在双方交界的马路上自来水的铺设管道互不沟通，各区的水质、水压、水价五花八门；各区的电压不一，有的220伏，有的110伏，处于交界处的居民往往要备有不同电压的灯泡等等，这为上海的改造和进一步的发展造成了严重的障碍。同时大量人口的涌进，一方面造成住房拥挤、房价昂贵；另一方面又使大量贫民窟、临时棚户出现，使城市布局的不合理现象进一步加重。

三

城市现代化在资本主义国家里，是伴随着现代工业生产发展的一个动态过程，是政治、经济、文化、社会心理、生活习俗多层次、多侧面、立体交叉的一种发展。它既是工业化的结果，又是工业化的延伸。但是在埃及和中国，城市现代化却展现了与资本主义国家不同的发展特点。

第一，开罗和上海的城市现代化进程被打上了殖民地性质的烙印。跨入现代化后，开罗和上海的经济命脉始终操纵在外国殖民者手中，其经济以"外向型"经济为主，在经营倾向上，表现为外资投资的半数以上用于商业掠夺性事业，即进出口和与其相关的运输、银行等事业，工矿企业的投资却很少。同时开罗和上海的城市现代化的程度和进度也受到外资的制约，如伊斯梅尔时期由于得到了外国大量贷款，使开罗的改建工作顺利进行，仅用了10年的时间在尼罗河畔便出现了一个现代化的城市。同样上海在短短的时间内取代广州成为中国对外贸易的中心，除了地理位置优越、腹地深广外，与外国资本主义的投资紧密相连。据统计，到抗日战争前，除东三省外，外国资本主义对华进出口贸易和商业总额的81.2％、银行投资的79.2％，均集中在上海。这些投资迅速转化为垄断开罗和上海的经济力量，并以此控制埃及和中国的经济命脉。

第二，开罗和上海的城市现代化的过程是畸形发展的过程。西方资本主义国家的城市现代化往往是以发展制造业为基础，是本国经济自然发展的结果；开罗、上海的城市现代化则是以商贸为主，是外部力量作用的结果。帝国主义在商业掠夺和开办大批现代企业的基础上，通过开罗、上海等大城市把埃及、中国的广大城镇与乡村卷入了世界资本主义市场，不仅造成了埃及、中国乡村自然经济的解体，而且造成了埃及、中国乡村对帝国主义经济的依赖性。从自然经济瓦解中游离出来的大量劳动力，虽然为民族资本主义的发展提供了丰富而廉价的劳动力，但是由于巨额资金被掠至国外和民族资本的弱小，使其大部分缺乏转化成商品化劳动力的可能，他们形成了一股庞大的失业消费大军，造成了开罗、上海城市人口过剩的畸形结构。

第三，导致市民心理态势呈现二重性的特点。以英国为首的资本主义的工业化和城市化基本上同步进行，城市居民的心态与现代化的过程也基本相宜。而开罗和上海的城市现代化则是被动的、突进的，是在其国民缺乏现代化意识的背景下开始的，因而国民心态的失调特别严重。表现为传统文化与现代文化、传统心理与现代意识、传统道德与商品道德之间的矛盾与冲突。在这种矛盾和冲突的交织中，无论是开罗、上海的官僚贵族还是平民百姓对西方文明都经历了由拒绝到接受的过程。开罗的两次起义为其冲突的表现，而随后大批埃及官僚、贵族、富商等建立西式别墅，创办新式学校和医院、着西装、看歌剧、说英语等则为接受的表征。在上海当电灯在租界内出现时，"其初，国人闻者，以为奇事，一时谣诼纷传，谓为将遭雷殛，人心汹汹，不可抑置"。① 随着时间的推移，电灯在上海市民的心中从惊恐的怪物变成了令人羡慕的夜明珠，时人称为"赛月亮"，于是争而仿效，最终电灯普及，成为上海市民生活中不可缺少的必需品。以上这些过程，可视为西方物质文明渗入开罗、上海市民生活的一个小小的缩影。这实际上反映了市民文化心理状态的现代化过程。

第四，由于开罗、上海现代化的过程具有外发性和殖民性的特点。因而

---

① 唐振常:《上海史》,第253页。

这一历史进程本身就充满着特殊的双重交叉的态势。表现为一方面西方文明启动并促进了开罗、上海城市的现代化；另一方面逐渐觉醒的埃及、中国先进人士也在寻找一条自己民族现代化之路。同时由于这些大城市现代化进程与农村是脱节的，因而它们的发展状况并不能反映埃及和中国的经济的整体发展水平，它既不能把埃及、中国的农业从封建的落后状态中解脱出来，使埃及、中国跨入工业国的行列，也不可能在经济、政治等方面与西方的城市竞争。

土地市场与前市场的辩驳
——民国前期长江三角洲与 18、19 世纪英格兰土地流转的市场视角

A Debate on the Market and Pre-market of Land
—The Flow of Land between the Delta of Yangtze River during the Prophase of Republic of China and England in 18th and 19th Century

郭 爱 民（南京师范大学社会发展学院）

摘要：民国前期，长三角绝大多数农家的年净余率为零或负数，农村金融枯竭，高利贷肆虐。为了生存，不愿变卖土地的农家，只能以土地为条件，举借高利贷经营。利率的高昂、借贷的消费倾向、年净余率的缺失，使他们经过土地抵押、典当、绝卖，最终痛失土地。18、19 世纪的英格兰，欠债的土地家族、继承土地的旁系亲属、小土地所有者构成了土地的卖方，各种工商业资产者形成了土地的买方。长三角、英格兰的土地流转率分别为 0.424％、0.496％。二者数值近似，实质不同。前者土地流动呈单向度，属前市场，导致中国传统社会的刚性特征；后者土地流转呈开放型，属市场经济，英国农村社会的弹性与稳定性以此为基础。

关键词：长江三角洲； 英格兰； 土地市场； 土地流转率

Abstract: During the Prophase of Republic of China, the surplus rate of most farmers was zero or negative and the finance was drying up in the countryside in the Delta of Yangtze River, thus usury prevailed. In order to make a life, the landowner who would not sell his land had to borrow dear money. Yet expensive character of the interest and the consuming trend of the loan made the landowner at last lose his land through mortgage, impawning and selling. In the 18th and 19th century in England, the landed family in debt, the collateral relatives who inherited the land and small landowners constituted the land sellers and all kinds of capitalists made the buyers. The fluxion rate of the field in the Delta of Yangtze River and England was respectively 0.424% and 0.496%, which was near in numerical value but different in nature. In the former, the direction of the land flow was unilateral, which was the character pre-market and led to the rigidity of the traditional society. In England, the fluxion of the field was opened, which was the character of market and the base of elasticity of the countryside.

Keywords: The Delta of Yangtze River; England; Land Market; Fluxion Rate of The Field

何谓市场？古尔诺提出："经济学家所说的市场，并不是指任何一个特定的货物交换场所，而是指任何地区的全部，在这个地区中，买主与卖主彼此之间的往来是如此自由，以至相同的商品的价格有迅速相等的趋势。"[1]古尔诺的论断说明，买卖双方的自由往来是市场的前提。土地作为一种特殊商品，中古时期已在西方市场上流转。在英国，"13世纪末，自由持地农数量庞大，他们之间的土地交易非常有趣。13世纪以降，土地市场的地位对自由佃农至关重要，自由人和维兰通过个人令状购买土地"[2]。中西土地市场发育有哪些区别和联系？下面，以民国时期的长江三角洲与18、19世纪的英格兰为例，对转型时期土地市场在土地流转中的作用，以及发育程度作以比较，分析转型时期西方土地市场的借

---

[1] 马歇尔:《经济学原理》下卷，陈良璧译，商务印书馆1965年版，第18页。
[2] P. D. A. Harvey, *The Peasant Land Market in Medieval England*, Oxford: Clarendon Press, 1984, p.19.

鉴意义。

一、长三角农村高利贷盛行的根源

如何界定高利贷呢？李景汉在有关定县的一次调查报告中指出，"借的利息有两种，一种收现金，按月利百分之几计算，俗称几分；一种利息为农产品，多以一年为限期"。[①] 陈景梅在江西赣县农村信用调查中分析，"农民每用高利向当地富户借贷，其利息常高至月利二分或二分以上不等"。[②] 这里以月利 2 分（即年利 24%）以上作为高利贷。

民国前期的长三角，高利贷肆虐。在浙江部分，月利 2 分以上的高利贷遍布于昌化、桐乡两县之外的每一个县：杭州市 2 分，杭县 3 分，海宁 2 分，富阳 4 分，余杭 2 分，海盐 2 分，崇德 2 分，吴兴 3 分，德清 4 分，安吉 2 分，于潜 2.5 分，新登 2.5 分，嘉善 3 分，平湖 4 分，长兴 2 分，武康 2 分，孝丰 2.5 分。[③] 在江苏部分，吴笠夫借贷调查显示，月利 2 分以上的高利贷流行，句容县每元 1 角，溧水县仙坛乡 6 分，丹阳县永渝乡 50%，高淳县游山乡 20%，金坛县文明乡 4 分 4 厘，溧阳县福利乡 3 分 5 厘，扬中县新坝乡 6 分，上海市北桥乡 2 分 5 厘，太仓县牌楼乡 2 分，嘉定县松滨乡 3 分，崇明县均安乡 5 分，启东县汇龙镇 5 分，无锡开化乡、崑山张浦乡 5 分、6 分。[④] 而且，高利贷占农村借贷的绝大部分。如表 1，在平湖，月利 2 分以上的高利贷占借贷的 70.21%。在无锡黄项村，以私人借款为表现形式高利贷的比重为 67.7%。[⑤] 平湖、无锡黄项村调查表明，高利贷占长三角农村借贷额的 70% 左右。

---

① 李景汉："农村高利贷的调查"，《民间半月刊》第 1 卷第 14 期（1935 年 1 月），第 10—13 页。
② 陈景梅：《江西赣县农村信用之研究》，金陵大学农学院学生毕业论文，1937 年。
③ 实业部国际贸易局：《中国实业志——全国实业调查报告之二·浙江省》，实业部国际贸易局 1933 年版，第 51(乙)页。
④ 吴笠夫："江苏各县市乡借贷方法及利率调查"，《明日之江苏》第 10 期（1930 年），第 2—15 页。
⑤ 钱俊瑞等："黄巷经济调查统计"，《教育与民众》第 1 卷第 8、9 期（1930 年），第 1—11 页。

表1　平湖农家借贷利率(月利)及其在借款总额中占的比重(%)

	1分以下	1—2分	2—2.5分	2.5—3分	3—4分	4—5分	5分以上
全县统计	0.99	28.80	66.01	2.01	0.76	0.06	1.37

资料来源:中央政治学校地政学院:《平湖之土地经济》,南京:中央政治学校地政学院,1937年,第191页。

农村金融枯竭是高利贷风行长三角的根源之一。首先,旧式金融机构——钱庄、合会、典当已衰落。"钱庄已被资本雄厚,经营方式进步的新式银行所打败,各处的钱庄倒闭的倒闭,合并的合并,大都已到了日暮途穷的时候"。[①] 合会已渐趋尾声,在平湖,"农民信用动摇,此种制度渐行解体";[②] 在上海附近,"一会之成,经年累月,至不容易。一般农民,因农忙将届,苦于资金短少,而种子,人工,肥料,农具等,在在需费,于是饥不择食,不得已求其次而举债"。[③] 典当业一蹶不振,在江苏,"清代中叶,大江南北,约有典当一千二三百家,迄至最近,仅有三百六十一家。百数年来,减少三分之二有奇"。[④] 其次,新式金融机构——合作社、农民银行尚处襁褓,不足以支撑农村金融。就合作社而言,民国二十二年1月至二十三年2月,据汤山民教馆调查,"二百零九家负债农家中加入合作社者仅三十九户,占全数百分之十八点七"。[⑤] 江苏省农民银行处境尴尬。民国二十二年,江苏省农民银行总结道:"本行于十七年7月16日开幕以来……办理之艰难困苦,几什百倍于一般银行。又以资金额仅二百二十万元,而各种事业之推行,或不能如父老昆季之期望"。[⑥] 再者,城乡流通使农村金融更为枯竭。如表2,民国十八至

[①] 张一凡:"中国农村金融病态之论断",《中国经济》第一卷第4、5期合刊,(1933年),第1—14页。

[②] 中央政治学校地政学院:《平湖之土地经济》,中央政治学校地政学院1937年版,第178页。

[③] 吴一恒等:"各地农民状况调查·江苏省上海附近",《东方杂志》第24卷第16号,(1927年8月),第110—120页。

[④] 陆国香:"江苏典业之衰落及问题",《农行月刊》第3卷第6期(1936年6月),第43页。

[⑤] 孙枋:"南京汤山二百四十九农家经济调查",《教育与民众》第6卷第1期(1934年8月),第200—201页。

[⑥] 江苏省农民银行总行:《江苏省农民银行五年来之回顾》,江苏省农民银行总行1933年版,第1页。

二十二年,武进县汇入上海的银额呈递增之势。据地政学院在无锡调查,"近数年来,农村金融无流通之可言……聚会无会脚,借贷无从,典当无物,预约赊欠,无其主顾"。[1] 由于金融枯竭,农家正常途径的借贷已无来源。

表2 武进县汇入上海的银额(单位:元)

年份	数量	年份	数量
民国十八年	1026800	民国二十一年	1182500
民国十九年	1053100	民国二十二年	1251900
民国二十年	1070000		

资料来源:李范:"武进县乡村信用之状况及其与地权异动之关系",萧铮:《民国二十年代中国大陆土地问题资料》第88卷,成文出版社有限公司1977年版,第46948—46949页。

大多数农家年净余率为零或负数是高利贷流行的又一根源。年净余率是农家每年的剩余与总收入的比率。在丹阳,如表3,83.7%的农家的年净余率为零或负数。在南京汤山249农家中,自耕农、兼佃农、纯佃农三类农家的年净余率皆为负数。[2] 在平湖县,如表4,81.99%农家的年净余率为零或负数。这样,农家只能举债经营。浙江嘉善县新开河村,"一个殷富的小村庄,165的总人口,竟负了6500元巨额的债(店账等尚不算入),每人平均负债约40元(连吃乳的小孩也算在内)"。[3] 江宁县土山镇,"286农家共借入25762.88元,每家平均借入数目为90.08元"。[4] 无锡黄巷村,共有佃农71家(有的佃农兼有自耕农的身份),其中,63户欠有外债,

---

[1] 阮荫槐:"镇江、无锡实习调查日记",萧铮:《民国二十年代中国大陆土地问题资料》,台北:成文出版社有限公司1977年版,第98卷,第51594页。

[2] 孙枋:"南京汤山二百四十九农家经济调查",《教育与民众》第6卷第1期(1934年),第181—207页。

[3] 钱万镒:"嘉善一个殷富小村庄的统计",《农业周报》第4卷第4期(1935年6月),第120—122页。

[4] 言心哲:"农村家庭调查",李文海等主编:《民国时期社会调查丛编·乡村社会卷》,福建教育出版社2005年版,第569页。

1户情况不详。① 平湖,负债农家占总户数的73.06%。② 句容借钱农户数占总户数的74.28%。③ 崇德,"全县农民负债者,竟占百分之八十强"。④ 宜兴,负债户数占总户数的比例为86%。⑤ 根据前文高利贷占农村借贷额70%左右的估计,以及平湖、句容、崇德、宜兴四县负债户数占总户数的比例,可以推断,举借高利贷的农户数大致在50%以上。

表3 丹阳农家收支状况统计一览表

调查区数	收支有余农户数量占农户总量的比重	收支相抵农户数量占农户总量的比重	收支不抵农户数量占农户总量的比重
11区	15.9%	60.1%	23.6%

资料来源:张汉林:《丹阳农村经济调查》,江苏省农民银行总行1930年版,第28—126页。

表4 平湖农家收支比较

农家户数	收支有余		收支相抵		收支不足	
	户数	%	户数	%	户数	%
38800	6990	18.01	9940	25.62	21870	56.37

资料来源:中央政治学校地政学院:《平湖之土地经济》,第173页。

二、高利贷肆虐下长三角的土地流转

如上文,在长三角,大致50%以上的农户身负高利贷。陷于高利贷图圄的农家,会不会将田产抛向市场呢?在丹阳县从事农业的11个区中,只

---

① 钱俊瑞等:"黄巷经济调查统计",《教育与民众》第一卷第8—9号(1930年),第1—11页。
② 中央政治学校地政学院:《平湖之土地经济》,第174页。
③ 张心一等:《试办句容县人口农业总调查报告》,台北传记文学出版社印行1971年影印版,第153页。
④ 行政院农村复兴委员会:《浙江省农村调查》,台北文海出版社有限公司1999年版,第133页。
⑤ 徐洪奎:"宜兴县乡村信用之概况及其与地权移动之关系",萧铮:《民国二十年代大陆土地问题资料》,第88卷,第46377页。

有第11区的一个农户愿意卖地。① 在武进县,"使土地所有权与家族关系消除,纯属不孝,故非不得已时,决不以土地任意出售也"。② 因而,农家变卖土地的意向几乎为零。负债经营而又不愿意变卖田地的农家,只能以土地为抵押,举借高利贷。因为"农民的土地资本占全部农业成本中的最高成数,所以拿田产作借款的抵押品是最妥当的"。③ 田地抵押"即系农民向放款人订立契约,借得银洋之后,此作抵之田地,仍由农户耕种管业,债权人在债务人未偿清款项以前,按期收取利息,如到期债务人不能履行契约,则该田地由债权人没收,直接执契管业,或添补找价,重立卖绝契"。④ 田地抵押制只是借款的方式,土地并未转手。

作为高利贷的表现形式,田地抵押在长三角流行。据吴笠夫调查,江苏各地抵田贷款的最高月利为:镇江育成乡五至八分,句容南一乡八分,溧水白鹿乡五六分,高淳永丰乡三分,溧阳永成乡三分,杨中永胜乡四分,吴江南库乡三分。⑤ 在丹阳从事农业的11个区中,普遍存在着田地抵押现象,月利率都在2分以上。⑥ 在江都县,"农业借贷种类约可分为利债、典质——动产、典押——不动产、借银还谷四种,大率高利贷居多"。⑦ 在临安全县,"农民……多向富有者私人借贷……大多数类以不动产为抵押品。利率大都按月二分"。⑧ 在泰县,"耕地移转……大别为三:(1)抵押;(2)典当;(3)买卖"。⑨ 在平湖,土地抵押方式借款的比例占19.3%。⑩

---

① 张汉林:前引文,第31—123页。
② 李范:前引文,第46943—46944页。
③ 韩德章:"浙西农村之借贷制度",《社会科学杂志》第3卷第2期(1937年6月),第139—185页。
④ 实业部国际贸易局:《中国实业志——全国实业调查报告之二·浙江省》,第49(乙)页。
⑤ 吴笠夫等:"江苏各县市乡借贷方法及利率调查",《明日之江苏》第10期,第2—15页。
⑥ 张汉林:前引文,第33—126页。
⑦ 汤一南:"江苏省土地局实习报告书",萧铮:《民国二十年代大陆土地问题资料》第115卷,第61467页。
⑧ 建设委员会调查浙江经济所统计课:《浙江临安县农村调查》,正则印书馆1938年版,第121页。
⑨ 许荣肇:"苏泰县农村土地概况调查",《金大农专季刊》1936年秋季号,第25页。
⑩ 中央政治学校地政学院:《平湖之土地经济》,第190页。

农家借贷用途分为两类:投资,消费。在崇德县,如表5,借贷投资用途包括土地房屋、种子、肥料、农具四项,占借贷额的10.5%,消费用途比例为89.5%。在江宁县秣陵镇94农户中,借贷投资用途占26.6%,消费用途占73.4%。① 在平湖县,农家借贷投资用途占13.23%,消费用途占86.87%。② 以上调查表明,农家借贷呈消费倾向。

表5　崇德县农家借贷的各种用途及其在借贷中所占的百分比

	土地房屋	种子	肥料	农具	家用	婚丧	赌博	其他
崇德	3.75	0.25	6.25	0.25	40.00	37.50	6.75	5.25

资料来源:实业部中国经济年鉴编纂委员会:《中国经济年鉴》,商务印书馆1935年版,第F379页。

由于借贷的消费性倾向以及高昂的利率,田地抵押期满时,年净余率为零或负数的农家偿还高利贷款的可能性几乎没有。表面上,农家抵田贷款没有失去土地,实际上向着田地典当迈出了可怕一步。田地典当,又称"活卖",即"出典人(即债务人)借到受典人(债权人)银元以后,该田地即归受典人经营,以出产变卖,作为贷款之利息,迄指定日期,出典人用原价将田赎回,于是该田地又复归出典人所有"。③ 田地抵押与典当的区别就在于"田地抵押出去以后,出抵的人还能管理那块土地,只要按期偿利,自己尽管耕种,受抵人对于这块田地仅有监视的权利。可是田地典当出去以后,管理的权利便属于受典人,出典人已和那块土地暂时脱离关系"。④ 这表明,田地典当是农家在经历田地抵押后,出于生存的需要,在极不情愿变卖田地的前提下,以土地产权作一定期限的转让为条件,再次举借高利贷,以期经济状况好转,再作回赎打算。

---

① 乔启明,"京郊农村社会调查",李文海等:《民国时期社会调查丛编·乡村社会卷》,第391页。
② 中央政治学校地政学院:《平湖之土地经济》,第188—189页。
③ 实业部国际贸易局:《中国实业志——全国实业调查报告之二·浙江省》,第49(乙)页。
④ 行政院农村复兴委员会:《浙江省农村调查》,第134页。

田地典当作为举借高利贷的一种方法,在长三角广为流传。民国十七至二十二年,在浙江省崇德县被调查的 9 个村庄中,5 个村庄有典当田地的现象,陈家村 10 亩,庵河村 10 亩,杨家庄 11.1 亩,姚家浜村 2.2 亩,桑园村 26.1 亩。① 同期,江苏省启东县被调查的 8 个村庄中,3 个存在着土地典卖:义方乡第六间 1.25 亩,小潋乡第六间 11.734 亩,民政乡第三间 4 亩。② 在上海图行乡、陈行乡、塘湾乡,宝山大场乡,江阴长泾乡、观山乡,田地典当月利皆在 2 分以上。③

田地典当以后,出典人还承担着田赋以外的捐税。地政学院的赵宗煦写道:"笔者今年在江苏省地政局实习,常阅及本省各县呈报该县土地习惯概况档案,田赋以外一切因土地而生之捐税始由出典人承担。"④ 田赋外捐税、借款消费性倾向、土地产权在典期的缺失,使出典田地的结果不言自明——无力回赎而绝卖。土地买卖,又称"绝卖",是地权转移最后阶段。在浙江,"农民出典田产能赎回者甚少,在崇德各村不到十分之二,吴兴亦绝少。崇德九村的中农和贫农五年中典出了 59.4 亩,但赎回的未见一亩"。⑤ 在武进,农民维持生计的方法有二,"一则向富户挪借,一则典当,此为乡间最习见之惯例。然均付息极重,利息有高至二三分者;偿还期一到,即将抵押品没收"。⑥ 也存在着出抵田地绝卖的情况,宜兴流行的"出抵、典人自愿放弃土地所有权证明书"⑦可观其大端。

三、英格兰诸多的土地卖方

土地家族债务负担能力有一个上限,逾此界限,出售一定数量的土地在

---

① 行政院农村复兴委员会:《浙江省农村调查》,第 382—386 页。
② 行政院农村复兴委员会:《江苏省农村调查》,第 162—165 页。
③ 吴笠夫等:"江苏各县市乡借贷方法及利率调查",《明日之江苏》第 10 期,第 2—15 页。
④ 赵宗煦:"江苏省农业金融与地权异动之关系",萧铮:《民国二十年代中国大陆土地问题资料》第 87 卷,第 46128 页。
⑤ 行政院农村复兴委员会:《浙江省农村调查》,第 134—135 页。
⑥ 龚骏:"各地农民状况调查·江苏省武进",《东方杂志》第 24 卷第 16 号,第 110—120 页。
⑦ 钟竟成:《宜兴县土地查报汇刊》(出版地不详),1934 年版。

所难免。F.M.L.汤普森对19世纪初土地家族债务上限的调查指出,"当债务利息等于或超过可支付性家庭收入临界点,将通过举借新债偿付旧债时,一段时期内家庭经济紧缩会挽救土地损失"。[1] 在债务达到上限而家庭经济紧缩措施不能有效地解决问题时,土地家族只能忍痛抛售土地。不受限嗣的外围土地是抛售的首选。在利文森-高尔家族,1712年,第一任伯爵结婚时,家庭土地得以限嗣;1711年,伯爵继承了巴斯家族的土地;从政生涯中使伯爵欠下巨额债务,1733年之前,他卖掉了巴斯家族部分土地;1751年,巴斯家族土地的又一部分卖给了约翰·克利夫兰。[2] 在科克家族,1776年,文曼·科克去世,留给儿子威廉·科克的遗产包括:限嗣土地,30193英镑5先令3便士外债,诺福克郡境内一块没有受过限嗣的土地。威廉将这块没有限嗣的土地卖给了莱斯特伯爵,弥补了亏空。[3] 有时,地主发现有必要获得议会法令,打破限嗣,出售外围土地。斯卡伯勒伯爵经三次求助于议会,因财产设定将土地牢牢地圈套起来。[4] 有些土地家族,由于不能摆脱经济困境,被迫卖掉大部或全部土地,丧失祖业,只留下空的头衔。比如,第四任托林顿子爵乔治·宾,被称为"克勤克俭的好里手",未成年时继承了家庭土地。他委托信托人处置土地还清17000英镑债务。由于土地被限嗣,除信托人变卖土地得到的17000英镑、为幼子们准备的6000英镑、变卖自己的养老金外,子爵已借不到款项。到1777年,外债达36000英镑。子爵没有能力偿还,变卖了他在萨斯希尔地区的全部土地。最后继承子爵头衔的是乔治一位72岁的弟弟。这位弟弟及其后嗣一直使用上述"子爵"头衔,但随着萨斯希尔土地的抛售,宾家族的主枝不复存在。[5] 可见,家庭限嗣继承使土地得以整块保留,

---

[1] F. M. L. Thompson, "The End of a Great Estate", *Economic History Review*, 1955, pp. 36—52.

[2] J. R. Wordie, *Estate Management in Eighteenth-century England*, London: Royal History Society, 1982, pp. 75—94.

[3] R. A. C. Parker, *Coke of Norfolk*, Oxford: the Clarendon Press, 1975, p. 69.

[4] John Habakkuk, *Marriage, Debt, and the Estates System*, Oxford: Clarendon Press, 1994, p. 367.

[5] D. Rapp, "Social Mobility in the Eighteenth Century", *Economic History Review*, 1974, pp. 380—394.

但由于限嗣继承受婚姻限嗣、幼子限嗣等制约,再加上家族参与国家或郡的政治活动,很容易背上债务,一旦一代背上债务,滚雪球似的愈来愈大,先卖外围土地,如果解决不了问题,通过议会法令,将家庭主地产卖掉。

在土地家族形成的过程中,地主们常常卖掉凌乱的外围地产,扩大、集中主体地产,往往需要几代人努力。1815年,诺福克公爵家的祖传土地传到了第三个侄子手中,他成为诺福克第十二任公爵。1839年,他卖掉了自己的地产沃克索珀,得375000英镑,来扩大他在萨里郡和苏塞克斯郡的地产。[1] 为强化主体地产,1749—1756年,莱斯特伯爵大面积变卖外围地产,18世纪后半叶,其继承人诺福克的科克继续执行同样的策略。[2]

在缺少子嗣的情况下,地主一般将土地传给旁系亲属。如果继承土地的旁系亲属是城市居民,不乐意到农村当地主,便将这些土地出售。威廉·比彻购得的贝德福德地产在直嗣子孙中流传了五代。第五代孙威廉·比彻死后,这块土地由表弟约翰继承,他是腌制商。1781年,约翰卖了此地产。[3] 有时候,倘若旁系继承人拥有土地并且欠有外债,他们往往卖掉继承来的外围地产。比如,1797年和1804年,比德勋爵出售了在剑桥郡和诺福克郡的土地,这是他通过婚姻继承来的。[4]

小土地所有者也是土地的供应者。圈地运动中,为支付圈地费用,自耕农会抵押贷款,或卖掉半打土地。有时,他们将土地出售,再租赁更大的农场。那些抵押土地借贷的小土地者,到头来不能偿还债务,只得出卖土地。一份对林肯郡70次圈地运动的调查显示:在得到份地的土地所有者中,82%的人是面积在50英亩以下的小土地所有者;在9个村庄中,圈地前后有七八十宗土地买卖;在18世纪末物价上涨时期,变卖土地的小土地所有

---

[1] R. W. Unwin, "A Nineteenth Century Estate Sale", *Agricultural History Review*, 1975, pp. 116—138.

[2] J. V. Beckettt, "English Landownership in the Later Seventeenth and Eighteenth Centuries", *Economic History Review*, 1977, pp. 567—581.

[3] John Habakkuk, *op. cit.*, p. 392.

[4] J. V. Beckett, "Landownership and Estate Management", Joan Thirsk, *The Agricultural History of England and Wales*, Vol. VI, Cambridge University Press, 1989, p. 549.

者的位置又被新的小土地所有者替代。① 在柴郡、德比郡、莱斯特郡、林肯郡、诺森伯兰郡、诺丁汉郡、沃立克郡,小土地所有者在 1832 年的数量与 1780 年同样多。② 1800 年,英国自耕农耕种土地的数量占英国土地总量的 20%,19 世纪末,下降到 12%。③ 家庭破落也是小土地者变卖田产的缘由。18 世纪的一封书信,把小乡绅的破落描述得淋漓尽致。"这里有许多小乡绅,是古老家庭的家长或继承人,被迫担当无利可图的职位。一旦孩子长大,他们就必须安置幼子、出嫁女儿,他们被这些杂乱的事务扰乱得家道中落,只有让长子继承这无法承担的抵押贷款。"④在约克郡,当不动产专门委员会向一名当事人问及约曼的数量时,他说:"比原来少多啦。"⑤

四、英格兰的工商业资本与土地异动

16、17 世纪开始,英国商人以土地贮存资本,伦敦商人首当其冲。伦敦商人威廉·乔里弗,在萨里郡、埃塞克斯郡、约克郡购置地。⑥ 丹尼尔·笛福注意到,"通过购买土地的方式,伦敦城里日益增加的财富扩散到了农村"。⑦ 各郡城市商人也不断购置庐田。来自诺丁汉郡、莱斯特郡和约克郡工业城镇里的商人,在米德兰东部购买土地。⑧ 马蒂亚斯·克里森通过商业积蓄财富,在萨福克郡和诺福克郡购田 12000 英亩。⑨ 新商业中心的发

---

① J. D. Chambers and G. E. Mingay, *The Agricultural Revolution*, London: B T Batsford Ltd, 1966, p. 89.
② E. Davies, "The Small Landowner", *Economic History Review*, 1927, pp. 87—113.
③ J. D. Chambers and G. E. Mingay, *op. cit.*, p. 92.
④ G. E. Mingay, *English Landed Society in the Eighteenth Century*, London: Routledge and Kegan Paul, 1963, p. 84.
⑤ J. V. Beckett, Agricultural Landownership and Estate Management, *op. cit.*, pp. 713—714.
⑥ John Habakkuk, *op. cit.*, pp. 420—421.
⑦ Daniel Defoe, *A Tour through England and Wales*, J. M. Dent & Sons Ltd, 1928, Vol. I, p. 15.
⑧ J. V. Beckett, "Landownership and Estate Management", *op. cit.*, pp. 554—555.
⑨ John Habakkuk, *op. cit.*, pp. 423—424.

展为农村土地交易注入了活力。在林肯郡,西赖丁吸纳着新地主;约翰·贝科特是巴恩斯利城的杂货商,其子在萨默斯比购置了一块大地产。[1]

海外商人纷纷将资本转化为土地。1714年,东印度公司职员约翰·阿弗莱克购买了萨福克郡的达拉姆地产;詹姆斯·马西森的公司主宰着中英贸易,在苏格兰购有土地,其合伙人罗伯特·贾丁用相当部分财富购买土地。[2] 在烟草、蔗糖和黑奴的"三角贸易"中,英国的制造业产品运往非洲,非洲的黑奴贩往加勒比海,加勒比海的蔗糖运往北美和不列颠。[3] 海外商人从中横发奇财。约翰·塔尔顿是利物浦的黑奴商人,1748—1773年,其财富从6000英镑增加到8万英镑。[4] 他们将这些财富投于国内土地市场。截至1755年,亚伯拉罕·厄尔顿购下了夫里曼特尔住宅。[5] 不过,19世纪40年代以后,黑奴贸易不再起作用,因为"两个世纪以来英国反对黑人奴隶贸易的运动已经使与这场运动不和谐的声音消失了"。[6]

银行业在土地流动中的作用不可磨灭。亨利·霍尔是伦敦的一名银行家,1718—1725年,花费37150英镑,在威尔特郡、多塞特郡、夏普郡购买土地。[7] 威廉·休尔从金融交易中获取财富,除在诺福克郡继承的三个庄园,在克拉珀姆、伦敦、威斯特明斯特购有地产。[8] 塞缪尔·琼斯·劳埃德是曼彻斯特和伦敦的知名银行家,19世纪40年代,用相当一部分财富购置地产,以求得相称的地位。[9]

---

[1] B. A. Holderness, "The English Land Market in the Eighteenth Century", *Economic History Review*, 1974, pp. 557—576.

[2] John Habakkuk, *op. cit.*, pp. 421—422.

[3] Julian Hoppit, *A Land of Liberty*? Oxford: Clarendon Press, 2000, p. 267.

[4] Kenneth Morgan, *Slavery, Atlantic Trade and the British Economy*, Cambridge University Press, 2000, p. 37.

[5] Madge Dresser, *Slavery Obscured*, Continuum, 2001, p. 109.

[6] P. M. Kielstra, *The Politics of Slave Trade Suppression in Britain and France*, Macmillan Press Ltd, 2000, p. 267.

[7] Julian Hoppit, *op. cit.*, p. 377.

[8] John Habakkuk, *op. cit.*, pp. 432—436.

[9] F. M. L. Thompson, *English Landed Society in the Nineteenth Century*, London: Routledge & Kegan Paul, 1963, pp. 39—40.

工业革命前,英国的手工业制造者就有建立土地家族的传统。工业革命时期,大多数工业家不断将资本投入地产业。在先导工业部门——纺织行业,工业家购买土地的情况尤为突出。著名纺织家族——皮尔家族,17世纪中叶开始经营毛纺织业;1795年帕斯利·皮尔去世,后代不断地购买土地,形成了大的土地家族。[1] 在酿造行业,酿造商乔治·惠廷斯托尔的讣告声明:乔治·惠廷斯托尔先生一生积攒70万英镑,20万—30万英镑购置了土地。[2] 惠特布雷德家族是英国的酿造世家,到塞缪尔·惠特布雷德一世时,成为伦敦大规模酿造的先驱,不断购买土地,成为贝德福德郡的大地主。[3] 重工业家族也在大规模地购买土地。在遗产与继承税登记处一份有关遗嘱价值的清单中,F. M. L. 汤普森将几位拥有不动产钢铁工业家的财产登记如下:约瑟夫·贝莱爵士,楠蒂格罗钢铁公司的合伙人,股份价值166365英镑;威廉·汤普森,潘尼德林和特德格钢铁公司的经营者,遗产税为77961英镑。[4] 有的重工业世家兼从金融业,以二者为基础购置土地。康沃尔郡凯黑斯堡的约翰·威廉经营青铜冶炼,还经营银行业,地产超过8000英亩。[5]

五、土地流转率的计量

(一) 长三角土地流转率的计量

在长三角,农家每年被迫绝卖的土地有多少呢?这就涉及土地流转率问题。"土地流转率是指一个地区农地流转地占全部农地面积的比例。"[6]

---

[1] S. D. Chapman, "The Peels in the Early English Cotton Industry", *Business History*, 1969, pp. 61—89.

[2] F. M. L. Thompson, "Stitching it together again", *Economic History Review*, 1992, pp. 362—375.

[3] Dean Rapp, "Social Mobility in the Eighteenth Century", *Economic History Review*, 1974, pp. 380—394.

[4] F. M. L. Thompson, "Stitching it together again", *op. cit.*, pp. 362—375.

[5] F. M. L. Thompson, "Life after Death", *Economic History Review*, 1990, pp. 40—61.

[6]《新农产品成本核算体系释义答疑》,www.npcs.gov.cn,2005—9—1。

下面，笔者以江苏武进、南通为个案，计量长三角的土地流转率。

首先，从契税数量入手，计量两县每年田地绝卖的数量。据《修正江苏省征收契税规程》载："本省契税税率规定为卖契征收百分之九"。[①] 民国十八至二十一年，武进、南通田亩卖契税分别为 153444.46 元、334267.36 元。[②] 可以推出，民国十八至二十一年武进、南通田亩绝卖总货币量分别是 153444.46/9％＝1704938.444 元、334267.36/9％＝3714081.778 元。同期，武进、南通平均每亩田地的价格分别为 51.25 元、62 元。[③] 以上述计量出的这一时期武进、南通各自的田亩绝卖总货币量，以及同期两县的田地平均价格，可以计算出这一时期武进、南通两县绝卖的田亩数量总额为：1704938.444/51.25＋3714081.778/62＝93171.637 亩。进而，武进、南通平均每年绝卖的田亩总数为：93171.637/4＝23292.909 亩。

其次，看看武进、南通的田亩总额。据张心一估计，武进、南通田亩总数分别为 1720472 亩、370 万亩。[④] 据万国鼎民国二十二年调查，武进田亩总数为 1788782.92 亩。[⑤] 这一数据与上述张心一的估计相差不远，可作为标准数据。据万国鼎同一调查，南通县田亩总数为 2464362.711 亩。[⑥] 与张心一前述南通县田亩数 370 万亩相差甚远，可能忽略了某些田亩。因而，以张心一的数据为准。这样，可计量出武进、南通田亩总额为：1788782.92＋3700000＝5488782.92 亩。

根据以上计量出的武进、南通平均每年绝卖的田亩总数以及两县田亩总额，可得出这一时期两县的土地流转率为：23292.909/5488782.92＝0.424％。该计量过程中的数据含有估量成分，不大精确，但可反映长三角土

[①] 万国鼎等：《江苏武进南通田赋调查报告》，台北传记文学出版社 1971 年影印版，第 210 页。

[②] 同上，第 39—41、141—143 页。

[③] 万国鼎等：《江苏武进南通田赋调查报告》，第 107、193 页。

[④] 张心一："各省农业概况估计报告·江苏省"，《统计月报》(立法院统计处刊行)第 2 卷第 7 期(1930 年)，第 23—51 页。

[⑤] 万国鼎等：《江苏武进南通田赋调查报告》，第 20 页。

[⑥] 同上，第 126 页。

地流转率的大端。

（二） 英格兰土地流转率的计量

英格兰土地流转速度若何呢？下面以林肯郡为个案，以作管窥。首先看看林肯郡的土地数量。据1873年诞生的《新末日审判书》（表6），林肯郡的土地所有者可分为贵族等8个种类，还存在着公共荒地。八类土地所有者拥有的土地与公共荒地构成了林肯郡的田地总额——1612305英亩。

表6 林肯郡土地分配状况

土地所有者的个数	拥有土地的各个阶级	土地的数量（单位：英亩）
12	贵族	253606
56	大地主	418886
91	乡绅	154700
497	大约曼	248850
1205	小约曼	204850
14118	小经营者	222586
13768	茅舍农	2824
750	公共团体	100591
——	荒地	5762
30497	——	1612305

资料来源：J. Bateman, *The Great Landowners of Great Britain and Ireland*, Leicester University Press, 1883, p.506.

其次，对林肯郡每年因交易而转手的土地数量作以分析。如表7，B. A. 霍尔德内斯分6个时段，对1700—1800年林肯郡土地价格的变动作以统计。若干年的购买（Number of Year's Purchase），即"土地市场价格相当于这些年内地租的收入"。[①] 值得注意的是，每个时段内的土地数量，只

[①] Norton, Trist and Gilbert, "A Century of Land Values: Journal of the Royal Statistical Society, LIV(1891)", E. M. Carus-Wilson, *Essays in Economic History*, Vol. 3, London: Edward Arnold Ltd., 1962, p.131.

是该时段内交易的部分地亩。按霍尔德内斯的说法,"表内每一时期的土地交易数量,仅涉及 40—80 个个案。1700—1720 年,林肯郡至少有 16 万英亩转手;1780—1800 年之间,林肯郡转手的土地不低于此值"。[①] 这样,可计量出:在 1700—1720 年、1780—1800 年凡 40 年间,林肯郡通过交易转手的土地总数为 32 万英亩。可进一步计量:林肯郡平均每年交易转手的土地数量至少大致为:320000/40=8000 英亩。

表7　1700—1800 年林肯郡地价变动

年份	英亩	土地价格相当于地租收入的年数(Number of Year's Purchase)		
		最高	最低	平均
1701—1710	17963	31	12	21
1711—1730	24483	26	14	20
1741—1760	28862	30	17	26
1761—1775	16317	38	20	29
1776—1790	11883	34	16	25
1791—1800	14332	38	17	26

资料来源:B. A. Holderness, "The English Land Market in the Eighteenth Century", *Economic History Review*, 1974, pp. 557—576.

这样,可计量出,林肯郡的土地流转率为 8000/1612305=0.496%。因没有过于精确的统计资料,该计量只能反映 18、19 世纪英格兰因交易而导致的土地流转率的基本状况。

以上关于民国前期长三角与 18、19 世纪英格兰的土地流转说明:从表面看,上述两个时期,长三角和英格兰都存在着土地交易现象,但从土地市场发育角度衡量,前者尚未进入市场经济,属于前市场阶段,后者则已进入了市场经济。民国前期的长三角,绝大多数农家年净余率为零或负数,农村金融枯竭,高利贷肆虐。为了生存,不愿变卖土地的农家只能以田地为抵押,举借高利贷。利率的高昂,贷款的消费倾向,借贷农家年净余率的缺失,使土地的典当在所难免。接着,出典人承担的田赋外捐税,土地产权在典期

---

① B. A. Holderness, *op. cit.*, pp. 557—576.

的缺失,贷款用于投资的些微,使年净余率为零或负数的农家赎回田地的可能性几近于零,最终只能绝卖田地。可见,绝卖土地是农家身负高利贷经营达到山穷水尽地步的一种无奈之举,也是土地市场发育尚未完善的征兆。在18、19世纪的英格兰,市场是土地流转不可或缺的途径。一方面,为偿还债务,有些地主不得不将祖传土地推向市场;诸多小土地所有者因经济环境恶劣、负债累累而抛售土地;有的小土地所有者为了经营更大的农场而出售土地,租赁更大的农场经营。这就形成了土地的卖方。另一方面,工商业资产者不断地把资本用于土地购买,作为贮存财富的手段,或建立土地家族。

根据前文土地流转率的计量,民国前期长三角与18、19世纪英格兰通过交易而导致的土地流转率差别不大,前者为0.424%,后者为0.496%,数值近似,实质却不同。前市场下长三角土地流转的单向度,在一定程度上导致了中国传统社会的刚性特征。在英国,市场决定了土地流动的开放性与稳定性,以及以此为基础的弹性社会,这可能是17世纪以来英国农村平稳发展的一个基本原因。

国外学术界对英国工业革命时期工业家在社会各阶层分布情况的统计研究

Industrialization and Social Mobility: Introduction of Foreign Research on Social Origins of Industrialists in British Industrial Revolution by Quantitative Method

尹建龙、陈晓律(南京大学历史系)

摘要：工业家阶层的出现是工业革命所造成的社会影响之一，这一新型社会阶层的来源是国外经济史学界研究和关注的重点。克鲁泽等人采取"定量研究"的方法对早期工业家的社会起源进行分析，得出了这一时期的工业家主要来源于社会的中间阶层，特别是底层中等阶级的结论，并进而指出工业革命所造成的社会纵向流动主要是中等阶级内部流动的实质。

关键词：工业家； 工业革命； 社会起源

Abstract: Modern Industrialists first appeared in Britain at the age of Industrial Revolution and its social origins were studied by many western scholars, it had been an academic research focus in the field of economic history for a long period. Many scholars did their research by the method of quantitative analysis and came out with some new findings. For example, Francois Crouzet in his brilliant works discovered that a large portion of the first generation industrialists came from lower middle class families, the social mobility was more intra-class than inter-class.

Keywords: Industrialists; Industrial Revolution; Social Origins

工业革命催生了工业资产阶级和工业无产阶级，极大地改变了英国社会的阶级构成和力量对比。而工业资产阶级作为一个新生并居于强势地位的社会阶层，从诞生之日起，其起源问题就备受关注，许多学者都对此问题发表过自己的看法。如《十八世纪产业革命》的作者保尔·芒图认为，工业革命中的工业家们来自社会的所有阶层，但大多数的人来自社会的中下层，是"这些农村的农夫、铁匠、织工和剃须匠构成英国大工业家的第一代"[①]，通过追溯一些工业家的家谱，芒图发现工业家的出身大多与农业有关。[②] 在1948年出版的《工业革命》一书中，T. S. 艾什顿则认为在工业革命中发挥重要作用的工业家来源于"英国社会的所有阶层和所有地区"，[③]其中既有贵族，也有教士、医生、律师等专业人员，但更多的人来自较低的社会阶层，他们在企业发展的初期大多十分节俭，"经营者同意付给自己很少的工资，限制他们的家庭消费，而将利润用于投资"。[④] 广泛存在的这种现象使艾什顿认为工业革命时期英国社会垂直流动的规模和可能性要比此前或此后的任何时代都要大。[⑤]

然而，无论是芒图还是艾什顿，他们都没有更加深入和系统地探讨工业家起源的问题。计量史学的兴起弥补了这种缺陷，国外一些学者采用"定量研究"的方法对此问题进行探索并取得了丰硕成果，在一定程度上弄清了工业革命时期英国工业家的出身来源和其在社会各阶层中的分布情况。由于这一问题是研究工业革命的基石，故我们拟将国外一些学者采取计量研究方法探索工业家起源问题所取得的成果进行一个粗略的介绍，以期能引起国内学术界对这一问题的关注。

---

① 〔法〕保尔·芒图：《十八世纪产业革命》，杨人楩译，商务印书馆1997年版，第304页。
② 同上，第301页。
③ T. S. Ashton, *The Industrial Revolution 1760—1983*, Oxford / New York: Oxford University Press, 1972, p. 13.
④ T. S. Ashton, *op. cit.*, p. 78.
⑤ *Op. cit.*, p. 14.

一、克鲁泽之前国外学术界对工业家起源问题的统计研究概况

最早采用"定量研究"方法对工业家起源问题进行系统研究的是两位美国学者。瑞恩哈德·本迪克斯的《工作与权威》[①]一书最早出版于1956年,本迪克斯依据保罗·芒图的《十八世纪产业革命》一书,以及《经济创造的财富》(Fortunes Made in Business)、《国民传记辞典》(The Dictionary of National Biography)等书所提供的资料,遴选了132位生活在1750—1850年间的著名工业家进行研究。结果发现,有1/3的工业家出身于工人(worker)或小农场主家庭,其他2/3的工业家则出身于比较富裕的家庭,且大多已经在相关的产业从业多年。[②]

埃瑞艾特·E.哈根的《论社会变迁理论》[③]一书发表于1962年,哈根以英国历史学家T.S.艾什顿在《工业革命》一书中提及的72位工业"革新家"(innovator)为研究对象,并依据这些"革新家"的父亲的收入水平,把他们分为四类,结果发现有71%的革新家,其父亲的收入(从而也就是其家庭的收入)属于中等或殷实阶层,其余29%的家庭处于低收入水平。[④] 哈根的研究和结论所面临的最大问题是,他只依据艾什顿的《工业革命》一书来确定研究对象的名单,视野过于狭窄,同时,在这被纳入研究视野的72位工业家中,只能找到51人的父亲和家庭收入状况的确切资料,依据这样的资料很难得出令人信服的结论。

还有一些学者专注于研究某一行业或地域内的工业家群体。斯坦利·

[①] Reinhard Bendix, *Work and Authority in Industry: Ideologies of Management in the Course of Industrialization*, Berkeley: University of California Press, 1974.

[②] *Op. cit.*, p. 24.

[③] Ererett E. Hagen, *On the Theory of Social Change: How Economic Growth Begins*, London: Tavistock Publications, 1964.

[④] *Op. cit.*, pp. 295—296, pp. 301—304.

D. 查普曼在1967年出版的《早期工厂主》①一书中,对英国梅德兰地区于1769—1800年间成立的64家棉纺企业的合伙人进行了研究。通过考察发现,有7家工厂的主要合伙人是经营纺织品的大零售商(如布料商或绸缎商),占总量的11%;有20家工厂的主要合伙人是织袜业的商人制造商、包买商或纺织品漂白场主,占总量的31%;最多只有3家是由体力劳动者出身的人建立的,另有两家是由曾担任过工厂经理的人建立的,他们在早期有可能做过手工工人。②

在另外一篇探索英国早期棉纺工厂固定资本形成的论文中,查普曼对1795年时英格兰北部43家主要棉纺厂③的合伙人的来源进行了分析,他发现投资于阿克赖特式棉纺厂的资本主要来自于商业,其主要的表现就是此类棉纺厂的合伙人大多为商人出身。在这43家棉纺厂中,查普曼发现有12家的主要合伙人是曼彻斯特的棉麻布制造商,10家的主要合伙人具有农业背景,8家的主要合伙人以前曾从事羊毛纺织业或丝绸纺织业,6家的主要合伙人为在伦敦或梅德兰地区从事纺织品买卖的商人,只有3家的主要合伙人是出身低微的人或前工厂技工、经营管理人员(Former mechanics, management and "men of humble birth")。④ 在同样一篇文章中,查普曼还发现,在那些最早采用工厂化生产方式改造毛纺业的工厂主中,只有两个人曾经是工人,而且他们事业的成功主要依赖富人的资助和庇护。

卡垂娜·哈尼曼的《企业的起源》⑤一书则集中研究工业家中的两大群

---

① Stanley D. Chapman, *The Early Factory Master: The Transition to the Factory System in the Midland Textile Industry*, Newton Abbot: David & Charles Press, 1992.

② Stanley D. Chapman, *The Early Factory Master*, p. 78 (table3), pp. 92—93.

③ 多数是固定资本在5000英镑以上的大型水力棉纺厂。参见Stanley D. Chapman, "Fixed Capital Formation in the British Cotton Industry, 1770—1815", *Economic History Review*, Vol. 23, No. 2, 1970。

④ Stanley D. Chapman, "Fixed Capital Formation in the British Cotton Industry, 1770—1815", *Economic History Review*, Vol. 23, No. 2, 1970, p. 249 (table 1).

⑤ Katrina Honeyman, *Origins of Enterprise: Business Leadership in Industrial Revolution*, Manchester: Manchester University Press, 1982.

体:棉纺厂厂主和花边织造厂厂主。对第一个群体,哈尼曼分别选取1787年时按照阿克赖特工厂模式建立起来的145家水力纺纱厂的合伙人和1811年时博尔顿、奥德哈姆两地的棉纺厂主为研究对象;第二个群体则主要以1829年时诺丁汉的700位使用机器织造花边的从业者为研究对象。哈尼曼研究发现,1787年时,在230位棉纺厂主中,有13位来自"地主/乡绅"阶层,占总数的5.7%;有9人以前是银行家,占总量的3.9%;有22人曾经是大零售商人(布料商或绸缎商人),占总量的9.6%,如果把批发商和大零售商加在一起,则占总量的25%;有90人原来是纺织业的制造商,占总量的39%;有15人来自哈尼曼所定义的"社会阶层III"(熟练工人和小土地持有者)和"社会阶层IV"(非熟练劳动者),占总量的6.5%。①

在哈尼曼所考察的1811年时奥德哈姆的46位棉纺厂主中,有11人是大土地所有者,但他们同时还涉足采煤业和其他工业行业;在所考察的博尔顿的68位棉纺厂主中,有31位是纺织业的制造商出身,占总量的46%;出身于"社会阶层III"和"社会阶层IV"的棉纺厂主在博尔顿和奥德哈姆两地所占的比例分别是20%和33%。②

根据哈尼曼的研究,在1787年时的230位棉纺厂主中,38%的人来自她所划分的第一阶层,56%的人来自她所定义的第二阶层。在1811年时博尔顿和奥德哈姆两地的棉纺厂主中,来自第一阶层的人所占比例在24%—34%之间,来自第二阶层的所占比例在58%—76%之间。③通过对1829年

---

① *Op. cit.*, pp. 60—1(table 5.1), p. 91(table 6.1), p. 99(table 6.2). 哈尼曼把社会分为四个阶层,其他两个阶层分别是:第一阶层(包括 landowner, professional people, large business man, large farmer)、第二阶层(和克鲁泽划分的"低层中等阶级"类似,包括小作坊主,零售商,独立工匠,约曼农等)。参见 Katrina Honeyman, *op. cit.*, pp. 15—16。

② Katrina Honeyman, *op. cit.*, pp. 60—1(table 5.1), p. 91(table 6.1), p. 99(table 6.2). 哈尼曼对出现这种差异的原因的解释是:1787年时的棉纺厂大多是阿克赖特式的水力纺纱厂,规模较大,需要的资本较多,而1811年时则多为使用走锭精纺机的小纺纱厂,需要的固定资本不多,降低了进入这个行业的门槛,为许多人提供了机会。参见 Katrina Honeyman, *op. cit.*, pp. 87—89。

③ Katrina Honeyman, *op. cit.*, pp. 60—1(table 5.1), p. 91(table 6.1), p. 99(table 6.2).

时诺丁汉的 700 名花边织造业者①(这些人大多是拥有一台或两三台花边织机的小业主)的相关情况的分析,哈尼曼发现,他们中占 67% 的人以前都曾是使用手工织机的编织工人,23% 的人曾作为体力劳动者在相关行业从业,但只有 2.5% 的人以前是非熟练工人。这些小业主中,有 72% 的人来自于她所定义的"社会阶层 III"。哈尼曼在研究中还发现,1829 年时的诺丁汉还存在一些大的花边制造工厂,为 40 位"大资本家"所拥有,这些人中有 5 个人出身于体力工人阶层,其他的大部分人则来自于她所定义的"社会阶层 III"。②

通过研究,哈尼曼最后得出结论认为,工业革命时期的工业家群体中有很大比例的人出身低微,但又并非"无产者",他们大多具有相关行业的从业背景,具有一定的技术和较少的资本,属于社会分层上的"低层中产阶级",他们或者是从创建经营本小利微的小企业开始,规模逐步扩大,或者是进入已有的企业,从普通工人做起,当过工头、经理,最后成为企业的合伙人。③

然而,无论是瑞恩哈德·本迪克斯、埃瑞艾特·E. 哈根还是斯坦利·D. 查普曼、卡垂娜·哈尼曼,他们的研究都存在一个共同的缺陷,就是考察对象的选择范围比较狭窄。或者局限于某一地域或某一行业,或者选择的考察对象不具有充分的代表性,由此造成的结果是不可能对工业革命时期的英国工业家做比较全面的考察,自然也难以得出具有普遍性的结论。而要实现这一目的,至少要满足下列三个条件:首先,选择考察对象所涉及的时限要能体现工业革命发生、发展的连续性进程,这个时限一般是在1760—1830 年之间;其次,选择考察对象所涉及的地域范围要能体现出整体性特

---

① 在 1829 年,约有 700 名诺丁汉的花边制造业者在一份请愿书上签名,对其中 90% 的人,哈尼曼找到了相关资料信息。参见 Katrina Honeyman, *op. cit.*, p. 156。

② 诺丁汉的花边制造业大大增强了社会的垂直流动性,这主要与 1840 年以前花边制造业的发展特点有关。1809 年约翰·海斯科特(John Heathcoat)发明了机器织花边机并取得了 14 年的专利,1826 年以后这种机器的价格下降,许多略有积蓄的工人也可以买得起,从而催生了大批的小业主。Katrina Honeyman, *op. cit.*, p. 128, pp. 150—155。

③ Katrina Honeyman, *op. cit.*, p. 8, pp. 164—166。

征,要在英格兰或者英国全境之内选取考察对象,而不能局限于一地;第三,选择考察对象所涉及的行业范围要能体现出广泛性特征,工业革命在棉纺业发端,并波及其他行业,如钢铁冶炼、金属加工、机械制造、陶瓷、化工等行业都发生了很大变化,对工业家样本的选择要兼顾不同行业。到目前为止,在对工业家起源问题进行研究的学者中,只有弗朗西斯·克鲁泽在考察对象的选择上符合了上述三个条件,并对工业家的起源问题做出了比较深入、系统的研究。

二、弗朗西斯·克鲁泽对工业家起源所进行的统计研究成果

法国历史学家 F. 克鲁泽于 1985 年出版的专著《第一批工业家的起源》[①]是采用"定量研究"方法对工业家起源进行研究的集大成之作。克鲁泽在广泛收集资料的基础上,根据资料所提供信息的真实性和准确性,并借鉴其他学者的研究方法和成果,确定了 316 位活跃在 1750—1850 年间的工业家(大型工业企业[②]创建者)作为自己的考察对象。在这 316 人中,可以获悉其中 226 人的父亲的职业状况,243 人在开始职业生涯时所从事的第一种职业等个人资料,并对所有 316 人都了解其在创建企业时的职业状况。

为了更好地把握新兴工业家在英国社会各阶层和职业集团中的分布情

---

① Francois Crouzet, *The First Industrialist: The Problem of Origins*, Cambridge: Cambridge University Press, 1985.

② 衡量企业大小的标准在不同的时代、不同的行业都是不同的,克鲁泽遇到的一个困难就是如何界定企业的规模,符合一个什么样的标准才能被称为大型企业?克鲁泽认同英国学者波拉德对企业规模的界定,即认为应当根据经营管理的复杂程度来界定企业的规模,大型企业是那些"有效的管理已经成为一个问题,以至于需要实行分层管理"企业,在纺织业,符合这一标准的企业雇员至少在 200 人以上,其他行业企业的雇员应不少于 120—150 人这一最低门槛。参见 S. Pollard, *The Genesis of Modern Management: A Study of the Industrial Revolution in Great Britain*, Hampshire: Gregg Revivals, 1993, pp. 20—21. 另参 Francois Crouzet, *op. cit.*, pp. 56—57。

况,克鲁泽根据自己所选取的研究对象的相关情况并借鉴其他学者对英国社会构成的研究方法,把1750—1850年间的英国社会划分为23个职业集团(见附表1):

附表1　1750—1850年间的英国社会职业分类表

1. 上等阶级	A 地主：贵族(peer) B 地主：乡绅(gentry) C 陆海军军官
2. 中等阶级中的专业人士	D 国教教士 E 律师 F 医生 G 测量员、土木工程师、地产管理人、建筑商等
3. 商业从业者	H 银行家、资本家 I 外贸商人 J 国内贸易批发商 K 布料零售商、大零售商人 L 店主、小商人等
4. 制造业从业者	M 家内制下的制造商,包括那些开办小工厂或兼做销售商 N 经营集约型企业的工业家 O 经理、职员、工头及其他非体力劳动雇员 P 独立工匠
5. 农业和矿业从业者	Q 兼营制造业或其他非农业活动的约曼农或农场主, R 约曼农、租地农场主或其他耕作者 S 煤矿主或采石厂主及其他矿业业主
6. 劳工阶级	T 熟练工人 U 家庭工业工人 V 非熟练工人、穷人、仆役等
7. 其他	W 其他职业,如演员、艺术家、旅行家、中央或地方政府雇员、非国教教派牧师、海员、学校校长、教师等

资料来源:据Francois Crouzet, The First Industrialist: The Problem of Origins 第146页资料编制。

根据各职业集团的工作性质和收入状况,这23个职业群体又被划分为四大社会等级：上等阶级、中等阶级、底层中等阶级、劳工阶级。

根据克鲁泽统计研究的结果,1750—1850年间英国的工业家在各社会阶层和职业集团中的分布情况如下(见附表2、附表3、附表4)：

附表2 1750—1850年间226位大型工业企业创建者的父辈职业状况表

职业分类	分类总计 数量	%	纺织工业 数量	%	金属工业 数量	%	其他行业 数量	%
A 贵族	2				1		1	
B 乡绅	16		5		8		3	
C 军官	2						2	
1.上等阶层(总计)	20	8.8	5	5.2	9	11.0	6	12.8
D 教士	6		3		2		1	
E 律师	4		3				1	
F 医生	1		1					
G 测量员等	5		3		2			
2.专业人士	16	7.1	10	10.3	4	4.9	2	4.3
H 银行家	6		3		3			
I 外贸商	7		5		1		1	
J 国内批发商	23		9		9		5	
K 大零售商	7		3				4	
L 小店主	9		5		2		2	
3.商业从业者	52	23.0	25	25.8	15	18.3	12	25.5
M 制造商等	19		14		3		2	
N 工业家等	25		11		9		5	
O 经理等	4		1		3			
P 独立工匠	18				12		6	
4.制造业从业者	66	29.2	26	26.8	27	32.9	13	27.7
Q 约曼农兼制造商	15		10		3		2	
R 约曼农农场主等	28		14		7		7	
S 矿业主等	6		1		4		1	
5.农矿业从业者	49	21.7	25	25.8	14	17.1	10	21.3
T 熟练工人	6				3		3	
U 家庭工业工人	3		1		2			
V 非熟练工人等	7		3		3		1	
6.劳工阶层	16	7.1	4	4.1	8	9.8	4	8.5

续表

7.W 其他职业	7	3.1	2	2.1	5	6.1	
总计	226		97		82		47

说明：

1. 纺织业主要包括棉花、羊毛、亚麻、丝绸纺织，精纺，花边织造，织袜等行业
2. 金属业主要包括钢铁冶炼、铁器制造、有色金属冶炼、机械制造加工等
3. 其他行业（various）包括陶瓷、伯利、造纸、橡胶、制鞋、酿酒、食品加工、烟草、化工等行业

资料来源：据 Francois Crouzet, *The First Industrialist : The Problem of Origins*, 第147页资料编制。

附表3　1750—1850年间英国316位工业家在创办其大型工业企业时的职业分布表

职业分类	分类总计 数量	%	纺织工业 数量	%	金属工业 数量	%	其他行业 数量	%
A 贵族	2				1		1	
B 乡绅	4		2		2			
C 军官	2						2	
1.上等阶层（总计）	8	2.5	2	1.6	3	2.7	3	3.7
D 教士	1		1					
E 律师	5				3		2	
F 医生	1						1	
G 测量员等	1				1			
2.专业人士	8	2.5	1	0.8	4	3.6	3	3.7
H 银行家	12		7		3		2	
I 外贸商	5		2		3			
J 国内批发商	30		13		8		9	
K 大零售商	5		4				1	
L 小店主	10		3				7	
3.商业从业者	62	19.6	29	23.4	14	12.6	19	23.5
M 制造商	53		43		8		2	
N 工业家	29		6		10		13	
O 经理等	35		10		19		6	
P 工匠	15		4		11			
4.制造业从业者	132	41.8	63	50.8	48	43.2	21	25.9
Q 约曼农兼制造商	3		2		1			
R 约曼农农场主等	1				1			
S 煤矿主等	9				7		2	

续表

5.农矿业从业者	13	4.1	2	1.6	9	8.1	2	2.5
T 熟练工人	29		1		18		10	
U 家庭作坊工人	1		1					
V 非熟练工人等	1				1		1	
6.劳工阶层	31	9.8	2	1.6	19	17.1	11	12.3
7.W 其他职业	12	3.8	1	0.8	5	4.5	6	7.4
8.直接创建企业者	50	15.8	24	19.4	9	8.1	17	21.0
总计	316		124		111		81	

资料来源：据 Francois Crouzet，*The First Industrialist：The Problem of Origins*，第 149 页资料编制。

附表 4　1750—1850 年间大型工业企业的创建者在开始其职业生涯时所从事的第一种职业分类表

职业分类	分类总计 数量	%	分类总计（剔除机械、陶瓷业后）数量	%
C 军官	7		6	
1.上等阶层（总计）	7	2.9	6	3.2
2.专业人士	8	3.3	7	3.8
H 银行家、资本家	2		2	
I 外贸商	3		3	
J 国内批发商	11		11	
K 大零售商	6		4	
L 小店主	6		6	
3.商业从业者	28	11.5	26	14.1
M 制造商	13		13	
N 工业家	6		6	
O 经理等	26		23	
P 工匠	19		15	
4.制造业从业者	64	26.3	57	30.8
Q 约曼农兼制造商	3		3	
R 约曼农农场主等	1		1	
S 煤矿主等	2		2	
5.农矿业从业者	6	2.5	6	3.2
T 熟练工人	43		10	

续表

U 家庭工业工人	8		8	
V 非熟练工人等	4		2	
6.劳工阶层	55	22.6	20	10.8
7.W 其他职业	6	2.5	5	2.7
8.直接创建企业者	36	14.8	28	15.1
9.作为父亲或亲戚的合伙人或雇工开始工作	33	13.6	30	16.2
总计	243		185	

说明：

1. 指其结束学业和学徒期满后
2. 包括 42 位工程师(engineer)、16 位陶工(potter)

资料来源：据 Francois Crouzet，*The First Industrialist：The Problem of Origins*，第 151 页资料编制。

根据上述统计表格的数据，克鲁泽将英国工业家的来源做了如下的分类：

（一）上等阶级：包含 A 地主：贵族、B 地主：乡绅、C 陆海军军官。

根据克鲁泽的统计，属于上等阶级的工业家在表 2 中有 20 人，占考察总量(226 人)的 8.8%；在表 3 中有 8 人，占总量(316 人)的 2.5%；在表 4 中有 7 人(都是军官)，占考察总量(243 人)的 2.9%。

在上等阶层中，乡绅比贵族产生了更多的工业家，乡绅一般充当贵族地产的代理人，在贵族领地上建立的工业企业中，他们一般是合伙人。而出身乡绅家庭的工业家也占有一定的比例，在附表 2 中，出身乡绅家庭的工业家有 16 人，远远超过贵族和军官家庭。这是因为由于受到长子继承制的限制，乡绅的幼子们很难继承家产土地，只能从军、担任神职或从事法律工作，当然也有许多人进入工商业领域。

（二）中等阶级：包括 D 国教教士，E 律师，F 医生，G 测量员、土木工程师、地产管理人、建筑商等，H 银行家、资本家，I 外贸商人，J 国内贸易批发商，K 布料零售商、大零售商人，M 家内制下的制造商，包括那些开办小工厂或兼做销售商，N 经营集约型企业的工业家等职业集团。

专业阶层

在克鲁泽的附表 2 中,其父辈属于专业阶层有 16 人,占考察总量(226 人)的 7.1%;在附表 3 中,属于专业阶层的有 8 人,占考察总量(316 人)的 2.5%,这其中以从出身律师这一职业的工业家最多;在表 4 中,属于专业阶层的有 8 人,占考察总量(243 人)的 3.3%。

职业集团中的 W 项(其他各种职业者如演员、艺术家、旅行家、中央或地方政府雇员、非国教教派牧师、海员、学校校长、教师),从其职业性质来看也属于专业阶层,但他们的职业地位和收入要比专业阶层低得多,在社会阶层的划分上,克鲁泽把他们归为"低层中等阶级"。[①]

在附表 2 中,工业家的父辈属"W 其他职业"一项的有 7 人,占考察总量(226 人)的 3.1%;在表 3 中,属于"W 其他职业"的有 12 人,占考察总量(316 人)的 3.8%;在表 4 中,属于"W 其他职业"的有 6 人,占考察总量(243 人)的 2.5%。

外贸商人

在附表 2、附表 3、附表 4 中,属于"外贸商人"一项的人数分别为 7、5、3,所占考察总量的比例较小。

由于外贸商人跟工业部门的联系较少,对工业发展情况了解不多,所以积极投资工业的人很少,即使投资工业,他们也一般作为消极合伙人出现,不直接过问企业的管理和经营。

银行家和"资本家"

在附表 2、附表 3、附表 4 中,属于银行家和"资本家"这一集团的人数分别为 6、12、2,所占考察总量的比例是非常小的。

出现在附表 2、附表 3 和附表 4 中第"H"项的人物主要是一些"资本家",克鲁泽对"资本家"的界定是"富有资金且在多种行业都有广泛利益的人"。[②] 很少有银行家会直接投资于工业,这很大程度上是因为他们不愿冒

[①] Francois Crouzet, *op. cit.*, pp. 83—84.
[②] *Op. cit.*, p. 103.

风险,同时也对工业发展的前景不乐观。当然,也有一些银行家为工业投资的高回报率所吸引或者为了资助自己子女或亲戚的事业发展而投资工业的事例,在棉纺织业和伦敦的酿酒业中就存在这样的情况,但即使如此,他们更多的时候也仅仅扮演"消极合伙人"的角色。

国内贸易批发商和大零售商

大批发商和零售商由于拥有较多的资金和在制造业产业链的上下游从业的经验,很容易涉足制造业。如一些从事纺织品零售业的大商人在纺织业的发展中扮演了重要角色。在克鲁泽的表2中,工业家的父辈职业属于"J 国内批发商"、"K 大零售商"的共有 30 人,占总量(226 人)的 13%,在表 3 中有 35 人,占总量(316 人)的 11%。

制造商和工业家

据克鲁泽分析,在那些已经在相关产业领域从业的职业集团中产生最多的工业家,这样的集团包括表 1 中的"M 家内制下的制造商,包括那些开办小工厂或兼做销售商"和"N 经营集约型企业的工业家"。在表 2 中,有 44 人属于这两个职业集团,占考察总量(226 人)的 19%;在表 3 中属于这两职业集团的工业家共有 82 人,占总量(316 人)的 26%。

在表 3 中,曾属于"M 家内制下的制造商"职业集团的工业家人数是最多的,共有 53 人,占考察总量(316 人)的 17%;这种状况在纺织业体现得最为突出,在表 3 中,出身于这一职业集团的从事纺织业的工业家有 43 人,占这一行业工业家总量(124 人)的 35%。

由此可见,在纺织业中,有许多在工厂制出现以前就已经涉足这一行业的手工工场主、"外作制"下的包买商和中间商后来都转变成为采用新式机器和工厂制的工厂主,他们先是创建棉纺工厂,在 19 世纪初又成为动力织布厂主。对他们而言,实现向工厂制的转变是比较容易的,他们拥有资金和在纺织业从业的经验,拥有相关的原料供应和商品销售渠道,他们或者是为棉纺工厂发展早期的高额利润所吸引,或者是为了保证优质纱线的供应,从而加入到早期工厂主的行列之中。①

（三）底层中等阶级：包括 L 店主和小商人等，O 经理、职员、工头和其他非体力劳动的雇员，P 独立工匠，Q 兼营制造业或其他非农业活动的约曼农或农场主，R 约曼农租地农场主或其他耕作者，S 煤矿主或采石厂主及其他矿业业主，W 其他职业，如演员、艺术家、旅行家、中央或地方政府雇员、非国教教派牧师、海员、学校校长、教师等职业集团。

经理、职员、工头及其他非体力劳动雇员

虽然克鲁泽根据工作的性质把"O 经理、职员、工头及其他非体力劳动的雇员"在职业分类中作为一项单独列出来，但是他们之间也存在着极大的差别，特别是在高级管理人员如经理和低级的管理人员如监工、工头、职员之间，他们的地位和工资都有很大的差别。根据波拉德的研究，在工厂制发展的早期，低级管理人员与熟练工人之间在地位和工资方面的差别并不大。② 而高级的管理人员则往往由工厂的合伙人亲自担任，或者由合伙人的亲友担任，他们的地位和工资待遇都是很高的。

根据克鲁泽的统计，属于"O 经理、职员、工头及其他非体力劳动的雇员"这一职业集团工业家在附表 2 中只有 4 人；在附表 3 中有 35 人，占总量（316 人）的 12%；在附表 4 中有 26 人，占考察总量（243 人）的 11%。

对那些就有一定经营管理才能的经理而言，摆脱受雇佣的地位上升为企业合伙人的机遇是非常多的。波拉德认为随着经理人员工资的大幅上升，许多经理可以节省下一大笔资金，从而使自己可以跻身到自己所经营企业的合伙人之列。③ 同时在生产方式的变革所造成的各种新型技术、管理人才极度匮乏的情况下，企业家之间存在着激烈的人才争夺现象。为了笼络经理人员，不被竞争对手挖走，激发他们的积极性，工厂主们以吸纳经理为合伙人作为奖励手段，通过这种方式也造就了许多工业家。④

① Francois Crouzet, *op. cit.*, pp. 103—111.
② S. Pollard, *op. cit.*, pp. 136—156.
③ S. Pollard, *op. cit.*, pp. 178—179.
④ Francois Crouzet, *op. cit.*, p. 141.

独立工匠

在克鲁泽的考察对象中,"P 独立工匠"并不占有显著的地位,在附表2、附表3、附表4中他们的人数分别为18、15、19,所占考察总量的比例分别为8%、5%、8%。但在这一职业集团中产生了许多最重要的机器制造工厂的创建者,如蒸汽机的改进者詹姆斯·瓦特,需要指出的是,瓦特也是一个成功的工业家,他和马修·博尔顿合伙经营的索霍工厂是世界上第一家制造、销售蒸汽机的工厂。瓦特的父亲先后干过木匠、小造船场主、建筑师,后来还曾小规模地投资船运业,在改进蒸汽机之前,瓦特自己的职业是"仪器制造者",曾在格拉斯哥开了一家制造、修理各种科研仪器的小店铺。①

农矿业从业者

在克鲁泽的职业分类中,农矿业的从业者包括 Q 兼营制造业或其他非农业活动的约曼农或农场主,R 约曼农、租地农场主或其他耕作者,S 煤矿主或采石厂主、其他矿业业主三个职业集团。

在附表2、附表3、附表4中,属于农矿业从业者一类的人数分别为49、13、6,所占考察总量的比例分别为21.7%、4.1%、2.5%。

在英国工业革命中有一大批工业家出身于具有农业背景的家庭,正如芒图指出的那样,"他们出身于半农半工阶级,这个阶级直至那时构成显著部分也许是大部分的英国人口"。② 当工业化的大潮使"原工业化"下那种"小农耕作同小工业的累世结合——这是它的存在的根基——遭到破坏时,它就本能地走向最有富源的那方面去。产业革命正对那些闲置的能量开辟着一条新的出路,自耕农中最有企业心的或者最有运气的人们都以征服者的姿态投奔到这条道路上去。"③

(四)劳工阶级:包括 T 熟练工人,U 家庭工业工人,V 非熟练工人、穷人、仆役等职业集团。

---

① H. W. Dickinson, *James Watt: Craftsman and Engineer*, Cambirdge: Cambridge University Press, 1935, pp.15—16.
② 〔法〕保尔·芒图:《十八世纪产业革命》,第301页。
③ 同上,第303—304页。

克鲁泽所划分的社会阶层的最底层是劳工阶层,包括"T 熟练工人"、"U 家庭工业工人"、"V 非熟练工人、穷人、仆役等"三个职业集团。

依据克鲁泽的统计结果,在表 2 中,属于劳工阶级的有 16 人,占考察总量(226 人)的 7.1%;在表 3 中有 31 人,占考察总量(316)的 9.8%;在表 4 中有 55 人,占考察总量(243 人)的 22.6%,在这 55 人中,熟练工人有 43 人,家庭工业工人有 8 人,非熟练工人有 4 人。

克鲁泽所选择的这些工业家,按照他自己的说法,都是创建了"大型工业企业"的人,这就把大批的中小企业主排除在外。一般来理解,创建大型工业企业,要求有较多的资金、较高的管理水平、较广阔的原料和销售市场及业务联系,这都不是劳工阶层和中产阶级的下层中的许多人所具备的,所以在附表 3 和附表 4 中,劳工阶层和中产阶级的下层所占比例较小,是十分自然的事情。

通过考察工业家父辈的职业状况和其在社会阶层中的分布情况,克鲁泽发现,父辈属于上等阶级和工人阶级的工业家都不多,占考察总量的比例分别为 8.8% 和 7.1%;绝大部分属于中等阶级和底层中等阶级,占考察总量的比例分别为 45.6% 和 38.5%,两者共占总量的 84.1%。

通过分析工业家在开始创建大型工业企业时的职业和所属社会阶层状况,克鲁泽发现出身于中等阶级的工业家占考察总量(316 人)的 44.9%,在剔除不明情况的人员后(剩余 266 人),比例上升为 53.4%;来源于底层中等阶级的工业家占总数的 26.8%,在剔除不明情况的人员后比例上升为 32.0%;两者相加,来源于中等阶级和底层中等阶级的工业家在总数中所占比例达到 71.7% 和 85.4%,而出身上等阶级的工业家只占 2.5% 和 3.0%,出身工人阶级的工业家只占 9.8% 和 11.7%。

通过考察"大型工业企业的创建者在开始其职业生涯时所从事的第一种职业所属社会阶层分类状况",克鲁泽发现在 243 位有相关资料记载的工业家中,其所从事的第一种职业属于中等阶级的为 49 人,占总数的 20.2%,在剔除机械业和陶瓷业的分类总计中(剩余 185 人),其人数变为 46 人,所占比例上升为 24.9%,变化不大;属于底层中等阶级的为 63 人,所占比例为25.9%,在185人的分类总计中人数减少了8人,变为55人,所占比例上升为29.7%;综合起来,其所从事的第一种职业属于这两个阶层的工业家在两种分类总计中所占的比例分别是46.1%和54.6%。同时,那些在分类中属于"直接创建企业者"和"作为父亲或亲戚的合伙人或雇工开始工作"两部分的工业家(它们在两种分类总计中所占的比例之和分别是28.4%和31.3%),大部分也可以归入到中等阶级和底层中等阶级的行列。其所从事的第一种职业属于工人阶级的为55人,所占比例为22.6%,在185人的分类总计中人数减少了35人,变为20人,比例下降为10.8%,这说明那些其所从事的第一种职业属于工人阶级的工业家们主要集中在机械业和陶瓷业,从组成工人阶级的三个职业群体(熟练工人、家庭作坊工人、非熟练工人)来看,主要集中在"熟练工人"这一群体(从43人变为10人,减少了33人)。

克鲁泽研究的主要缺陷在于,他所选择的这些工业家都是创建了"大型工业企业"的人,这就把大批的中小企业主排除在外,而大量中小企业的存在是工业革命时期英国工业发展的一大特点,当然,克鲁泽这么做也与这方面的资料匮乏有关。此外,作为考察对象的316位工业家都是大型工业企业的"创业者"①,依据克鲁泽的定义,这些人不但要作为业主拥有企业的资本而且要积极参与到企业经营管理中,②这就把大量的消极合伙人和雇佣经理排除在外。显然,这些严格的标准使考察对象的选择受到很大限制,而

---

① 克鲁泽是根据下列五条来界定"创业者"的:第一,虽然不是企业的开办者,但将规模较小、经营不善、发展停滞的企业发展壮大的工业家,是创业者。第二,虽参与企业的创建,但投资份额较小,在企业的经营管理上处于从属地位的,不能算是创业者。如在合伙企业中的消极合伙人,在父子、兄弟合伙的企业中,处于从属地位的,不积极参与管理经营的儿子、弟弟等。反之则属于"创业者"之列,如钢铁业的沃克三兄弟,在企业的发展中都起到了重要作用,都应被认为是创业者。第三,在企业中投入大量资金,有时还是企业的主要投资者,但不参与企业的实际经营管理活动,以及那些在外合伙人(居所离企业很远,很少过问企业事务,也不到企业视察),这些"消极合伙人"不能算是企业的创业者。第四,在工业革命早期,企业的合伙人关系往往变幻不定,且持续的时间比较短,在这种情况下,只有那些稳定的支持企业发展,且在企业发展中发挥了实际作用的合伙人才被看作"创业者"。第五,在延续性上,参与企业活动的时间较短,如不足5年,或者是其所创建的企业存在时间较短的人,也不能被看作"创业者"。参见 François Crouzet, *op. cit.*, pp. 57—60。

② François Crouzet, *op. cit.*, pp. 8—12。

克鲁泽自己选择的这 316 位工业家是否具有普遍性和代表性,依据这些"样本"所得出的研究结果是否具有很高的客观性,这就需要进一步的推敲了。

三、克鲁泽的研究结论和其在学术界的反响

通过综合分析这一时期(1750—1850)英国工业家来源的社会阶层分布情况,克鲁泽得出结论认为:虽然工业家的来源非常广泛,正如艾什顿所说,"英国社会的所有阶层和所有地区"都贡献了许多工业家[①],但是,从其在社会各阶层中所占的比例而言,这一时期的工业家们主要来源于社会的中间阶层,来源于中等阶级和底层中等阶级,像"斯迈尔斯神话"所描述的那种真正出身无产阶级,完全通过"自助"成功的工业家只占很小的比例。

克鲁泽进而指出,就工业革命所造成的社会纵向流动而言,这种流动与其说是在社会阶层之间的流动,不如说是在社会阶层内部的流动,是那些处于中等阶级下层的人们——他们跟熟练工人的差别并不大——变成了富有的工业家,成为中等阶级上层中的一员。这样的流动在前工业化时代也同样存在,只不过工业革命时期经济的迅速增长,使得这种社会流动的规模扩大了,其结果是形成了一个新兴工业精英集团,其中很多人都出身社会的底层。[②]

值得注意的是,克鲁泽所得出的结论,与本文第一部分所提到的几位学者如 S.S. 查普曼和 K. 哈尼曼所得出的研究结论是大致吻合的。

克鲁泽的研究结论得到了其他学者的赞同。哈罗德·帕金对英国工业家的起源问题曾做过这样的评论:"工业革命早期的大部分工业家,都是靠着很小的但又绝对不是可以忽略不计的本钱开始创业的,这些本钱不是少到不能独立地存在和发展,也不是充裕到可以在新的、充满风险的行业中不

---

① T. S. Ashton, *The Industrial Revolution 1760—1830*, Oxford: Oxford University Press, 1972, p. 13.

② Francois Crouzet, *op. cit.*, p. 142.

需要坚持不懈地努力工作……新兴工业家的最大来源就是中产阶级的底层"。① 彼得·L.平尼支持克鲁泽的结论,认为从中等阶级的底层成长起来的工业家,在这个新兴集团中是占绝对优势地位的。② 彼得·马萨斯也认为"在 1760 年以后,英国社会的弹性是如此之大,经济的增长所带来的对资本和进取心的需求是如此之广泛,以致社会的各个组成部分都为之提供了许多具有进取心的人(工业家)",③但是,"只有很少的工业家是从劳工阶层,即那些既无教育又无资本的社会最底层成长起来的。大多数人来自于有些积蓄——即使是比较少的积蓄的家庭,也有些人娶了有积蓄的女子做老婆。大多数人在当地社会中处于受人尊敬的地位,具有较好的名声,这使他们能够借到钱,或者得到足够的贷款来开始创业"。④ 而"在需要大量资本以采用新的生产方式进行大规模生产的产业部门,许多新工业家都来自于此产业的相关分支领域,他们正是在这些分支领域积累了所需要的资本。"⑤

总体看来,克鲁泽通过广泛收集有关工业家起源问题的各种数据和资料,通过对 1750—1850 年这一时期内英国的社会阶层和职业集团进行的合理、细致的界定和区分,同时借鉴其他学者(如查普曼、哈尼曼、埃里克森)的研究成果和方法,经过对相关资料的梳理、分析、统计,较为清晰地揭示了工业革命时期英国工业家的出身来源和其在英国各社会阶层、各职业集团中的分布情况。虽然其结论并没有推翻或彻底改变学术界对工业家起源问题的一般观点,但克鲁泽的研究成果却给了这种观点以坚实的实证和数据支持,从而使其更具有可信度和说服力。

虽然弗朗西斯·克鲁泽的《第一批工业家的起源》一书无论是在研究方

---

① Harold Perkin, *op. cit.*, p. 82.

② Peter L. Payne, *British Entrepreneurship in the Nineteenth Century*, London and Basingstoke: Macmillan Education Ltd.,1988, p. 21.

③ Peter Mathias, *The First Industrial Nation: An Economic History of Britain 1700—1914*, London and New York: Methuen & Co. Ltd,1983, pp. 141—142.

④ *Op. cit.*, p. 141.

⑤ *Op. cit.*, p. 141.

法和资料数据的使用上都还存在许多问题,但瑕不掩瑜,正如彼得·L.平尼所评价的那样:"毫无疑问,克鲁泽对这一问题所进行的研究,是到目前为止进行的同类研究中最优秀和最细致的。"①

而这一研究的成果,对于我们进一步把握工业化进程中某些具有规律性的东西,加深对现代化本质的理解,显然具有积极的意义。

---

① Peter L. Payne, *op. cit.*, p. 21.

中国化马克思主义与中国的现代化
Sinicized Marxism and Modernization in China

代　云（河南省社会科学院哲学所）

摘要：根据马克思关于实现社会主义的物质前提和落后国家发展道路及工业化问题的论述，不同国家都将走上现代化道路，而现代化造就的高度发达的生产力则是实现社会主义的物质前提。毛泽东思想为中国现代化外部障碍的排除（即反对帝国主义）提供了理论和策略的支持，对中国现代化带来的弊病也做出了反应，但未能达到预期目标。邓小平理论强调实现社会主义的物质基础，为将工作重心转移到经济建设和实现四个现代化提供了理论依据。在邓小平理论指导下，中国的现代化建设取得巨大成就，但也出现许多问题，这些问题推动了中国共产党的制度创新和理论创新。这两大理论成果对现代化弊病的回应体现了历史发展的连续性和内在逻辑。

关键词：中国化马克思主义；　现代化；　毛泽东思想；　邓小平理论

Abstract: According to Marx's ideas about material basis for communism and the advance road of backward country, all of nations will take the road toward modernization, and highly advanced productive forces through modernization are the material basis for communism. Mao's Thought provided support of the theories and strategy for the exclusion of exterior obstacle (namely objection imperialism) of modernization in China. It also reacted to the drawbacks of modernization, but it couldn't attain the expectation target. Deng's Theory emphasizes material foundation for socialism, which provides theoretical basis for transferring the work center of gravity to the economy construction and carrying out four modernizations. Under the Deng's theory's instruction, the modernization construction in China has obtained huge achievement. But many problems also appear, these problems have been pushing the system innovation and theory innovation of Communist Party of China. These two theories' responses to modernization's drawbacks have embodied continuous and inside logic of history.

Keywords: Sinicized Marxism; Modernization; Mao Zedong Thought; Deng Xiao-ping Theory

自17世纪至20世纪上半叶,发端于西欧的现代化运动伴随着现代化"先行国"的海外扩张,以强制方式向非西方世界推进,从而深刻塑造了当今世界的面貌。由于现代化的核心是工业化,而要实现工业化,就必须对以农业为基础的传统社会进行改造,最终确立工业文明。这个改造过程涉及社会在经济、政治、思想、文化以及人们在生产、生活方式、价值观念等等诸多方面的重大转变,对于一个国家来说,这几乎是一个脱胎换骨的过程(美籍华裔历史学家黄仁宇曾以"走兽变飞禽"来比喻这个改造过程)。这种转型在现代化的发源地——欧洲的思想界激起强烈反响,诞生了许多影响至今的思想和理论体系,马克思主义就是其中之一。

一、马克思主义与现代化

140年前,马克思在《资本论》第一卷第一版序言中提出"工业较发达的国家向工业较不发达的国家所显示的,只是后者未来的景象"。[①] 马克思的这一思想被西方现代化论者公认为是关于落后国家发展道路和工业化问题的重要提示。而事实上,《资本论》就是以世界上第一个现代化国家——英

---

① 马克思:《资本论》,人民出版社1975年版,第8页。

国作为研究对象的。马克思在《资本论》第一卷第一版序言中明确指出"本书的最终目的就是揭示现代社会的经济运动规律"。①

马克思把19世纪称为"现代",其划分的标准是生产方式的变化。他认为,16世纪以来欧洲发生的社会巨变,导致了大工业的兴起,带来了现代生产方式,这种现代生产方式把单个国家的历史活动纳入世界史性的共同活动。由于"新的工业的建立已经成为一切文明民族的生命攸关的问题",②由于这种新生产方式所揭示的现代社会的经济运动规律及其现实的发展趋势,马克思预见到,那些经济落后、工业不发达的国家将会以工业发达国家作为自己发展的未来景象。这也是"历史向世界历史转变"的必然。

由于马克思认为那些经济落后、工业不发达的国家将会以工业发达国家作为自己发展的未来景象,也就是说不同国家都将走上现代化道路,而现代化造就的高度发达的生产力则是实现社会主义的物质前提。

关于人类社会发展道路(也就是如何向共产主义过渡)问题,在19世纪70年代前马克思的注意力主要集中在西欧,19世纪70年代后开始关注东方社会。马克思发现,东方社会具有不同于西方社会的特点:土地公有制度和在此基础上形成的强大的中央集权。这些特点使东方社会未能走上资本主义发展道路,在近代以来的现代化浪潮中成为现代化的后起国。为了回答这些落后国家如何以非资本主义方式实现社会主义的问题,马克思进行了艰苦的工作,提出了一些重要思想:其一,对自己过去的研究成果做了严格限定,反对别人把自己关于西欧发展道路的历史概述变成一般发展道路的历史哲学理论。其二,人类历史的发展进程是多线条的,是多样性的统一。因此人类向社会主义的演进将不仅只有西欧资本主义发展这一条道路,东方社会完全可能以非资本主义方式实现向社会主义的过渡。③

马克思关于人类历史发展进程多线条的观点不久就被俄国的实践所证

---

① 马克思:《资本论》,人民出版社1975年版,第11页。
② 《马克思恩格斯选集》(一),北京人民出版社1973年版,第254页。
③ 高放、李景治、蒲国良:《科学社会主义的理论与实践》,中国人民大学出版社2003年版,第121—122页。

实。1917年俄历10月,俄国爆发无产阶级革命,胜利后领导革命的俄共(布)建立起世界上第一个工人阶级领导的社会主义国家——苏联,开始了以非资本主义方式实现工业化并向社会主义过渡的实践。

但是,按照马克思主义关于实现社会主义的生产力标准,当时俄国在落后的经济基础上不可能建立起真正的社会主义,理论与实践的脱节使苏联的实践备受第二国际和孟什维克的质疑。面对质疑,列宁在《论我国革命》中做出了有力的回答:

"俄国生产力还没有发展到足以实现社会主义的水平",他们把这个无可争辩的论点,用千百种腔调一再重复,他们觉得这是对评价我国革命有决定意义的观点。[1]

既然建设社会主义需要有一定的文化水平,我们为什么不能首先用革命手段取得达到这个一定水平的前提,然后在工农政权和苏维埃制度的基础上追上别国的人民呢?[2]

在东方那些人口无比众多、社会情况无比复杂的国家里,今后的革命无疑会比俄国的革命带有更多的特色。[3]

可以看出,列宁的回答,既坚持了实现社会主义的生产力标准,又不被现成的理论束缚,体现了深刻的辩证决定思想。苏联的实践为像中国这样"人口无比众多、社会情况无比复杂的"东方国家提供了范例。

二、毛泽东思想与中国的现代化

20世纪中国现代化的最大障碍是国家发展自主权的丧失。因此,排除外部势力的干预,实现国家统一、民族独立就成为中国现代化的政治前提。

---

[1] 《列宁选集》,人民出版社1960年版,第691页。
[2] 同上。
[3] 同上,第692页。

在20世纪上半叶,这个任务是由中国共产党这个政治舞台上新崛起的力量来完成的。

但是,由于同俄共(布)一样需要面对"落后的生产力无法提供实现社会主义的物质基础"这样的理论难题,中国共产党从成立那天起就陷入理论困境之中。后来在共产国际的指导下逐步走出这个理论困境,这套理论的主要内容是:中国革命的性质是资产阶级民主革命,任务是打倒封建主义和帝国主义,然后发展资本主义工业化,在这个基础上,再进行社会主义革命。资产阶级民主革命历史地只能由资产阶级的利益代表国民党来领导。这个理论后来成为第一次国共合作的指导理论。可以看出,这同第二国际和孟什维克的机械决定论如出一辙。这个理论后来导致了中国共产党的自我取消主义倾向。

大革命失败后,毛泽东开始了独立的理论思考。他从中国的社会结构出发,认为中国革命正确的策略是从中国农村和农民运动着手,设法动员起这个占人口最大多数的阶级参加中国共产党的革命。十年内战时期的土地革命实践证明了这个策略的有效性。延安时期,毛泽东形成了他关于中国革命性质、任务与战略的完整理论,这就是新民主主义理论,这个理论的核心有二:其一,中国革命的性质是资产阶级民主革命,任务是反帝反封建,目标是实现中国现代化,在此基础上向共产主义过渡。但是革命的领导阶级不能是资产阶级,中国革命必须也只能由中国共产党为核心的工农阶级来领导,或者说必须由中国共产党动员最广大的农民阶级来完成这个革命。其二,由于这个革命是由中国共产党领导的,因此它就必然以社会主义为目标,实现现代化服务于这个目标,是中国社会主义革命的组成部分、准备阶段。这样,他不仅在理论上彻底清算了资产阶级旧民主主义革命,而且在理论上论证了中国共产党存在的合法性。

其后在毛泽东关于中国革命策略的指导下,中国共产党借助于以土地改革为诉求的政治动员力量,不仅彻底改造了中国传统社会,还将外部势力对中国的影响彻底排除,实现了民族独立和国家基本统一,为中国的现代化创造了最重要的政治前提。

但是,1949年革命胜利后,毛泽东在实践中却逐渐抛弃了新民主主义理论,而这同中国在移植苏联模式进行的工业化实践中出现的问题有直接关系。

1953年,第一个五年计划开始实施,中国现代化正式启动。但是,由于中国工业化移植的是苏联模式,这在社会和意识形态方面出现了与苏联类似的趋势,因此,"一五"计划在取得巨大经济成就的同时也带来了一系列令人忧虑的社会后果:出现了新型的行政和技术精英阶层;官僚主义盛行,干部脱离群众;现代化过程中城乡在经济和文化上的差距逐渐扩大;在国家主导的优先发展重工业的工业化进程中,农村被边缘化;随着新的社会不平等形式的出现,社会主义目标被无限期拖延。[①] 总结起来就是:三大差别在扩大,出现新的社会不公,经济发展但社会主义目标却有被淡化的趋势,出现手段背离目的的倾向。而社会主义目标被无限期拖延则意味着中国共产党这个以实现社会主义为终极目标的政党执政的合法性基础将会受到质疑。对于这样严重而迫切的问题,作为党的领袖,他不能置之不理。因此,在20世纪50年代中期以后,他运用自己在人民群众(特别是农民)和军队中的崇高威望,发动了两场旨在消除上述社会后果的社会实验,这就是"大跃进"和"文化大革命"。

针对城市工业化带来的一系列社会后果,毛泽东的对策是实施农村工业化,通过农村工业化把国家政治重心和社会经济重心从城市转移到新的农村公社。另外,人民公社不仅是发展经济的主要部门,同时也是中国向共产主义"跃进"的基本社会单位。"大跃进"运动把经济和政治生活分散到相对自治和自给自足的农村公社的整个设想,意味着彻底推翻了革命胜利后从苏联移植来的工业化模式,并对苏联模式的工业化带来的社会后果进行矫正:强调"农村工业化"和把工业生产与农业生产结合起来的计划,以消除工农和城乡差别;教育与生产劳动相结合,以消除脑力劳动与体力劳动的差

[①] 莫里斯·迈斯纳:《马克思主义、毛泽东主义与乌托邦主义》,张宁、陈铭康等译,中国人民大学出版社2006年版,第166页。

别；强调人的思想觉悟的作用，将人的思想改造过程同社会主义必要的物质前提的发展置于同等重要的地位，消除实现社会主义的手段背离共产主义目的的现象。[①] 可以看到，这实际上是毛泽东为解决中国共产党成为执政党后执政的合法性问题进行的一次努力。

这场社会实验未能实现原定目标，不仅造成重大的经济损失，更使人们对现存社会制度持久生命力的信心受到严重打击。毛泽东对历史倒退的可能性越来越担心。正是这种对国家可能发生"资本主义复辟"的深深忧虑，激发了后来的无产阶级"文化大革命"。

如果说"大跃进"是从正面或者说是从建设的角度试图矫正工业化中出现的弊病的话，那么"文化大革命"则是从反面或者说是从破坏的角度来阻止国家可能出现的倒退，这也是毛泽东为解决中国共产党成为执政党后执政的合法性问题所做的最后努力。

作为"文化大革命"的发动者和领导者，毛泽东最主要的动机在于他的这样一个判断：现存的国家和党的机构对于实现社会主义目标来说已经不再是有效的工具了，它们已经落入"走资本主义道路的当权派"手中，这些人已经背叛了革命，并在为复辟资本主义做准备。由于变了质的国家和党的机构不可能从内部加以改良，也不可能由另一部分官僚从外部加以纠正，因此，他的解决方案是：依靠群众的革命行动，自下而上地推翻他们的统治，"打碎旧的国家机器"，并用真正的"无产阶级专政"取而代之。[②] 由于毛泽东在斗争中是从中国共产党在新形势下执政的合法性问题出发来看待和处理问题的，他就无可置疑地掌握了斗争主动权，而他的反对派们由于在理论上毫无工具可言，因此在斗争中几乎毫无还手之力。但是，由于"文化大革命"违背了经济规律，最终既没有消除工业化带来的弊病，也没有完成发展生产力的任务，因此它注定不可能成功。

从现代化角度来看，由毛泽东发动的两场社会实验是对现代化这个实

---

① 莫里斯·迈斯纳：《马克思主义、毛泽东主义与乌托邦主义》，第 57—59 页。
② 同上，第 126 页。

现共产主义的手段与社会主义目的的偏离从正反两方面进行的矫正,他晚年"继续革命"的思想则为这两场实验提供了理论支持。

三、邓小平理论[①]与中国的现代化

1976年,持续十年之久的"文化大革命"结束,1978年中国共产党十一届三中全会的召开宣告了一个新时代的到来。此时的中国共产党作为执政党,面临着两个严峻的问题:其一,落后的生产力不能为社会主义提供实现的物质基础;其二,社会主义目标被形式化。

为了从理论上回答这些问题,邓小平从两个方面出发构筑他的中国特色社会主义理论:其一是中国的国情。强调中国是在生产力不发达的情况下走上社会主义道路的,由于生产力落后,我国目前的社会主义是"不合格的社会主义",因此中国目前和今后相当长一段时期都处于社会主义初级阶段。其二是马克思关于实现社会主义的物质基础思想。马克思指出"人们为自己建造新世界,不是如粗俗之徒的成见所臆断的靠'地上的财富',而是靠他们垂死的世界上历来所创置的产业。他们在自己的发展进程中首先必须创造新社会的物质条件,任何强大的思想或意志力量都不能使他们摆脱这个命运",[②]这是马克思主义在实现社会主义问题上的"生产力决定论"。作为清醒的现实主义者,邓小平认同马克思主义关于社会主义的生产力标准。从这两个基本前提出发,他的理论主要致力于前面所述两大问题的解决:其一是为实现社会主义创造物质基础问题。他紧紧抓住发展生产力这个目标,将党的工作重心转移到经济建设上来,试图通过实现国家的现代化为社会主义创造必要的物质前提。可以说,强调实现社会主义的物质基础,

---

① 这里对"邓小平理论"的界定采用沈宝祥的观点,将邓小平以后的中国化马克思主义最新成果也包括在内。见沈文:"也谈'马克思主义中国化的最新成果'",http://www.ccps.gov.cn/xinwen.jsp? daohang_name＝％BD％FC％C6％DA％D2％AA％CE％C5＆daohang_uri＝index.jsp＆content_uri＝/root/jqyw/1176172990109。

② 《马克思恩格斯选集》(一),第171—172页。

为将工作重心转移到经济建设和实现四个现代化提供了理论依据。其二是社会主义目标被淡化问题,他通过提出社会主义初级阶段理论,使人们客观看待社会主义中国与资本主义发达国家的差距,降低人们不切实际的期望,消减失望情绪,使人们把注意力集中到发展生产力上来。同时提出四项基本原则保证中国共产党在现代化建设中的领导地位和国家发展的社会主义方向。

在邓小平理论指导下,中国的现代化建设取得了举世瞩目的成就,综合国力和人民生活水平显著提高。但是,也可以看到,毛泽东时代伴随工业化而来的令人忧虑的问题仍旧存在,并有了新的发展:其一,城乡二元结构问题。我国在20世纪50年代从苏联移植的工业化模式以优先发展重工业作为工业化战略,在较长一段时间里工业部门的利润仅在工业部门内部实现资本化而未能回流农村投资于农业部门及建立新的经济部门,这使农业在支撑国家工业化的同时无法分享到工业化的益处,从而在国家工业化过程中处于边缘化状态,这种以资本从农业向工业、从农村向城市的单向流动为特征的工业化不可避免地造成了城乡二元结构问题。毛泽东在20世纪50年代中期发动的"大跃进"运动的目的之一就是改变这种状况,但最后未能成功。改革开放后我国工业化战略发生改变:国家逐步将工业化的主导权让位于各种社会力量,转而主导城市基础设施建设。而城市基建由于具有不可移动性,因而它的经济性,特别是外部经济性使农村经济无法分享,同时它带来的城市土地价值上升的工业化红利,农村也无法分享,这种由国家主导的城市化更加剧了城乡二元结构,造成了中国现代化进程中的世纪难题——"三农"问题。其二,社会不公问题。包括制度安排与市场取向的改革所带来的社会不公。制度安排主要指户籍制度带来的农村居民相对于城市居民在受教育机会、社会保障等方面的不利处境。改革开放后,国家恢复了20世纪50年代的教育制度,这无疑会从整体上扩大和强化城乡差别。因为,在任何社会中,尤其是当生产资料私有制被废除、人们的社会地位取决于他们的收入和职务时,教育制度必然会成为社会不公的一个重要来源。由于国家在教育资源、考试录取政策上对城市居民的倾斜,使农村居民在受教育机会方面相对于城市居民明显处于不利地位。20世纪90年代中期以来的教育产业化更加剧了这一趋势。社会保障方面,与城市居民相比,占我国人口多数的农村居民在改革开放后的相当长时间里没有任何社会保障系统支持。市场化改革带来的不公指的是在由市场进行初次分配造成收入差距后缺少补救措施,致使贫富差距拉大。改革开放后,采取鼓励一部分人先富起来的政策并实施按劳分配原则,由于每个人的能力大小不同,劳动贡献不一,在市场化条件下必然造成收入上的差距。由于在很长时间内没有完善的社会保障体系,这种不公平无法得到矫正。其三,意识形态危机问题。20世纪80年代后期以来,中国出现严重的意识形态危机,表现在:一是官方意识形态与社会现实脱节,导致人们对国家制度乃至执政党执政的合法性信心发生动摇。二是意识形态内部发生严重分裂。近年来,在已经查处的党员领导干部贪污腐败案件中,可以发现一个共同的原因就是丧失社会主义理想信念,对党的宗旨、目标产生怀疑。

这些伴随现代化建设成就而来的问题成为推动制度创新与党的理论创新的动力,针对这些问题的制度创新与理论创新有:实施工业反哺农业、城市反哺农村的政策,中止资本单向流动,将农村工业化提上日程;探索改革户籍制度,建立惠及全民的社会保障体系;提出以人为本的科学发展观理论指导经济发展,进行以社会主义核心价值体系为主要内容的和谐文化建设。

四、结 语

对于中国共产党这个以实现共产主义为最终目标的政党来说,现代化只是因为它能够创造实现社会主义所必需的物质前提而成为它的阶段性目标,而如何在实现现代化、为社会主义的实现创造物质基础的同时克服现代化的弊病,保证国家发展的社会主义方向,就成为中国化马克思主义理论需要解决的重要问题,在这方面,毛泽东思想与邓小平理论都做出了回应。表面看来,在这个问题上毛泽东是失败者,但是事情并不这么简单:首先,毛泽东领导的两场社会实验所针对的、在他的时代尚处于萌芽状态的问题到今天已经演变成为不容轻视的经济、政治和社会问题,因此,不能简单地根据结果来进行判断。其次,若以结果而论,这两场实验虽未成功,但是一方面,它们对苏联的工业化模式及其结果进行的矫正,是我国最早的改革实验;另一方面,"文革"的破坏性实验摧毁了我国在 20 世纪 50 年代后效仿斯大林模式而建立的官僚主义体制,把怀疑主义、理性主义、平等主义等现代化启蒙因素播种到民族精神之中。事实上,在"文革"结束后的中国,一个改革与启蒙的新时代就已经呼之欲出了。①

因此,马克思主义中国化的两大理论成果——毛泽东思想和邓小平理论对现代化弊病的回应,并不像通常所认为的,前者失败后者成功,而是前者为后者提供解决问题的经验和教训,后者则在继承前者事业的同时扬弃了前者的策略——以现实主义代替理想主义。在这里,我们看到了历史发展的连续性和内在逻辑。

---

① 何新:"论文化大革命与毛泽东晚期思想(下)",http://www.hexinnet.com/documents/200305/lunwenhua3.htm。

韦伯理论对晚清中国现代化研究的启示
Enlightenments of Max Weber's Theory to the Research of China's Modernization of the Late Qing Dynasty

景 德 祥(中国社会科学院世界史所)

摘要:韦伯的现代化理论以及他的中国研究对晚清中国现代化研究有着重要的启迪意义。韦伯关于中国传统国家机构不利于工业资本主义产生的观点,在晚清中国的工业化与现代化过程中得到了证实。不过,他对中国传统国家官员及其价值取向的判断有着值得商榷之处。在资本主义产生的必要条件中,国际竞争可能比宗教文化的影响更为重要。另外,晚清中国现代化失败的主要原因之一是韦伯所指出的传统国家机构的缺陷,而清王朝统治崩溃的主要原因之一则是它必须同时面对国家机构的官制化与民主化的重压。

关键词:韦伯; 现代化理论; 晚清中国

Abstract: Weber's modernization theory and his works on china have important significance to the research of modernization of the late Qing Dynasty. According to Weber, Chinese traditional State institutions are not propitious to the emergence of industrial capitalism, which has been confirmed by China's industrialization and modernization process in the late Qing Dynasty. However, his judgment of Chinese traditional bureaucracy and their values is open to question. Of all the necessary conditions of capitalism, international competition is more important than the impact of religion and culture. In addition, the deficiency of traditional national institutions that Weber has pointed out is one of the main reasons of the failure of China's modernization in the late Qing Dynasty. And an important reason of the collapse of the Qing Dynasty is that it has to be under the pressures of the bureaucracy and democratization of the national institutions.

Keywords：Max Weber; Modernization Theory; the Late Qing Dynasty of China

一、韦伯现代化理论要素

德国著名社会学家马克斯·韦伯(1864—1920)的现代化理论的核心是人类社会的合理化或理性化(Rationalisierung)，其中包括三个方面：第一，管理机构(包括国家、企业、学校与军队等)的现代化，其特征是官制化(Buerokratisierung)；第二，经济的现代化，其标志是工业或企业资本主义化(Industrie- oder Betriebskapitalismus)；第三，文化(对世界认知与人生的态度)的现代化，其标志是世界观与人生观的非神化(Entzauberung)或现实化。① 韦伯认为，最迟自16世纪的宗教改革以来，由于各种特殊的原因，特别是文化宗教的原因(新教伦理)，欧洲率先走上了上述现代化道路。而世界其他文化，包括中国，则主要由于历史与文化原因，未能自发地走上现代化道路，但它们迟早会在欧美国家的压力下走上西方现代化道路。韦伯对人类社会的现代化的态度非常矛盾。一方面他认为，现代化进程会带来空前的效率，因而势不可挡；但另一方面，韦伯又担心它给人类思想与心灵带来深刻的负面影响。官僚制度的推行虽然带来高效率，但也会造成大众心理的奴化，使整个社会失去活力。因此他主张经常让充满活力的"魅力领袖"(Charismatischer Fuehrer)来冲击官僚制度造成的迂腐与僵化，给社会

---

① 参见德国社会史学家韦乐对韦伯现代化理论的解释：Hans-Ulrich Wehler, *Deutsche Gesellschaftsgeschichte*, Erster Band 1700—1815, C. H. Beck Muenchen 1987, S. 14；也参见德国韦伯研究专家施鲁赫特的解释：W. Schluchter, *Die Entwicklung des okzidentalen Rationalismus. Eine Analyse von M. Webers Gesellschaftsgeschich*, J. C. B. Mohr (Paul Siebeck), Tuebingen 1979.

带来新的活力。经济的现代化、物质生活的富足以及职业生活的专业化会养成"没有头脑的专业人,没有灵魂的享乐者"(Fachmensch ohne Verstand, Genussmensch ohne Seele)。

二、韦伯对传统中国国家机构的诊断

中国传统文化在韦伯的现代化理论中占有者很重要的地位。他需要通过对包括中国传统文化在内的世界其他传统宗教文化的研究来旁证与衬托出他眼中欧洲文化在欧洲现代化进程中的特殊作用。因此,韦伯对中国的传统文化做出了独立而深刻的探讨,其成果就是著名的《儒教与道教》。[①]另外,其主要著作《经济与社会》[②]在阐述各种文化类型及其具体历史表现的时候,又有多处涉及中国传统文化。

韦伯对中国古代文化的研究的中心问题是,为什么在 17 与 18 世纪中国没有像欧洲那样自发地产生担当着现代化主体角色的工业或企业资本主义。韦伯认为,除其他政治与历史原因以外,一个主要原因在于中国传统国家机构的结构特征及其官员的文化价值取向。首先,韦伯认为,中国传统的国家机构的主要特点,有碍于工业或企业资本主义在中国诞生。资本主义企业的生存首先需要一个可靠的法律制度,经济的现代化(即工业、企业资本主义化)与国家管理机构的现代化(即官制化)是携手共进的,[③]工业或企业资本主义不可能在"中国式的"国家管理机构的条件下产生,因为那种法律制度不可靠。在中国,法官可以随心所欲地作出或严或松(Willkuer oder Gnade)的判决。一个资本主义"企业"难以忍受这种非理性的执政方式,它

[①] 本文使用的版本是 Max Weber, *Die Wirtschaftsethik der Weltreligionen. Konfuzianismus und Taoismus MWSI/19*, J. C. B. Mohr (Paul Siebeck), Tuebingen 1991.

[②] 本文使用的版本是 Max Weber, *Wirtschaft und Gesellschaft*, J. C. B. Mohr (Paul Siebeck), Tuebingen 1985.

[③] Max Weber, *Wirtschaft und Gesellschaft*, S. 825.

需要一个像机器那样均衡与合理运转的国家机器。[①] 另外,资本主义企业需要许多人愿意投入商业经济,并且充当专业人才。而中国的儒教官员则注重追求自我完美,不屑成为专业人才。他们当官的资格只不过是一种文化与政治思想考试,不是专业能力。他们也不愿意经商,因为当官有稳定的收入,能赋予他们追求自我完美的所需要的宽松的心理环境。[②]

笔者认为,韦伯对中国传统国家机构及其官员的诊断,适用于研究晚清中国的现代化问题。因为韦伯的诊断主要是以建立在他对19世纪晚清中国的了解上的,他的资料基础是当时欧洲汉学研究成果、西方传教士关于晚清中国的著述以及一些晚清报刊的外文译本。虽然用今天的标准来看资料基础很薄弱,但他还是比较准确地掌握了晚清国家机构以及官员的主要特征。当然,韦伯的中国研究遭到了一些西方汉学界以及中国或华裔学者的质疑。但是,在笔者看来,一些质疑是建立在对韦伯的误解的基础上的。

例如,韦伯对中国传统国家机构的定义是"家长官僚制"(Patrimonialbuerokratie)。德国学者本格(Karl Buenger)认为,韦伯的定义是错误的,并提出了一些例子来说明古代中国国家制度是规范的法制制度。其实,这是对韦伯"Patrimonialbuerokratie"概念的误解。韦伯在《儒教与道教》以及《经济与社会》中都已经说明,"Patrimonialbuerokratie"是处于"Patrimonialverwaltung"(家长制)与"Buerokratie"(现代官僚制度)之间的混合形式,它既具有传统家长制,又具有现代官僚制度的特征。[③] 韦伯并没有否定中国传统国家机构拥有一定的理性成分。

[①] "Denn die Anlage von Kapital in einem gewerblichen 'Betrieb' ist viel zu empfindlich gegen die Irrationalistaeten dieser Regierungsformen, und viel zu sehr auf die Moeglichkeit angewiesen, das gleichmaessige rationale Funktionieren des staatlichen Apparats nach einer Maschine kalkulieren zu koennen, um unter einer Verwaltung chinesischer Art entstehen zu koennen. Aber warum blieb diese Verwaltung und Justiz so kapitalistisch gesehen irrational? -dies ist die entscheidende Frage." In M. Weber, *Die Wirtschaftsethik der Weltreligionen. Konfuzianismus und Taoismus*, S. 110.

[②] Max Weber, *Die Wirtschaftsethik der Weltreligionen. Konfuzianismus und Taoismus*, S. 148f.; *Wirtschaft und Gesellschaft*, S. 537f.

[③] Karl Buenger, "War China ein patrimonialer Staat?", *Orients Extremus*, 24 (1977), S. 167—177; Max Weber, *Die Wirtschaftsethik der Weltreligionen. Konfuzianismus und Taoismus*, S. 25; *Wirtschaft und Gesellschaft*, S. 610f.

再如,一些中国以及海外华裔学者批评韦伯关于儒家伦理不利于中国人投入资本主义经济生活的论点。他们举出了在东南亚国家、中国台湾与香港等地表现出来的儒家传统有利于现代经济生活的例子。笔者认为,他们也误解了韦伯的观点。韦伯指的是,儒教伦理妨碍了中国出现自发的(autochthone)工业资本主义。不管儒教在其中的角色怎样,中国没有自发地出现的工业资本主义,是不争的历史事实。我们现在看到的有着儒家文化传统的东亚国家与地区的资本主义经济奇迹,是后生的、模仿的资本主义,不是原发性的。儒家伦理或许可以在其中起到一定的推动作用,可以与资本主义相结合。但是,这已经不足为奇,因为我们可以看到,迫于现实的压力,现在世界上几乎没有一种文化思想与制度不能与资本主义相结合了。

纵观晚清工业化与现代化的失败历程,我们可以说,韦伯的诊断在许多方面打中了中国传统国家机构及其官员的"要害"。科举考试制度确实严重地阻碍了培养科技专业人才的现代教育制度的早日形成,政府与官员对私人企业的刁难与盘剥确实阻碍了工业化进程。传统中国文人确实热衷于当官,既不愿意学一门被视为"雕虫小技"的专业知识(因为"君子不器"),也不愿意经商。在当官与经商两者之间,他们当然是选择前者。对于晚清中国工业化与现代化的失败,韦伯所指出的中国传统国家机构的缺陷无疑有着重要的责任。

三、韦伯中国研究的再思考

1. 中国传统国家官员的性质与价值取向

不过,韦伯对传统中国国家机构与官员特征的判断还是有着值得商榷之处。首先,中国传统国家官员并不是韦伯或其他西方人所认为的官员,即一般技术官员,而是高级乃至最高级的官员,一些作为"七品芝麻官"的知县都管辖着百万百姓,更不用说那些封疆大吏的权限了。他们在西方国家的对等阶层实际上是政治家或国家领导人。对于这种级别的高官,即便在现代西方国家,其道德品质也被看成与其专业水平同等重要。而其专业水平也无法通过专业学习与训练,而只能通过实践与成就得到证实。因此,中国传统官员的选拔程序中对政治态度、伦理道德的过分重视实际上具有一定的合理性。当然,在专制国家的框架下,政治道德标准中占主导地位的是"忠君"而不是"利民"。其次,中国传统文人不愿意做专业人才,也不愿意经商,除了这些职业与当官相比所附有的辛苦以外,也与中国传统官员的自我社会定位有关。中国文人向来"好高骛远",对自己赋予重望,希望成为国家的栋梁之才,不愿意做一个"螺丝钉",更不齿做一个只追求个人物质利益的商人。虽然专制国家与官场腐败对人民的伤害其实比那些所谓的"奸商"造成的损失要大得多,但前者有着冠冕堂皇的思想意识掩盖着。

2. 国家竞争对资本主义产生的重要意义

对于晚清中国现代化的失败,韦伯所指出的中国传统国家机构与官员的特性确实负有重大责任。但值得注意的是,到晚清统治的最后十年,在受到八国联军占领北京的震撼后,清政府进行了大刀阔斧的改革。几乎所有我们受韦伯启发而在前面列举出来的现代化障碍(科举制度、官制、法制、价值观念等)都摧枯拉朽般被排除了。这说明,这些障碍不是坚不可破的。而这些彻底改革是被以八国联军占领北京为顶峰的外强侵略逼迫出来的。这就使我们有必要再次反思西方入侵以前中国为什么没有出现工业资本主义的主要原因之所在。在这里,韦伯关于资本主义在中国所缺乏的其他重要"政治前提条件"的论述更值得重视。韦伯认为,资本主义产生的一个重要的政治前提是几个民族国家相互之间的权势竞争。为了获得强势地位,每个国家都必须争取到自由流动的资本,而资本可以向国家提出协助其获得强权地位的条件,资产阶级能够上升原统治阶级的盟友。是各自为战的民族国家为资本主义的存在提供了机会。只要民族国家不让位一个世界国家,那么资本主义也就将继续存在。① 而中国,在大一统以后,缺乏多个相互竞争的独立国家之间的"理性的战争"(der rationale Krieg)以及时刻都在准备这种战争的和平阶段,因此也就没有备战性的资本主义现象如战争贷款以及国家战备订货等。②

韦伯的这一理论虽然不免有些一概而论,忽视了中国历史上也出现过多国竞争的政治局面的事实,但总的来说还是很有启发性的,而且可以说是得到了晚清现代化历程的证实。起码就 18 世纪以来的历史而言,中国与欧洲政治格局的一个重要不同之处,就是不存在几个势均力敌的国家之间的长期而激烈的军事竞争。在欧洲,这种军事竞争迫使各国政府进行现代化改革,发展经济,重视工商,建立有利于经济发展的教育与法制以及价值制度。而在中国,由于外来军事压力的缺乏,政府没有必要重视工商发展,进行必要的政治、教育、法制与价值观念方面的改革。但是到 19 世纪中叶,率先现代化的欧洲国家把他们的竞争战争扩张到中国,使中国的国际环境永远"欧洲化"了。随之而来的是巨大的现代化压力。到清代最后 10 年,虽然现代化改革来晚了,但对现代化价值的认识过程无疑是完成了。因此,我们有理由说,对包括资本主义工业化在内的现代化进程起到关键作用的或许还不是宗教文化,而是实打实的国际环境,是弱肉强食的国际竞争。

鉴于客观国际环境的重要性,我们或许不应该像以往那样过度埋怨前人为什么没有在 19 世纪中叶以前,也就是在西方列强到来之前及时改革、严阵以待,因为中国自清代统一以来就已经没有了那种欧洲式的残酷国际环境,忧患意识难免松懈,这也是"存在决定意识"的一种表现方式。"天下无敌、唯我独大",这就是当时的历史经验,当时的现实,也是当时可预见到的未来。要求 18 世纪的人们能够预见到 19 世纪的"三千年来未有之巨变",与要求 21 世纪的人类做好反击 22 世纪外星人入侵的准备一样不切实际。另外,尽管长期和平造成的外患意识的松懈使我们未能及时应付西方

---

① Max Weber, *Wirtschaft und Gesellschaft*, S. 815.
② Max Weber, *Die Wirtschaftsethik der Weltreligionen. Konfuzianismus und Taoismus*, S. 110.

的挑战,让我们付出了巨大的代价,但是从根本上来说,长期的和平本身也是宝贵的价值。或许,如果中国与欧洲一样,近几百年以来一直处于战国状态,中国的现代化也会像欧洲国家一样快速,甚至会超过欧洲国家。然而我们不能奢望中国可以获得欧洲式的现代化成就而不付出欧洲式的代价,不蒙受类似于欧洲国家几百年以来所经历的战争灾难。

3. 晚清国家机构现代化中的官制化与民主化的冲突

韦伯理论对晚清现代化失败原因的研究有着重要的启迪意义。不过,韦伯理论也不是万能的。清政府的最后10年实行了相当彻底的改革,但没有能够挽救其覆灭的命运。清王朝的统治在八国联军占领北京时没有瓦解,却在实行许多重要改革以后垮台了。这是一个非常值得研究的问题。韦伯的现代化理论不能对此提供恰当的解释,不过它也给我们的进一步思考提供了一定的基础。

如上所述,韦伯的国家机构现代化的定义是"官制化"(Buerokratisierung)。官制化包括管理机构的上下等级以及管理权限分工的明确化、管理秩序的规范化、管理人员的专业化、管理资源(如权力与财政)的集中化等要素。① 在韦伯那里,国家机构的现代化只是官制化,不包括民主化;不管是君主制的、还是民主制的国家机构,只有实现了官制化,才算得上是实现了现代化。② 官制化与民主化只是在某些方面是重合的,如管理秩序的规范化可以表现为法治国家的实现;但在某些方面又是矛盾的。不仅管理秩序的规范化也可以表现为专制国家的清规戒律,特别是权力的集中、上下等级的森严显然是与民主原则相冲突的。

如果中国在1900年以前,在专制君主国家的框架下成功实现了现代化,那么也就避开了官制化与民主化之间可能发生的相互冲突。但由于传统国家机构的缺陷以及其他各种原因,旧框架下的现代化尝试失败,清王朝

---

① Max Weber, *Wirtschaft und Gesellschaft*, SS. 551—579.
② *Op. cit.*, S. 825.

的统治资格与执政能力也就受到了严重质疑。因此它必须在1900年以后在进行官制化改革的同时,面对民主立宪运动的挑战。官制化与民主化之间的冲突也就不可避免。这种冲突尤其体现在维持与加强中央集权的难度上。出于维护自我统治的本能,清政府尽量拖延实行宪制,但民主运动已经难以遏止。最后,革命爆发,民国建立,民主化获胜,但官制化,即一个强有力的、高效率的中央政权的建立却遥遥无期。而在如此基础上的民主也只能是空有其名。

最后值得一提的是,1911年革命的爆发也与韦伯所揭示的中国传统国家机构不利于资本主义发展的特性有关。韦伯称中国传统国家的法律制度不可靠,中国官员不尊重企业主的利益,可以随心所欲地作出判决,严重影响到资本主义企业的生存。清政府最后决定铁路收回国有,并且不愿意退回四川铁路公司股民的股份的做法就是这种特性的很典型的表现。如果这种专断行为发生在过去或其他经济领域,或许不会导致传统国家统治的崩溃。但在四川铁路公司集资过程中,传统的官民关系在铁路集资过程中被颠覆了。政府通过传统的收纳租税的行政手段从百姓手中集资,并美名其为"租股",把全体四川人民变成了"七千万股民"。按照传统国家统治关系,四川民众仍然应该是逆来顺受的臣民,而按照新颁布的商法与公司法,股民却是公司的主人,国家官员只是公司的雇员。因此,当清政府无视公司法实施后所带来的民主化效应,试图按照传统国家统治关系处理四川铁路公司的股份时,一场以股份资产权利为理由的股民革命也就不可避免。在某种意义上,我们可以称四川"七千万股民"的革命为一场"资产阶级革命"。当然,这种奇特的"资产阶级革命"不是韦伯,也不是马克思所能想象得到的。

走向马克思主义现代化研究的曲折道路
——罗荣渠教授在《北大岁月》中的艰难路程
The Professional Life of Luo Rongqu in Peking University

严立贤(中国社会科学院近代史研究所)

摘要：本文利用新近出版的罗荣渠教授所著《北大岁月》一书的详细材料，概括了我国马克思主义现代化研究的创始人和奠基者罗荣渠教授开辟马克思主义现代化研究的艰辛路程，从一个侧面反映了罗荣渠教授从一个大学学子最终成为马克思主义理论大家和马克思主义史学大家的历史过程。
关键词：罗荣渠； 现代化研究； 马克思主义

Abstract: Professor Luo Rongqu is the founder of studies on modernization theories and processes in China during the recent decades. He spent the most time of his whole life in Peking University. This article used the new book Luo Rongqu at Beida which recorded his academic experience in detail, described and analyzed how a university student could become a Marxist historian by his hard-working.
Keywords: Luo Rongqu; Modernization Studies; Marxism

2006年是北京大学已故罗荣渠教授逝世10周年，2007年则是罗荣渠教授诞辰80周年。为表达对这位我国马克思主义现代化研究的开拓者的深切怀念，商务印书馆出版了《罗荣渠文集》(全四卷)，其中第四卷《北大岁月》，收入了罗荣渠教授从1945年考入西南联大之后，一直到1996年在北大燕园突发心脏病去世这半个世纪中所写的日记、书信和诗词，可以说是作者在北大风雨 50 年生活的实录。从书中可以看出,罗荣渠教授在北大的 50 年,是孜孜不倦追求真理的 50 年,是为民族复兴不懈奋斗的 50 年,是屡遭磨难仍顽强拼搏的 50 年,是由一个大学学子成长为一位马克思主义理论大家和史学大家的 50 年。该书历史背景广阔、内容恢弘、视角独到、事实生动,具有很高的史料价值。本文仅就一个侧面,也即罗荣渠教授是如何从一名青年学子逐步走向现代化研究,最终开拓出马克思主义现代化研究新领域这一主题,谈一谈笔者本人在读了《北大岁月》以后所获得的新认识。书中反映出,罗荣渠教授之所以最终走上现代化研究并开拓出马克思主义现代化理论新境界,是有着其深刻的思想基础的,同时也经历了一个艰难曲折的过程。

一、在大学时期积极追求进步,通过学习马克思恩格斯著作,接受唯物史观

罗荣渠教授开拓出马克思主义现代化研究这个崭新领域,是其生前最后十余年的事。但是,从《北大岁月》中可以看出,罗荣渠教授之所以能够在晚年开拓出这个新领域,并不是偶然的,而是有着其深刻的思想基础的,是与他的历史观有着密切联系的,这个历史观在大学时代就开始形成,以后逐渐成熟并且一直坚持、一以贯之的。这个历史观就是唯物史观,真正的马克思主义的唯物史观。

罗荣渠教授出生于书香门第。其父罗文谟在新中国成立之前是著名书画家、社会活动家,曾任国民党中央候补监察委员、四川省参议会秘书长。成都解放前夕,其父经中共地下党组织策动起义,做过有益于革命的事。良好的家教使罗荣渠从小就形成了正直、善于独立思考和积极追求进步的性格。罗荣渠教授是在大学期间,通过阅读广泛的书籍和独立的思考,特别是认真研读马克思恩格斯的著作,自主地形成其马克思主义的唯物史观的。尽管大学时代的罗荣渠对于唯物史观的理解和把握还是粗浅的、不成熟的,但毕竟是初步地形成了,它在以后的岁月中,随着罗荣渠教授的逐渐长大而

变得越来越成熟,最后终于通向了马克思主义现代化研究这个新领域。如果要追溯罗荣渠教授现代化研究的最初萌芽,那就必须追踪到他的大学时代,追踪到他的唯物史观的最初形成期。

罗荣渠教授是在大学时代通过阅读大量的书籍(其中包括许多马克思和恩格斯的原著),在批判和反思种种唯心史观的基础上,初步形成其唯物史观的。

罗荣渠于1945年10月中旬入西南联大学习。12月1日,西南联大师生举行了大规模的反内战运动,国民党政府对此进行了残酷镇压,打死四名学生,酿成了"一二·一"惨案。当时的罗荣渠也积极参加了这次运动,被特务打伤,并因此与同学说"非革命不可"。① 这是年轻的罗荣渠第一次表明其政治态度。此后,罗荣渠教授在其日记中多次谈到他的政治态度,其基本倾向是反对国民党的独裁统治,支持共产党,倾向社会主义。罗荣渠的这种政治态度,是其能够很快对马克思主义产生兴趣并逐渐接受它的政治基础。

1946年1月21日晚,入学才两个多月的罗荣渠旁听张奚若教授讲授西洋社会史课。课中讲到了马克思主义,引起了罗荣渠"对于马克思主义的注意",此后"开始借《共产党宣言》来读"。② 这或许是罗荣渠教授第一次接触到马克思主义并发生了兴趣。

1947年1月5日,罗荣渠读了萧一山的《清代史》,对萧氏的所谓"民族革命史观"十分不以为然。他在日记中写道:"萧一山的《清代史》,翻开来满纸'国父'、'总裁',令人很不舒服。他说本着什么民族革命史观,真是莫名其妙!民族革命居然也成为一种'史观',何史观之多也。"③ 几天后,罗荣渠又在日记中这样写道:"借到一本李鼎声的《中国近代史》,序论写得很好,见解是代表新兴的唯物史观的。但老套,没有什么新的发明。说它是解释历史吧,不够清楚;说它的史料组织吧,又不够详细,直接史料几乎没有引用。

---

① 日记《1945年12月1日》,《北大岁月》第13页。以下凡罗荣渠日记只注明日期和在《北大岁月》中的页码。
② 1946年1月21日,第27页。
③ 1947年1月5日,第48页。

近来读了好几本近代史,都不大满意。陈恭禄的杂乱得很,大段落笼统不分,史观方面不大清楚。萧一山呢,简直党化了,开口国父,闭口总裁,几十年后的学者只有考证后才能读了! 曲学阿世,阿悲也已。"①看来,到了大学二年级的罗荣渠,已经开始思考历史观的问题。他对几种所谓的历史观都不以为然,包括对李鼎声的《中国近代史》也很不满意。李鼎声的《中国近代史》虽然是新中国成立前第一本用唯物史观写成的中国近代史著作,但他把唯物史观理解成了阶级斗争史观,而不是真正的马克思主义唯物史观,论述的主要是革命史,所以罗荣渠对此并不满意。② 在 4 月 17 日的日记中,罗荣渠进一步表明了对萧一山的所谓"民族革命史观"的不满,说"最不通的,莫如民族革命史观"。他同时指出了所谓"文化形态史观"的严重局限性。他认为文化是死的,不能以之说明活的历史(后文中将可以看到,罗荣渠认为只有经济才能说明历史)。他在评论雷海宗和林同济的《文化形态史观》时写道:"所谓文化形态史观者,内容也贫乏得可怜,因为死的'形态'是否能说明活的历史已经大成问题;加上'战国时代的重演',假设过于大胆;而封建阶段、列国阶段、大统一阶段的分期不但似是而非,而且应用于横的空间和纵的时间也狭小得十分可怜。真是没有想到教授们的思想也如此不成熟。"③

1947 年 10 月,罗荣渠读了恩格斯的《宗教、哲学、社会主义》(当时译本)一书,觉得收获很大。他在日记中写道:"读恩格斯著《宗教、哲学、社会主义》一书,至为满意。内容是集三篇文章而成:《原始基督教史论》、《空想

---

① 1947 年 1 月 9 日,第 50—51 页。

② 李大钊对唯物史观是这样介绍的:"人的生存,全靠他维持自己的能力,所以经济的生活,是一切生活的根本条件。因为人类的生活,是人在社会的生活,故个人的生存总在社会的构造组织以内进动而受他的限制,维持自下而上的条件之于个人,与生产和消费之于社会是同类的关系。在社会构造内限制社会阶级和社会济活各种表现的变化,最后的原因,实是经济的。"(李大钊:"唯物史观在现代史学上的价值",《新青年》第 8 卷第 4 号,1920 年 12 月。)这是真正的马克思主义的唯物史观,但这种把经济因素视为决定性因素,把经济关系视为历史的基础和中心的真正的唯物史观在此后的中国历史研究中并未获得贯彻。从后文中看出,罗荣渠教授对于唯物史观的理解是与李大钊一致的,而与建国以后的中国主流历史学家是不一致的。

③ 1947 年 4 月 17 日,第 105 页。

社会主义与科学社会主义,附导论》、《费尔巴赫与德国古典哲学的末日》。"在读了《原始基督教史论》(现译为《论原始基督教的历史》,《马克思恩格斯选集》第2版第457—483页)之后,罗荣渠"觉得马列主义与宗教有某种相通之处"。他所依据的是该文的第一段话,即恩格斯所说:"原始基督教历史与近代工人运动中间,有一些显而易见的共同之点。基督教与工人运动一样,起初也是被压迫者的运动。基督教最初是奴隶、自由民、穷人、无权利的人以及被罗马压制或离散的人民之宗教。基督教与工人社会主义二者都宣传未来的解放、脱离奴役和贫困,但基督教要实现此解放在世外,在死后,在天上,社会主义要实现此解放在人世间,在社会变革……"恩格斯这句话的意思是社会主义与基督教有一些共同的方面,并不是说社会主义具有宗教性。罗荣渠对这段话的理解并不准确。①

虽然对马克思主义的理解还不是十分准确,但唯物史观的最初萌芽却已经悄悄地在罗荣渠的思想深处萌发。在1948年初的一篇日记中,罗荣渠借用他人的一段话表达了自己对历史观的认识。他写道:"近来内战似乎是愈打愈热闹。不过,我看报从来就不注意内战消息。我很同意加来尔的看法:'谁是最能为人类造福的人?究竟是在加尼(cannnae)同脱拉西米尼(Trasimene)战场上战胜的人?还是那个第一次炼出铁耙的无名的穷人?'他又说:'自古以来',历史家太'偏爱上议院、战场,甚至君王的前室',忘却了其余的世界'开花同凋零,不问大战争的胜负',而'那班只看见王室同战场,不看见其他世界,同那班只叙述如何训练及枪毙兵士,如何这一个政府中魔术家斗胜了另外一个……这班人统要多多少少成为有用的官报记者,但是不能再称为历史家了'。"②罗荣渠不关心内战的消息,是因为他认为能够为人类造福的不是战争,而是那些从事直接生产劳动的"穷人"。罗荣渠认为那些"'偏爱上议院、战场,甚至君王的前室',忘却了其余的世界'开花同凋零,不问大战争的胜负'"的历史家只能成为官报记者,而绝不能成为历

---

① 1947年10月13日,第183—184页。
② 1948年1月28日,第235页。

史学家。罗荣渠此处对内战的理解是不正确的。因为战争有的也是直接劳动者为争取或维护自己的利益而展开的,其本身就是"为人类造福"而迫不得已的行动,如当时的内战。但罗荣渠透过"上议院、战场,甚至君王的前室"之类的政治上层结构,而看到了那些默默无闻的劳动者,认为他们才是"为人类造福"的人,提出历史学家不能只注意"上议院、战场,甚至君王的前室",而应当注意这些默默无闻的劳动者,否则就不能成为真正的历史学家,是非常难能可贵的。此时的罗荣渠还不满 21 岁,但已经具有初步的唯物史观的嫩芽。

进入大学三年级之后,罗荣渠开始考虑写作毕业论文的问题。罗荣渠为毕业论文的选题而深深的苦恼。他写道:"我曾考虑搞考古学或治美术史,但是这种意识形态的东西实在不是我辈穷小子的雅兴可以搞好的。弄西洋史吧?但是,外国文这工具一直到今天还在学习,前途实在少把握。攻交通史呢?除了高度枯燥以外,治学工具也成问题。弄断代呢?上古难徵,近代史简直不能谈。这两头的中间呢?本来汉、唐、宋、元、明,未尝不可随便抓一代,但我实在不大愿意在故纸堆里读死书,死读书,一直到读书死。桀国说学问就是如此,这使我迷惑了,是真的如此而已吗?难道我们不可以重新估定一切吗?"①罗荣渠不愿意搞那些脱离现实的东西,不愿意"在故纸堆里读死书,死读书,一直到读书死",而想突破这些大家都已习惯的传统,"重新估定一切"。

到了 1948 年,国统区的通货膨胀已不可收拾,经济形势严重恶化,内战亦酣,愈演愈烈,北大师生当中弥漫着一股苦闷、彷徨的气氛,北大的名教授们也都纷纷试图从文化当中给中国找到一条出路。但作为大学三年级学生的罗荣渠却对这些名教授们的文化出路论者期期不以为然,他在研读马克思恩格斯的著作中找到了另外的出路。这个出路就是经济变革,或者说是生产方式和交换方式的变革。罗荣渠在 3 月 15 日的日记记叙道:"日来学究们在现实的苦闷中多爱谈论中国文化问题。想在这方面找出路的人有张

---

① 1947 年 12 月 24 日,第 213 页。

东荪、梁漱溟等先生。日前吴恩裕先生撰文在《知识与生活》上论中国文化缺乏真仁、真智、真勇,一期以后,忽然有一位读者撰文驳之。其实在我看来,二者都是纸上谈兵,何曾摸得边际。好久我就想写篇文章痛斥此型文化论派了,无奈总懒得动笔。翻开 Engels 的《空想社会主义与科学社会主义》(林超真译本)来看,我见恩公早比我先骂了。"接着,他引用了恩格斯的下面两段话:

  这二种大发现:唯物史观和以剩余价值揭露资本主义生产秘密,都是马克思的功绩。这二种发现使社会主义成为一科学者,现在只要研究这个科学的一切细节和关系。

  ……首先是生产,其次是生产品的交换构成一切社会制度的基础。这二种原素决定当时社会中财富的分配,因此更决定构成此社会之阶级及其中各阶层的形成。所以,如果我们要寻求那决定某种社会变化或某种社会革命之原因时,则不应到人的头脑中,到人对于永久真理和永久正义的最高知识中去寻求,而应到生产方式和交换方式的变化中去寻求。总而言之,即不应到所研究时代的哲学中去寻求,而应到这个时代的经济中去寻求。……因此,我们的头脑应该用来从某种生产的物质事实中寻求这些方法,而不应该凭空去发明这些。

之后,罗荣渠继续说道:"这段话,批评得完全恰当。当代这些学人先生们论所谓文化,不过就是在纸堆里拣点死哲人的话来引申一番,或者痛骂一番而已。仿佛文化除了讨论这些以外就没有东西可说了,又仿佛提起笔来'随心所欲,不逾矩'地谈谈,中国文化问题就可以如此解决了似的,真是令人喷饭!"[1]罗荣渠称这些名教授的"文化论"是令人喷饭,真是骂得好,骂得痛快。到此,可以看出,21岁的罗荣渠已经初步掌握了唯物史观的核心内容,并能够运用唯物史观的基本原理分析问题,得出自己的答案了。

---

[1] 1948年3月15日,第258页。

进入四年级后,罗荣渠不得不正式开始思考和准备写毕业论文。他在1948年10月份的一篇日记中这样写道:"几天来思索毕业论文题目,伤尽了脑筋。因为我不想成一个断代史家,不愿意为一种狭而深的专业毁灭了我生活的趣味。"罗荣渠称看到雷海宗先生一篇《论中国人口与历代治乱关系》的文章,也想搞这个题目,同时也了却他几年来打算检讨马尔萨斯人口论的夙愿。但考虑到"我国人口素乏正确记载与史料,再加以时间跨度上下数千年,谈何容易",最后不得不"悻悻割爱"。他想了4个题目:一、明清之际西学东渐中西思想的冲突(即:明清之际中西文化的遭遇战);二、顾亭林传;三、宋代党争;四、中国人口与治乱。在征求了向达先生后,决定做第一个题,并将题名改为《明清之际西学东渐时期中西文化之初度冲突》。[①] 人口与历代治乱的关系与经济问题紧密相连,是一个贯穿和发挥唯物史观的好题目,但考虑到资料不易取得,且难度较大,罗荣渠决定放弃,实属可惜。

随着思想的逐渐定型和成熟,临近大学毕业的罗荣渠的政治态度也更加明确和坚定。一次罗荣渠和几位同学一起观看了影片《万家灯火》,有感于知识分子的懦弱和无能,他在日记中写了这样的话:"知识分子实在是太不中用了,肩不能挑,手不能提,'生爱面子死要脸',这实在是对一般知识分子真实的刻画。知识分子压榨在广大人民身上建设他们的'有闲文化',这是好一群聪明而脆弱的蠹虫呀!"罗荣渠想起了"有闲文化"之压下面的劳动人民,决心为他们的利益而奋斗,并坚定了自己的共产主义信念。他写道:"为了更大多数苦难的人类,我更坚定了实行社会主义或共产主义的信念。为什么有人憎咒它呢?因为它为了顾全最大多数而暂时牺牲了一些既得利益的最少数。唔,我明白了,这就是社会主义或共产主义的罪名。"[②]正是在这种责任心和使命感的驱动下,罗荣渠于1949年3月份临近毕业之际放弃北大的学习生活,去哈尔滨学习俄文。当时,"我几乎没有经过一分钟的犹豫或考虑,而是立刻就决断了的,并且态度异常坚决"。[③] 罗荣渠于1949年

---

① 1948年10月12日,第373—374页;1948年10月24日,第379页。
② 1948年11月10日,第393页。
③ 1949年3月31日,第484页。

3月14日离开北大,前往哈尔滨外专学习俄文,6月19日返回北大并按时毕业获得文学士学位。①

四年的大学生活(西南联大一年、红楼北大三年)是罗荣渠拼命学习专业知识、刻苦学习马克思主义理论的阶段。通过四年的学习,罗荣渠初步掌握了历史学的基础知识,并自觉地接受了马克思主义唯物史观,坚定了共产主义的信念和为社会主义服务的决心。可以看出,罗荣渠所理解的唯物史观,是经济基础决定上层建筑、阶级斗争是经济基础的反映的真正的马克思主义唯物史观,而不是那种认为人类文明史就是阶级斗争史的假马克思主义的唯物史观。罗荣渠在大学时代就通过学习和思考初步地把握了真正的马克思主义唯物史观,是十分难能可贵的。这为他以后进一步深化对马克思主义唯物史观的理解,最终开辟出马克思主义现代化研究这个领域打下了一个有益的基础。是可谓是罗荣渠教授通向马克思主义现代化研究的第一步。

二、50年代至"文革"时期,身处逆境、自强不息,对涉及唯物史观的重大理论问题进行独立思考,成为现代化研究的先期探索

罗荣渠从北大毕业后,被分配到中苏友好协会总会工作,暂时地离开了北大。1956年,在"向科学进军"的号召下,罗荣渠又得以回到北大,到历史学系任教,开始了他为时40年的燕园北大教学和科研生涯。

自中苏友协调回北大之后,罗荣渠教授决心做一名又红又专的教学和科研人才。罗荣渠认为,"红就是一个人对党和社会主义事业的政治态度、全心全意为人民服务的人生观、集体主义精神,在专业研究中贯穿彻底的马

---

① 罗荣渠没有结束哈尔滨外专的学习提前返回北大,原因据说是罗荣渠写了一篇讲述唯心主义的源流发展的文章,并提出唯心主义并不是那么简单几句话就可以批倒的。此文触怒了俄专领导,遂要他提前返回北大。(参见《北大岁月》,第491页。)罗荣渠实际上是指出了我们批判唯心主义简单化、口号化、空洞化的毛病,是一种值得重视的意见,在当时却受到了不公正的处理。

克思主义观点"。他认为,对于搞现代史教学和科研的人,红比专更为重要。"不红就不能专,现代史这门学科更要求红透才能专深"。①

但是,罗荣渠自觉特殊的家庭背景一直是一个妨碍他做到又红又专的不利因素,特别是到了"文革"时期尤其是这样。在"文革"初期给其弟的一封信中,他写道:"由于我们的家庭出身关系,阶级本能上的立场问题常常站得不对头,这是阶级斗争的客观反映,有时是不以人的主观愿望为转移的,每个人都要按他自己的阶级本能在政治舞台上表现他自己。自己在下乡四清前对前半生做了一个小小的清算和小结,解放以来十几年的历史,就是党不断教育改造自己的历史,但自己常常不自觉、不满意,对党有距离和隔阂,以为此路不通,另走学术道路。现在看来,这条路还是根本不通的"。② 罗荣渠教授本人在政治上是积极要求进步的,但家庭因素不利影响使他心中结了一个疙瘩,去之不得。

1970年5月,一直被批斗的罗荣渠突然被抽调编写中共党史教材,使他受宠若惊。他在给其弟的信中写道:"感谢党对自己的高度的信任和培养,使自己能够参加这次小分队,参加这光荣而艰巨的任务。"③为编写党史教材,罗荣渠两次到井冈山搜集资料,收获极大。他写道:"最近大半年时间,我一直在编党史,二上井冈山,特别是这一次,是步行上山的,收获很大。一路上参观访问,真是进了一次毛泽东思想的大课堂,接受了很好的革命传统教育,从头学习了毛主席著作,阅读了很多党史的资料。一言以蔽之,可以说粗粗地真正懂得了一点中国革命是怎样胜利的,懂得了一点毛泽东思想是怎样产生和发展起来的,懂得了一点毛主席的革命路线是怎样战胜了'左'右倾机会主义路线的。"④他深深体会道:"要想真正弄通马克思主义,不真正了解党史,是不可能的。要想真正懂得历史,不真正了解现实也是不

---

① 《1958年春北大的双反运动》(致周颖如,1958年3月29日),第497—498页。
② 《文化革命初期谈对运动的思想准备》(致罗荣泉,1966年7月2日),第505—506页。
③ 《参加教改小分队编写党史教材》(致罗荣泉,1970年7月16日),第512页。
④ 《二上井冈山及在南昌修改教材》(致罗荣泉,1971年1月2日),第519—520页。

可能的。"①

1972年暑期,罗荣渠购得一册《张献忠屠蜀记》,一气读完。罗荣渠评论道,此小说与《水浒》相比,"虽然文学价值没有那样高,但作为研究农民运动的价值来说,则大大超过"。他说道:"我说的研究农民运动,不一定是指张献忠之事,而是指探索历史规律而言。请读一读马克思对于太平天国的评述吧!这里的确是反映了'用丑恶万状的破坏与停滞腐朽对立'的历史。只是马列的书已经不被人读了,很多重要的原理也被人遗忘了!那种把农民运动描写成无产阶级革命一样的假历史到处都是,总有一天要走向否定之否定。"②这是罗荣渠第一次谈到历史上的农民运动问题。他对把农民运动无限拔高,描绘成无产阶级革命的假历史进行了严厉的批评,认为这是一种假马克思主义,是对马克思主义的肆意扭曲。对农民运动在中国历史上的作用如何认识的问题,是一个在中国历史研究中是否真正贯彻了马克思主义唯物史观的基本问题。罗荣渠教授一接触这个问题,就表现出一位真正马克思主义历史学家的独特素质,表明他比当时的许多著名人物都要高明得多。

1972年是罗荣渠教授政治状况相对较好的年份。10月份他居然得空闲认真地研读新出版的《马克思恩格斯选集》。他甚至计划从次年开始他个人的研究计划。在12月份给其弟的信中,他期望能获得10至15年的比较安定的环境,能为人民做一点有益的工作。当然,他自己也知道这只是幻想。他写道:"关于我的科研,准备明年正式开始。在今后20年内,如能争取到10年到15年的比较安定的环境,我想或许有可能为世界人民做一点有益的工作。但这很可能是奢望。即使能争取到这样的环境,最后也未必会有什么好结果,到头来还是要被粉碎的。这就是历史的悲剧。不过这也无妨,在人类历史的长河中,这一幕幕的悲剧加在一起,就是人类的喜剧。人类就在这悲剧中有所前进!有所创造!"③ 1973年上半年,罗荣渠教授

---

① 《谈党史研究与出版荒》(致罗荣泉,1971年11月28日),第532页。
② 《〈张献忠屠蜀记〉读后感》(致罗荣泉,1972年9月2日),第543页。
③ 《争取为人民做点有益的工作》(致罗荣泉,1972年12月17日),第545页。

开始撰写《拉丁美洲史纲》。但至年底他却突遭厄运。北大在11月份开展全校规模的"反右倾回潮运动",他被内定为全系第一个批斗重点。在给其弟的信中写道:"因各种原因,结果搞成了全系的第一个重点,来势极为猛烈。思想上搞不通,抵触很大,结果就使自己处于更加不利的形势,不但联系到现实问题,而且把历史问题、家庭出身等都扯上来,不少是"文化大革命"初的各种以讹传讹的材料。思想斗争很激烈,几次都处在生死搏斗的边缘,差一点就同你们诀别了!"①

在遭受严重的打击之后,罗荣渠教授萌发了离开北大的念头。他在信中说道:"待一两年后,如时机光临,我想一定要设法离开北大。此生已虚度大半辈子,本想为国家的学术事业有所贡献,也是知识分子报效祖国之一主要途径,但看来已无甚大希望。……当然,后半生也不能苟且偷生,潦倒度日。还是要在自己主观努力能及的范围内,为人民做一点真正有益的工作,这就是我近来正在考虑的问题。"②一个视学术为生命的人却被命运逼得考虑要离开北大,这是不能不说是历史的大悲剧。但是,罗荣渠仍然决心使后半生成为一个有益于人民的人。他对他的妻子说道:"多次的现实的教训,特别是这次的沉痛教训,使自己有所醒悟,有了一些自知之明。阶级出身的包袱是客观存在,这辈子是摆脱不了的,但名缰利锁的包袱是可以摆脱的,但不能从消极方面来摆脱,而要从积极方面来摆脱,使自己成为一个摆脱了低级趣味的人,做一个真正有益于人民的人,应该说是后半生努力的方向。"罗荣渠决定写作几部大型的通俗读物。他说道:"随着社会主义革命高潮的到来,文化革命的高潮也必然到来,广大的工农兵群众需要读书,需要提高;但目前一般都只注意写一些小册子的通俗读物,真正较大的、系统性的通俗读物,却一本也没有。……我们也应该有自己的伊林、房龙……这不是为了成名成家,而是为了亿万的工农兵群众。"③

1975年夏,罗荣渠教授接受修改《社会发展史》(资本主义部分)的任

---

① 《在"反右倾回潮"中陷于绝境》(致罗荣泉,1974年3月3日),第548—549页。
② 《受批判后的情况和想法》(致罗荣泉,1974年5月2日),第551—552页。
③ 《自己后半生应走道路的设想》(致周颖如,1974年5月12日),第553—554页。

务。罗荣渠教授在修改过程中感慨良多。他说道:"社会发展史是阐述人类历史发展的规律性的科学,但想起来可怜得很。马恩在一百多年前提出来的这个任务,迄今几乎没有人研究,资本主义国家的学者反而有一点零碎的著作,社会主义国家可说是一无所有。我最近发愤读了一点书,愈读愈觉得问题很多。……这部稿子我当然只能凑凑合合地修改一下,决不能认真去改它,主客观条件都不允许这样做。"[1]我们是一个以马克思主义为指导的国家,但对社会发展史这门探讨人类社会发展的基本规律的学科却缺少基本的研究,而热衷于为政治斗争服务的伪命题的研究,实属憾事。

1975年,评《水浒》、批宋江、谈农民革命是一个热门话题。罗荣渠在10月份给他弟弟的信中也对此发表了自己的观点。他说,农民起义是不反好皇帝的,经典作家都论述过。他接着引用了经典作家的关于这方面的一些论述。他继续说道:"在中国历史上也完全如此。两种农民起义:一种是只反贪官不反皇帝;一种是反掉旧的皇帝自己当上新的皇帝。农民革命的历史局限性就是如此,这是封建时代的生产方式和农民所处的阶级地位所决定了的。历史唯物主义的最根本出发点是主观反映客观,从历史事实中科学地抽出历史规律。而现在一些自称学过马列主义的人实际上连教条也不学,只读语录,大搞'实用主义',把马克思主义庸俗化和简单化。……当前评论《水浒》的文章,没有一篇在这个关键问题上讲清楚问题,甚至根本回避这个关键问题,这是科学研究中极不正常的现象。把政治同学术、文艺完全混淆起来,造成这种极不正常的现象就不足怪了。"[2]罗荣渠在此再一次提出了农民运动的局限性,指出这种局限性是由封建时代的生产方式和农民所处的阶级地位所决定的,无限拔高农民运动的历史作用是把马克思主义庸俗化和简单化。

在另一封信中,罗荣渠教授对中国历史上的农民革命进行了进一步的分析,提出了农民革命的两重性的论点。即从农民反抗压迫、揭竿起义,有

---

[1] 《奉命修改〈社会发展史〉》(致罗荣泉,1975年7月27日),第560页。
[2] 《谈关于宋江的史料和农民起义的局限性》(致罗荣泉,1975年10月8日),第573—574页。

其革命性的一面,但农民不能认清封建制度的本质,不可能找到解放自己的路,这是其局限性的一面。罗荣渠认为只有同时看到这两个方面,才是真正的唯物史观,才是真正的马克思主义。他写道:"马克思主义者肯定历史上农民起义的进步性和革命性,一方面是恢复历史的本来面目,一方面是宣扬造反有理。但是,马克思主义者是站在无产阶级的立场来宣扬农民起义的,而不是把自己降低到农民阶级的水平去宣扬农民起义。因此,对于农民起义当然应持两点论。我的看法是:农民被剥削压迫,忍无可忍,铤而走险,揭竿而起,敢于革命,这就是农民的革命性的一面;而农民不可能认清封建制度的本质,也不可能找到自己解放的道路,这就是农民的历史局限性的一面。所谓两分法,应该这样地分,而不是分为既反皇帝又不反皇帝。中国是世界历史上农民起义最多、斗争传统最突出的国家。中国史上的汉、唐、明、清四大帝国都是在农民大起义的基础上建立的,但丝毫没有越出封建制度一步。清代的太平天国起义,是在西方基督教的意识形态影响下搞起来的,也仍然没有越出其历史局限性。这就是农民局限性的历史悲剧。马克思主义者研究历史,必须在充分肯定农民的革命性的同时,指出其历史的局限性和反动性,才是真正的无产阶级革命家的立场,否则就倒退到农民革命家的立场上去了。……马克思主义者只应当有条件地宣扬农民起义的革命性,任何夸大(更不用说故意骗人的了),都背离了马克思主义的立场、观点。这是一个原则性的问题。对法家的评论也是一样,你是站在马克思主义的立场上评论法家和肯定法家呢?还是把法家拔高到无产阶级的水平上来呢?如果说历史为现实政治服务就可以离开历史唯物主义的基本立场和观点,那么到底历史唯物主义还要不要?马克思主义还行时不行时?到底是搞历史唯物主义还是搞历史唯心主义?"[①]罗荣渠教授在此从对农民起义的评价问题触及历史学要不要坚持唯物史观,我们到底是要搞历史唯物主义还是历史唯心主义的问题,真是震聋发聩。罗荣渠教授的这种观点在当时显然

---

① 《再谈怎样看待历史上的农民起义以及个人科研的想法》(致罗荣泉,1975年11月9日),第577—578页。

是不能公开发表的,而只能在信中私论。

　　罗荣渠教授从对农民革命评价上的种种歪曲马克思主义唯物史观的盛行中看到了我国历史研究特别是中国史研究上所存在的严重弊端,那就是不认真阅读经典作家的著作,用庸俗化和简单化的假马克思主义肆意扭曲历史。有鉴于此,罗荣渠教授决定在自己所剩已不多的日子里,认真地探讨一下历史唯物主义的基本理论。他在信中说道:"只要能争取 8 年到 10 年的比较安定的条件,到 60 岁退休后能争取五六年的比较健康的条件——如果上帝不突然召唤的话,在这两个条件大致具备的情况下,我想在历史唯物主义的基本理论方面进行一些新的探索,或者转到中国史方面,为祖国历史进行一些新的探索。在这里,决没有什么平坦的道路可走,而是百丈悬崖,风险很大。不研究世界历史,不用西方的科学方法整理中国历史,我认为是打不开中国历史的局面的。近代有成就的学者,如梁启超、王国维、陈寅恪、鲁迅、郭沫若等,之所以有所突破,我认为原因均在于此。现在国外对中国史的研究很可能已超过我们很多,我们只是自己封锁自己,来一个'不承认主义',也就心安理得罢了!"[1]罗荣渠教授认识到探讨历史唯物主义的基本理论是一个长期的任务,不是短时间内可以完成的。"探索历史唯物主义的基本问题,不是近期的计划,而是整个研究工作全过程中的最后归宿,现在只是有意识地注意这个问题,最后成果将是毕生学习历史的总结,即使将来有时间能写出来,在生前也不准备发表,也不可能有发表的条件。不过,目标明确,方向明确,读书就较能有的放矢,生活也有较大的奔头,如此而已。我并不打算研究中国史,而只是注意中国史的研究,以便从世界历史的全局来观察历史唯物主义的问题。这个任务不是我辈所能完成和担负得了的。不过每一代人都总要进行新的探索,科学才能有新的进步。"[2]

　　1976 年 9 月,毛泽东主席逝世。罗荣渠对毛泽东发动的"文化大革命"这样评论道:"主席关于文化大革命的宏伟实验,是成功,是失败,现在还不

---

[1] 《用西方的科学方法整理中国史》(致罗荣泉,1975 年 10 月 8 日),第 575 页。

[2] 《再谈怎样看待历史上的农民起义以及个人科研的想法》(致罗荣泉,1975 年 11 月 9 日),第 580 页。

能定论,估计在 20 年内可见分晓。我们或许都可能活到这一天。"1976 年同时也是罗荣渠教授调回北大 20 周年。他对在北大的 20 年作了这样的总结:"我自到北大以来,近 20 年。头 10 年中,主要是应付教学,讲的科目不固定,总是被动地应急。唯一的好处就是涉及的面较广阔,视野比较开阔。后 10 年就是"文化大革命"的 10 年,正是年富力强之时,基本上是虚度过去,其中搞了一年多党史,近年认真读了一点马列著作,是唯一的收获。今后 10 年如不抓紧,转瞬即该进棺材了,自己又不甘心。这 10 年书虽然念得不多,但阅历不少,也有胜读 10 年书的地方。从这个意义上来看,又不完全虚度。感谢前年对我的批判,倒是使我猛吃一惊,冷静下来认真思索了一些问题,重新考虑自己的道路。结论是——走自己的路。"①罗荣渠教授在北大的最初 20 年,作为一名"老运动员"受尽磨难,但在逆境中仍自强不息,博览群书,在教学与研究中涉猎到党史、世界史、拉丁美洲史、社会发展史、中国史等众多领域。这些综合知识的积累为他以后从事本身属于综合研究的现代化研究打下了扎实的基础。特别是从对农民革命的评价入手,触及马克思主义唯物史观的基本理论问题,在认真阅读经典作家原著的基础上进行了独立思考,得出了科学的结论。这些工作都是日后开拓马克思主义现代化研究所必不可少的基础性工作。自 50 年代到"十年文革"时期,罗荣渠教授走完了通向马克思主义现代化研究的第二步。

三、自粉碎"四人帮"到 1980 年赴美进修出国前,对历史唯物主义关于历史动力问题进行了新探索,为开创马克思主义现代化研究进行了前期准备

从粉碎"四人帮"到 1980 年赴美国进修这四年,是罗荣渠教授走向现代化研究的关键之年。在这四年中,罗荣渠教授紧紧围绕着历史前进动力问题,对马克思主义唯物史观的基本理论进行了重大的探索,取得了突出的成就。在唯物

---

① 《毛泽东主席逝世后的感想》(致罗荣泉,1976 年 9 月 24 日),第 590、591 页。

史观关于历史发展动力理论上的突破,是罗荣渠教授对我国马克思主义唯物史观研究的重要贡献,同时也为不久就要展开的马克思主义现代化研究准备好了前期条件。罗荣渠教授的马克思主义现代化研究就要破茧而出了。

自粉碎"四人帮"到党的十一届三中全会召开之前,虽然我国的政治状况并没有立刻改善,但罗荣渠教授的政治处境还是有了极大的改善。罗荣渠教授决心着手做一些重大课题的研究。1977年,也就是他50周岁的这一年,他在给其弟的一封信中表示要"抓紧最近十年干一点工作",并对今后十年的工作作了初步的计划,基本设想是打算做一些重大课题的综合研究,把理论、历史和现状三者结合起来进行研究。罗荣渠教授还设想通过这十年的研究之后,再来探讨中国历史发展与西方历史发展的运动规律的共同性和特殊性。他说:"拉丁美洲史虽是我的专业所长,但我不拟全力搞下去,因为它的范围较狭,主要是古代部分(殖民地时期)和近代独立战争时期比较有意思,以后的时期很难搞,没有多大发展的前途;作为中国人要想深入下去,困难很大。这方面主要是干一些在中国打基础的介绍性的工作。今后的主要精力打算放在一些重大课题的综合研究上面,如:殖民主义的兴衰史、帝国主义史,写出一两部综合性著作,也招点研究生。最后落脚到对当代三大革命(俄国革命、中国革命、古巴革命)的综合研究方面的问题上来。这当然不能招研究生,而且搞这项工作是必须看破红尘的,研究的成果是不必期望发表的。总之,我的研究方面是把理论、历史、现状三者结合起来,通过理论来研究历史,通过现实来检验理论。要立足于总结马克思以后历史科学的新成就的高度来研究历史,而不是从微观世界来研究历史。10年之后,精力已衰,想把研究世界历史的所获转回头来为研究中国历史服务,当然不是要解决什么具体问题,而是要探索中国历史发展与西方历史发展的运动规律的共同性和特殊性,等等"。①

在同封信中,罗荣渠教授还为自己选定了三个以后要着力进行研究的课题,其中有两个课题同以后的现代化研究有着直接的关系。第一个是中

---

① 《谈专与通及批判"四人帮"的历史观》(致罗荣泉,1977年4月16日),第607—608页。

国农民战争问题,具体说就是农民战争是不是推动历史前进的动力问题。他说道:"说什么农民战争推动历史前进,这是很可怀疑的。中国是世界上农民战争最发达的国家,但中国封建社会却是世界历史上最稳固的,社会发展停滞性最突出。农民战争推动农业生产的提高,也似是而非。中国历史上农业技术改进极为缓慢。只有先进的生产力和代表先进生产力的先进阶级才能推动历史前进。奴隶起义和农民起义只能打碎旧政权,而不能打碎旧生产方式。单纯的农民起义把封建社会打碎一千次,也不过是王朝体系的循环,也打不出资本主义来。相反,农民起义愈多,愈使封建国家机器完善化。明代是农民起义立国,而明政权是中国历史上封建国家机器的最高峰。马克思有一个著名论点,谈资产阶级革命只是使资产阶级国家机器愈来愈完善;实际上封建社会的农民起义也相似,只能使封建国家机器愈来愈完善化。"①罗荣渠教授在这里直接提出了只有先进的生产力和代表先进生产力的先进阶级才能推动历史前进,而农民战争只能促成王朝体系的循环,而不能打出资本主义来,比以前的单纯农民起义不能推动历史前进的观点又进了一步,是对真正唯物史观的历史动力论的直接和准确的表述。它说明罗荣渠教授通过阅读马克思恩格斯和列宁的原著,已经准确地把握了真正的唯物史观。罗荣渠教授在稍后的另一封信中直接指出:"我认为,恩格斯晚年所写的《费尔巴哈与德国古典哲学的终结》的第4章,以及给施米特等人的信(见《选集》第4卷),是历史唯物主义理论的最高成就。后人不但没有什么新的发展,实际上很多都忘记了或背弃了这些指示。"②《路德维希·费尔巴哈与德国与德国古典哲学的终结》第4章是讲历史结局的合力论以及经济力量的决定性作用的,恩格斯给施米特的信都是讲经济关系对政治、法律和文化的决定性作用以及经济力量必定要为自己开辟道路的。罗荣渠教授把恩格斯的这些"已经被忘记或背弃了"的理论作为马克思主义唯物史观的最高成就,说明他与当时的政界和学界的主流在对唯物史观的

---

① 《谈专与通及批判"四人帮"的历史观》(致罗荣泉,1977年4月16日),第608—609页。
② 《不可只讲辩证法不讲唯物主义》(致罗荣泉,1977年9月2日),第623—624页。

把握上存在着根本分歧。显然,罗荣渠教授所把握的唯物史观才是真正的唯物史观。这种真正的唯物史观,不是那些将农民战争和阶级斗争视作历史前进动力的假唯物史观,是马克思主义现代化研究的基本前提。

罗荣渠选定的与日后的现代化研究有直接关系的第二个课题是中国封建社会发展的长期性和停滞性问题。他认为解决这个问题,是研究中国历史的一把钥匙。这个问题解决的程度如何,可说是中国历史研究的深度的一个测量器。他说:"这当然不是找出某一个因素可以解决问题的,而是一个'多元联立方程式'。这个方程式的关键,很可能是与中国自给自足的农业生产的特点和中国家族制度的特点密切联系在一起的。农业对世界历史的发展就是一个很重大的课题,中国没有人研究;外国是否有人研究,不甚了解。"①罗荣渠认为中国封建社会的长期性和停滞性问题是研究中国历史的一把钥匙,说明他此时对中国历史发展的规律性问题的思索已经达到了相当高的水平,同时也说明罗荣渠教授已经把握住了中国现代化研究的切入点。因为中国封建社会的长期性和停滞性问题,实际上就是中国为什么长期不能实现由封建社会向资本主义社会的过渡的问题。而从封建社会向资本主义社会的过渡与从传统农业社会向现代工业社会的过渡只隔着一堵墙,在墙上开一扇门,就可以从前者直接通向后者了。

1977年农历八月初三是罗荣渠教授50周岁生日。这一天,罗荣渠教授向他弟弟表达了自己的勃勃雄心:继承马克思恩格斯在历史唯物主义方面所开创的事业。他说道:"今后我所要从事的,不是一般的历史研究工作,即考证某些历史事件和历史过程的真伪,而是要通观世界历史的全局,继承马恩在历史唯物主义方面所开创的事业。……这个工作,不论从我自己的才学识三方面来看,都绝难胜任。但是,我既经看出来他已经成为或正在成为'绝学',就要努力以赴,不计成败,不计得失,去为之开辟道路。我们未必真能为之开辟道路,但每一代人总要有人清醒地估计现实,而为之斗争。一个人的力量是渺小的,但斗争的人多了,失败的次数多了,在这些失败的积

---

① 《谈专与通及批判"四人帮"的历史观》(致罗荣泉,1977年4月16日),第609页。

累中也就慢慢出现了道路。"罗荣渠教授为什么要以这么一个还背着重壳的渺小之躯去承担这么大的重任呢?这是因为他看到历史唯物主义已经被所谓的马克思主义者歪曲得不成样子,作为一个真正的马克思主义者,他不能不为捍卫马克思主义而挺身而出。他说道:"列宁是马克思主义的伟大的继承者和发展者。但他一生主要从事革命活动,没有很多时间从事历史唯物主义的理论工作。在列宁以后,历史唯物主义的研究不过是变成了寻章摘句而已,进一步就开始了变质。如果说今天在我国自然科学的基本理论研究处于停滞状态,那么,今天在世界范围内,在所有无产阶级掌权的国家中,马克思主义这个最基本的革命理论的研究工作表面上虽然在进行,实际上却处在惊人的停滞之中。这是当前关系到世界革命全局的大问题。"他决心以布鲁诺的精神勇敢地面对困难。"历史上任何新的学术开创都是极少数人见到的,都是当时绝大多数人所不能理解的,都是反潮流的,都必须有布鲁诺的精神。"①

从1979年初开始,罗荣渠教授的境况获得了根本扭转。罗荣渠教授意气风发,准备着手研究重大的理论问题。2月,他在给其弟的信中说道,准备花大力气搞一搞农民战争和历史前进动力问题。他写道:"破这个问题要花很大力气,但这个禁区必须打开,否则将禁锢历史科学沿正常轨道前进。现在我决心闯一闯这个禁区。深入加以思考,就发现问题很复杂,就发现对马克思主义的曲解可以说比比皆是。要打破这个禁区,光是引证语录是没有说服力的,必须理论与历史统一,中国史和世界史统一,全面地考察问题,这样才能视界开阔,高屋建瓴。当然,要破禁区就要冒风险。科学上是没有平坦的道路可走的。没有所向披靡、一往无前的精神是不行的。"②又过了约两星期,罗荣渠教授给其弟写信说:"最近我所研究的理论问题,已大体成形。题目暂定为:《历史唯物主义的一个根本问题——论'奴隶创造论'对马

---

① 《谈继承马克思主义历史唯物主义研究方法以及北大的形势》(致罗荣泉,1977年10月1日),第625—627页。

② 《"四人帮"在历史科学方面搞乱的两个主要问题》(致罗荣泉,1979年2月25日),第644—645页。

克思主义关于历史动力学说的歪曲》,中心内容是批判'英雄创造历史,还是奴隶创造历史'作为两种对立的历史观,不是马克思主义的提法。这个提法原意就不科学,主要是批判英雄史观,强调人民群众是真正的英雄,但后来对这个问题的解释已远远超出这个范围,变成奴隶即被压迫阶级是历史发展的唯一动力,定为历史唯物主义的基本原理。这是错误的,是反对右的错误理论而走向'左'的错误理论的一种典型表现,对历史科学研究和现实政治生活都带来极大危害。"他将对这个问题的论证分为六个部分:一、马克思主义阶级斗争历史观的基本特征。二、不能用"奴隶斗争"的概念偷换"阶级斗争"的科学概念。三、在以往的历史时代,历史的进步主要是特权阶级少数人的事。四、在历史上没有奴隶自己解放自己的先例。五、农民战争是推动封建社会发展的决定性力量吗?六、"史学革命"与科学。他估计在这六个部分中,"能引起最大争论的是关于中国农民战争的历史作用的问题。因为这个问题很复杂,史学界意见又很分歧,研究也很不够,所以比较不好写"。他将这一部分的基本论点如下:1)把农民战争同社会生产力的发展直接联系在一起,得出阶级斗争直接推动生产关系的一般规律,从原则上说不是马克思主义的提法(否定经济的客观规律)。2)只有农民战争,如无经济本身的内在要求,不可能巩固农民战争取得的经济成果。3)农民战争大多与外族入侵交织在一起,而在研究其经济后果时,却完全排除了外族入侵战争的作用和影响,是简单化的做法。4)农民战争固然打击封建政权,但对封建国家也有反作用,强化国家机器,使之日臻完备,结果是中国农民战争规模虽然愈来愈大,而历史发展依然特别缓慢。[①]对这篇论文的构想后来被写成论文《浅谈政治权力、经济权力在世界历史进程中的作用》,发表于《武汉大学学报》1980年第1期。后又应《历史研究》编辑部之约,将论文进一步扩展、深化为更大的论文,题目是《略论历史发展的伟大动力与终极原因的内在关系》,发表在《历史研究》1980年第5期。这篇论文是罗荣渠教授长期以来对马克思主义唯物史观中关于历史发展动力问题的思考和研究的

[①]《研究历史动力问题的初步设想》(致罗荣泉,1979年3月11日),第645—647页。

一个总结,它对于正本清源,纠正在把握历史唯物主义上的种种错误具有十分重要的意义。

在《略论历史发展的伟大动力与终极原因的内在关系》这篇论文中,罗荣渠教授根据马克思恩格斯的论述,以及理论与历史相统一的原则,阐明了马克思主义唯物史观中生产力与阶级斗争在历史发展过程的作用以及二者之间的相互关系。他指出:"马克思主义认为生产力、经济条件是历史发展的动因,这是说,它们是历史发展的根本条件,是本原,是第一性的东西。所谓经济的决定性作用,就是指此而言,正如存在决定意识一样。这种决定性具体表现在:生产力的发展是阶级产生的物质基础;是决定社会各阶级的状况及社会生产关系的物质基础;是社会从一种经济形态演变为另一种经济形态的物质条件;生产关系要适合生产力的性质状况的规律是历史发展的内在运动规律;等等"。同时,阶级斗争是实现社会变革和经济改造的巨大杠杆,是历史发展的直接动力。"经济力量是历史发展的终极原因,这是历史唯物主义的根本观点,它规定人的能动作用的物质条件和不可超越的客观界限。阶级斗争是历史发展的'伟大动力',这是历史唯物主义的另一基本观点,它强调人对历史的直接创造作用和不同的社会集团在历史舞台上的不同的作用"。但是,阶级斗争的"伟大动力"作用是受生产力条件的制约的。并不是任何阶级斗争都可以发挥"伟大动力"作用。"马克思主义认为,只有导致阶级关系变动、生产关系变革、社会进步的反抗斗争,才具有真正的社会革命意义"。也就是说,只有在新的生产力发展到一定的水平,发展到与旧的生产关系发生冲突的时候,代表着这个新的生产力的阶级所发动的阶级斗争,才能够成为历史发展的"伟大动力"。马克思和恩格斯都把阶级斗争和暴力革命比作是历史发展的"助产婆"。罗荣渠教授指出,这句话给我们以两方面的启示。一方面是:"新社会孕育于旧社会的母体之中,如果在旧社会的母体中根本没有孕育有新社会的婴儿,那么,不管多么高明的助产婆,也不可能催生出一个新社会来。""社会从一种社会经济形态发展到另一种社会经济形态,从一种生产方式过渡到另一种生产方式,都必须有一定的社会经济前提和物质基础。新的社会经济因素是社会物质生产经济规律起作用的产物,不是单纯的暴力的产物。如果在旧社会的母体中没有代表先进生产方式的新的社会经济因素出现并趋于成熟,单纯的革命暴力只能引起改朝换代,而不能造成真正的社会革命。"另一方面是:"新社会尽管孕育在旧社会之中,但它却难以自发地诞生,而需要有暴力这个助产婆来帮助催生,以缩短新社会诞生的时间。新阶级一旦通过革命掌握了政权,可以利用上层建筑反过来对生产力和经济基础以巨大推动。"[1]

关于中国历史上的农民起义,罗荣渠教授说道:"中国封建时代农民战争的特别频繁,反映了中国封建地主阶级和封建国家对农民的经济剥削和政治压迫特别严重。由于当时没有别的反抗斗争形式可以利用,中国农民经常采用武装斗争的形式。这种斗争发展到巨大规模,必然在不同程度上打击当时的地主封建统治。中国农民在政治斗争中所起的作用一般地比欧洲国家农民所起的作用大得多,这也是事实。""根据中国的历史特点来看,可以说中国的农民战争的历史作用比西方国家的农民战争的历史作用大,是推动中国封建社会前进的动力之一,在有些时候甚至起主要作用。但是,如果把这一特点无限夸大,说中国封建社会的发展自始至终都是靠农民战争推动的,那么,这就是说,在中国封建时代,政治暴力始终是经济发展的原动力,始终单向地作用于经济运动,这样,历史唯物主义的基本规律在中国封建社会岂不是完全颠倒过来了么?这不但根本不符合实际,同时也根本无法解释在这样强大而频繁的农民战争推动下中国封建社会的长期性和停滞性的问题。"[2]

罗荣渠教授指出,以往的历史研究都是研究政治史,或者再加上思想史,而马克思主义唯物史观第一次将人类历史的中心和历史研究的重心转到了经济上来了。他说道:"在过去的时代,人们研究历史,基本上是研究政治史,或者再加上思想史等等。马克思主义第一次揭示了人类历史活动的物质动因,指出社会的意识形态的存在和发展,各种重大政治事件的发展,

---

[1] 罗荣渠:"略论历史发展的伟大动力与终极原因的内在关系",原载《历史研究》1980 年第 5 期,收入罗荣渠:《现代化新论续篇》,北京大学出版社 1997 年版,第 210—211、212、213—214 页。
[2] 罗荣渠:《现代化新论续篇》,第 223、225 页。

归根结底都应该从社会经济生活条件中找到解释。即使像国家政权这样独立发挥作用的力量,其阶级统治和法权关系都不能脱离经济基础,马克思主义的新历史观结束了历史研究史的唯心主义方法,第一次以自然史的精确性去考察社会生产力发展,揭示了生产力和生产关系的一般规律。这种新的历史观总是将人类历史发展进程中的经济因素和政治因素加以统一考察。"罗荣渠教授提出,在今天,必须"完整地准确地理解马克思主义的科学思想体系,坚持历史唯物主义的立场、观点和方法,大力加强对历史过程中的经济因素的研究,特别是加强阶级斗争与经济发展的关系的研究"。"这样做,当然不是说应该削弱关于阶级斗争的研究,而是说不能片面地孤立地研究阶级斗争,应该把阶级斗争作为一种经济力、作为生产关系内在矛盾的社会体现来加以考察,并且要追溯动力背后的动因,透过阶级斗争的脉络去把握历史发展的经济脊梁骨。"[①]这种以经济研究为基础,把历史过程中的经济因素和政治因素结合起来,揭示历史发展的经济脊梁骨的研究方法,正是现代化研究。罗荣渠教授通过对历史唯物主义的重大理论问题的探索,已经走到了马克思主义现代化研究的门口,剩下的就是找到一个机会,打开这扇门,进入马克思主义现代化研究这个新的殿堂。

四、自赴美进修归国后,解放思想、上下求索,终于开拓出马克思主义现代化研究的新领域

这个机会很快就来了。1980年11月,罗荣渠教授获得了赴美进修的机会。罗荣渠教授此次赴美进修,目的原本并不是为研修现代化研究。按照罗荣渠教授最初的计划,是要在美国考察一下近代资本主义在人类历史发展进程中的作用。他在从美国写给其妻的信中写道:"我在这里,公开的研究课题是19世纪末20世纪初美国门户开放政策的形成与演变,但实际上我的第二本账是要对美国资本主义的发展进行宏观的考察,看看近代资

[①] 罗荣渠:《现代化新论续篇》,第214—215页。

本主义在人类历史发展进程中到底起了什么作用,怎样给予正确估价。"他解释这个选题的意义说:"我认为这是今天学习西方要在思想上解决的大问题。如对资本主义不能正确认识,只派些留学生去学科技,结果不过是一个新的洋务运动而已。因此,钻图书馆、查资料、写文章都不是主要问题,主要问题是要设法多了解美国、认识美国"。① 直到半年以后,罗荣渠教授才接触到现代化研究。他在信中写道:"我现在正在读一些有关现代化问题的书,很有兴趣。目前在国外这已成为一门新的学问。这门学问的特点是对世界历史进行综合比较研究,与我的兴趣最为切合。我想在中国应加以介绍和推广。"②一接触到现代化研究之后,罗荣渠教授立刻发现现代化研究与他长期以来的研究目的和研究方法具有相同之处,于是决定开辟这方面的新路。他写道:"出国以后,站在彼岸远距离地看看中国,再听听别人的评论,用别人的尺度也看看自己,实在是大有裨益的。最近国外有人专门以新出现的现代化理论,对世界近代以来的历史进行比较研究。这种新的研究方法,综合了社会科学各部门的知识领域,称之为 interdisciplinary approach(跨学科探讨)或 Multidisciplinary approach(多学科探讨),正是我所欣赏的宏观世界历史研究方法。普林斯顿大学有一位教授是这方面的专家,送了我两本他的著作,一本是概论性的书,一本是日本、俄国两国现代化的研究,颇有启示。回国之后,准备开辟这方面的新路。"③1981 年 10 月 7 日,罗荣渠教授应邀在普雷斯顿大学东亚研究中心作题为《中国现代化的历史回顾》演讲。这是罗荣渠教授第一次作现代化方面的演讲。"Black 教授(现代化研究专家)会前说有事,将中途退场,但后来他不但听完了我的讲演,还托刘子健先生要一份讲稿,我慨然允诺。Black 等人正在写一本有关中国现代化的书,准备在 1982 年或 1983 年到中国去讨论此书。"④

---

① 《谈来美研究的实际目的》(致周颖如,1980 年 11 月 14 日),第 662 页。
② 《谈对现代化研究发生兴趣》(致周颖如,1981 年 6 月 29 日),第 667 页。
③ 《在美国进修的体会》(致罗荣泉,1981 年 7 月 29 日),第 668—669 页。
④ 《作〈中国现代化的历史回顾〉的报告及参加纽约辛亥革命座谈会》(致周颖如,1981 年 10 月 28 日),第 672 页。

罗荣渠教授回国后,就逐步开始准备开辟现代化研究这个专题。1985年初,罗荣渠教授接受委托为教委撰写了《世界史高校七五科研规划咨询报告》。报告提出要加强世界史的横向发展研究与宏观研究,对于有重大现实意义的历史课题进行创造性的新探索。报告中说道:"关于现代化问题的理论和历史的研究就是一个重要的课题,这个课题在我国还是史学研究的空白,但对当前我国现代化建设具有直接现实意义,对过去的历史研究也能起推动作用,亟应组织力量进行探讨。"[①]1986年6月,罗荣渠教授在《历史研究》第3期上发表论文《现代化理论与历史研究》,阐述了现代化概念的基本含义及其对历史学研究的意义。论文指出,对现代化过程的历史学研究是一种纵向研究方法,而对现代化过程的社会学研究基本上是一种横向研究方法。广义而言,现代化是指人类社会从工业革命以来所经历的一场急剧变革,这一变革是以工业化为推动力,导致传统的农业社会向现代工业社会的全球性大转变过程。"现代化"作为一个新的历史范畴和社会学范畴,就是为了用来概括比"工业革命"、"工业化"、"经济发展"这些概念更为广泛持久的一个长过程而提出来的。西方学者承认他们关于工业革命与现代化的概念中的一些基本思想借自马克思的思想,但剔除了它的政治革命内涵。但这绝不能成为马克思主义者忽视这个研究课题的任何理由。正相反,研究这个课题,用现代化这个概念来解释人类发展,正是马克思主义学术界的一个重要任务。这篇论文可以说是罗荣渠教授开辟现代化研究这个新领域的起点。1987年初,罗荣渠教授在北大成立世界现代化进程研究中心并承担国家"七五"社科基金重点项目"世界各国现代化比较研究"。他在给其弟的信中说道:"我的科研项目'世界各国现代化比较研究'已列入'七五'规划国家项目,估计可以争取几万元研究费。今后准备重点转向这个有巨大潜力的研究课题,只是组织班子并不容易,中年以上大多保守因循或有自己的小算盘,只能在青年人中物色人选。但这样一来要花不少时间在组织工作

[①] 罗荣泉:"求索斋实录",林被甸、周颖如编:《求索者足迹——罗荣渠的学术人生》,第478—479页。

上,成果如何,尚难预计。"①从此以后,现代化研究成了罗荣渠教授科研和教学的主要内容。

　　罗荣渠教授在回顾自己选择转入现代化研究时这样说道:"从美国归来后,我本来是准备从中国人的视角写一部新的美国史:《美国的历史与文明》,做一个美国史专家的。但中国社会主义现代化的大潮使我改变了主意。在美国期间,我读到布莱克教授的《现代化的动力》一书,后来又在普林斯顿大学与他本人和研究中国现代化的课题组成员见了面,这给我以新的启示。我年轻时即有志于中国文化出路的探索。中国搞了一百多年的现代化运动却没有自己的现代化理论,备尝'摸着石头过河'的艰辛。我认为从世界各国现代化进程的比较研究着手去探索中国的现代化历程,是当前中国史学界面临的一个具有重大现实意义的研究课题。历史学必须与时代同呼吸共命运。于是我毅然中断了美国史的写作,开始踏入了现代化研究这个新园地。1986年我申报的选题列入了'七五'国家社科基金的重点项目。"他说道:"长期以来,现代化一直被视为'资产阶级理论'。我以近花甲之年去搞这个新课题,是要冒一些风险的。我坚信要研究新理论,首先必须自己的思想跟上时代,努力更新自己的知识结构,并且要站在'巨人的肩膀上'去进行思考。我把自己的书房题名为'上下求索书屋',取'路漫漫其修远兮,吾将上下而求索'之意,活到老,学到老。这些年,我带着新课题重新学习了马克思主义理论,学习社会科学新课程,可说是重新上了一次自修大学。"②

　　罗荣渠教授对自己的现代化研究进行了总结。他说道:"几年来,我从基本理论入手,根据马克思逝世一个世纪以来世界发展进程的丰富经验,按马克思本来的构思,提出了一元多线历史发展观,初步形成了建立马克思主义现代化理论的中国学派的基本架构;运用新的发展观,探索了两个世纪以来现代化的全球发展趋势;特别是把中国现代化的进程放在世界大变革的

---

　　① 《谈1987年初学生闹事及现代化研究项目即将上马》(致罗荣泉,1987年1月22日),第700页。

　　② 《罗荣渠自述》,载《北大岁月》,第3—4页。

背景中进行了新的研究,对旧的理论、方法与结论都有所突破。对我自己来说,也完全突破年轻时代为中国文化寻找出路幼稚想法,认识到现代生产力的大发展才是现代中国发展的根本性问题。"①

罗荣渠教授在马克思主义现代化研究领域所取得的成就是巨大的,总的来说可以概括为以下三个方面,即一、以历史唯物主义为指导,提出了以生产力作为社会发展中轴的一元多线历史发展观;二、从宏观史学角度,探讨了现代化世界进程的总趋势,对两个多世纪来现代世界的历史巨变做出了新概括;三、在世界大变革的总进程中考察了近代中国的巨变和艰难的现代化历程,对一百多年来中国近现代史进行了新阐述。②

罗荣渠教授是我国马克思主义理论大家和马克思主义史学大家,我国马克思主义现代化研究的开拓者和奠基人。罗荣渠教授从一个普通的大学生成长为马克思主义理论大家和马克思主义史学大家并开拓出马克思主义现代化研究这个新领域,经历了一个艰难和曲折的过程。罗荣渠教授为新时期我国马克思主义理论的转型和历史研究的"范式"转换做出了杰出的贡献。《罗荣渠文集》(全四卷)是所有有志于马克思主义现代化研究的青年学者的永远的教科书。

---

① 《北大岁月》,第4页。
② 林被甸:"灿烂的学术人生",林被甸、周颖如编:《求索者足迹——罗荣渠的学术人生》,第172—178页。

中东现代化研究的新视界
——评《中东国家的现代化历程》

The New View of the Studies on the Modernization of the Middle East: A Review on *The Process of the Middle Eastern Countries*

周 术 情（南开大学历史学院）

　　现代化研究萌生于西方，是当前学术研究的前沿领域和热点所在。20世纪中叶，西方学者就现代化进程的若干层面展开广泛研究，取得了一系列优秀的理论成果，这些成果后来习惯上以"经典现代化理论"指称。经典现代化理论用西方的经验与模式来阐释战后非殖民化运动中亚非拉地区不发达国家的发展道路。继经典现代化理论之后，第三世界和西方国家的许多学者着力阐述现代化研究的所谓依附论，探讨西方国家的发达与东方国家的落后之间存在的内在逻辑联系。沃勒斯坦在经典现代化理论和依附论的基础上提出了现代化研究的所谓世界体系论，将当今世界的国家分为世界体系的中心层次和边缘层次，强调现代化进程中国际联系和国际分工的重要性。然而西方学者往往囿于立场，依据西方国家的价值观和现代化标准审视和评判整个世界范围内的现代化进程，进而将西化视为所谓不发达国家现代化历史发展的基本选择，尽管著述颇丰，却因忽略非西方国家的具体历史背景和特定国情，往往有失偏颇。近年来，国内学者亦逐渐涉足现代化的研究领域。自20世纪80年代初开始，罗荣渠教授结合唯物主义的基本理论和马克思主义经典作家的相关论述以及现代西方学者的理论学说探讨有关现代化的重要理论问题。但是国内学者往往热衷于探讨西方国家、拉丁美洲和东南亚各国的现代化模式。至于中东地区的现代化研究，目前国内学术界鲜有问津者。中东地区素来纷乱,局势动荡。时至今日,中东各种矛盾依然盘根错节,成为世界瞩目的焦点。因之各国学者、政治家试图厘清中东困境的成因。然而基于种种原因,宗教问题、民族问题乃至大国之间的博弈成为中东动荡的最流行却不是最理想的阐释模式。而哈全安先生所撰《中东国家的现代化历程》(以下简称《历程》)在一定程度上弥补了上述缺憾,在诸多方面均有不俗表现。

从中东封建社会的历史传统入手来探讨中东现代化是《历程》的显著特点。目前,有关中东现代化的许多著述,仅从西方世界对中东地区的冲击开始阐述中东的现代化历程,这是不够的。国家与地区之现状,必有其历史渊源,中东地区亦不例外。《历程》对中东地区的历史传统给予了充分的重视。一方面,它强调伊斯兰文明的历史传统在中东诸国现代化进程中的意义。它由中东地区的封建社会着笔,阐述中东教俗合一的政治传统、国家主义的经济原则,认为中东封建社会形成于中世纪特定的历史环境,古典伊斯兰时代是中东封建社会的重要阶段。个体生产、自然经济、超经济强制和广泛的依附状态以及思想的束缚是封建社会的基本内容,教俗合一的政治传统则是古典伊斯兰时代中东历史的突出现象。对这些历史的追溯和钩沉对理解中东地区与其他国家和地区在现代化方面的共性和特殊之处不无裨益。该书回顾了奥斯曼帝国及萨法维时代的伊朗的历史,分析了这两个在中东地区有着重要影响的国家的政治、宗教、经济与社会状况,为解读中东国家在面对西方的冲击时所做出的反应提供了思路,使我们更容易理解这些反应所具有的浓厚的"中东特征"。从封建时代的历史传统中去探寻现代化相关问题的著述,在中东研究这一领域尚不多见,《历程》开先河之意义,自不待言。

强调现代化进程的内生因素是《历程》的另外一个突出特征。尽管已有学者撰文反思外因—内因分析模式,认为这种模式限制了研究视域[1],但这

---

① 尹保云:"现代化进程的性质及其历史视野",北京大学世界近现代史研究中心编:《世界近现代史研究》第3辑,中国社会科学出版社2006年版,第42—54页。

并不代表内因已不再重要。《历程》不仅述及中东地区的客观物质环境、经济秩序,还在此基础上对中东国家的社会结构、政治生活和宗教思潮等不同层面进行分析,进而揭示中东诸国现代化进程中新旧因素的矛盾运动及其历史走向。该书遵循社会存在决定社会意识、经济基础决定上层建筑的基本原则,但强调社会结构变动在存在与意识、经济基础与上层建筑之间的联结作用,而非纯粹简单的点对点判断。与此同时,《历程》并未否定外部因素在中东现代化进程中的作用。相反它突出殖民主义时代的特定国际背景,认为正是在西方的冲击之下,中东现地区的现代化进程才得以启动。现代化的主体是具有完整主权的现代民族国家,民族主义的广泛实践是实现生产进步、经济发展和财富增长进而使民众获得权利、自由和尊严的前提。而殖民主义在中东地区的蔓延,在打破传统治理模式、催生民族主义的勃兴等方面扮演着十分重要的角色。因而《历程》既摆脱了西方学者的思维陷阱,又突破了某些第三世界国家学者稍显褊狭的学术观点,其价值取向趋于中立,体现了中东现代化历程的理想叙事模式。

《历程》还对中东地区的政治民主化进程予以深切关注,重新诠释了世俗化与民主化进程的关系。众多研究中东现代化问题的著作,对中东主要国家在民主发展方面的问题缺乏必要的重视,即便偶有涉及,失之偏颇者亦不在少数。许多人认为,伊斯兰教在中东穆斯林国家有着悠久的历史和特殊的地位,伊斯兰教象征着愚昧与落后,必将成为民主发展的羁绊。政治民主化作为现代化的重要组成部分是现代社会的典型标志之一,在《历程》中获得了新的维度。该书强调,民主化的历史运动的实质在于民众的广泛政治参与和权力分享范围的扩大。而世俗化的政治内涵在于宗教的非政治化,并非政治现代化的必要组成部分。现代宗教政治在一定的条件下亦可成为否定传统政治模式的重要手段。因而用世俗化程度量度现代化的发展水平,过分强调现代国家的世俗属性显然不甚妥适。宗教信仰根源于特定社会现实,而社会现实绝非止于平静,因此宗教也会随历史沧桑巨变从而不断获得新的时代内涵。《历程》认为,传统宗教往往赋予统治者统治民众的绝对权力,它作为传统政治模式的理论基础和舆论工具而存在。现代化进程中社会秩序和客观物质环境的变动,不可避免地导致意识形态的相应变化,进而形成新旧思想的尖锐对立和激烈冲突。在中东各国,所谓世俗化并未表现为宗教的非政治化,而是表现为宗教的官方化,其目的是强化极权政治、控制社会和排斥民众政治参与。在这种情境之下,国家与民众的矛盾往往表现为官方宗教与民众宗教的对立和冲突。现代伊斯兰主义根源于极权政治条件下民主与专制的激烈抗争,标志着崭新的政治文化借助宗教的神圣外衣在伊斯兰世界浮现。因此现代伊斯兰主义成为挑战官方宗教、否定传统政治模式、重建社会秩序、推动民主化进程和实现民众广泛政治参与的重要形式。那么将现代伊斯兰主义的兴起视为传统的回归抑或现代化的逆向运动即所谓"反现代化",进而将"宗教对抗国家"视为现代化的难题,其乖谬与突兀不言而喻。

《历程》在撰述方式上的安排有助于绅绎出真正能够反映中东现代化进程中有价值的内核。中东地区,国家数量众多且各国情状各异,若要面面俱到予以阐述,其工程浩大难于操作。而且要从这些国家中析出可以反映中东现代化的有价值的内容实非易事。《历程》选择中东地区人口最多且分别代表阿尔泰语系、闪含语系和印欧语系的三个国家即土耳其、埃及和伊朗以及重要的石油王国沙特阿拉伯作为个案,从经济社会和政治宗教的不同层面分析中东现代化进程中的诸多因素,探讨中东现代化进程的基本模式和演进趋势,进而揭示中东地区诸多现象的历史成因。《历程》选取的几个作为主要研究对象的中东国家具有典型意义,它们分别代表了中东现代化进程的不同发展水平。土耳其堪称中东地区最现代化的国家,其经济与社会的发展在中东地区处于领先地位。土耳其具有明显西化倾向的现在在某种意义上是中东其他许多国家的未来。埃及在漫长的历史发展中形成了特有的政治传统,在保持自己的传统文化特色的同时,在一定程度上调和西方现代文明,代表着中东现代化的另一种发展趋势。具有悠久历史的伊朗与其他第三世界国家一样,在经历了早期现代化的阵痛之后,选择了一条不同寻常的教俗合一的发展道路。沙特阿拉伯依靠得天独厚的石油资源,积累了大量的财富,尽管现在与美国保持着特殊的关系,但其民主发展水平几乎是中东地区最低的国家之一。用这几个国家的现代化发展历程来概述中东地区的现代化,既避免了卷帙浩繁的纯粹的国别史撰述,又足以揭示与中东现代化有关的若干问题的实质,实为明智之举。

比较与对比的研究方法的应用提升了《历程》的论证张力。在阐述中东地区教俗合一的政治传统的时候,该书不但引入了中世纪欧洲基督教诸国教俗权力分享格局,还将中华文化圈的封建政治传统纳入比较的范畴。"在中世纪欧洲的基督教诸国,宗教权力与世俗权力长期处于二元状态,教会与国家自成体系。至于华夏文明及其周边区域,世俗权力极度膨胀,皇权至上构成封建社会的政治传统。相比之下,古典伊斯兰世界教俗合一的政治体制自伊斯兰教诞生伊始即已初露端倪"(第1页)。再援一例,《历程》对比了土耳其、伊朗和埃及的土地改革,"土耳其现代化进程之区别于伊朗和埃及的重要特点,是没有经历大规模的土地改革。……埃及和伊朗的大规模土地改革与地权分布的严重不平等状态以及极权政治之间具有内在的逻辑联系。与伊朗、埃及相比,土耳其乡村的贫富分化程度较低,亦未形成高度发达的极权政治,土地改革的相关政策和历史进程独具特色"(第102页)。把关涉中东的若干问题置于宏大的叙事框架之中,可以更清晰地甄别中东现代化进程中的各种因素,廓清当今中东动荡局势的历史缘由。

整体而言,《历程》无论是在观点的突破还是在形式的设置方面均有卓然不凡的表现。在有关中东的著述层出不穷的当今学界,它独树一帜,不落窠臼,是一部探讨中东历史传统、剖析中东现代化的基本模式与演进趋势、揭橥"中东问题"之谜的佳作。

《现代化研究》注释规范

一、中文论著

1. 引用他人著作第一次出现注明著者、冒号、书名、所据版本(出版单位+出版年份)、页码。
   如:罗荣渠:《现代化新论》,北京大学出版社1993年版,第12—13页。
   重复引用时用:×××(作者名):前引书名(或书名简称),第××页。
2. 引用文章依次注明作者、冒号、文章名、所载刊物、出版年份、期数或卷数(报纸注年、月、日)。以书代刊注明出版社、页码。
   如(1)著作(含以书代刊)里的文章:
   牛可:"历史对发展意味着什么?",北京大学世界现代化进程研究中心主编:《现代化研究》第一辑,商务印书馆2002年版,第43页。
   (2)杂志中的文章:
   林毅夫:"农业合作化和效率:理论和中国的经验",《中国社会科学季刊》(香港)1994年夏季卷。
   (3)报纸上的文章:
   刘育宁:"克林顿政府经济政策",《人民日报》1993年3月23日,第6版。
   重复引用时用:×××(作者名):前引文,第××页。若同一作者有两篇以上的文章要引用,重复引用时,注出作者、篇名、页码。
3. 引用中译本书、文章,规则同上。但需注出译者。
   如:塞缪尔·亨廷顿:《变革社会中的政治秩序》,李盛平、杨玉生等译,华夏出版社1988年版,第3页。

二、外文论著

1. 外文书第一次出现依次注明著者、著作名(斜体)、出版地、出版社、出版年份、页码。

如：Robert Gilpin, *Economy of International Relations*, Princeton: Princeton University Press, 1986, p. 5.

重复引用时用：×××(作者名),*op. cit.*,(斜体)p. X.

如：Robert Gilpin, *op. cit.*, p. 6.

若同一作者有两本以上的书要引用，重复引用时，注出作者、书名、页码。

如：Robert Gilpin, *Economy of International Relations*, p. 5.

2. 文章注明著者、文章名(前后加引号)、所载刊物(斜体)、期数或卷数、日期、页码。

如：M. E. Yapp, "Contemporary Islamic Revivalism", *Asian Affairs*, Vol. XI, Part II, June 1980, p. 178.

重复引用时用：×××(作者名),*op. cit.*,(斜体)p. X. 若同一作者有两篇以上的文章要引用，重复引用时，注出作者、篇名的头两三个字后加破折号(前后用引号)、*op. cit.*, p. X.

如：M. E. Yapp, "Contemporary Islamic—", *op. cit.*, p. 179.

图书在版编目(CIP)数据

现代化研究.第四辑/南开大学世界现代化进程研究哲学社会科学创新基地主编.—北京:商务印书馆,2009
ISBN 978-7-100-05901-5

Ⅰ.现… Ⅱ.南… Ⅲ.现代化—研究—世界—文集 Ⅳ.K14-53

中国版本图书馆 CIP 数据核字(2008)第 098906 号

所有权利保留。
未经许可,不得以任何方式使用。

XIÀNDÀIHUÀ YÁNJIŪ
现 代 化 研 究
第 四 辑
南开大学世界现代化进程研究哲学社会科学创新基地　主编

商 务 印 书 馆 出 版
(北京王府井大街36号 邮政编码100710)
商 务 印 书 馆 发 行
北京市白帆印务有限公司印刷
ISBN 978-7-100-05901-5

2009年6月第1版　　开本 787×960　1/16
2009年6月北京第1次印刷　印张 33¾
定价:55.00元